POSSESSIONS

Louisa Elliott, Belfond, 1989.
Les Portes de l'aube, Belfond, 1992.

ANN VICTORIA ROBERTS

POSSESSIONS

*Traduit de l'anglais
par Catherine Orsot*

belfond
12, avenue d'Italie
75013 Paris

Titre original :
DAGGER LANE
publié par Chatto & Windus, Londres

Si vous souhaitez recevoir notre catalogue
et être tenu au courant de nos publications,
envoyez vos nom et adresse, en citant ce livre,
aux Éditions Belfond,
12, avenue d'Italie, 75013 Paris.
Et, pour le Canada, à
Édipresse Inc., 945, avenue Beaumont
Montréal, Québec H3N 1W3.

ISBN 2.7144.3353.7

Pour P.R.N.
sans qui...

REMERCIEMENTS
ET NOTE DE l'AUTEUR

   Toute ma reconnaissance à Alison Samuel pour son amitié,
ses conseils et sa patience inépuisable.
   Les personnages et les événements décrits dans ce livre, ainsi
que les villages de Denton-on-the-Forest, Brickhill, Sheriff
Whenby et Ghylldale sont tous fictifs. Dagger Lane appartient
également à mon imagination, bien que l'on trouve à quelques
kilomètres au nord de York nombre de chemins qui lui ressemblent...

                                              A.V.R.
                                              York, 1994

Deux maux monstrueux, confondus ou séparés,
Me possédaient, et répugnaient à me quitter;
Absence, Absence, ton cri me transperçait le cœur,
Et, dans les bois, l'hiver soufflait avec fureur...

John Crowe RANSOM (1888-1974)
Hiver inscrit dans la mémoire

1

Une petite pluie fine déposait un voile de gouttelettes sur le pare-brise. Maudissant les essuie-glaces, le mauvais temps et les phares, Natasha, arc-boutée sur le volant, plissait les yeux pour essayer de distinguer quelque chose. En codes, elle avait l'impression de rouler dans un tunnel. Quant aux phares, ils n'éclairaient que des nappes de brume scintillantes.

Comme elle regrettait de ne pas avoir insisté pour prendre sa petite Peugeot ! Les lumières de sa voiture ne marchaient pas mieux, mais au moins elle l'avait bien en main, alors que la vieille Rover de Nick, avec ses huit cylindres, semblait n'en faire qu'à sa tête. Natasha freina, puis rétrograda pour prendre un virage serré, en songeant qu'elle se serait bien passée d'effectuer une vingtaine de kilomètres sur des petites routes de campagne sinueuses.

Par chance, en milieu de semaine, à une heure du matin, les départementales étaient tranquilles. Nick aussi. Exubérant au moment de quitter la fête, il s'était tu après qu'ils eurent traversé la banlieue d'York, et il paraissait dormir, à présent. Glissant un rapide coup d'œil sur le côté, Natasha le trouva très pâle. Pourvu qu'il ne vomisse pas, se dit-elle. Elle reporta son attention sur la route avec une crispation involontaire des mains et des mâchoires qui lui fit négocier trop vite un autre tournant dangereux. La secousse déplaça le corps avachi de Nick.

11

— Holà, doucement ! grommela-t-il en se redressant.

— Je vais doucement ! riposta-t-elle. C'est ta fichue voiture.

Malheureuse, furieuse, Natasha serra les dents et se força à se concentrer sur la route. Le plus important, pensa-t-elle, est d'arriver à bon port. Après, tu pourras décharger ce que tu as sur le cœur.

Natasha reconnut avec soulagement le bosquet d'arbres qui cachait l'embranchement vers Denton-on-the-Forest. Quelques villages des environs aux noms tout aussi évocateurs que celui-ci et des bois par-ci par-là étaient tout ce qui restait de la forêt médiévale, dans ce coin. A la hauteur du poteau indicateur, la jeune femme ralentit, mit le clignotant, et laissa la voiture descendre au point mort la route en pente douce qui conduisait au village. Il n'y avait aucune lumière, pas même au *Half Moon*, pourtant renommé pour sa clientèle de couche-tard. Par cette nuit inhospitalière, les habitués avaient, de toute évidence, déjà regagné leur lit.

Au bas de la pelouse communale, Natasha rétrograda en seconde, débraya doucement et tourna dans Dagger Lane. Sur la gauche, les phares balayèrent une bordure de troènes bien taillés et un pan de mur en brique qui délimitait les jardins des deux dernières maisons du village. Il restait une soixantaine de mètres à parcourir, entre des haies embroussaillées, pour atteindre Holly Tree Cottage.

Refrénant son désir d'arriver au plus vite, Natasha roula tout doucement sur la petite route cahoteuse afin de ménager la suspension de la voiture.

Soudain, dans la lumière des feux, elle aperçut une forme noire.

— Oh non ! s'écria-t-elle en écrasant la pédale de freins.

— Qu'y a-t-il ?

— Ce doit être un chien. Oh, mon Dieu ! J'ai écrasé un chien.

Agrippée au volant, Natasha baissa la tête, prête à éclater en sanglots.

Nick étouffa un juron, ouvrit brusquement la portière et, non sans peine, extirpa ses longs membres de la voiture. Quelques instants plus tard, après avoir fait le tour de la Rover et regardé dessous, il se rassit à sa place.

— Quel chien ? demanda-t-il. Je n'ai rien vu.

— Là...

Elle indiqua le halo des phares qui trouait l'obscurité.

— ... juste devant moi !

— Un chien de quelle race ?

— Mais quelle importance ?

Elle s'efforça néanmoins de décrire la forme noire qui s'était subitement évanouie.

— C'était un grand chien noir. Très maigre. On aurait dit un labrador, à moitié mort de faim. Tu dormais, tu n'as pas pu le voir.

Il haussa les épaules.

— En tout cas, il n'y a rien. Et je n'ai pas vu de marque sur la carrosserie. J'y rejetterai un coup d'œil demain matin.

Natasha le fusilla du regard et sortit à son tour dans la boue, sous la pluie. Nick avait raison : la route était déserte et, par une nuit aussi noire, on ne pouvait poursuivre les recherches plus loin. Aucun gémissement ne venait de sous la haie, aucun œil pathétique n'implorait son aide. Tremblante d'émotion et de froid, elle se rassit au volant et saisit la clef de contact.

— Je suis certaine d'avoir heurté quelque chose. J'ai nettement senti une secousse.

— Tu as calé, voilà tout, dit Nick. Tiens, regarde, tu es encore en prise.

Ce fut la goutte d'eau qui fit déborder le vase.

— Inutile de prendre ce ton condescendant, rétorqua-t-elle. Tu devrais plutôt me remercier de t'avoir ramené à la maison. Si j'avais eu un grain de bon sens, je t'aurais laissé et je serais rentrée depuis longtemps !

Nick ne répondit pas. Il se renfonça sur le siège en fermant les yeux.

Natasha passa en première et démarra. Les roues patinèrent dans la boue. Quelques instants plus tard, elle s'arrêtait dans la cour. Nick descendit de voiture avec les clefs de la maison ; ensuite la jeune femme gara la Rover gris métallisé dans la grange, à côté de sa voiture rouge. Une odeur d'ammoniaque flottait dans l'air froid et humide. Elle ferma la voiture à clef en jetant un coup d'œil autour d'elle, renifla, grimaça, et pesta intérieurement contre le vieux matou qui s'était installé là avec son petit harem. Laissant les portes de la grange ouvertes, Natasha serra son manteau autour d'elle et se dirigea vers la maison.

Nick était dans la cuisine, accroupi devant les portes ouvertes d'un fourneau en fonte qui alimentait le chauffage central.

— Le feu est presque éteint. Je crois que je ferais mieux de le ranimer...

Natasha passa sans daigner lui répondre et monta au premier pour se changer. Comme elle suspendait son manteau sur un cintre pour le faire sécher, elle aperçut son image dans le miroir en pied et laissa échapper une exclamation de dégoût. Sans les oreilles et le masque, son déguisement de chat était ridicule, et la longue queue en velours qui pendait entre ses jambes avait quelque chose d'obscène. Elle retira son justaucorps et enfila une robe de chambre confortable. Une fois démaquillée, elle se sentit encore mieux.

Courts cheveux noirs, teint pâle, yeux noirs : la glace de la salle de bains lui renvoyait son image. Elle avait les traits tirés, mais après cette soirée cauchemardesque la vue de son visage fatigué était merveilleusement rassurante. Vers la fin, dans la ronde des masques hideux et haletants, des corps qui se contorsionnaient avec frénésie au rythme d'une musique assourdissante, on se serait cru à une folle nuit de sabbat. A un moment donné, Natasha avait pensé que cela allait mal finir. Une rixe avait d'ailleurs éclaté. Mais, vite réprimée, elle avait permis de calmer un peu le jeu.

Natasha réfléchit un moment à la transformation qui s'opérait chez des gens ordinaires lorsqu'ils étaient maquillés, masqués et déguisés. Cela modifiait non seulement leur aspect extérieur, mais aussi leur comportement et leur personnalité, comme si le choix de leur déguisement reflétait un fantasme. Mais bien sûr, à une fête de Halloween, et avec la quantité d'alcool ingurgité, il n'était pas surprenant que les invités aient si facilement abandonné leur retenue habituelle.

Tout avait si bien commencé, pourtant. Natasha avait attendu le grand jour avec impatience. Trouver une idée de déguisement, le confectionner, aider Nick à compléter le sien l'avait beaucoup amusée et ils s'étaient mis en route d'excellente humeur. Dans son costume de chatte en velours noir, avec ses oreilles, ses moustacles et sa longue queue noire, elle se sentait délicieusement espiègle. Quant à Nick, il faisait un comte Dracula pour le moins impressionnant. Ses traits étaient trop irréguliers pour être véritablement beaux, mais il avait la taille, la carrure et l'air ténébreux du personnage ; cette métamorphose les avait bien fait rire.

Natasha aurait été heureuse de rester avec Nick, mais les choses avaient tourné de telle façon qu'ils avaient passé très peu de temps ensemble. A leur arrivée, la soirée était déjà entamée, et Natasha avait été presque aussitôt entraînée sur la piste de danse par un jeune étudiant aux longues jambes mouchetées d'orange et au déguisement duveteux de canari. Sa différence de taille avec Natasha rendait leur association d'un comique irrésistible ; encouragés par la gaieté de la jeune femme, d'autres étudiants l'avaient invitée ensuite, à tour de rôle. De temps à autre, elle entrevoyait Nick. Les filles qui l'accompagnaient changeaient sans cesse, mais elles avaient toutes en commun un teint pâle, des lèvres très rouges et des décolletés plongeants. Lorsqu'il croisait le regard de sa femme, Nick lui adressait un clin d'œil et un petit signe, comme pour lui indiquer qu'il la rejoindrait bientôt, sans avoir l'air autrement pressé de le faire.

Un verre de jus de fruits à la main, Natasha avait cherché autour d'elle des visages familiers et, soudain, elle avait aperçu Nick. Il se tenait dans l'embrasure de la porte et parlait à son ami Giles Crowther. Une fois près d'eux, au moment où Giles se tournait vers elle, elle découvrit avec stupeur qu'il était vêtu d'une soutane noire, et portait un crucifix en ébène et un missel relié cuir. Elle lui avait demandé comment lui était venue l'idée saugrenue de se travestir en prêtre. Ravi de la question et du regard chargé de réprobation qu'elle posait sur lui, Giles avait expliqué qu'il était l'exorciste, le personnage le plus important des fêtes de Halloween.

Éprouvant une répulsion instinctive, Natasha s'était retournée vers son mari pour savoir ce qu'il en pensait ; mais Nick avait déjà beaucoup bu, et il était disposé à tout prendre à la légère. Il lui avait déclaré qu'elle était trop puritaine et qu'elle ferait mieux de se décoincer un peu et de s'amuser — propos qu'il avait émis sur un ton badin, et accompagnés d'une accolade affectueuse et d'un baiser sur la joue. Elle s'était sentie traitée avec condescendance, comme une enfant à une soirée d'adultes.

A ce souvenir, Natasha secoua tristement la tête. Elle n'aurait pas dû abandonner Nick. Si elle était restée avec lui, les choses se seraient peut-être déroulées différemment. Mais, sur le moment, elle s'était vexée et en avait voulu à Giles, d'autant qu'elle avait pour lui beaucoup d'affection. Elle l'avait eu comme professeur dix ans plus tôt, au moment où elle préparait sa maîtrise. Elle lui était reconnaissante du soutien qu'il lui avait apporté et de sa gentillesse. Mais il pouvait être exaspérant. Son cours portait sur les poètes romantiques anglais, et il avait une fâcheuse tendance à imiter leur style de vie. Il était beau, spirituel et frivole, un cocktail dangereux pour les femmes. Cette réputation expliquait d'ailleurs que son déguisement ait provoqué tant de plaisanteries de mauvais goût de la part de ses collègues ; mais si la plupart d'entre eux l'avaient apprécié, Natasha, elle, avait surtout été frappée par le pouvoir similaire qu'exerçaient les prêtres et les professeurs d'université, notamment sur les femmes.

Soulagée de se changer les idées, elle avait bavardé un moment avec Nancy Fish, la femme d'un autre collègue de Nick, puis elle avait été emmenée de force par l'économe, presque méconnaissable en magicien illuminé. Il avait affirmé à Natasha que le noir lui portait chance et l'avait gardée avec lui pendant un temps qu'elle avait trouvé infiniment long. Lorsqu'elle avait revu Nick, il était au bord de la piste de danse, au milieu d'une joyeuse bande, composée pour l'essentiel de femmes.

Natasha surveilla le petit groupe de sorcières et de lutins qui tournaient autour de lui en le fêtant, l'aguichaient et se drapaient successivement dans sa cape de vampire doublée de tissu rouge.

L'une après l'autre, les femmes obtinrent de Nick qu'il les invite à danser. A l'évidence, il s'amusait énormément, mordant en riant les lèvres, les cous, les rondeurs appétissantes et offertes des gorges blanches. Lorsque Natasha réussit enfin à semer son compagnon, Nick se consacrait à une belle créature dont la toilette d'un vert chatoyant ne dissimulait pas grand-chose de ses charmes. Elle le dévorait des yeux, et lui ne touchait et ne voyait qu'elle.

16

Devant leur exhibition, Natasha avait eu honte. Sobre au milieu des rires et des cris de la foule ivre, elle avait senti son cœur se transformer en un bloc de glace. Son déguisement en doux velours noir ne s'harmonisait plus avec son corps transi. Du satin blanc empesé aurait été plus approprié.

Déchirée entre la volonté de savoir à quoi s'occupait son mari et l'angoisse d'assister à sa trahison, elle avait vécu la fin de la soirée comme un cauchemar. Que Nick se conduise ainsi, en sa présence, un an à peine après leur mariage était incroyable.

Elle le perdit de vue. Pendant quelque temps, elle réussit à faire semblant de s'amuser ; mais sa colère prit le dessus. Malade de jalousie, elle se fraya un chemin dans la foule pour le chercher. Il n'était visible nulle part. Dans un état fébrile, elle parvint à atteindre la porte, et elle serait montée au premier, où se trouvait le bureau de Nick, si elle n'était tombée sur Giles.

Au moment où elle passait devant lui, il la saisit par le bras et l'exhorta à revenir dans la salle de danse.

— Je cherche Nick !

— C'est pas par là. Il est au bar…, répondit-il en riant, sans lui lâcher le bras. Allez, viens, ajouta-t-il d'un ton cajoleur, tu n'es quand même pas jalouse de Nick ? Parmi toutes les crapules qui sont ici, c'est de loin le plus fidèle.

— C'est flatteur pour les autres !

Ils retrouvèrent Nick au bar. La fille très maquillée, avec une perruque verte, n'était plus avec lui, mais Natasha eut la conviction que son mari venait juste d'arriver là. Rongée par le doute, elle se demanda ce qu'il avait fait pendant tout le temps où elle avait perdu sa trace. Il avait un air coupable.

Natasha se détourna, écœurée. Elle ne pouvait oublier que, lorsque Nick Rhodes était tombé amoureux de la jeune Natasha Crayke, il était encore marié. Le fait qu'il habite avec sa femme et ses deux jeunes fils n'avait pas paru le gêner beaucoup.

2

Le mal avait quelque chose de fascinant.

Cette pensée lui traversa l'esprit, au sortir du sommeil, dans l'un de ces moments d'extraordinaire lucidité qui permettent d'entrevoir une vérité ou la solution d'un problème et, pour le meilleur ou pour le pire, font prendre à la vie un nouveau tournant.

Nick resta quelques minutes dans son lit, les yeux fermés, à méditer sur cette question, qu'il considérait comme un reliquat d'une réflexion de jeunesse, car depuis plusieurs années la notion du bien et du mal lui paraissait abstraite et dénuée d'intérêt. Mais si le bien était une force (ce dont il était autrefois persuadé), une force contraire et aussi puissante devait exister, qui, de toute éternité, avait exercé sur les hommes une attraction morbide.

Reconnaissant la désagréable logique de ce raisonnement, il ouvrit les yeux dans la grisaille de l'aube. Était-ce contre cela que Haydn Parker avait essayé de le mettre en garde ? « Je n'aime pas les fêtes de Halloween, lui avait-il déclaré quelques jours auparavant avec une sévérité qui ne lui ressemblait pas. Je regrette de ne pas avoir pu empêcher celle-là. A ta place, je n'irais pas. »

Sur le moment, Nick s'était dit que le jeune aumônier jouait simplement au rabat-joie. Il lui avait répondu d'un ton désinvolte que cette fête était l'occasion de s'amuser un peu, qu'elle devait permettre aux nouveaux de briser la glace, et que, comme elle était organisée par le collège, on comptait bien sûr sur sa présence. Parker, lui, n'était évidemment pas obligé d'y assister. En repensant au déguisement d'exorciste choisi par Giles, Nick songea que l'aumônier avait bien fait de ne pas venir. Cela ne l'aurait pas plus amusé que Natasha, quoi qu'ils aient par ailleurs des opinions diamétralement opposées.

La soirée de Halloween était la première du genre au collège depuis de nombreuses années, et elle aurait dû être, ainsi que Nick s'était plu à l'affirmer, un moment de détente et de bonne humeur. La plupart des personnes présentes devaient en conserver le souvenir. Et, selon toutes probabilités, elle resterait dans les annales du collège comme un grand succès ; mais, pour sa part, Nick aurait préféré être frappé d'amnésie. Se doutant qu'il allait devoir essuyer les quolibets de ses collègues et des étudiants, il se demanda s'il n'avait pas intérêt à feindre d'avoir été beaucoup plus saoul qu'il ne l'était en réalité, et de ne se souvenir de rien. Giles, lui, trouverait tout cela très amusant. Cela aurait pu l'être, s'il n'y avait eu Natasha. Les discussions un peu vives entre collègues étaient une chose, les disputes à la maison en étaient une autre. L'échange cinglant de la nuit risquait de laisser des traces.

Déprimé, la bouche empâtée et sèche, Nick bascula ses jambes hors du lit et alla à la fenêtre. Derrière les rideaux, il découvrit un temps maussade, humide et froid. Le premier jour de novembre, pensa-t-il tristement. Il n'y avait pas si longtemps, il attendait l'hiver avec impatience pour pouvoir jouer au rugby, insoucieux du mauvais temps. Mais les féroces matchs de rugby relevaient du passé, désormais. Il aurait quarante ans à son prochain anniversaire et préférait des activités moins dangereuses pour se maintenir en forme : des parties régulières de squash avec Giles, et un petit footing le matin.

Face à la glace, il accusa le coup à la vue des cernes qu'avaient creusés sous ses yeux les excès de la veille, et des deux cicatrices sur son visage qui étaient toujours plus marquées quand il était fatigué. Son genou, qui le gênait de temps à autre, était raide. Il le fléchit doucement en se demandant s'il ne ferait pas mieux de se recoucher une heure.

Il resta debout un moment, tremblant de froid, indécis puis il enfila un survêtement et descendit.

Comme tout ce que renfermait la véranda, ses chaussures de sport étaient humides. Des feuilles mouillées, fraîchement tombées, recouvraient l'allée du jardin et la cour ; et, le long de Dagger Lane, des nuages bas dépliaient des voiles de brume sur la cime des arbres. La chaussée devait être glissante. Nick examina les choix qui s'offraient à lui. Il courait parfois jusqu'au village et en faisait le tour à travers ses rues étroites ; mais, ce matin, il n'avait aucune envie de se retrouver au milieu des pots d'échappement et de voir les mines sombres des conducteurs.

Il opta pour la petite route, et s'élança à une allure soutenue, entre des haies touffues qui auraient eu grand besoin d'être taillées. Des branches d'aubépine, alourdies par des bouquets de baies, couleur de sang séché, sortaient de la brume ; de l'eau gouttait des vieux chênes sur sa tête, et les longues feuilles grises des saules et des frênes formaient un épais tapis glissant. Pendant près de deux kilomètres, la route n'était pas trop mauvaise, mais dans la descente, juste avant le bois, il y avait plus de terre que de pierre et les mauvaises herbes menaçaient de tout envahir. Les fossés, à cet endroit, et même le bois, dont on ne savait plus très bien à qui il appartenait, n'étaient pas mieux lotis. Les deux grands propriétaires terriens, qui exploitaient des centaines d'hectares de part et d'autre du bois, ne voulaient pas s'ennuyer avec ça. Deux ou trois fermiers, qui louaient des champs dans les alentours, se chargeaient de temps à autre d'entretenir le bois et la route.

Dagger Lane était un vestige d'une époque révolue, une partie d'une artère, autrefois très empruntée, qui rattachait plusieurs petites communes entre Helmsley et York. Avec l'apparition des clôtures, au XVIIIᵉ siècle, et l'arrivée des barrières de péage, la vieille route avait été plus ou moins abandonnée ; mais le tronçon qui allait de Denton-on-the-Forest à Brickhill, au sud, avait survécu pour servir à la fois de moyen d'accès aux nouveaux champs et de voie de communication entre les deux villages.

Cependant, depuis que Denton était desservi par une rocade et qu'une autre route reliait plus directement Brickhill à la nationale, aux abords de York, Dagger Lane était peu utilisée. Par la route, il y avait une dizaine de kilomètres entre les deux villages, et les gens préféraient conduire, à présent. Qui avait encore le temps d'effectuer des marches stimulantes à travers la campagne ? Si, en été, on voyait parfois des groupes de randonneurs, en hiver, c'était rare. Et comme les propriétaires de chiens, à Denton, fréquentaient surtout la première partie de la petite route, Nick ne rencontrait presque jamais âme qui vive après le bois, surnommé le bois du Bout du Monde, là où la chaussée redevenait convenablement empierrée.

On sortait de la cuvette et on atteignait la crête par une montée assez raide. Mais, une fois en haut, on pouvait voir la flèche solitaire de l'église de Brickhill, perchée sur son éminence, et, par temps clair, la cathédrale de York se découpant sur l'horizon.

Nick aimait beaucoup cet endroit, à cause de la vue, bien sûr, mais aussi parce que c'était la première petite colline, au nord de la ville. Il n'y avait pas si longtemps, une grande partie de la plaine fertile, en contrebas, était composée de terrains communaux incultes, alors que la hauteur sur laquelle il se trouvait était cultivée depuis le défrichement de la forêt de Galtres, au XIVᵉ siècle. Cette pensée lui plaisait, de même que l'idée de continuité et de survivance. Et savoir que des générations et des générations avaient modelé la terre telle qu'il la voyait maintenant le fascinait. Il aimait aussi beaucoup la petite route, certainement beaucoup plus vieille que son histoire écrite. Elle devait exister bien avant l'arrivée des Romains. A cause de son tracé rectiligne, on disait qu'elle avait été construite par les légions romaines, mais Nick avait une autre théorie. Dagger Lane était, selon lui, une route utilisée par les anciens pour aller des hameaux, situés sur la colline, aux rivières navigables de la plaine.

Le passé très riche de cette région, qui avait éveillé son intérêt à l'époque où il était étudiant, n'avait pas déçu son attente, et était une des raisons qui lui avaient donné envie de s'installer là. Il n'était pas lassé par la vie à York et il avait visité Holly Tree Cottage par simple curiosité, quand la maison avait été mise en vente ; mais l'idée de la rénover l'avait immédiatement enthousiasmé. Holly Tree Cottage était bien sûr un nom trompeur : il s'agissait d'une maison de ferme du

XVIIᵉ siècle — et non d'une chaumière —, saine quoiqu'un peu délabrée. L'ancien propriétaire était un vieux célibataire, le dernier de sa lignée. Il ne semblait pas y avoir eu de changements dans la maison depuis la fin des années 30, et peut-être même depuis le début du siècle.

Le vieux Mr. Whitehead avait vendu ses terres plusieurs années avant son décès ; Nick ne voyait pas ce qu'il avait fait de l'argent ; mais une chose était sûre : il ne l'avait pas dépensé pour son habitation. La restauration d'une maison de ferme datant de l'époque de Jacques Iᵉʳ s'était révélée beaucoup plus coûteuse que Nick ne l'avait escompté, ce qui n'avait pas été sans poser des problèmes toute l'année précédente. De plus, Natasha avait dû supporter le bruit, la poussière et la présence des ouvriers pendant qu'elle travaillait avec acharnement pour achever son roman.

Heureusement, les travaux étaient enfin terminés. Le calme de la campagne et le sentiment d'avoir accompli quelque chose qui en valait la peine compensaient largement les quelques inconvénients que présentait la vie à une certaine distance de York. La proximité de Dagger Lane avait, en outre, incité Nick à refaire du jogging. Même avec la gueule de bois, il ne s'était pas senti en aussi bonne forme depuis longtemps.

Il faisait froid sur le coteau. Ce n'était pas un temps à parcourir les deux autres petits kilomètres qui le séparaient de Brickhill. Après une pause pour reprendre son souffle, Nick fit demi-tour et redescendit dans la cuvette en faisant attention où il posait les pieds. Il allait sortir du tunnel formé par les arbres lorsqu'il entendit un cri sourd. Il tressaillit, s'arrêta brutalement et regarda autour de lui pour chercher d'où venait ce son ; un mouvement, juste à la lisière du bois, puis la vision fugitive d'une musette bleu vif, fixée en bandoulière sur de frêles épaules, lui révélèrent la présence du vieux Toby Bickerstaff.

— 'jour, doc.

— Bonjour, Toby. Vous m'avez fait peur. Je ne m'attendais pas à vous voir de si bonne heure par un temps pareil.

Comme le vieil homme franchissait le fossé pour le rejoindre, Nick indiqua le fusil d'un mouvement du menton.

— Je n'aurais pas pensé non plus que c'était le jour pour attraper quelque chose.

Toby évita son regard et toussa pour se racler la gorge en faisant un bruit qui aurait alarmé un docteur en médecine. Nick, qui avait un doctorat en histoire, se contenta de secouer la tête tandis que le vieil homme cassait son fusil et extirpait d'une poche béante une boîte en fer-blanc cabossée, contenant des cigarettes qu'il roulait lui-même. Il toussa une nouvelle fois et, avant d'en allumer une, cracha dans le fossé.

— J'attrap'rai plus rien maint'nant.

Ils se mirent à avancer sur la route. Nick respirait profondément. L'odeur du tabac lui donna envie d'un café et d'un petit déjeuner. Il avait cessé de fumer deux ans plus tôt, mais la première cigarette de la journée lui manquait encore.

— S'est passé un drôle de truc, c'te nuit, grommela Toby. La nuit tombait tout juste... et ça commençait à bruiner. Jamais rien vu d' pareil..., ajouta-t-il en reniflant.

Il n'aimait pas les longs discours et avait l'habitude déroutante de ne pas terminer ses phrases, comme s'il craignait d'en dire trop. Nick, qui était son plus proche voisin depuis un an, avait appris que le vieil homme fuyait les questions comme la peste et qu'il valait mieux ne pas le presser. Une simple requête, jugée mal à propos, pouvait le rendre mutique plusieurs jours durant. Non qu'ils se vissent beaucoup, mais Nick passait devant la vieille caravane délabrée de Toby en faisant son jogging, et il lui arrivait de croiser le maître des lieux au retour de l'une de ses expéditions de braconnage. C'était un drôle de vieux bonhomme, que les circonstances et d'insondables bizarreries de caractère avaient conduit à mener une existence solitaire. En été, il jardinait un peu pour les habitants de Denton, surtout chez les vieilles personnes, habituées à ses excentricités. Les nouveaux venus, dont la majorité habitait dans le lotissement, de l'autre côté de la place, ne lui faisaient pas confiance ou avaient peur de lui. Il faut dire qu'il n'était pas beau à voir, quand il avait un verre dans le nez et descendait la grand-rue ou traversait la précieuse pelouse devant l'église en traînant les pieds.

Nick le trouvait néanmoins fascinant. Il se serait récrié si on l'avait traité de sentimental ; mais, comme presque tous les historiens, il traversait des périodes de mélancolie pendant lesquelles la pensée que les choses anciennes n'intéressent plus personne et sont condamnées à mourir lui était insupportable.

23

En Toby, Nick voyait une survivance de l'ouvrier agricole itinérant, celui qui déplaçait les animaux de ferme, travaillait dans les champs à l'époque des moissons, charriait du fumier pour les roses lors du nettoyage des étables, et braconnait à ses heures perdues. Toby avait fait tout cela, et il continuait d'exercer quelques-unes de ces activités. Mais les petits boulots devenaient rares, et il vivait principalement de sa pension de retraite.

Le plus curieux était que les Bickerstaff, ou du moins ce qui en restait, étaient une famille respectable. Leurs ancêtres reposaient dans plusieurs cimetières de la région, et si Toby vivait comme un ours, il était loin d'être stupide. Une lueur d'intelligence éclairait ses prunelles quand il se décidait à regarder les gens en face, et il était consciencieux dans son travail. Ses frères étaient morts, mais il avait encore deux cousins dans le village ; la femme de l'un d'eux, ancienne ouvrière agricole, venait faire le ménage, une fois par semaine. Mrs. Bickerstaff aurait pu contenter amplement la curiosité de Nick à propos du vieil homme ; mais toutes ses questions, même les plus innocentes, s'étaient toujours heurtées à une mine sévère et n'avaient obtenu que des réponses laconiques. Manifestement, le grand regret de Mrs. Bickerstaff dans la vie était de porter le même nom que le cousin de son mari.

Lorsqu'ils eurent quitté la partie de la route la plus boueuse, Toby indiqua du menton, par-dessus son épaule, l'endroit d'où il était sorti du bois. Il avait de nouveau son regard sournois, comme s'il soupesait le pour et le contre, et avait de la peine à se décider.

— J'avais une envie d' pigeons, dit-il enfin. J'ai pris un couple de ramiers, sans trop d' peine... Après ça, j'ai attendu... longtemps. J'ai fini par en avoir un autre... j' les ai attachés... et, juste comme je m'en r'tournais, j'ai vu une bête, là... tout à coup... derrière les arbres.

Il fit une nouvelle pause, assez longue, pendant laquelle Nick se tourna obligeamment vers le point que Toby désignait.

— C'était pas un chien ! poursuivit le vieil homme d'un ton accusateur, comme si la question lui avait déjà été posée. Ça bougeait pas comme un chien. J'ai jamais rien vu bouger de

24

cette façon. C'était une bête bizarre... et toute noire... comme de la suie !

— Vous êtes sûr que ce n'était pas un chien ? demanda Nick en pensant au labrador qui avait effrayé Natasha, la veille.

— Sûr et certain. Je l'ai fixé longtemps, l'animal, sans même penser à tirer ! Et alors...

Il s'interrompit pour reprendre son souffle.

— ... alors, elle m'a vu, la sale bête. Elle s'est arrêtée. Sans un bruit. Puis elle a reculé dans les buissons. Ou plutôt, elle a comme qui dirait rétréci.

— Rétréci ?

— Oui. Elle est devenue plus petite. Et, en même temps, elle s'est mise à faire un bruit de gorge, comme si elle se gargarisait ou qu'elle voulait cracher un bon coup !

Toby gloussa et manqua de s'étrangler.

— Et pfft, elle a disparu ! ajouta-t-il. Sans cracher. Partie, c'est tout. Qu'est-ce que vous dites de ça ?

Nick n'avait jamais entendu Toby tenir un discours aussi long et aussi cohérent. Il était étonné et ne s'en cachait pas ; et cet étonnement fit plaisir au vieil homme.

— Ouais, j'en suis pas encore rev'nu, affirma-t-il.

Nick réfléchit un moment à ce phénomène pour le moins étrange, puis demanda :

— Ce n'était pas un daim ?

— Non, j' connais les daims. C'était aut' chose.

Le manque de perspicacité de son compagnon l'irritait visiblement. Il secoua la tête avec véhémence.

— Les daims, les chiens, c'est mon affaire. J' connais tous les animaux pour ainsi dire. C' que j'ai vu, c'était pas un animal. Ce bon sang d' machin, j' sais pas c' que c'était, mais j'voudrais l' revoir pour rien au monde !

Devant tant de conviction, Nick s'interdit de le questionner davantage. Il préféra ne pas parler non plus du chien noir qui, la veille, avait traversé la route juste devant leur voiture, de crainte que le vieil homme n'interprète ses paroles comme une marque d'incrédulité. Il demanda simplement si la bête avait laissé des empreintes.

Toby haussa ses minces épaules, et une pluie de gouttelettes tomba de sa musette bleue.

— Peut-être bien. J' suis pas allé voir. Mais la pluie a dû tout effacer.

— C'est peut-être une bête échappée d'un zoo, dit Nick. Je pourrais téléphoner à la police pour me renseigner.

Toby fit connaître son sentiment sur la police en reniflant bruyamment.

Ils se séparèrent près d'une porte bancale fixée dans la haie. De l'autre côté, la caravane verte de Toby, avec ses fenêtres en Plexiglas et son toit affaissé, semblait prendre racine dans le sol. Des filets de rouille striaient ses parois bombées, et avec les gouttes d'eau qui suintaient de ses moindres saillies, elle ne se distinguait guère des arbres et du paysage détrempé. Nick avait souvent remarqué un mince ruban de fumée au-dessus de la cheminée en métal et il se demandait par quel miracle Toby était encore vivant. Il réfléchit que les bohémiens vivaient souvent très longtemps. Oui, mais leur famille prenait soin d'eux quand ils étaient vieux et malades. Qui se souciait de Toby ?

En tout cas, Nick était intrigué par cet animal que le vieil homme lui avait décrit et qui paraissait échapper à toute classification. Il trouvait surprenant que Natasha ait également vu quelque chose de grand et de noir sur la route la veille. Il franchit la distance qui le séparait de chez lui en observant avec attention les haies de chaque côté. Lorsqu'il entra dans la cour, quelques instants plus tard, il alla directement dans la grange pour examiner sa voiture ; aucun choc récent n'était visible sur la carrosserie. Il y avait une épaisse frange de boue le long du châssis, mais nulle marque sur la peinture ni sur la route ; par conséquent, soit l'animal s'était sauvé sans avoir été blessé, soit Natasha s'était laissé abuser par les ombres de la haie.

Cet incident rappelait vaguement à Nick une histoire qu'il avait lue dans une revue ou un livre. Est-ce que cela se passait dans cette région ? Il ne s'en souvenait pas.

En pénétrant dans la cuisine, une odeur de toast grillé lui chatouilla les narines, et la bouilloire était encore chaude. Mais il n'y avait pas d'autre signe de Natasha. Pas même un craquement du plancher. Tout était silencieux. Comme il était rentré plein de bonnes intentions, et impatient de raconter à sa femme ce qui était arrivé à Toby, Nick prit mal cette nouvelle rebuffade. Quelques instants plus tard, il était carrément furieux.

Il ôta son survêtement, le jeta dans le tambour de la machine à laver et monta quatre à quatre l'escalier. Le souffle court, il s'arrêta sur le palier, puis entra brusquement dans la salle de bains et ouvrit à fond le robinet de la douche. Moins de vingt minutes plus tard, il était lavé, rasé, habillé et prêt à partir. Il but juste une tasse de café noir, attrapa son porte-documents et s'en alla en claquant la porte derrière lui.

3

Postée en retrait de la fenêtre, dans la chambre d'ami, Natasha regardait Nick partir en regrettant de ne pas être descendue. Elle avait laissé passer une occasion de rapprochement. Nick était un homme fort que la colère faisait paraître plus fort encore. Il marchait à longues enjambées, en mordant dans l'allée à chacun de ses pas, et, sous sa poussée, le lourd portail en fer forgé vibra sur ses gonds. Tandis qu'il traversait la cour, tête baissée, sa veste en tweed lui battant les flancs, Natasha se rappela qu'au début de leur rencontre il lui inspirait plus d'appréhension que d'amour. Depuis des années, elle ne pouvait y penser sans sourire ; mais en cet instant ce n'était que trop réel.

Un bruit assourdi s'échappa du moteur de la Rover, suivi d'un violent crissement de pneus sur le gravier, au moment où Nick effectuait un demi-tour dans la cour. Se faufilant à travers le portail, la chatte de la maison attendit, tête baissée, que la voiture eût disparu. Le cœur serré, Natasha prit son paquet de cigarettes et descendit.

La chatte poussait des miaulements pathétiques devant la porte d'entrée, la queue tremblante, son poil roux et blanc tout hérissé.

— Oui, Colette, je sais ce que tu éprouves, dit Natasha en lui ouvrant.

Elle ramassa la petite boule apeurée, lui parla doucement

pour la rassurer, puis la reposa par terre et mit une portion de pâtée pour chats dans un bol, près de la porte de l'office. Natasha avait découvert Colette dans la grange, au milieu d'une portée de chatons souffreteux, et elle l'avait recueillie. Mais, malgré son nom, la petite chatte n'était pas tout à fait heureuse en compagnie des hommes.

Natasha avait trouvé plus charitable de porter les autres chatons chez le vétérinaire, et elle avait fait stériliser Colette et sa mère. Malheureusement, le vieux matou était trop rusé pour qu'on l'attrape. Natasha souhaitait de tout son cœur qu'il cesse de laisser ses cartes de visite dans la grange. L'odeur, la nuit précédente, était franchement écœurante.

Une tasse de café à la main, Natasha quitta la cuisine et se dirigea machinalement vers son bureau, situé au rez-de-chaussée, tout au bout de la maison, de l'autre côté du large vestibule dallé et du salon récemment moquetté. Cette pièce agréable et spacieuse avait le privilège d'avoir des fenêtres sur le devant et sur l'arrière de la propriété, un mur garni de livres et les meilleurs radiateurs. Sur le bureau, une liasse de feuilles avec des annotations griffonnées en rouge et en bleu dont plusieurs ne comportaient que quelques lignes tapées à la machine, des pots de correcteur liquide vides, et une corbeille métallique pleine de lettres attendant une réponse témoignaient d'une activité intense.

Mais ce matin, Natasha ne se sentait pas d'humeur à faire son courrier. Pas pour le moment, en tout cas. Les notes attirèrent son attention. Elle en lut quelques-unes qui portaient sur divers points critiques et qu'elle espérait avoir résolus pour le mieux. Après le travail acharné de ces trois derniers mois, pendant lesquels elle avait soutenu un rythme qui bafouait la législation du travail, Natasha priait pour que ce nouveau livre soit accepté et connaisse le même succès que le précédent. A cette seconde précise, elle n'aurait pas su dire si elle avait eu raison de l'écrire, ni si elle avait fait du bon travail.

La copie du manuscrit reposait par terre dans trois classeurs dont la sobriété s'accordait avec le titre de son roman, *Terre noire*, et le temps lugubre. Quoiqu'elle eût préféré ne plus penser, elle gardait présents à l'esprit l'altercation de la veille et ce qui l'avait déclenchée. Nick avait, bien sûr, tout nié en bloc. Mais Natasha l'avait observé avec cette fille en vert ; il avait envie d'elle, cela sautait aux yeux. Nick s'était défendu en affirmant qu'il était complètement saoul et que la fille avait tout fait pour l'allumer. Lorsqu'il s'était rendu compte qu'il se conduisait comme un idiot, il l'avait aussitôt ramenée auprès de ses amies. Puis, à l'en croire, il s'était réfugié au bar pour prendre un verre avec Giles.

L'histoire était plausible, mais ce n'était pas un scénario qu'elle aurait utilisé. Outrée que Nick prenne Giles à témoin de sa bonne foi, Natasha n'avait pas cru à sa version des faits. Elle avait demandé le nom de la fille, et si c'était une de ses étudiantes, ou si elle était inscrite dans un autre département. Il avait répondu qu'il n'en avait aucune idée, et qu'elle exagérait à plaisir l'importance d'un incident si trivial que la question des prénoms n'avait même pas été évoquée.

Mais la fille, elle, savait sûrement qui il était, pensa Natasha. Qui ne connaissait pas le Dr Nicholas Rhodes ? Malgré son air ténébreux et sa réputation de professeur sévère, c'était un homme très séduisant ; beaucoup de jeunes et jolies filles du campus le considéraient comme une proie de choix. Certaines d'entre elles étaient capables d'aller très loin pour s'immiscer dans la vie privée des professeurs et des assistants. Nick appelait les plus tenaces des « sympathisantes » et se vantait de pouvoir repérer à cent mètres les plus dangereuses. C'était l'un des pièges du métier à éviter, à n'importe quel prix, affirmait-il.

Tous ses collègues n'étaient pas aussi à cheval sur les principes — et Nick, lui-même, neuf ans auparavant, n'avait pas esquivé Natasha ; elle se demanda pour la première fois combien de femmes il y avait eu dans sa vie depuis ce moment, et combien étaient des étudiantes. Elle ne pouvait répondre à cette question, car ils s'étaient perdus de vue pendant sept ans. Ils s'étaient retrouvés, deux ans auparavant, par l'intermédiaire de Giles.

Quinze mois plus tôt, alors qu'il était témoin à leur mariage, Natasha l'avait chaleureusement remercié ; mais, en repensant à ce qui s'était passé à la fête, elle aurait voulu le gifler, notamment à cause de son déguisement, qui lui avait rappelé des souvenirs qu'elle avait cherché à exorciser en écrivant *Terre noire*.

Les tourments de l'adolescence constituaient le cœur de ce

second roman, nourri pour une grande part de son expérience personnelle dans un village isolé des Fens. Le personnage central était un prêtre, aussi aveugle et égoïste que celui dont elle avait subi l'influence autrefois, et qui abusait pareillement de son pouvoir. Les autres protagonistes masculins étaient un peu plus sympathiques, mais moins directement liés à son passé et, d'une certaine façon, tout aussi imparfaits.

Il y avait, bien entendu, des différences entre la fiction et la réalité. Durant les trois dernières années, Natasha avait élaboré peu à peu les aspects autobiographiques de l'intrigue et les questions d'ordre moral qui continuaient de la torturer. La rédaction de ce livre avait été difficile et douloureuse ; revivre des chocs émotionnels n'était pas la meilleure façon de commencer une vie conjugale. Puis, l'année précédente, il y avait eu l'achat de cette maison, et le chaos entraîné par la rénovation n'avait rien arrangé.

Heureusement, les travaux et le livre étaient à présent terminés. Quelques semaines plus tôt, armée d'une copie du manuscrit, Natasha s'était rendue à Portsmouth pour expliquer à sa sœur les raisons qui l'avaient poussée à écrire ce livre. Étant donné le sujet, elle ne s'attendait pas que leur entrevue fût très facile, mais elle pensait qu'après avoir exposé ses motivations profondes Helen pourrait la comprendre.

Helen n'avait pas compris. Elle était montée sur ses grands chevaux, avait traité sa sœur de bigote anticatholique, l'avait accusée de salir la mémoire du père O'Gorman et, pis, de donner de leur mère l'image d'une femme faible, d'une irresponsabilité presque criminelle vis-à-vis de ses enfants.

— D'une de ses enfants, avait corrigé Natasha en serrant les dents.

— De toi, je suppose. Celle que nous sommes tous censés plaindre !

Il était inutile d'essayer d'expliquer qu'il s'agissait d'une œuvre de fiction, que les personnages ne représentaient pas des personnes réelles et que le point de vue de l'adolescente était un procédé d'auteur. Helen n'avait rien voulu savoir. Dans cette adolescente gauche et malheureuse, elle reconnaissait Natasha, et ne supportait pas d'être confrontée à sa douleur. Elle s'inquiétait également de ce que penseraient les gens du village de « toutes ces foutaises », s'ils venaient à lire son livre ; ce qui ne manquerait pas d'arriver, car Natasha était assez vaniteuse pour utiliser son nom de jeune fille au lieu d'un pseudonyme.

Sans laisser à Natasha le temps de riposter, elle avait repris ses attaques de plus belle. Le personnage du mari était manifestement un double idéalisé de leur père, présenté comme une sorte de héros alors qu'en réalité il était pitoyable et inconsistant, et se préoccupait si peu des siens qu'il passait son temps à boire.

Ce fut au tour de Natasha de s'indigner. Que savait Helen de leur père ? A sa mort, elle n'avait que huit ans, et, à la maison, elle était la chouchoute de leur mère ; l'image qu'elle gardait de lui avait été forgée par les plus mauvais souvenirs de leur mère. Aux yeux de Natasha, c'était, en effet, un homme héroïque, sensible, chaleureux, compatissant, qui buvait un peu trop pour au moins trois raisons : le traumatisme de la guerre, la surcharge de travail occasionnée par sa profession de médecin de campagne, et une probable mésentente conjugale. Il n'en demeurait pas moins que tous ceux qui le connaissaient, et en particulier les vieux patients auxquels il rendait visite chaque jour, étaient très attachés à lui. Helen ne pouvait pas s'en souvenir ; elle ne pouvait se rappeler que l'homme très diminué, presque assez vieux pour être leur grand-père, et malade pendant des mois avant de mourir.

« Dis la vérité et fais honte au diable », avait l'habitude de déclarer leur mère ; mais la vérité est difficile à saisir. La vérité est exigeante, insaisissable et subjective. Natasha s'en rendait compte ; sa sœur en était, hélas, incapable. Elles s'étaient quittées profondément meurtries, l'une et l'autre. Nick avait dit que la réaction d'Helen ne l'étonnait pas et que, si Natasha avait eu l'intention de la consulter, elle aurait mieux fait d'aller la voir avant de commencer à écrire. Natasha trouvait, malgré tout, que sa sœur mettait beaucoup de mauvaise volonté.

Pour Helen, le fait que les trois personnages principaux soient morts depuis longtemps était, apparemment, un facteur aggravant. Elle avait accusé Natasha de souiller la mémoire de personnes qui ne pouvaient plus se défendre et avait juré qu'elle n'adresserait plus jamais la parole à Natasha si celle-ci publiait *Terre noire*.

Soucieuse de tenir compte des remarques de sa sœur,

Natasha avait apporté quelques corrections au texte afin d'adoucir les choses. Mais le sens et les conclusions restaient les mêmes. Le dessein de Natasha n'était pas de blesser Helen — même si, à son avis, sa sœur s'enfermait dans un monde trop émotionnel —, mais d'arriver à écrire cette histoire d'une certaine façon. Natasha déplorait que sa sœur ne puisse concevoir quel travail représentait l'écriture.

Helen n'était d'ailleurs pas la seule à voir la vie d'écrivain comme une existence confortable et oisive. Plusieurs amies de Natasha semblaient considérer cette activité comme une broderie qu'on pouvait poser et reprendre à l'endroit où l'on s'était arrêté, et elles lui en voulaient de ne pas être toujours disponible. Nick avait aussi du mal à comprendre que, même dans les récits présentant des éléments autobiographiques, les personnages ont leur caractère propre et refusent souvent obstinément de se laisser diriger. De plus, écrire était pour Natasha une occupation envahissante, qui lui faisait paraître lointains les gens en chair et en os, aux prises avec les problèmes de la vie quotidienne.

Cela l'amena à se demander si elle ne négligeait pas un peu trop Nick depuis quelque temps. Ces dernières semaines, son esprit avait été occupé uniquement par son manuscrit et cette terrible dispute avec Helen. Pour respecter les délais, elle avait fréquemment travaillé jusqu'à une heure avancée de la nuit et dormi dans la chambre d'ami pour ne pas déranger son mari. Nick s'était montré compréhensif : il avait dit qu'ils se rattraperaient plus tard. Mais, en repensant à la façon dont il s'était conduit la veille, elle se demanda s'il avait eu à souffrir d'une quelconque frustration sexuelle.

Avait-elle été aveugle ou trop confiante ? Nick avait un emploi du temps irrégulier. Il travaillait soit à la maison, soit à l'université. Les cours qu'il donnait parfois, le soir, et les fréquentes parties de squash avec Giles pouvaient masquer d'autres activités. Giles n'avait jamais été un modèle de fidélité, même lorsqu'il avait une amie attitrée comme c'était le cas à présent. Avec sa complicité, Nick avait pu avoir un grand nombre d'aventures depuis quelques mois. Natasha aurait été la dernière à le savoir. Cette pensée la mit au désespoir.

Elle alluma une cigarette et jeta un regard sombre dans la

cour. Le brouillard avait fait place à une pluie régulière qui tombait d'un ciel plombé. L'automne, avec ses journées lumineuses et ses couleurs somptueuses, aurait dû lancer ses derniers feux avant le premier assaut de l'hiver, mais cette année ils avaient eu une arrière-saison pourrie. Après un bel été dont elle n'avait pas vu grand-chose, le temps, à partir de la mi-septembre, s'était gâté ; octobre avait été un mois pluvieux et novembre glissait déjà dans la grisaille de l'hiver.

Natasha reporta son regard sur son bureau en désordre. Si elle ne voulait pas rester abattue toute la journée, il fallait absolument qu'elle fasse quelque chose — ranger, par exemple. Un effort dans ce sens pourrait peut-être lui donner meilleur moral. Et Mrs. Bickerstaff aurait une bonne surprise, lundi matin.

Vera Bickerstaff était la femme de ménage de Natasha. Bien que le bureau ne fît pas partie de son domaine, il était souvent manifeste qu'elle mourait d'envie d'y entrer avec ses chiffons à poussière et ses produits détergents. Mais, lorsque Natasha travaillait, elle ne s'autorisait qu'une pause toutes les heures pour prendre un café. Elle avait besoin d'être réconfortée par la présence, autour d'elle, de cendriers, de livres, de papiers, et de pouvoir négliger son apparence sans se sentir coupable. Il lui suffisait de savoir que Mrs. Bickerstaff gardait le reste de la maison immaculé et que sa dextérité en matière de repassage avait mis fin aux plaintes de Nick à propos de ses chemises. Lui-même soignait autant son aspect que son travail. Si l'état de son bureau laissait parfois à désirer, il aimait bien que les autres pièces de la maison soient impeccables. Pour sa tranquillité d'esprit, Natasha était prête à supporter les reproches silencieux de la femme de ménage, ses conseils bien intentionnés, et même son petit air hautain, qui venait de ce qu'elle avait travaillé plusieurs années au manoir de Sheriff Whenby.

Ce snobisme agaçait Nick au plus haut point, et le lundi matin il se débrouillait pour partir de bonne heure, avant l'arrivée de Mrs. Bickerstaff. Même pendant les vacances, il trouvait une excuse pour s'absenter, ou alors il s'enfermait dans son bureau en demandant qu'on ne le dérange pas. Le plus comique était que Vera Bickerstaff considérait Nick comme un homme difficile et lunatique, et manifestait de son mieux sa compassion à Natasha, obligée de supporter un homme pareil.

Elle n'avait pas tout à fait tort, songea Natasha ; Nick n'était pas toujours facile. Par exemple en ce moment. Elle vida les cendriers, déchira les feuilles raturées et astiqua son bureau avec le sentiment d'être victime d'une injustice. Mais à peine avait-elle branché l'aspirateur que le téléphone sonna.

C'était son éditeur, Judy Lawrence. En entendant sa voix claire et joyeuse, Natacha se sentit soulagée et sourit. Les corrections étaient excellentes, Judy était contente du résultat et n'avait que quelques petites remarques à faire. Elle voulait également voir Natasha pour les ultimes révisions avant d'envoyer le manuscrit à l'imprimerie. Afin de respecter les délais de parution assez courts, elles devaient se fixer rapidement rendez-vous. Judy proposa une date, dix jours plus tard. Après un coup d'œil au calendrier, Natasha accepta.

En raccrochant, quelques instants plus tard, elle regarda fixement la pluie tomber en pensant à son roman et à son prochain voyage à Londres ; puis elle remarqua que les carreaux étaient sales et décida, avec un soupir, de s'en remettre à Mrs. Bickerstaff.

Coincé dans les embouteillages de fin d'après-midi sur le boulevard extérieur, Nick fut heureux de bifurquer vers le nord pour rentrer chez lui. Le vent se déchaînait et, tout le long de la route, un tapis de feuilles mortes mouillées, de brindilles et de débris qui volaient au ras du sol comme de petits animaux fuyant devant la tempête rendait les virages dangereux. La nuit tombait rapidement, et il faisait presque sombre quand il arriva à Denton et tourna dans Dagger Lane.

La cuisine était éclairée. En apercevant la lumière à travers les arbres, il se demanda quel accueil l'attendait. Quelle que soit la disposition d'esprit de Natasha, il devrait dire quelque chose à propos de ce qui s'était passé la veille, mais tout son être se révoltait à la perspective d'une nouvelle autopsie. Après leur dispute suivie d'une longue journée pendant laquelle la fête de Halloween avait été commentée dans ses moindres détails par la plupart des personnes qu'il avait rencontrées, Nick n'avait qu'une envie : tout oublier.

En entrant dans la maison, il reçut des signaux contradictoires. Natasha avait soigné son apparence et, au lieu d'un pantalon, portait une jupe aux couleurs automnales sur un chemisier en soie très seyant. Cette tenue changeait agréablement des vêtements unisexes qu'elle mettait le plus souvent pour travailler — sweat-shirt sur un jean ou un caleçon — et qui, sur son corps svelte, lui rappelaient un des héros des *Garçons perdus* de J. M. Barrie. Elle avait souvent cette expression distraite, comme si elle cherchait quelque chose, en ayant besoin, dans le même temps, que quelqu'un prenne soin d'elle. Cette image dérangeait Nick car, dans ces moments-là, il n'était pas sûr qu'elle eût trouvé chez lui ce qu'elle cherchait.

Il murmura un compliment et s'approcha pour l'embrasser sur la joue, mais elle détourna la tête, sous prétexte de s'occuper du dîner. Une légère contraction des lèvres, transformant leurs courbes sensuelles en une ligne très mince, fit comprendre à Nick qu'il était toujours en disgrâce.

Il se laissa tomber dans un fauteuil et se déchaussa.

— Le dîner ne sera pas prêt avant une heure, dit Natasha. Tu veux un sandwich en attendant ?

Il rentrait parfois affamé mais, ce soir-là, il n'avait pas faim. Il secoua la tête.

— Non, j'ai déjeuné tard. Juste une tasse de thé, ce sera parfait.

Il la suivit du regard pendant qu'elle mettait de l'eau à chauffer, l'adjurant en son for intérieur de se retourner et de le regarder. Comme elle n'en faisait rien, ce refus obstiné de respecter les règles convenues l'agaça au plus haut point. Il se leva brusquement.

— Non, laisse tomber. Tout compte fait, je préfère prendre un apéritif.

Il traversa le vestibule dallé et découvrit avec étonnement qu'un feu clair, aux flammes orangées aspirées par le vent, ronflait dans la cheminée du salon. Ne parvenant pas à se rappeler quand, pour la dernière fois, Natasha avait fait du feu, Nick se demanda s'il devait interpréter ce geste comme une tentative de créer une atmosphère romantique, propice aux excuses et à la réconciliation. En tout cas, la pièce était accueillante, et dans le demi-jour le large canapé défraîchi n'avait jamais paru aussi confortable. Il le regarda avec envie en se versant un double whisky, mais se rappela qu'il avait du travail. A vrai dire, cela aurait pu attendre, mais il prit une sorte de malin plaisir à monter dans son bureau.

Un peu après sept heures, Natasha l'appela pour dîner. Une délicieuse odeur d'agneau aillé à la marjolaine lui mit l'eau à la bouche. Il prit place à table, remplit leurs deux verres, et constata avec surprise, à la lecture de l'étiquette, qu'il s'agissait d'une excellente bouteille. Mais il ne pouvait savoir si elle l'avait ouverte par hasard ou de propos délibéré. Quoi qu'il en soit, c'était un bon présage et, tandis qu'il dégustait le vin, il se mit à espérer que tout se passerait sans drame.

Le repas était alléchant, et Nick l'attaqua avec plaisir. Il leva son verre à l'adresse de sa femme d'un petit geste éloquent. Mais elle avait un sourire encore un peu timide, et une pointe de défiance subsistait au fond de ses yeux sombres. Alors, pour masquer à tout prix le vide laissé par l'incident et la dispute de la veille, Nick parla de tout et de rien. En temps normal, il aurait pris plaisir à relater sa journée au collège bien qu'il n'eût pas le beau rôle, mais il craignait que ça ne la fasse pas rire et ne voulait surtout pas remettre sur le tapis le sujet explosif de la fête de Halloween. Il se sentait coupable et ne s'était pas encore excusé.

Bien décidé à dire quelque chose avant la fin du repas, mais soucieux de ne pas gâcher le dîner, il attendait le moment propice. Pour une raison indéfinie, il avait une perception très nette du corps de sa femme, ce soir-là. A travers les effluves de la nourriture et du vin, il reconnaissait la note citronnée de son parfum, était attentif à la forme de ses seins menus qui saillaient sous la soie du chemisier, et au dessin changeant de sa bouche sensuelle quand elle mangeait, buvait ou s'arrêtait pour lui répondre.

Une fois la table débarrassée, alors qu'il préparait le café, il déclara d'un air piteux :

— Excuse-moi pour hier soir. Je ne sais pas ce qui m'a pris. L'alcool, sans doute. En tout cas, ma chérie, je suis navré. Sincèrement.

A cet instant, une bourrasque ébranla les carreaux de la fenêtre située juste derrière lui, et il eut l'intuition que Natasha se retournait, non pas pour lui répondre, mais à cause du bruit — impression qui se trouva renforcée lorsqu'elle passa devant lui pour aller fermer les rideaux.

— Moi aussi, j'étais navrée, répondit-elle d'un air distrait. Ça fait des années que je ne m'étais pas sentie aussi mal.

Il s'assombrit un peu plus.

— Si ça peut te consoler, j'en ai eu pour mon grade, aujourd'hui.

Nick aperçut une lueur de reproche dans les yeux de Natasha. Puis elle frissonna et se détourna.

— Tu ne peux pas avoir froid, reprit-il, stupéfait. On se croirait dans une serre, tellement il fait chaud.

Mais déjà elle tirait l'autre paire de rideaux, derrière la table, masquant la nuit, le vent et la pluie.

— Il fait froid dehors, répliqua-t-elle.

Le vent en effet avait tourné. Il soufflait du nord, à présent, et la pluie tombait dru.

Cherchant à ignorer le malaise qui le gagnait, Nick proposa d'une voix égale :

— Dans ce cas, emportons notre café au salon. Le feu consume des bûches pour rien en ce moment.

Cependant, en dépit de l'épaisse moquette et de la joyeuse flambée, la pièce était froide. Le vent tirait presque toute la chaleur à l'intérieur de la cheminée et les bûches chuintaient chaque fois qu'un paquet de suie ou quelques gouttes de pluie tombaient du conduit. Natasha, qui était allée chercher un pull, trembla de nouveau en tendant les mains vers les flammes.

— Alors, comme ça, dit-elle d'un air de défi lorsqu'il se tourna vers elle, tu t'es fait mettre en boîte ?

Elle avait toujours le même petit sourire crispé.

— Tu ne l'as pas volé, ajouta-t-elle.

— Ça non ! répondit-il avec désinvolture alors qu'il savait parfaitement qu'elle prenait les choses très au sérieux.

Sur un ton badin, il poursuivit :

— Nous nous sommes dit des choses horribles, Natasha, cette nuit. Je me suis déjà excusé. Tu ne crois pas que ça suffit, maintenant ?

En voyant les joues de sa femme s'empourprer, il poussa un soupir et tendit le bras pour lui prendre la main. Il devinait chez elle une très grande tension et il était prêt à faire le premier pas. Elle avait trop travaillé ces derniers mois, cela les avait éloignés l'un de l'autre. Il était temps de revendiquer ses droits, de réaffirmer ce qui les avait toujours unis, et il devait le faire maintenant avant que les mots et les circonstances n'élargissent le fossé qui s'était creusé entre eux.

— Nous devrions parler, Nick.

Cette fois, il poussa un soupir exaspéré où n'entrait aucune indulgence.

— Mais, ma chérie, est-ce que nous n'avons pas déjà tout dit ? Oublions ça, pour l'amour de Dieu ! Je ne veux même plus y penser.

— C'est toujours la même chose.

— Qu'est-ce qui est toujours la même chose ? demanda-t-il en riant. Que je ne pense pas ? Mais je passe ma vie à ça !

— Tu ne penses pas à moi, répliqua-t-elle vivement en retirant sa main. Pas à nous. Tu ne comprends donc pas que nous avons besoin de parler ? De toi, de moi et...

La lumière s'éteignit. Seul le feu dans la cheminée les empêcha d'être dans le noir complet. Une ampoule doit avoir grillé, se dit Nick ; mais en se retournant il vit que la lumière dans le couloir s'était éteinte elle aussi. Un brusque coup de vent embrasa les bûches. Natasha agrippa la main de Nick. Il comprit avec stupéfaction qu'elle avait peur.

— Ne t'inquiète pas, dit-il gentiment en se dégageant. C'est probablement un fusible qui a sauté.

Il prit une grande boîte d'allumettes sur la desserte, se rendit dans la cuisine et alluma une des bougies qui ornaient la cheminée. Les plombs se trouvaient dans l'office. Tout semblait en ordre, mais quand Nick appuya sur le bouton rien ne se produisit. Il poussa un juron et monta à l'étage pour regarder dehors par la fenêtre de son bureau : aucune lumière n'était visible dans le village. La tempête avait dû provoquer une coupure d'électricité. Il saisit l'annuaire et appela police-secours. Une voix de femme l'informa que la région de Denton-on-the-Forest connaissait en effet des problèmes et que le courant serait rétabli dès que possible. Non, répondit la voix à ses autres questions, elle ignorait l'origine de la panne et le temps qu'il faudrait pour rétablir le courant.

— Charmante soirée, murmura-t-il avec mauvaise humeur après avoir raccroché.

Dans le salon, Natasha avait réussi à allumer la lampe à huile victorienne généralement posée sur l'un des profonds rebords de fenêtre. Son petit rayon de lumière permettait de lire ; mais les ombres étaient plus proches, plus douces, et les angles de la pièce plus éloignés. Nick prit soudain conscience que la pénombre avait accru l'intimité.

Mais si ses sens étaient agréablement stimulés, Natasha avait les nerfs à vif. Elle avait passé la journée dans un état de grande nervosité que le vacarme de la tempête et l'obscurité soudaine exacerbaient encore. Cela peut paraître ridicule d'avoir peur de l'obscurité, mais quand elle survient brutalement, avec en fond sonore des rugissements et des gémissements, des martèlements contre les carreaux et des coups sur le toit, la logique disparaît, laissant la voie libre aux peurs enfantines. Natasha avait eu la ferme intention de mettre à profit la soirée pour discuter avec Nick, mais à présent elle avait du mal à se concentrer. Son attention semblait fixée ailleurs.

— On t'a dit ce qui se passait ?

— Non, mais une ligne a dû être coupée quelque part. Cela peut durer des heures.

— Comme la tempête.

— Oui, comme la tempête.

Il y avait un sourire dans les yeux de Nick, un sourire qui relevait les coins de sa bouche.

— Et si on allait se coucher ? suggéra-t-il d'un air désinvolte. On se blottirait sous la couette et on oublierait les coupures d'électricité et ce temps de cochon.

Natasha avait l'impression qu'elle ne pourrait jamais s'endormir, mais c'était une proposition séduisante. Nick embrassa le front et le bout du nez de sa femme, puis il lui inclina le menton pour atteindre ses lèvres. Natasha vit de tout près la flamme malicieuse au fond de son regard et la profonde cicatrice entre ses sourcils qui lui donnait souvent à tort un air fâché. Il se pencha vers elle et l'embrassa sur la bouche. Les baisers de Nick, qui l'avaient tant troublée au début, étaient toujours aussi voluptueux. Lorsqu'ils s'étaient rencontrés, elle était encore inexpérimentée mais les expériences qu'elle avait eues par la suite avaient toutes été décevantes. Aucun homme ne l'avait touchée comme Nick, et la vie commune n'avait pas réussi à émousser la magie de ses caresses.

Cependant, elle commençait à se révolter contre ce pouvoir qu'il avait sur elle, et sa façon de supposer que tous les problèmes pouvaient se résoudre au lit. Usant de son charme, il l'avait fréquemment arrachée à son travail ou fait taire par un baiser quand elle essayait d'évoquer le passé. Cette fois encore, elle était sur le point de céder ; mais une bourrasque secoua les fenêtres et elle repensa à la façon dont il s'était conduit la nuit précédente avec toutes ces filles, surtout avec celle en vert. Un grand froid dissipa le doux bien-être qui s'était insinué en elle. Saisie d'un tremblement, elle tourna le visage de côté. Nick s'écarta sans cacher sa déception.

— Tu trembles encore, dit-il en la dévisageant. Qu'est-ce qui ne va pas ? C'est la tempête ?

— Oui, ce doit être ça, répondit-elle en se frottant les bras et en esquissant un sourire d'excuse. J'ai froid. Le chauffage central doit être arrêté.

— Oui. Avec la coupure de courant, la pompe ne fonctionne plus.

Il observa sa femme pendant un moment, puis versa le reste de vin dans leurs verres.

— Buvons ça et montons nous coucher. Je n'ai pas beaucoup dormi, la nuit dernière, et toi non plus, sans doute. On pourrait se rattraper ce soir.

Nick sépara les bûches et plaça le pare-feu devant la cheminée. Ensuite, il alla dans la cuisine pour alimenter le fourneau ; si les radiateurs étaient froids à leur réveil, du moins il ferait chaud dans la cuisine.

Il rejoignit Natasha quelques instants plus tard pour monter la lampe à huile au premier. Traverser la maison plongée dans le noir derrière ce petit halo lumineux avait quelque chose d'angoissant. Au lieu de se rappeler les expériences semblables dans son enfance, Natasha songea à la métaphore biblique et sentit, pour la première fois, toute la force de cette image sans la trouver réconfortante ; la lueur était trop faible pour repousser les ténèbres qui s'épaississaient autour d'eux.

Dans leur chambre, sous le toit pentu, les craquements sinistres de la charpente, les hurlements de la tempête et le fracas des tuiles secouées par le vent étaient encore plus forts.

C'était comme si quelque chose cherchait à s'introduire dans la maison. Natasha se déshabilla rapidement et se glissa dans le lit en ramenant la couette sur sa tête, à cause du froid, mais aussi pour étouffer tout ce tumulte. Elle essaya de se raisonner : ce n'était que le vent ; la maison, quasi reconstruite un an plus tôt, était solide. Lorsque Nick tendit les bras, elle fut heureuse de se réfugier contre lui.

Mais malgré la chaleur et le réconfort que cette étreinte lui apportait, et le zèle fervent avec lequel il la caressait et l'embrassait, le vacarme au-dessus de leur tête la perturbait autant que les grincements d'un lit étranger. Elle n'arrivait pas à se détendre. Elle avait l'impression désagréable d'être un sac d'os au lit en compagnie d'un inconnu avec qui elle ne partageait rien, et qu'elle ne désirait même pas. Cela lui donnait un sentiment de claustrophobie et un irrésistible besoin de s'échapper. Elle sentait pourtant que Nick essayait de la sécuriser en la faisant entrer dans le monde de l'amour, du désir et de l'union physique. S'il y parvenait, elle se laisserait attendrir, pardonnerait et oublierait une fois de plus. Elle aurait voulu se fondre en lui, noyer cette résistance interne, se détendre et se soumettre ; mais elle était trop crispée, trop consciente des bruits de la tempête.

Nick, en revanche, semblait stimulé par les rafales, les vibrations et les martèlements. Elle devinait son impatience de la pénétrer : sous leur fourreau de chair tiède, tous ses muscles étaient tendus. Les caresses se firent moins douces, les baisers devinrent morsures et, sans tenir compte de ses protestations, il enfonça si brusquement ses doigts en elle qu'elle poussa un cri. Il murmura une excuse, embrassa plus doucement sa bouche, sa gorge, ses seins ; mais, loin d'éprouver du plaisir, Natasha vivait comme une invasion le contact de ces mains sur elle et cherchait uniquement à se libérer. Si ça pouvait s'arrêter, songeait-elle, ne sachant si elle pensait à la tempête, à Nick ou aux deux.

Lorsqu'il frotta son visage contre sa joue, elle s'aperçut que l'urgence de son désir avait disparu.

— Je suis désolée, dit-elle comme il laissait échapper une plainte muette.

— Moi aussi.

Les yeux grands ouverts dans le noir, Natasha serrait la

couette sous son menton. Elle tressaillit lorsqu'une rafale plus forte que les autres fit trembler les murs de la maison. Nick ne parut pas y prêter attention. Il se détacha de Natasha et s'assit.

— J'espère que tu ne penses pas encore à hier soir, déclara-t-il d'un ton sec.

Elle secoua la tête.

— Non, bien sûr, répondit-elle.

Mais ce n'était pas complètement exact. Une sourde angoisse l'avait habitée toute la journée ; elle s'était efforcée de créer un climat propice à la réconciliation, mais la tempête et la panne d'électricité avaient conspiré à anéantir ses efforts. Elle se sentait tellement frustrée qu'elle avait envie de crier.

— C'est à cause du vent et de la pluie, ajouta-t-elle avec humeur. Ces bruits terrifiants me pétrifient. Toi, ça ne semblait pas te gêner, je ne vois pas pourquoi tu n'as pas continué.

Elle l'entendit prendre une brusque inspiration et se retourner pour la regarder dans le noir.

— Je ne suis pas un violeur, murmura-t-il entre ses dents. Forcer une femme à faire l'amour, ça ne me fait pas bander. C'est plutôt le contraire — tu as pu le constater.

Dans l'esprit de Natasha, cette déclaration sonna comme un avertissement, et elle pensa aussitôt à Bernice, la première femme de Nick. Il avait vécu avec elle pendant presque dix ans, et enduré cinq années de séparation pour obtenir le divorce qu'elle refusait. Ils ne parlaient presque jamais d'elle, sauf quand il était question des garçons. Un jour, pourtant, Nick avait révélé ce qu'il pensait de son ex-épouse en la décrivant comme une femme au QI élevé, qui estimait plus excitant de créer des problèmes que de faire l'amour.

D'une manière générale, il parlait rarement de son premier mariage et de sa vie avant Natasha ; pour un homme qui fouillait sans cesse le passé, Natasha trouvait étrange qu'il se montrât si réservé à propos du sien. Cette réticence laissait entre eux une grande part d'inconnu qui jetait parfois une ombre dans leur relation. Quand tout allait bien, Natasha n'éprouvait pas le besoin de questionner son mari ; mais, dès qu'un problème surgissait, elle avait trop peu d'éléments pour comprendre ses réactions. La pensée qu'il était peut-être en train de la comparer avec toutes les femmes qu'il avait connues lui fit froid dans le dos.

Le vent redoubla d'intensité et les fenêtres vibrèrent dans les châssis. Natasha se tourna vers Nick, lui enlaça la taille et lui fit mettre ses bras autour d'elle.

— Écoute, dit-elle tristement, nous sommes tous les deux très fatigués. Essayons demain matin.

Mais le lendemain, ce fut pire. Si le silence qui avait suivi la tempête était merveilleux, dans la pénombre glacée qui tenait lieu de petit jour, Nick put non seulement sentir la froideur de Natasha, mais aussi la lire dans ses yeux et sur son visage.

4

Lorsque Nick descendit faire du thé, les journaux et le courrier étaient déjà arrivés. Il y avait deux lettres pour Natasha, une pour lui, et une carte postale du plus jeune frère de Nick, montrant une plage ensoleillée, à Chypre, où stationnait son régiment de parachutistes. A son habitude, il ne racontait pas grand-chose : « *Merci pour ta lettre. Quelle veine d'avoir été muté ici.* (Peu auparavant, il était en Irlande du Nord.) *On en profite au maximum. Je ne pourrai pas rentrer à Noël, mais je t'appellerai. Mes amitiés à vous deux — Paul.* »

Ce n'était pas un grand épistolier, mais Nick était néanmoins heureux de recevoir de ses nouvelles. Sa plus jeune sœur, qui habitait à Londres, se contentait d'une carte de vœux à Noël. Quant aux deux autres, il en entendait parler, une ou deux fois par an, mais ils habitaient en Australie, et avaient chacun une famille et leurs propres soucis. Nick contempla avec envie la plage éclaboussée de soleil. Comme il aurait aimé se trouver là-bas ! N'importe où, songea-t-il, sauf ici.

Le chat roux et blanc, qui voulait sa pâtée, se frottait contre ses jambes ; il le nourrit pour avoir la paix puis, la maison ayant besoin d'être chauffée, il entreprit de remplir le fourneau.

Cette occupation atténua son sentiment de frustration, mais pas suffisamment. Il songea à faire un footing bien que ce ne fût pas dans ses habitudes le samedi. Pendant la semaine, il lui était absolument nécessaire de s'éclaircir les idées et de faire le plein d'énergie pour la journée ; en revanche, le week-end, quand il écrivait et se consacrait à son travail de recherche, il préférait en général passer une matinée tranquille dans son bureau. Aujourd'hui, toutefois, il éprouvait un vif besoin de se dépenser physiquement.

Il regarda par la fenêtre en se demandant à quoi il pourrait s'occuper. Le temps était brumeux, sans un souffle de vent. N'eût été les branches dégarnies des arbres et les monceaux de feuilles mortes, rien ne laissait deviner qu'une tempête d'une rare violence avait sévi durant la nuit. En contemplant la cour et le jardin, Nick pensa qu'il devrait enlever les feuilles. De toute façon, il faudrait effectuer cette tâche avant l'hiver ; mais il avait beau se dire que la tempête lui avait accordé la grâce insigne de les faire tomber presque toutes d'un coup, le cœur n'y était pas.

Il finit pourtant par se décider, enfila un vieux parka pardessus son jean et son pull et, d'un pas lourd, traversa la cour jusqu'à la grange. Dehors, le froid était encore plus grand qu'il ne s'y attendait. Le premier gel de la saison avait laissé un liséré argenté au bas des murs et des haies. Comme la température ne permettait pas de rester inactif, Nick se mit au travail avec ardeur, ratissant les feuilles et les brouettant derrière la maison, jusqu'à un endroit où il pouvait les brûler en toute sécurité.

Nick avait l'impression que la maison était sens devant derrière, car la cour et ce qui, autrefois, était le jardin potager jouissaient d'un bon ensoleillement, et c'était toujours par là qu'ils entraient et sortaient. La façade nord, plus imposante, qui donnait sur le village était dotée d'un fronton surmontant la porte d'entrée et d'une petite terrasse. Mais cet accès n'était plus utilisable : l'ancien portail était depuis longtemps enfoui sous une haie d'aubépine. Nick s'arrêta un instant sous l'arche, dans le mur de protection, à l'angle nord-est de la maison, et observa le jardin de devant. Abandonné pendant des années, il était devenu un terrain inculte, envahi par les mauvaises herbes et les broussailles, les églantiers et le chèvrefeuille. En été, cet endroit avait le charme d'une prairie ; l'herbe et les fleurs sauvages ondulaient sous la brise, et servaient de sanctuaire aux abeilles et aux papillons. A présent, les arbustes étaient nus et l'herbe couchée. Seules les ronces se dressaient bien droites, aussi farouches que des bandes de soldats armés de piques avant une bataille.

Ce spectacle découragea Nick. Pour la première fois, à la pensée des deux mille cinq cents mètres carrés de terrain de Holly Tree Cottage, il se demanda s'il n'avait pas vu trop grand. Par chance, la cour était entourée d'un mur en brique ; mais même celui-ci commençait à s'ébouler par endroits.

Sentant qu'il allait glisser de l'accablement à l'abattement, Nick vida la brouettée de feuilles et retourna dans le potager. A onze heures, il avait enlevé le plus gros et un soleil pâle s'escrimait à diffuser un peu de chaleur. Il songeait à faire une pause quand Natasha sortit à sa rencontre en apportant deux tasses de café, en gage de paix.

Ils passèrent une autre heure dehors. Natasha arrachait des bordures les restes squelettiques des plantes à repiquer, pendant que Nick taillait les roses et une clématite tout en longueur près du mur. Il inspectait le buisson de houx, de plus en plus volumineux, quand il aperçut quelqu'un sur la route. C'était la femme qu'ils avaient surnommée Mrs. McCoy, et elle promenait son lévrier irlandais. McCoy était en fait le nom du chien qui, à son habitude, tirait comme un fou sur sa laisse. Sa propriétaire le lâcha, et Nick regarda le grand animal maigre et ébouriffé s'élancer vers lui en parcourant sans effort apparent les quarante ou cinquante mètres qui les séparaient.

McCoy avait l'habitude déconcertante de faire des bonds. Se rappelant que la dernière fois ce long museau haletant s'était trouvé à seulement quelques centimètres de son visage, Nick pointa l'index vers le sol et cria : « Couché ! » Stupéfait, l'animal s'arrêta pile. Devant l'œil courroucé de Nick, il s'éloigna, la queue entre les jambes, pour renifler une odeur de l'autre côté de la route. Il leva nonchalamment la patte en jetant à Nick un regard chargé de reproches, puis continua son chemin. Nick tourna la tête et vit la femme accélérer le pas pour le rattraper. Son chien la tyrannise, songea-t-il.

Il était triste pour elle. Blonde, mince, d'une beauté fanée, elle devait avoir le même âge que lui, peut-être un peu plus ; très gentille, mais d'une politesse légèrement obséquieuse, elle était intarissable sur son mari et ses fils, jeunes adolescents. Ils ne promenaient jamais le chien. Nick les voyait quelquefois bricoler leur voiture et leurs bicyclettes devant chez eux, dans le nouveau lotissement.

Comme elle arrivait à sa hauteur, il lui adressa la parole :

— Je ne sais pas si vous avez remarqué, mais il y a des moutons dans le champ au sommet de la butte... S'il prenait l'envie à McCoy de leur faire la chasse, poursuivit-il après un sourire, le fermier pourrait s'énerver...

— Ah, je ne savais pas, dit-elle. Merci de me prévenir. Vous avez raison, McCoy n'est pas toujours très obéissant. Je l'attacherai quand nous arriverons près du bois. Mais nous n'irons pas aussi loin, s'empressa-t-elle d'ajouter, il y a de la boue par là-bas.

— Comme vous voulez. Je souhaitais juste vous avertir de la présence des moutons. On vient de les mettre dans ce champ et ils sont très près de la route.

— Oui, oui, en effet. Je vous remercie.

Nick la regarda s'éloigner en imaginant son mari en train de regarder le sport à la télévision, affalé dans un fauteuil. Du coup, il consulta sa montre. S'ils se dépêchaient, ils pourraient déjeuner au pub et être de retour à temps pour les internationaux de rugby, à trois heures.

Caché aux regards par un rideau d'arbres et la configuration du pays, et situé à l'écart d'une petite route secondaire, Denton-on-the-Forest était en général ignoré des touristes. En revanche, les amateurs de jolis villages du nord du Yorkshire connaissaient son existence et le clocher saxon de son église, merveilleusement préservé, lui avait permis de figurer dans quelques guides touristiques.

Face à l'entrée de Dagger Lane s'étendait un acre de pelouse en pente douce qui appartenait autrefois à l'enceinte médiévale dans laquelle les villageois mettaient leurs bêtes à l'abri. Le ruisseau qui les avait abreuvées courait tout du long dans une profonde rigole et disparaissait au-dessous de la route pour s'écouler plus doucement à travers champs, vers le sud.

Au nord de la place, une rangée de cottages et de maisons formait un ravissant demi-cercle, délimité par le bureau de poste qui faisait également office d'épicerie, l'église avec sa lourde tour saxonne et le pub du village, le *Half Moon*. Les habitations étaient bien entretenues et appartenaient pour la plupart à d'anciens citadins venus chercher la paix et le calme de la vie à la campagne. Les villageois de souche avaient été obligés de se retrancher dans des habitations moins salubres, blotties derrière l'église ou éparpillées le long de la grand-rue, tandis que leur progéniture se mariait et partait à la ville parce que le travail dans le coin se raréfiait et que les prix des logements dépassaient leurs ressources.

Natasha trouvait ça triste, mais c'était caractéristique de la période. Et, pour les villageois de vieille souche, Nick et Natasha étaient aussi coupables que de nombreux étrangers. Ni l'un ni l'autre n'avait pourtant le désir de participer plus que nécessaire à la vie du village. Ils s'en tenaient à des relations de bon voisinage et n'étaient pas véritablement intégrés dans la communauté villageoise. On manifestait au Dr Rhodes et à sa femme — ou était-ce le Dr Rhodes et Miss Crayke ? — la tolérance quelque peu ironique réservée à tous ceux qui n'étaient pas nés à Denton et n'y résidaient pas depuis au moins trois générations.

Le *Half Moon* reflétait pour une bonne part cette division. C'était une vieille maison appartenant à l'une des grosses brasseries du Nord, mais le patron, qui était là depuis de longues années, avait fini par se faire accepter. Ayant cédé à la pression, il servait des repas à l'heure du déjeuner chaque jour de la semaine, mais pas le soir, car il disait que l'odeur de la nourriture gâtait le goût de sa bière ; en outre, expliquait-il, s'il gagnait trop d'argent dans la restauration, la brasserie mettrait un terme à son bail, engagerait un gérant et un chef de cuisine, changerait le décor du pub et rénoverait la salle à manger.

Les villageois se rembrunissaient toujours quand il leur tenait ce discours. Natasha les comprenait, car elle aimait beaucoup ce vieux pub, avec ses poutres en chêne noircies par la fumée. Des transformations en détruiraient inévitablement l'atmosphère. Un unique comptoir, au centre, desservait deux salles. Dans la plus grande, les gens jouaient presque chaque soir aux fléchettes et aux dominos ; l'autre, en forme de L et pourvue de tapis et d'une cheminée, était la plus confortable.

Il y avait de minuscules fenêtres et d'innombrables coins et recoins. De place en place, des têtes d'animaux empaillées émergeaient des ombres et d'étranges objets pendaient aux poutres enfumées. En hiver, les flammes dansantes du feu rendaient la vie aux lièvres, renards et écureuils morts depuis longtemps, effrayant les étrangers.

Pendant que Nick commandait à boire, Natasha se réchauffa les mains devant la cheminée. L'air frais et l'exercice physique lui avaient fait du bien, mais elle se serait trouvée encore mieux sans un vif sentiment de frustration. Bien que cette frustration soit principalement d'ordre sexuel, elle se rendait compte que les choses risquaient d'aller de mal en pis et qu'elle ne pourrait y remédier seule. En observant le large dos de Nick, appuyé au bar, et les lignes séduisantes de ses cuisses et de ses hanches, elle regretta de n'avoir pu répondre à son désir. Jamais encore elle ne s'était sentie fatiguée au point d'éprouver du dégoût pour les choses sexuelles. Surtout avec Nick. Elle l'aimait et, en cet instant précis, elle le désirait ; par amour pour lui, elle aurait voulu pouvoir faire l'amour, au moins pour rendre possible une conversation après.

Ce désespoir passager semblait communicatif. Lorsque Nick se retourna vers elle, il hésita une seconde, puis ébaucha un petit sourire triste qui engendra aussitôt chez Natasha un douloureux sentiment de culpabilité.

Il lui montra le menu.

— Soupe aux poireaux et aux pommes de terre. Ça te dit ?

— Oui. Avec un sandwich au fromage, s'il te plaît.

Près de la cheminée, la chaleur était intenable. Natasha s'éloigna et s'assit près d'une fenêtre. Le beau temps n'avait pas duré. Un brouillard dense s'agglutinait déjà autour des arbres et au-dessus du ruisseau. Natasha était en train de se dire qu'ils avaient abandonné le jardin au bon moment quand elle aperçut quelque chose qui débouchait à toute vitesse de Dagger Lane et traversait la route. Il lui fallut une ou deux secondes pour comprendre que c'était McCoy. Il arriva sur la place ventre à terre, et dérapa en tournant vers le nouveau lotissement.

Ce chien se montrait toujours si tyrannique qu'elle rit de bon cœur de sa frayeur. Comme elle se demandait ce qui avait pu l'affoler ainsi, elle s'étonna de ne pas voir sa maîtresse.

Sans doute elle allait apparaître d'un instant à l'autre, haletante, la laisse à la main.

Nick apporta leurs verres et lui demanda ce qu'il y avait de si amusant. Comme elle lui racontait la course éperdue de McCoy, le sourire de Nick s'évanouit. Les sourcils froncés, il se pencha pour regarder par la fenêtre.

— C'est bizarre.

Il but une longue rasade de bière, perdu dans ses pensées.

— J'espère que ce n'est pas...

— Quoi ?

— Elle, tu ne l'as pas vue, n'est-ce pas ? C'est idiot, je lui ai parlé des moutons, mais je n'ai pas songé à la mettre en garde contre...

Natasha ouvrit la bouche pour lui demander de quoi il voulait parler, mais déjà il se dirigeait vers la porte.

— Je t'expliquerai plus tard, s'écria-t-il par-dessus son épaule. Attends-moi là.

Sidérée, elle le regarda partir, passer en courant devant la fenêtre et traverser la route. Ne sachant quel parti prendre, elle hésita un moment. Le patron apporta la soupe et les sandwichs.

— Excusez-moi, Tony, notre repas devra attendre. Il faut que je sorte un moment.

Elle se précipita dehors. Nick avait disparu. Dans Dagger Lane, la brume tournoyait en épaisses volutes qui se fixaient le long du ruisseau, de l'autre côté de la route. Ce sinistre tableau fit ralentir Natasha et, au croisement, elle réfléchit à deux fois avant de s'engager sur le chemin. C'est alors qu'elle aperçut trois silhouettes qui venaient dans sa direction. Elle reconnut Nick. L'autre homme, plus petit, devait être le vieux Toby Bickerstaff. Entre eux, il y avait une femme. Lorsqu'ils furent assez près, elle vit que la femme se tamponnait les yeux. Elle avait manifestement pleuré ; à la vue de Natasha, elle se redressa et dégagea son bras de celui de Nick.

— Ça va maintenant, je vous assure... Je vous remercie infiniment...

Elle avait les mains et le côté droit couverts de boue. Natasha était curieuse de savoir ce qui s'était passé et pourquoi Nick était parti comme ça, mais le moment semblait mal choisi. La femme n'avait apparemment rien de cassé et se remettait peu à peu de ses émotions. Maintenant qu'elle ne craignait plus rien, elle se montrait distante et se répandait en excuses, préoccupée par le qu'en-dira-t-on, si on la voyait escortée jusque chez elle par trois personnes. Elle se résigna néanmoins à laisser Nick et Natasha marcher près d'elle, pendant que Toby, comprenant ce qu'elle ressentait, suivait à quelques pas derrière. Mais, quand ils furent arrivés au bout de la place, elle les remercia fermement en insistant pour accomplir seule la fin de son trajet.

Nick soupira et jeta un coup d'œil à Toby, qui s'apprêtait déjà à traverser la route en direction du *Half Moon*.

— Allons déjeuner, dit-il à Natasha.

Pendant que leur soupe réchauffait, elle lui demanda ce qui s'était passé. Nick s'excusa de ne pas lui avoir raconté plus tôt l'incident survenu à Toby. Cela lui était sorti de l'esprit, à cause d'autres préoccupations, expliqua-t-il.

En l'écoutant, la jeune femme sentit les poils de ses bras et de ses cuisses se hérisser. Elle réprima un frisson et se força à analyser d'une manière objective le récit de Toby, qui prétendait avoir aperçu au crépuscule un animal mystérieux. Elle conclut que le vieil homme avait dû boire un verre de trop, et prendre un labrador noir pour quelque bête fantomatique.

— C'est sans doute le chien que j'ai vu sur la route, l'autre nuit...

— Non, je ne crois pas. Tu étais sûre que c'était un chien. Toby et Mrs. McCoy sont sûrs et certains qu'il s'agissait d'un autre animal.

Il lui rapporta ce que la femme lui avait raconté. Elle avait marché, semblait-il, presque jusqu'au bois du Bout du Monde. Le fond de la cuvette s'enfumait rapidement. A son habitude, McCoy reniflait dans les broussailles à quelque distance devant. Accélérant le pas pour le rattraper, elle était sur le point de l'appeler quand elle l'avait vu dresser la tête, le poil hérissé. On aurait dit qu'il était sur le point d'attaquer, avait-elle expliqué ; il avait émis un long grognement, suivi d'un glapissement aigu comme s'il avait été mordu. Puis il avait brusquement fait volte-face, et détalé à toute vitesse.

— ... Et, en se retournant pour voir ce qui avait bien pu lui causer une telle frousse, poursuivit Nick, elle a aperçu une forme noire qui émergeait du brouillard et s'avançait vers elle.

Une bête avec une grosse tête, qui se déplaçait à la manière d'un chat.

« Alors, elle a pris ses jambes à son cou, ajouta Nick en finissant sa bière. On ne peut pas lui en vouloir. Mais, au même moment, elle est tombée en glissant dans la boue, et elle a paniqué. Lorsqu'elle est arrivée devant chez Toby, elle était pratiquement morte de peur.

Troublée malgré elle, Natasha essaya de n'en rien laisser paraître.

— Il fallait en effet qu'elle soit dans tous ses états pour appeler Toby à l'aide...

— Oui, elle a eu une peur bleue, on peut le dire. Tu veux un autre verre ?

— S'il te plaît.

Natasha alluma une cigarette et réfléchit à l'aventure survenue à cette femme qu'ils appelaient Mrs. McCoy, en essayant d'être plus impressionnée par son affolement manifeste que par cette histoire d'ombres se mouvant dans le brouillard. Elle avait été très secouée, sans aucun doute ; mais de son propre aveu sa chute y était pour beaucoup. Et le brouillard, très dense le long de la petite route, avait en soi quelque chose d'inquiétant.

— Que croit-elle avoir vu ?

Nick s'assit et prit une gorgée de la meilleure bière anglaise du patron.

— Tu ne devineras jamais. Une panthère noire !

— Non.

Il rit, et la lumière se réfléchit dans ses yeux.

— Oui, je sais que c'est très improbable ; mais il y a le zoo, n'oublie pas.

— Voyons, Nick, c'est un zoo pour les enfants ! Les panthères noires sont des animaux exotiques qu'on ne trouve pas facilement. Ils n'ont certainement pas de quoi s'en offrir une !

— Inutile de t'énerver ainsi, répliqua-t-il avec désinvolture. Ça paraît peut-être fou, mais tu voulais savoir ce qui s'est passé, eh bien, tu es fixée.

— Tu as dû croire ce que le vieux Toby t'a raconté l'autre jour, sinon tu ne serais pas parti en courant comme ça !

Cela l'agaçait qu'il puisse accorder foi aux histoires abracadabrantes d'autres personnes alors qu'il mettait en doute ce qu'elle-même disait. C'était un chien, elle l'avait vu. Elle avait même cru qu'elle l'avait écrasé. Nick n'avait pas voulu la croire ; et maintenant il essayait de la convaincre qu'il y avait là-dessous un mystère. C'était vraiment horripilant.

Il but longuement avant de reposer sa chope.

— Oui, dit-il d'une voix douce, j'y ai cru. Et maintenant, je pense qu'il est temps de partir.

Malgré le scepticisme dont elle avait fait preuve, Natasha ne se sentait pas rassurée sur le chemin du retour. Dans le brouillard, chaque branche, chaque touffe d'herbe prenait un aspect menaçant ; même le silence paraissait hostile. A deux reprises, le grondement étouffé d'une voiture traversant le village la fit sursauter, car le bruit semblait venir de partout à la fois. Elle avait terriblement envie de s'agripper au bras de Nick, mais le sentiment d'avoir été offensée lui revint avec une vigueur accrue et la fit marcher à presque un mètre de distance.

Dès qu'ils furent rentrés, Nick alluma le téléviseur. Le match de rugby était déjà commencé. Il s'étendit sur le canapé pour le regarder pendant que Natasha allait téléphoner dans la cuisine. Le trajet jusqu'à la maison avait conforté la jeune femme dans son idée ; dans certaines circonstances, la plupart des gens sont capables d'imaginer n'importe quoi, même des panthères noires rôdant sur des petites routes de campagne. Pour se prouver qu'elle avait raison, elle téléphona au zoo et aux stations de police d'Easingwold, de Helmsley et de Strensall. Personne n'avait entendu parler de la disparition d'une panthère ou d'une bête semblable. Ni même de la perte d'un labrador noir. Natasha apprit que deux bergers allemands, un golden retriever et un terrier blanc étaient portés disparus, ainsi que plusieurs chats ; mais tous les policiers à qui elle avait parlé notèrent son numéro de téléphone et promirent de la rappeler s'ils apprenaient quelque chose susceptible d'éclairer son enquête.

— J'ai appelé la police, déclara-t-elle en entrant dans le salon. Aucun animal sauvage ne s'est échappé.

— Tu veux dire que jusqu'à présent personne n'a mentionné la disparition d'un animal quelconque...

Nick ne quitta pas des yeux l'écran, et poussa un gémissement quand l'autre équipe marqua de nouveaux points. Comme Natasha retournait brusquement vers la porte, il ajouta :

— Demain matin, j'ai rendez-vous avec Toby. On va voir si on trouve des empreintes.

Au cours de la nuit, le brouillard givrant avait déposé une pellicule blanche sur la campagne. En ce dimanche matin, sous la lumière diffuse du soleil levant, le paysage était voilé et romantique. Après le temps lugubre des semaines précédentes, c'était un splendide tableau hivernal. Marchant d'un pas vif, Nick se sentait stimulé par le froid et savourait tout autant le retour du beau temps que le caractère aventureux de cette promenade matinale.

Toby sortit furtivement de sa caravane, la silhouette épaissie par plusieurs couches de vieux pull-overs, le chapeau enfoncé jusqu'aux sourcils. Les mains qui tenaient le fusil étaient couvertes de mitaines, mais bien qu'il eût toussé un bon coup avant de se mettre en route, il ne se plaignit pas du froid. Il en paraissait même heureux.

Cet homme qui avait des problèmes respiratoires pouvait, si nécessaire, se déplacer vite et sans bruit, et l'âge n'avait en rien diminué son acuité visuelle. Tandis que Nick scrutait les broussailles, à l'affût du moindre mouvement, Toby examinait le sol et désignait, ici et là, les empreintes de McCoy. Et, tout en descendant vers le bois, il commentait les traces laissées par les renards et les chevreuils ; des plumes éparses, indiquant que quelque malheureux pigeon avait trouvé la mort ; et les inévitables crottes de lapin, au milieu du chemin. A proximité du bois, il suivit les empreintes jusqu'à l'endroit précis où le chien, saisi de peur, s'était immobilisé avant de s'enfuir.

— Voyez, marmonna-t-il en pointant un doigt noueux vers le sol. Il faisait assez doux hier pour qu'il enfonce, et le gel d' ce matin a conservé les traces !

Les empreintes étaient très nettes, en effet. Nick les suivit jusqu'à un carré d'herbe creusé par le violent demi-tour du chien ; elles décrivaient ensuite un large arc de cercle, menant de l'autre côté de la partie pierreuse de la route, où une série de petits cailloux gelés, largement espacés, voisinaient avec les empreintes des longues griffes canines, qui avaient entamé profondément le sol quand le chien avait pris la fuite.

Au-delà de la portion de terre piétinée et gelée, le chemin paraissait intact. Nick laissa Toby chercher. La lisière du bois était plus proche sur la droite ; à gauche, il y avait peut-être une vingtaine de pas à parcourir pour arriver à des souches d'ormes déracinés. De part et d'autre de la petite route, le bois du Bout du Monde, mal entretenu, étirait sa sombre masse oblongue. Il était presque entièrement entouré d'un fossé, que les fermiers nettoyaient assez régulièrement à certains endroits ; mais de chaque côté de la route il était rempli de terre, de feuilles et de végétation en décomposition. Sur la droite, les restes d'un pont en bois conduisant à une trouée dans les arbres, moins envahie par la végétation, étaient la preuve des soins dont le bois avait bénéficié autrefois.

Ce jour-là, la gelée blanche rendait l'obscurité moins profonde ; les arbres ressemblaient à des spectres, les ronces et les fougères à des décorations de Noël enchevêtrées. Natasha se serait récriée, mais Nick répugnait à détruire cette harmonie. Tandis que Toby s'aventurait sur le pont pour fureter de l'autre côté, il attendit près des souches. Il réfléchit qu'avec ce brouillard à couper au couteau ces racines retournées pouvaient passer pour quelque apparition étrange et surnaturelle. Au moment où il considérait ce point, son regard fut attiré par la couleur brillante de deux cartouches de fusil, sous la plus grosse des souches ; à moins d'un mètre, dans un carré de terre dépourvu de feuilles, il découvrit les empreintes de deux pattes.

Comme celles du lévrier irlandais un peu plus haut, le dessin était profond et bien dessiné. On distinguait nettement une patte à peu près circulaire avec cinq orteils, et des impressions en creux à l'emplacement où les longues griffes s'étaient enfoncées dans la boue. Nick pensa aussitôt que McCoy avait dû passer par là, car les empreintes étaient assez grandes pour être celles d'un lévrier irlandais. Pourtant, elles semblaient légèrement différentes.

Il appela Toby.

Le vieil homme avança avec prudence et regarda les traces

avec attention. Lorsqu'il se redressa enfin, il faisait une drôle de tête.

— On dirait un sacré grand chien, déclara-t-il d'un air incertain en fouillant profondément dans le fond de sa poche à la recherche de sa boîte à cigarettes. Mais j' suis sûr d'une chose : c'est pas le lévrier irlandais. Lui, il a que *quatre* griffes.

5

— Bon, je te l'accorde ! dit Natasha. En général, les chiens n'ont pas cinq griffes. Les chats non plus. Mais j'ai connu quelqu'un qui avait un chat avec cinq coussinets à ses pattes de devant, aussi n'est-ce pas impossible. A mon avis, c'est un chien abandonné — un malheureux bâtard qui s'est retrouvé, l'an dernier, sous un sapin de Noël — et qui a dû se faire éjecter d'une voiture parce qu'il commençait à coûter trop cher à nourrir.

Toby, silencieux, se contentait de remuer les pieds, le regard rivé au jardin dénudé. Nick lui tendit une tasse de café en faisant observer entre ses dents que ce devait être un sacré gros chien pour avoir des pattes de cette taille. En son for intérieur, il reconnaissait la justesse du raisonnement de Natasha, mais il lui en voulait de ne pas admettre, en présence du vieil homme, qu'il y avait une part de mystère dans cette histoire. Ce qui l'irritait au plus haut point, c'était son attitude défensive, son refus obstiné de vouloir envisager d'autres possibilités, moins logiques. S'il n'avait pas lu ses deux romans, Nick aurait pu en conclure que sa femme manquait d'imagination. La pensée que Natasha gardait son talent sous clef, dans son bureau, l'agaçait prodigieusement.

Après le déjeuner, il se réfugia dans son propre bureau avec l'espoir d'avancer un peu dans son travail. Il voulait prendre des notes pour préparer un article que lui avait demandé l'*Agricultural History Review*. Malheureusement, le déclin des petits propriétaires terriens dans le nord du Yorkshire, au XVIIIᵉ siècle, ne réussit pas à fixer son attention.

Il se surprit à contempler le brouillard qui revenait, estompant ce qui restait de l'après-midi. Il alluma sa lampe de bureau et s'efforça de se concentrer sur ce qu'il était en train de faire. Mais après un autre paragraphe, ses pensées, irrésistiblement attirées par le comportement singulier de Natasha et l'animal mystérieux de Toby, se remirent à vagabonder.

Trop énervé pour rester assis, il se leva et étudia le contenu de ses étagères. De temps à autre, un titre attirait son attention ; il le feuilletait rapidement et le remettait en place. Soudain, son œil s'éclaira à la vue d'un volume différent des autres et posé au bout d'une rangée, parmi des livres qu'il avait rapportés du collège quelques jours plus tôt et n'avait pas encore eu le temps de ranger. Un de ses étudiants (ou plutôt, une de ses étudiantes, encore qu'il ignorât de qui il pouvait s'agir) avait oublié *Delta de Vénus* d'Anaïs Nin, à la fin d'une séance de travaux pratiques. Par curiosité, il avait lu deux chapitres et en avait trouvé le contenu très tonique. Mais c'était le genre de stimulant dont il n'avait pas besoin. Pas en ce moment, en tout cas.

Comme il s'apprêtait à le ranger dans un tiroir, il arrêta son geste et soupesa le livre. Il n'avait pas encore raconté l'incident à Natasha. Il pourrait le faire quand elle serait mieux disposée, et si elle le lisait elle comprendrait ce qui leur manquait.

Mais même les fantasmes passagers étaient perturbants et il était censé chercher autre chose. Il était presque sûr d'avoir lu à propos d'un chien une histoire étrange qui s'était passée dans cette région, et c'était dans un des livres de sa bibliothèque. Reprenant sa recherche, il parcourut du regard deux ou trois autres étagères avant de trouver l'ouvrage susceptible de le renseigner.

Datée de 1899, *The History of the Howardian Hills* de Beauchamp était un merveilleux recueil de récits du folklore régional, réunis par un pasteur de campagne titulaire d'une maîtrise mais dont les interprétations étaient souvent erronées. Nick aimait bien ce genre de livre. Ils évoquaient des cures prospères, un christianisme modéré et la possibilité illimitée de se cultiver — un mode de vie, pour tout dire, qui non seulement avait disparu, mais était à l'opposé de ce qu'il avait connu. Sans trop savoir pourquoi, Nick préférait ces ouvrages aux romans policiers surannés de Dorothy Sayers et de Margery Allingham.

Il ouvrit le livre au chapitre intitulé : « Mythes et légendes extraordinaires », et sourit en survolant la liste des contes populaires que le révérend Beauchamp avait cru bon d'inclure. On trouvait les inévitables histoires de fantômes ; une avait pour cadre le château de Slingsby et concernait John de Mowbray, décapité pour avoir soutenu le mauvais camp, à la bataille de Boroughbridge ; une autre se passait à Sheriff Whenby — dans le manoir, nota Nick avec intérêt, pas au château — et il était aussi question d'un moine fantôme, au prieuré de Kirkham. Il y avait des histoires de sorcières qui se transformaient en lièvres (pas de chats dans cette région !) et des lièvres qui se métamorphosaient en femmes ; après le passage sur les animaux mystérieux, Nick trouva ce qu'il cherchait.

Selon le révérend Beauchamp, les gens prétendaient qu'un chien noir rôdait dans la région, et bien qu'il ne possédât aucun témoignage direct, le pasteur estimait que cette croyance avait sa source dans un mythe plus ancien concernant l'église de Brickhill, dont il ne donnait pas les sources, pour la plus grande déception de Nick. En 1635, un chien noir aurait perturbé le déroulement du service. L'animal serait venu du chœur, aurait descendu la nef et regardé l'assemblée suffoquée. Les bedeaux, incapables de l'attraper, auraient été confondus par sa brusque disparition et l'odeur qu'il avait laissée derrière lui...

Se demandant de quel genre d'odeur il s'agissait, Nick poursuivit sa lecture et apprit que cet événement se serait produit durant la semaine où l'autel avait été retrouvé à l'extrémité orientale de l'église. Diverses factions auraient prétendu que c'était la conséquence de la visite du chien de l'Antéchrist, venu approuver le culte des idoles.

Le sentiment anticatholique à une époque qui ne se caractérisait pas par la tolérance était certainement à l'origine de cette polémique, songea Nick en relisant le passage. Les fanatiques avaient dû exploiter au maximum la présence fortuite d'un chien noir à l'intérieur de l'église. Beauchamp s'exprimait en d'autres termes, mais il disait plus ou moins la même chose. Sans les récits du vieux Toby et de Mrs. McCoy, et les empreintes surprenantes découvertes près du bois, Nick qui avait déjà lu cette histoire y aurait vu, cette fois encore, un ramassis d'inepties.

Maintenant, il n'en était plus si sûr.

Il était en train de se demander comment il pourrait connaître les sources de cette légende quand il entendit un bruit de moteur. Il ouvrit la fenêtre et regarda dehors ; dans l'obscurité et le brouillard, il ne vit que la lumière des phares. Quelque chose pourtant lui dit que ce devait être Giles.

Sans lâcher son livre, Nick se dépêcha de descendre pour accueillir leur hôte, qu'il fit entrer avec un grand sourire dans la cuisine bien chaude.

— Brr, qu'est-ce qu'il fait froid ! s'exclama Giles avec un tremblement exagéré. Oui, je veux bien une tasse de café — tu es un ange, Natasha —, et quelque chose de plus corsé pour accompagner, si c'est possible.

Il tendit les mains vers la chaleur du fourneau.

— Sale temps ! Ça donne envie de se suicider, vous ne trouvez pas ? Quand je pense que Fay a dû escorter un groupe de Japonais dans York, cet après-midi. Pour ce qu'ils auront vu ! Lorsque je suis parti, il y avait un brouillard à couper au couteau. J'en avais tellement marre que je suis allé faire un tour sur la côte.

— C'était comment, là-bas ?

— Superbe. Ciel clair, mer calme, des tas de toutous gambadant sur la plage.

Il rit et serra Natasha dans ses bras.

— Et toi, comment ça va ? demanda-t-il. Tu t'es remise de la fête de Halloween ?

— Mais oui, répondit-elle d'une voix assortie à la température extérieure. Je suis restée sobre, moi.

Giles prit l'air gêné de celui qui se rend compte qu'il a commis une gaffe, mais comme toujours il était plus amusé que sincèrement contrit. Il parvint néanmoins à dérider Natasha et, pendant un bref instant, Nick fut jaloux de son talent. Giles semblait capable d'obtenir tout ce qu'il voulait des femmes ; il faut dire qu'il n'était pas marié.

Nick porta deux petits verres de whisky dans le salon. Quelques instants plus tard, Natasha vint servir le café, mais elle ne resta pas. Elle dit qu'elle devait s'occuper du repas et, en aparté, demanda à Giles s'il voulait dîner avec eux. Il la remercia chaleureusement et, quand elle fut hors de portée de voix, il déclara pour la énième fois à Nick qu'il était un sacré veinard d'avoir persuadé Natasha de l'épouser, et que les filles comme elle ne couraient pas les rues.

Souriant un peu jaune, Nick se détourna pour ajouter quelques bûches sèches dans l'âtre. Comme elles prenaient feu, il s'accroupit et admira le contrecœur en fonte qui protégeait le fond en brique de la cheminée. Il l'avait déniché dans la grange, à moitié enfoui sous des couches compactes de paille et de terre. Il s'était, à vrai dire, cogné le gros orteil dedans en nettoyant les détritus accumulés au fil des ans et, de colère, avait cherché à le dégager à coups de bêche avant de comprendre ce que c'était. Ses efforts avaient été récompensés. Le contrecœur n'était cassé que dans un coin, et le motif, qui rappelait un jardin élisabéthain, était étonnamment bien conservé.

— Qu'est-ce que tu lis de beau ? demanda Giles en brandissant le livre de Beauchamp. Ça m'a l'air fantastique.

— Oui, la couverture est magnifique, mais le contenu est un peu frustrant. Il ne cite pas les sources des petites histoires fascinantes qu'il raconte.

Giles le feuilleta.

— Et pour laquelle de ces histoires aimerais-tu connaître les sources ? demanda-t-il.

Nick lui prit le livre des mains, avec un sourire, et l'ouvrit à la bonne page ; il lut le récit et la conclusion de Beauchamp à haute voix, puis déclara :

— Il est souvent à côté de la plaque, mais dans ce cas précis je suis assez d'accord avec lui. Je pourrais m'en tenir là, seulement...

Nick prit son verre avec un léger soupir exaspéré et étudia le liquide ambré, qui scintillait à la lumière du feu.

— Seulement quoi... ? demanda Giles. Allez, ne me fais pas languir.

Connaissant la prédilection de son ami pour l'occultisme et les histoires de fantômes, Nick hésitait à lui divulguer le reste ;

il n'avait pas peur que son ami se montre sceptique, mais craignait au contraire qu'il ne se jette sur cette histoire tel un loup affamé. L'intérêt que Nick portait pour sa part à de telles choses était plus d'ordre intellectuel qu'émotionnel, et reposait sur l'histoire sociale des zones rurales — où les légendes et les mythes exerçaient une influence moins forte que celles de la politique et de la religion, mais loin d'être négligeable. Nick avait besoin de connaître l'opinion de quelqu'un d'intelligent comme Giles, pourvu qu'il voulût bien faire abstraction de ses fantasmes personnels. Alors, avec un soin scrupuleux, il relata ce que lui avaient raconté Toby et la femme qu'ils appelaient Mrs. McCoy.

Giles se montra fort impressionné.

— Et toi aussi, tu l'as aperçu en rentrant de la fête de Halloween ?

— Non, pas moi, Natasha. Elle jure qu'elle a vu un chien. J'ai pensé qu'elle avait des visions, je l'avoue. Je ne sais pas si tu te rappelles, mais il faisait un temps épouvantable, et les haies sont un tel méli-mélo de broussailles...

— Mais Natasha a pensé qu'elle avait heurté quelque chose ?

— Ce qu'elle a senti, en fait, c'est la secousse de la voiture quand elle a calé.

— Tu veux donc dire qu'elle a vu quelque chose qui n'était pas vraiment là. Un fantôme, ou n'importe quoi d'autre, qui ressemblait à un chien.

— Mais les fantômes ne laissent pas d'empreintes, n'est-ce pas ?

— Évidemment non, intervint Natasha en entrant dans la pièce. Pour la bonne raison qu'ils n'existent pas. Les fantômes sont des hallucinations — des créations de l'imagination.

— Alors tu as imaginé ce chien ? demanda Giles en riant.

— Absolument pas. Je l'ai vu de mes yeux vu, juste devant la voiture. Bien sûr, dans le noir, il a dû me paraître plus proche qu'il ne l'était en réalité. J'ai freiné à mort, la voiture a calé et le chien s'est sauvé. Ce n'est pas plus compliqué que ça.

— Et c'est ce chien qui a terrifié le lévrier irlandais ?

Natasha s'assit au bout du canapé et se tourna vers Giles.

— Ce lévrier est terriblement tyrannique et, comme tous les tyrans, il a sans doute peur de son ombre.

Nick lui passa le livre de Beauchamp ouvert à la page concernant l'incident survenu dans l'église de Brickhill en 1635.

— Si les fantômes ne sont que des hallucinations, comment se fait-il que les bedeaux et les fidèles aient tous vu un chien noir disparaître à travers le mur ?

Elle lut l'histoire en pinçant les lèvres. Puis elle lui rendit le livre et prit son paquet de cigarettes.

— Ce compte rendu n'est étayé par aucune preuve. On croirait un article pour la presse à sensation.

— Tout à fait, répondit Nick avec calme. J'ai d'abord pensé la même chose. Mais tu ne trouves pas étrange que plusieurs personnes, en 1635, aient déclaré avoir vu un animal mystérieux — et que toi, Toby et Mrs. McCoy ayez aperçu quelque chose répondant à une description identique, il y a quelques jours ?

— Non. Je crois qu'il n'y aucun rapport entre ces deux événements. C'est une pure coïncidence, et je pense que tu essaies de déformer les faits.

— Je ne déforme rien du tout, répliqua-t-il. Je suis simplement intrigué par le fait qu'en 1899 un chien noir hantait, paraît-il, la région, et que les trois personnes à avoir vu une bête noire, ces derniers jours, sont incapables de dire précisément ce que c'est !

— J'ai vu un chien, rétorqua-t-elle, et ce sont certainement ses empreintes que tu as trouvées aujourd'hui, près du bois du Bout du Monde. Je ne vois pas ce qu'il y a de mystérieux là-dedans !

Sur ce, elle sortit de la pièce dans un mouvement d'humeur. Nick serra les dents et se jura de ne plus jamais aborder ce sujet. Giles tendit la main vers la bouteille de whisky avec un sourire et un haussement d'épaules.

— Tiens, reprends un verre, lui dit-il en guise de consolation. Si cela peut te réconforter, les chiens noirs sont souvent une grande source d'inspiration. Prends Dracula, par exemple, un classique de l'horreur — à mon avis, on n'a pas fait mieux depuis —, et demande-toi où Bram Stoker a pêché quelques-unes de ses idées... Dans le livre, si tu te souviens, le chien saute du navire en train de sombrer et disparaît en montant les marches de l'église de Whitby. Eh bien, je vais te faire une révélation : notre vieil ami Bram passait ses vacances à Whitby. C'est là où je suis allé aujourd'hui. Il y a réellement un navire russe qui s'est échoué sur Collier's Hope, à l'époque où il y séjournait. Il va sans dire qu'il aura entendu parler du *Barghest*.

— Le *Barghest* ?

— Le grand chien noir qui hante les cours et les ruelles de Whitby.

— Un chien qui porte malheur ?

— Oh, assurément ! répondit Giles avec délice.

Parfois, songeait Natasha, à cran, les hommes sont comme des enfants : seuls, ils sont très raisonnables ; mais, dès qu'ils se retrouvent à plusieurs, ils font plein de bêtises. Avec Giles, cette histoire de chien allait grossir démesurément, s'enjoliver de développements sans fin, et nourrir la conversation à table.

C'est absolument ridicule, se dit-elle en soulevant le couvercle de la cocotte et en piquant brutalement le poulet chasseur avec une fourchette. Elle regrettait d'avoir demandé à Giles de rester à dîner ; mais Nick l'aurait fait, de toute façon, surtout après quelques verres. C'était un autre problème ; Nick buvait avec modération, mais quand les deux hommes étaient ensemble on aurait dit qu'ils ne savaient plus s'arrêter. Giles devait avoir déjà dépassé le taux d'alcoolémie autorisé, et à moins qu'elle ne propose de le ramener chez lui en voiture — ce dont elle n'avait aucune envie — il devrait dormir chez eux. Ce ne serait pas la première fois, mais elle n'aimait pas ça ; la vue d'une bouteille de whisky à moitié entamée et l'odeur des verres vides lui rappelaient trop de souvenirs pénibles.

Par défi, Natasha qui buvait très peu ouvrit une bouteille de lambrusco achetée au supermarché, un alcool assez doux pour son goût. Après deux ou trois verres, personne ne lui demanderait de conduire.

Dommage que Giles soit venu seul, songea-t-elle. Elle aurait bien aimé voir Fay, car celle-ci était gaie et drôle. Natasha s'en était fait une amie ces deux dernières années et regrettait de la voir si rarement depuis quelque temps. Maintenant qu'elle avait terminé *Terre noire*, elles pourraient peut-être se rencontrer plus souvent.

Giles eut la même idée pendant le repas.

— Tu devrais appeler Fay pour organiser une sortie au théâtre. J'ai les programmes de la saison à la maison. A mon avis, il y a deux ou trois pièces qui valent la peine.

Natasha affirma qu'elle n'y manquerait pas. Giles et Nick vidèrent la bouteille de vin blanc sec qu'elle avait ouverte pour arroser le poulet, car sinon, dirent-ils, il faudrait le jeter. Ils mangèrent et burent avec plaisir en complimentant Natasha pour le repas. La jeune femme détestait faire le ménage, mais elle aimait bien cuisiner. Ce goût lui était venu après un long été caniculaire à Great Yarmouth pendant lequel elle avait travaillé dans un fast-food sur le front de mer. Dégoûtée à jamais des hamburgers, elle avait acheté son premier livre de cuisine, et elle en avait à présent toute une collection, depuis la très classique Mrs. Beeton jusqu'à la dernière parution de Claudia Roden.

La conversation roula sur la nourriture et les restaurants en Angleterre et à l'étranger et, à la fin, ils se promirent de retourner dans ceux qu'ils avaient préférés, parmi les plus abordables. Maintenant que le livre de Natasha était terminé, tout paraissait possible.

Après le repas, ils s'installèrent dans le salon pour regarder le dernier épisode de la série tirée des romans policiers de Ruth Rendell. Cela les fit taire pendant près d'une heure. Puis ils commentèrent abondamment les personnages, le scénario, les indices et le dénouement. Comme toujours, Nick s'intéressait surtout à l'interprétation des faits, donnée par l'inspecteur Wexford, tandis que Giles et Natasha étaient plus sensibles au style et à l'adaptation des romans. Ils accusèrent Nick d'avoir l'esprit borné et de faire preuve d'insensibilité. En temps ordinaire, Nick aurait ignoré ce genre de critiques ou les aurait réfutées en riant ; mais, après quelques verres de whisky, de vin et de nouveau de whisky, il le prit mal.

— Tes critiques sont plutôt mal venues après la façon dont tu as réagi récemment, répondit-il d'un ton sec à sa femme. Quelques leçons pour t'élargir l'esprit et développer ton imagination ne seraient pas du luxe !

Sur ces mots, il vida sa tasse de café et déclara qu'il allait se coucher.

Giles en resta bouche bée.

— Mais quelle mouche le pique ?

— Je ne sais pas, dit Natasha.

Elle étendit le bras pour combler le vide par de la musique et, tandis que les accords entraînants d'un morceau de Jean-Michel Jarre dissipaient la tension provoquée par le brusque départ de Nick, elle s'efforça de sourire.

— C'est un ensemble de choses. Je n'ai pas la cote, en ce moment, tu as dû t'en apercevoir.

— Comment ça se fait ?

Mais, dès qu'il eut posé la question, Giles secoua la tête et ajouta :

— Excuse-moi, ça ne me regarde pas. Tu n'es pas obligée de répondre.

Natasha s'appuya avec lassitude contre les coussins du canapé.

— Je peux bien te le dire. En fait, nous nous sommes disputés après cette fichue soirée de Halloween, et nous ne nous sommes toujours pas réconciliés.

— Oh, je vois, murmura-t-il avec une grimace. Tu lui en veux encore ?

— D'une certaine façon, oui. Ça m'énerve qu'il consacre autant de temps à discuter de l'existence d'un chien abandonné alors qu'il ne veut pas parler avec moi de ce qui s'est passé l'autre nuit.

Pendant un moment, Giles se tut, puis il se tourna vers elle, l'air grave.

— Écoute, je ne sais pas si tu t'en es aperçue, mais il y a des trucs qui ont circulé, cette nuit-là — cocaïne, cannabis, et Dieu sait quoi encore. Nick, lui, n'a rien pris, mais il y avait une atmosphère très spéciale, c'était complètement...

Il secoua la tête, incapable de trouver le mot juste, et ajouta d'un ton sec :

— Je doute fort que notre collège de Hesketh accepte de renouveler ce genre d'expérience. Il y a eu trop de plaintes de la part des femmes de ménage.

— Que veux-tu dire ? demanda-t-elle vivement. Que Nick

67

n'était pas responsable de sa conduite et que, par conséquent, je ne devrais pas y attacher d'importance ?

— Non, je dis simplement qu'il s'est laissé entraîner... comme la plupart des personnes présentes. Tu ne crois pas que tu dramatises ? Après tout, flirter en dansant n'est pas un crime.

— Mais tu l'as bien vu avec cette fille, Giles ; tu sais que ça allait plus loin que ça !

— Non, affirma-t-il avec conviction. A mon avis, tu prends les choses trop au sérieux.

Elle avait envie de le croire. Au bout de trois jours, elle commençait à douter. Nick ne l'avait peut-être pas trompée, après tout. Mais elle restait défiante, et ne pouvait oublier que les deux hommes étaient amis.

Ils se connaissaient depuis longtemps — depuis l'école, à vrai dire, même si leur amitié remontait à l'époque où Giles était arrivé à York pour donner des cours de littérature anglaise au collège. Auprès de Nick, professeur d'histoire depuis trois ans, marié et déjà bien établi, Giles semblait s'être quelque peu stabilisé.

Mais Nick n'encourageait jamais son ami à évoquer le passé. Natasha trouvait cela étrange, et parmi les sujets qui revenaient le plus souvent, elle ne savait trop lequel l'agaçait le plus, du culte du héros, perceptible dans la voix de Giles chaque fois qu'il était question de l'école et du sport, ou de ses remarques acerbes à propos de la ville où ils avaient grandi. Il la surnommait le Goulag de Grayshaw comme s'il s'était agi de quelque lieu d'exil dans la toundra sibérienne, ou bien il en parlait comme d'un horrible monument, édifié à la gloire de la révolution industrielle, où pullulaient usines et méthodistes. A l'en croire, il y retournait uniquement pour se rappeler la chance qu'il avait eue d'en partir.

En fait, il y allait régulièrement pour rendre visite à ses parents et, comme Nick l'avait souvent fait remarquer à Natasha, Giles était loin d'appartenir à un milieu défavorisé. Son père était directeur de l'usine lainière dans laquelle le père de Nick travaillait comme tisserand ; et alors que les parents de Giles habitaient une grande villa de l'époque du roi Édouard VII, en bordure de la lande, la famille de Nick logeait dans une modeste maison haute et étroite, au cœur de la ville.

Bien que Natasha fût curieuse d'avoir des détails sur la ville où Nick avait passé son enfance, il se contentait de lui dire que les usines et les chapelles des méthodistes avaient été rasées pour laisser la place aux supermarchés, aux lotissements et aux parkings. Grayshaw, lui avait-il appris un jour sur un ton ironique, pouvait même se vanter d'avoir un McDonald et un bowling sur le site des vieux ateliers de tissage où son père avait passé sa vie comme ouvrier. Il affirmait que la fin de l'industrie lainière le laissait indifférent, mais la transformation de Grayshaw l'attristait. C'était la mort de la fabrication manufacturière en général, et un grand trou dans l'économie nationale.

Elle comprenait ce qu'il ressentait, mais se demandait pourquoi il supportait mal d'entendre Giles en parler, et pourquoi Giles était si critique à l'égard d'une ville qui, contrairement aux apparences, signifiait beaucoup pour lui.

Mais Giles était ainsi. Il se moquait de tout, et surtout de lui-même. Natasha s'était souvent demandé si cette dérision systématique n'était pas pour lui une façon de dissimuler certains regrets. Il admirait Nick, c'était manifeste. Et Natasha pensait qu'il l'enviait aussi, sur le plan professionnel et personnel. Elle trouvait ça regrettable, car Giles était un excellent professeur, beaucoup plus abordable que Nick, qui se montrait distant et conservait des relations très formelles avec ses étudiants.

Sauf exception, bien sûr, se rappela-t-elle avec dérision.

Mais Giles ne l'aurait pas suivie sur ce terrain : il soutenait que rien de sérieux n'était arrivé entre Nick et cette fille en vert, et que si Natasha persistait à penser le contraire, elle se faisait mal à plaisir.

Il n'avait pas complètement tort. Au fond, elle désirait plus que tout pardonner et oublier l'incident ; mais il aurait fallu qu'ils en reparlent, et pour l'instant c'était impossible. Le ratage de leur dernier rapport sexuel avait rendu Nick irritable et ombrageux.

Sentant la tristesse de la jeune femme, Giles lui pressa la main et essaya de lui arracher un sourire.

— Allez, courage ! Grâce à qui vous êtes-vous retrouvés

après toutes ces années ? Si je n'arrive pas à me fixer, j'ai besoin que des couples heureux gravitent autour de moi pour justifier mon existence !

Il lui adressa son fameux sourire en coin en la considérant de ses yeux bleus pénétrants.

— Tu ne vas quand même pas tout laisser tomber pour un moment de folie !

Elle secoua la tête, touchée par le soudain intérêt qu'il lui portait.

— Non, bien sûr, murmura-t-elle et, se reprochant subitement d'avoir douté de lui, elle l'embrassa sur la joue.

— Tant mieux, déclara-t-il d'un air grave, car je vous aime beaucoup.

— Oui, je sais, dit-elle avec un sourire et elle pressa sa main à son tour.

La sympathie de Giles lui alla droit au cœur et elle se rappela la gentillesse qu'il lui avait témoignée quand elle était étudiante et traversait des moments difficiles. Elle aurait aimé lui demander conseil. Mais l'eau avait coulé sous les ponts et elle était devenue une adulte. Elle ne pouvait pas discuter de ses problèmes sexuels avec le meilleur ami de son mari.

A défaut, elle se rabattit sur l'histoire du chien.

— Je ne supporte pas ces restes de superstition, expliqua-t-elle. Je trouve ça totalement infantile. Lorsqu'on parle sans cesse de la même chose, c'est comme si on voulait la faire exister. Ça me rappelle Helen, quand elle était petite. Elle me racontait qu'une vieille femme était assise au pied de son lit. Il n'y avait personne, bien sûr, mais elle arrivait à me faire mourir de peur, et elle finissait par y croire elle-même. Et qui est-ce qui se faisait disputer ? Moi, bien sûr, parce que j'avais quatre ans de plus et que j'aurais dû être plus raisonnable !

Et quelques années plus tard, songea-t-elle, au moment où elle avait eu véritablement l'impression d'être plus sage que sa sœur, les ennuis avaient recommencé parce qu'elle s'était moquée de la phase mystique de sa cadette — ah, ce cinéma ! — et s'était insurgée contre les messes dites pour l'âme de leur père défunt. *Papa ne croyait pas à tout ça*, avait-elle protesté à plusieurs reprises ; c'était vrai. Pour Alex Crayke, il n'y avait pas de vie après la mort ; on n'était que de la nourriture pour les vers, et ceux qui s'imaginaient autre chose se berçaient d'illusions. Le plus exaspérant était que leur mère, Celia, qui avait en apparence partagé ce point de vue du vivant de son mari — ou du moins ne l'avait-elle jamais critiqué ouvertement en présence de Natasha —, avait viré de bord à la mort de son mari...

Natasha garda ces réflexions pour elle, et se força à rire, pour s'associer à l'amusement de Giles qui persista même quand elle lui assura que l'histoire sur Helen était vraie.

— Ah, je comprends tout, maintenant, dit-il pour la taquiner, tu as peur qu'il n'y ait du vrai dans l'histoire de Nick.

— Oh Giles, ne sois pas ridicule ! Je ne crois pas à ces sornettes !

— *Il me semble que la dame proteste bien fort...*

— Et si tu commences à citer Shakespeare, l'interrompit-elle d'un ton faussement sévère, je te fiche à la porte. Tant pis si tu es imbibé d'alcool !

Il glissa un bras autour de ses épaules avec un petit rire guttural et la serra contre lui.

— Tu ne ferais pas ça à ton vieil ami Giles.

— Essaie un peu pour voir !

Elle secoua la tête et éclata de rire, mais comme elle souriait Natasha prit soudain conscience avec une intensité extraordinaire de ce qui l'entourait : la musique, l'odeur du bois de bouleau, la chaleur de la cuisse de Giles contre la sienne, le contact de son corps d'homme contre son bras. Il avait son sourire provocant, et son visage ne se trouvait qu'à quelques centimètres du sien. A cet instant, la musique atteignit un crescendo, et quelque chose entre eux pétilla et s'embrasa ; Natasha eut follement envie de presser sa bouche sur les lèvres de Giles et de sentir ses mains sur ses seins ; une bouffée de chaleur torride parut aspirer tout l'air contenu dans ses poumons et arrêter le temps ; le sourire de Giles s'évanouit et ses yeux s'élargirent...

Dans l'âtre, il y eut un crépitement, une bûche dégringola au milieu d'une gerbe d'étincelles et le chat bondit sur ses pattes.

Natasha entendit la brusque inspiration de Giles, et son propre cœur se remit à battre très vite comme pour rattraper le temps perdu. Il se libéra très doucement, disant pour s'excuser qu'il voulait prendre ses cigarettes. Il lui en tendit une et elle la saisit avec reconnaissance, en évitant de croiser son regard et en essayant de ne pas remarquer que ses mains tremblaient un peu.

Giles était quelqu'un de très expansif, réfléchit-elle. Il la prenait souvent dans ses bras pour l'embrasser sur la joue ; c'était sa façon d'être, tout simplement. Depuis qu'elle le connaissait, il ne lui avait jamais donné l'impression qu'il pouvait avoir envie d'elle ; et, jusqu'à ce soir, Natasha aurait juré qu'elle n'éprouvait pour Giles Crowther que des sentiments purement amicaux.

Alors pourquoi ? Pourquoi maintenant ?

La chatte, qui s'était éloignée de la cheminée pour se mettre à l'abri, se redressa, tendit l'oreille, la tête tournée vers la fenêtre ; puis, se redressant d'un bond, elle traversa la pièce en un éclair, sauta sur le rebord de la fenêtre et regarda anxieusement dehors. Natasha entendit Nick marcher au-dessus, et, après une pause, le bruit étouffé de ses pas dans l'escalier, recouvert d'un tapis. Elle se leva, lissa ses cheveux et ouvrit la porte du vestibule.

Nick, en peignoir de bain, se tenait sous le porche et promenait le faisceau d'une torche électrique dans le jardin.

— Quelle bagarre ! Vous n'avez rien entendu ?

— Non, il y a encore la musique.

On ne voyait rien, mais de la petite route leur parvint une série de miaulements angoissés avec, en bruit de fond, un grognement soutenu, plus sourd.

— Où est Colette ?

— Dans le salon, répondit Natasha, inquiète malgré elle. Ce doit être ce sacré matou qui défend son territoire...

— Il va falloir faire quelque chose avec ce chat, dit Nick d'un ton accusateur.

Natasha se sentit immédiatement coupable.

— Faire quoi ? Je défie quiconque de s'en approcher. Il est sauvage et méchant.

— Qui est méchant ? demanda Giles.

Pendant qu'ils discutaient et s'interrogeaient, les bruits s'espacèrent et cessèrent enfin. Ils rentrèrent au chaud, contents que les animaux aient arrêté de se battre, mais ignorant ce qu'il était advenu des protagonistes. Natasha soupçonna les deux hommes de penser à la créature mystérieuse

qu'avaient vue Toby et Mrs. McCoy ; cependant, ils n'en souf-
flèrent mot, comme s'ils se retenaient par égard pour elle. Ils
parlèrent des cris effroyables que les chats pouvaient produire
en disant que le vieux matou avait dû trouver sur son chemin
un autre chat en maraude, ou peut-être même un chien errant
qui cherchait malencontreusement un abri dans la grange.

Les laissant à leurs supputations, Natasha alla se coucher.

6

Le lendemain, les chats de la grange ne donnèrent pas signe
de vie. Dans l'après-midi, Natasha leur mit à manger dehors,
à son habitude ; mais lorsque Colette sortit faire son tour dans
le jardin, en début de soirée, ils n'avaient pas touché à leur
pâtée. La petite chatte rentra en se léchant les babines, l'air
éminemment satisfait. A la fois agacée et soucieuse, Natasha
constatait son impuissance. Il faisait nuit, il y avait du brouillard, et ces chats menaient leur vie comme ils l'entendaient.

Les femelles revinrent le lendemain matin, mouillées, le poil
embroussaillé, mais indemnes. Seul le vieux matou rétif restait
invisible.

Nick déclara qu'il irait à sa recherche, mais le temps était
si mauvais qu'il se contenta de courir jusqu'au village. Il ne
se risqua qu'en fin de semaine à prendre la petite route. A
son retour, il remarqua quelque chose sous la haie, à proximité de la maison. Cela ressemblait à un lapin mort. En y
regardant de plus près, il vit que c'était un chat et, autant qu'il
pût en juger, c'était la dépouille de leur vieux matou. La car-
casse avait été dépecée par des charognards — probablement
des corbeaux et des corneilles —, et il était difficile de dire
si le chat avait été sauvagement attaqué ou si sa mort était
due à des causes naturelles. En tout cas, ce n'était pas beau à
voir, et Nick fut plus secoué qu'il ne voulait l'admettre.

En pensant à Natasha, il se demanda ce qu'il convenait de

faire. Il ne voulait pas qu'elle voie ce carnage, mais il n'avait pas envie de laisser aux éboueurs de la nature le soin de nettoyer le squelette du chat. Dans une brusque impulsion, il courut jusqu'à la maison et revint avec une bêche. Surmontant son dégoût, il ramena les restes du chat et les enterra dans un coin de terre meuble, près du tas de compost.

Il pensa d'abord ne rien dire à Natasha. Par chance, lorsqu'il rentra, elle dormait encore ; mais dans la soirée elle reparla du chat, et il sentit qu'elle n'abandonnerait pas avant de connaître la vérité. Alors, il lui raconta ce qui s'était passé sans mentionner les détails les plus pénibles. Il insista sur le fait que ce chat n'était plus tout jeune et que les chats sauvages ne vivaient jamais très vieux ; Natasha, qui n'avait pas oublié la bagarre nocturne, demanda s'il portait des traces de blessures.

— Non, répondit-il. Je n'ai rien remarqué.

— Il a peut-être eu le cou brisé, dit-elle d'une voix tendue. Est-ce que les chiens ne secouent pas leur proie jusqu'à ce que mort s'ensuive ?

— Oui, je crois...

Conscient qu'il s'enferrait, il se tut. Un instant plus tard, il ajouta :

— Encore faudrait-il qu'ils arrivent à attraper un chat aussi coriace que le nôtre...

Natasha n'était pas convaincue.

On aurait dit qu'ils ne pouvaient faire autrement que de se prendre à rebrousse-poil. Natasha était mal à l'aise et irascible. Elle se sentait désœuvrée, mais n'arrivait pas à trouver une occupation. Et, quoique la solitude lui pesât, elle était encore plus malheureuse lorsque Nick était là. Le week-end n'arrangea pas les choses.

Les fils de Nick avaient passé quelques jours chez eux pendant les vacances d'octobre et ils reviendraient pour les fêtes de Noël ; entre-temps, Nick et Natasha se devaient d'aller les voir une fois comme ils le faisaient régulièrement. Cette obligation était loin d'enchanter Natasha. Elle se dit que sa mauvaise humeur n'avait rien à voir avec les garçons et qu'il était méchant de sa part de ne pas avoir envie de leur consacrer un moment ; à cause du fossé qui s'était creusé entre Nick et elle, les choses les plus simples lui demandaient un effort.

Et puis, en présence des garçons, elle éprouvait un sentiment de culpabilité, sans même qu'ils aient besoin d'y mettre du leur, bien qu'Adam s'y employât en général avec succès. Même Adrian jouait parfois sur la gentillesse que Natasha leur témoignait, et il avait le chic pour la retourner contre elle. La jeune femme était consciente que leur vie n'était pas facile ; elle se rappelait sa propre détresse quand, à leur âge, elle avait perdu son père, dû changer d'école et s'adapter à une nouvelle vie, tout en étant confrontée aux problèmes de la puberté. Mais, après les multiples changements survenus un an plus tôt, les jumeaux commençaient à trouver un certain équilibre, et la discipline du pensionnat semblait leur avoir réussi.

Lors de la brève liaison entre Natasha et Nick, les garçons avaient trois ans ; ils en avaient six quand leur père avait compris qu'il ne pourrait pas sauver son mariage et qu'il était plus sage de divorcer. Nick n'avait pas d'autre femme dans sa vie, à cette époque, mais Bernice n'avait pas voulu le croire. Elle avait refusé le divorce en prenant la religion pour excuse. Natasha y voyait plutôt la marque de son dépit, car dès qu'ils furent séparés elle se montra détestable. En l'espace de cinq ans, Nick ne put voir ses enfants que lorsque cela l'arrangeait, elle : le plus souvent pendant les vacances scolaires, quand elle ne pouvait trouver personne pour s'occuper d'eux.

Pendant ces années difficiles, Nick avait tenu bon en espérant que le jugement de divorce établirait une organisation plus équitable de son droit de visite : un week-end sur deux, et peut-être la moitié des vacances scolaires. Lorsque Bernice, qui avait obtenu la garde des enfants, découvrit que Nick projetait de se remarier, elle décréta que ses enfants méritaient ce qu'il y avait de mieux afin de ne pas pâtir de l'absence permanente de leur père. Et ce qu'il y avait de mieux, pour Bernice, était une éducation onéreuse dans l'un des pensionnats catholiques les plus huppés du pays.

Pour favoriser sa carrière dans l'informatique, Bernice avait besoin de voyager, et par conséquent la présence de ses enfants pouvait lui poser des problèmes ; mais quand Nick avait proposé qu'ils habitent avec lui et Natasha et aillent à l'école à York, Bernice avait refusé tout net. Il n'était pas question que ses enfants soient élevés par un couple de non-catholiques engagés dans ce qu'elle appelait une relation adultère ; c'était déjà assez triste pour eux d'avoir des parents divorcés.

Si, sur ce point, Natasha était assez d'accord avec Bernice, elle estimait que dans l'ensemble l'ex-femme de Nick faisait preuve d'intolérance et cherchait avant tout un moyen de pression sur Nick.

Mais si les mobiles et l'attitude de Bernice avaient souvent été iniques, les résultats n'étaient pas aussi catastrophiques qu'on aurait pu s'y attendre. Les garçons, soustraits à l'influence néfaste de leur mère, se conduisaient mieux et commençaient à traiter Nick avec respect ; ils avaient eu le temps de s'adapter à leur existence de pensionnaires, l'année précédente, et entamaient leur seconde année dans cette école apparemment en pleine forme. Adam, meilleur que son frère sur le plan technique, faisait depuis quelque temps des prouesses sur les terrains de rugby et, comme ils étaient dans une école où l'on encourageait les activités sportives, il était devenu très populaire. Natasha craignait que ce succès ne lui monte à la tête. Elle aurait aimé que Nick le complimente un peu moins et accorde un peu plus d'attention à Adrian, plus doux et plus réservé. Adrian essayait de se maintenir au même niveau que son frère, mais s'il avait eu le choix il aurait été uniquement spectateur, car il préférait de loin ses livres à ces dépenses d'énergie sur les terrains de sport.

Natasha trouvait Adrian plus sympathique. Il avait, comme elle, une grande curiosité intellectuelle et, s'il n'avait pas été sous l'influence de son frère, qui semblait encore décidé à mener la vie dure à Natasha, ils auraient pu devenir amis.

Natasha et Nick arrivèrent à l'école le samedi après-midi, juste à temps pour assister au match de rugby. En compagnie d'Adrian, ils se mêlèrent aux supporters et à une poignée de parents. Natasha ne savait pas ce qui la terrifiait le plus, de la violence des joueurs ou des hurlements des jeunes supporters. Pourtant, elle aurait dû y être habituée, depuis le temps. Nick et Adrian criaient aussi fort. En dépit des tentatives de Nick pour lui expliquer les règles du jeu, Natasha lançait toujours ses encouragements une fraction de seconde après tout le monde.

Adrian finit par avoir pitié d'elle, et il lui expliqua ce qui se passait sur le terrain, avec les mots simples de quelqu'un qui avait appris depuis peu les finesses du rugby. Pour la première fois, elle y comprit quelque chose. Elle sentit aussi qu'elle faisait des progrès.

Mais elle fut heureuse lorsque le match, gagné par l'équipe d'Adam, prit fin, et qu'ils purent regagner la voiture et se réchauffer. Adam se dépêcha d'aller se doucher et se changer. Quand il les rejoignit, très imbu de lui-même, il n'accorda qu'un rapide salut à Natasha, et annonça avec délectation à son père qu'il avait été sélectionné pour jouer dans l'équipe des moins de quatorze ans contre une des écoles de York, la semaine suivante.

Natasha se réjouit pour lui et ajouta ses félicitations à celles de Nick. Mais ce n'était pas facile de changer de sujet, d'autant qu'Adrian était un ardent supporter de son frère. Adam continua dans la même veine pendant le goûter en gratifiant de temps à autre Natasha d'un sourire énigmatique, un sourire si semblable à celui de Nick qu'il l'émouvait toujours. L'ennui était qu'elle ne savait jamais s'il l'associait ou non à la plaisanterie ; elle le trouvait aussi intelligent et subtil que son père.

Pourtant, en dehors de certains gestes et expressions, les jumeaux ne ressemblaient pas à Nick. Adam était légèrement plus grand et plus fort que son frère ; une fois adultes, les deux garçons auraient peut-être la taille et la corpulence de leur père, mais leur mère aussi était grande, et ils avaient tous deux hérité de son teint pâle et de ses cheveux roux bouclés.

La beauté de Bernice faisait regretter à Natasha que les garçons ne ressemblent pas à Nick ; elle aurait moins pensé à leur mère et ne se serait pas sentie aussi coupable de vivre avec leur père.

Les jumeaux parlaient avec volubilité de l'école et de leurs amis, tout en engloutissant une grande assiettée de sandwichs et deux énormes banana split. A les voir et à les entendre, ils semblaient n'avoir aucun souci.

— Je crois qu'on n'a pas à s'inquiéter pour eux, dit Nick une demi-heure plus tard, après avoir raccompagné les garçons à l'école.

Natasha sourit avec bienveillance et les regarda rejoindre

leurs amis — deux têtes rousses émergeant de tons bruns plus discrets.

Nick et Natasha firent le voyage du retour jusqu'à York par un temps brumeux. Ils n'avaient pas le temps de repasser chez eux pour se changer ou manger quelque chose s'ils voulaient être à l'heure au théâtre où ils avaient rendez-vous avec Giles et Fay. A l'idée de revoir Giles, le soulagement qu'éprouvait Natasha à s'être acquittée d'une obligation s'évanouit. Oublier la proposition de Giles d'organiser une soirée au théâtre l'aurait bien arrangée, mais il s'était chargé de la lui rappeler ; il lui avait même expressément demandé d'appeler Fay pour fixer une date. Et Fay, comme Nick, avait aussitôt accepté.

Natasha avait cru que Giles chercherait à reporter sans cesse cette sortie au théâtre. Elle avait honte de ce qui s'était passé le dimanche soir. En prenant les choses au mieux, Giles avait dû être affreusement gêné, car il avait trop d'expérience pour ne pas avoir deviné que brûlait en elle un désir coupable ; au pire, il chercherait à l'éviter à l'avenir. Mais non, se dit-elle, le pire serait qu'il ait envie de répondre à l'encouragement implicite qu'elle lui avait donné. Giles adorait les aventures, et il pouvait avoir décidé de profiter de l'occasion qui lui était offerte...

Natasha se prépara mentalement à le revoir. Comme ils étaient en avance, ils allèrent au bar. Pour lutter contre l'appréhension qui la gagnait, Natasha commanda une boisson alcoolisée, puis se souvenant de l'effet que le vin avait eu sur elle, le dimanche d'avant, elle se ravisa et prit un quart Perrier. A peine sa cigarette éteinte, elle en alluma une autre, ce qui lui valut un regard courroucé de la part de Nick.

Dès que leurs yeux se croisèrent, Natasha sut que Giles n'avait pas oublié, mais il semblait tout aussi désireux qu'elle de faire comme si de rien n'était. La jeune femme embrassa Fay avec l'impression d'être un judas, mais elle la questionna et répondit au même genre de question avec autant d'entrain que son amie. Tandis que les deux hommes prenaient un verre en parlant boutique, les deux femmes fumaient en se racontant leurs activités des dernières semaines. Fay travaillait à son compte comme guide touristique à York et dans tout le Yorkshire. Elle était très demandée, surtout par des hommes d'affaires étrangers qui trouvaient toujours leur jolie guide blonde aussi admirable que les monuments. Fay avait en permanence des tas d'histoires drôles à raconter et elle parlait encore de son dernier boulot quand on annonça le premier acte.

— On devrait se voir, dit-elle à Natasha. Cette semaine, ce sera plus calme ; on pourrait déjeuner ensemble mercredi ?

Natasha fit la moue.

— J'ai peur que ce ne soit pas possible. La semaine prochaine, je vais à Londres pour mettre la dernière main à mon manuscrit. Dans quinze jours ?

Lorsqu'elles rejoignirent le flot des gens qui entraient dans la salle, elles n'avaient pas encore arrêté un jour qui leur convienne à toutes deux. Natasha, entraînée par Nick, se retrouva écrasée contre Giles, et comme il se tournait à demi vers elle avec un sourire d'excuse qui était aussi plein de complicité, elle sentit son sang fouetté par un désir violent. Elle détourna le regard et essaya de demeurer en arrière, mais Nick la tirait en avant. Cernée de deux côtés, elle ne put faire autrement que se diriger vers leurs fauteuils, au balcon. Luttant contre le besoin irrépressible de toucher Giles et de le suivre, elle tenta une nouvelle fois de sortir du rang, mais Nick la rappela sévèrement à l'ordre. Il ne lui restait qu'à s'asseoir près de lui. Elle transpirait tellement que la paume de ses mains était moite, et elle était si tiraillée entre les forces contradictoires de l'angoisse et du désir qu'elle avait envie de vomir.

Fay, assise à peu près au milieu de la rangée, vint involontairement à son secours. Elle murmura quelque chose à l'oreille de Giles et changea de place avec lui.

— J'ai horreur d'être assise à côté d'inconnus, dans le noir, avoua-t-elle un instant plus tard à Natasha. J'ai toujours l'impression qu'ils essaient de me caresser le genou, ou pire...

Natasha hocha la tête avec un petit rire, reconnaissante que les lumières fussent éteintes et que le rideau se levât. Elle respira plusieurs fois profondément et, comme sa bouffée d'angoisse ne se dissipait pas, elle essuya avec discrétion ses mains sur son écharpe.

Au-dessus de York, le ciel était dégagé mais, le long de la route étroite vers Denton, ils tombèrent sur une nappe de brouillard. Ce n'était pas rare, à cet endroit, mais ce n'en était pas moins sinistre. Natasha se surprit à appuyer sur une pédale de frein imaginaire au moment où Nick traversa cette armée de spectres, et une peur irraisonnée lui serra le cœur quand ils pénétrèrent dans le village et s'engagèrent dans Dagger Lane.

Lorsque Natasha descendit de voiture, la brume qui enveloppait la cour et la grange se colla aussitôt à son visage et à ses vêtements. La façade de la maison était claire, pourtant. Tandis que Nick ouvrait la porte, Natasha se retourna pour regarder cette séparation bien marquée et fut heureuse d'entrer. Avec du fromage, du jambon et des petits pains complets, ils improvisèrent un souper, arrosé d'un vin rouge australien. Natasha but deux verres dans l'espoir que cela la détendrait et faciliterait les choses quand ils iraient se coucher. Nick, qui observait sa femme, lui demanda gentiment ce qui n'allait pas car elle lui avait paru tendue toute la soirée.

— Je ne sais pas, répondit-elle avec un sourire. C'est peut-être à cause de mon livre. Je dois aller à Londres mercredi. Après, je ne pourrai plus rien changer.

— Tu le regrettes ?

— Sur le plan professionnel, non. Mais, ajouta-t-elle avec un soupir en prenant conscience que, sur ce point au moins, elle ne mentait pas, quelque part ça m'angoisse. Je me demande si j'ai bien fait. Je pense à Helen.

Nick poussa une exclamation de dégoût.

— Si quelqu'un avait traité mon travail de foutaises, lui plaire ou pas serait le dernier de mes soucis, dit-il.

Il eut un soupir exaspéré et prit la main de Natasha.

— Mais c'est ta sœur, je sais, et tu souffres d'être brouillée avec elle.

— Oui. J'aimerais tellement qu'elle puisse comprendre mon point de vue et se préoccuper un peu moins du qu'en-dira-t-on ! D'ailleurs, ce n'est pas l'histoire d'un médecin de campagne et de sa femme, mais celle d'une famille d'agriculteurs.

J'aurais peut-être dû situer l'action aux Hébrides, ajouta-t-elle d'un air sombre. Ou, mieux encore, en Australie.

Il rit doucement, l'attira dans ses bras et l'embrassa sur le front.

— Pourquoi as-tu écrit ce livre ? demanda-t-il. Parce que tu sentais que c'était nécessaire pour toi. Tu me l'as dit de nombreuses fois, et je suis sûr que tu l'as expliqué à Helen. A part elle, qui d'autre pourrait se sentir visé ? Personne. Ils sont tous morts, maintenant. Que craint-elle ? Quelques racontars ? Et alors ? Ça fait six ans qu'elle n'habite même plus dans ce coin.

— Je pourrais peut-être le publier sous un autre nom, comme elle me l'a suggéré.

Elle sentit Nick se raidir d'indignation.

— Tu plaisantes ! Tu ne peux pas faire ça, voyons ! Ce roman est attendu. C'est ton nom que l'éditeur veut voir sur la couverture. Ils comptent là-dessus, Natasha.

— Alors, tu penses que je dois aller de l'avant ?

— Évidemment. Je comprends tes scrupules à propos d'Helen ; mais sois honnête, ma chérie, penserait-elle à toi si elle était à ta place ? Certainement pas. Il s'agit de ta vie, pas de la sienne. Tu joues ta carrière, ta réputation d'écrivain. C'est comme si tu me demandais si je suis prêt à renoncer à une part importante de mes travaux de recherche — ou à publier un de mes livres sous un pseudonyme — parce que mes conclusions risquent d'offenser quelqu'un que j'aime bien. Ce serait non, je peux te le dire.

— Non ?

— Bien sûr. L'intégrité professionnelle doit passer avant les sentiments personnels. Si tu es un véritable écrivain, tu dois aller de l'avant. Publie ton livre, tant pis s'il ne plaît pas à tout le monde. Après tout, *Terre noire* est une œuvre de fiction. Ce n'est pas la même chose qu'une biographie ou un ouvrage historique. Si je peux arriver à le comprendre, pourquoi pas elle ?

Natasha le regarda avec attention. Comprenait-il vraiment ? Elle n'en était pas absolument sûre. Ce qui s'était passé entre eux, au début, lui avait donné l'idée de son premier roman, et *La Leçon d'anglais* avait été un grand succès. Mais seul quelqu'un de très au courant — Giles, pour ne pas le nommer

— avait pu découvrir qui était qui, et ce qui était réellement arrivé. Le livre racontait une histoire d'amour entre un étudiant et un professeur — une femme plus âgée que lui, car Natasha avait inversé les sexes. Nick avait eu du mal à comprendre la fin. Natasha lui avait expliqué qu'elle avait cherché à se disculper par rapport à ce qui s'était passé entre eux cette année-là, et à l'époque où elle avait écrit ce livre il semblait très improbable qu'ils se revoient un jour.

Si elle l'écrivait maintenant, ce serait un livre très différent.

Harcelée de remords, mais consciente qu'il essayait de l'apaiser, Natasha leva le visage et embrassa la joue de Nick.

Pendant un moment, il ne la quitta pas des yeux, son regard aussi vert et trouble que la mer en hiver.

— Je t'aime, dit-il doucement.

— Oui, je sais.

En cet instant, elle n'en douta pas ; mais un reste d'incertitude et le souvenir de Giles rendaient ses émotions plus complexes.

Quand ils montèrent se coucher, Natasha, réconfortée par les effets conjugués du vin et de la sympathie que lui manifestait Nick, était suffisamment détendue pour le laisser lui faire l'amour, mais elle se surprit à simuler un plaisir qu'elle n'éprouvait pas. Comme c'était la première fois qu'elle cherchait à le tromper et que cela n'avait jamais été nécessaire avant ce jour, Natasha était plus inquiète de ne rien sentir que fière de sa performance. Lorsque Nick roula sur le côté, elle éprouva un profond soulagement, mais un sentiment de culpabilité la fit se retourner et passer son bras autour de lui. Une rigidité inattendue durcissait le corps de Nick.

Au bout d'un moment, il murmura :

— Je sais que tu voulais bien faire, mais je préfère que tu ne recommences pas.

— Que je ne recommence pas quoi ?

Elle avait posé la question avant d'avoir eu le temps de réfléchir, mais elle savait pertinemment ce qu'il voulait dire, et il ne prit pas la peine de lui mettre les points sur les « i ».

7

Nick sentait qu'au lieu de diminuer la distance entre eux ne cessait de croître, et il ne fut pas fâché que sa femme s'en aille à Londres pour voir son éditeur. Il la déposa à la gare de York, le mercredi matin, au train de huit heures. Elle était toujours un peu tendue, mais plus gaie que les jours précédents. Le travail la stimule, se dit Nick avec une ironie désabusée au moment où ils se quittèrent, en regrettant de ne pas avoir un petit pincement au cœur.

Il sortit du parking et rejoignit le flot des voitures, comme toujours très dense en début de matinée, en pensant à la journée qui l'attendait. L'air vif, le ciel d'un bleu délicat promettaient une belle journée hivernale. Comme il roulait le long des remparts en direction de la rivière et de Skeldergate Bridge, le soleil se leva et éclaboussa de lumière la surface de l'eau et les coques blanches des bateaux amarrés le long de King's Staith. Après des jours et des jours brumeux, c'était comme un sourire à l'horizon, et Nick en oublia de pester contre les embouteillages puisqu'ils lui permettaient de jouir plus longtemps de ce spectacle.

Au-dessus des toits, la haute flèche blanche de St. Mary's Church et Clifford's Tower — le grand donjon — se découpaient sur le ciel. Au sud-est, légèrement à l'écart, se dressait la partie la plus récente des remparts. Le vieux mur de défense n'existant plus, on avait tendance à mésestimer sa taille et son importance ; mais, autrefois, il y avait eu un château ici, érigé par Guillaume le Conquérant. Après la conquête normande et pendant plusieurs siècles, des garnisons successives avaient contrôlé cette région turbulente.

Tout au long de son histoire mouvementée, le château avait servi tour à tour de forteresse royale, d'arsenal, de centre administratif et de centre de détention. Il avait été le témoin d'émeutes, de pillages et d'incendies. On y avait jugé des criminels et des réfractaires ; condamné des hommes et des femmes au gibet et à la colonie pénitentiaire. Il aurait dû, songea Nick, paraître aussi lugubre que son long et terrible passé ; mais, avec le soleil qui jetait mille reflets de gaieté sur cette masse de pierre blanche calcaire, on aurait dit un décor de théâtre, une simple attraction pour touristes.

C'était très différent, songea-t-il, du paysage industriel de sa jeunesse. Bien qu'il n'aimât pas en parler, son enfance, depuis un an, était trop souvent au cœur de ses préoccupations. Le livre de Natasha qui racontait l'histoire poignante d'une adolescente malheureuse lui avait remis en mémoire des souvenirs pénibles, des gens et des lieux auxquels il n'avait pas pensé depuis des années, des événements qu'il aurait préféré oublier. Ses souvenirs de Grayshaw, notamment, plus douloureux que mélancoliques, étaient trop chargés de culpabilité pour supporter un examen approfondi.

A bien des égards, il enviait à Natasha son talent pour transformer une expérience pénible en un récit enrichissant. Lorsqu'elle évoquait le lugubre paysage des Fens en hiver, ses ciels énormes se pressant contre l'immensité plate de la terre et l'assaut des vents d'est venus de la mer du Nord, il frissonnait. Puis, au souvenir d'autres hivers, un autre frisson parcourait son corps. Pour lui ce n'était pas les marais, mais les vallées escarpées des Pennines, les hautes cheminées des usines, et l'horizon constamment caché par le brouillard.

Lorsque Nick regardait en arrière, il n'avait pas envie d'écrire ses souvenirs d'enfance et d'adolescence, ni même de les évoquer ; il aurait aimé changer son passé, ou plutôt se changer, lui. Mais, plus que quiconque, il savait que le passé est immuable. L'enfant qu'il avait été, regardant par la fenêtre de sa chambre mansardée, aurait toujours devant les yeux la vallée industrielle de l'Aire ; et ce garçon qui s'était toujours senti un étranger ne pourrait jamais plus se faire accepter, à présent. Il était trop tard.

Il comprenait, aujourd'hui, que la vie n'avait pas dû être facile pour sa mère, avec cinq enfants à élever et peu de moyens ; mais, à cette époque, il ne cessait de pester intérieurement contre le sort qui lui avait été réservé. Sa mère s'était-elle senti une dette vis-à-vis de son aîné ? Nick n'en avait aucune idée. Mais la découverte qu'il n'était pas le fils de son beau-père avait certainement engendré chez lui un sentiment de culpabilité. Sa mère lui avait dit qu'il devrait être reconnaissant, mais tout ce qu'il éprouvait était de la rancœur. Il n'acceptait pas cette situation. Il en voulait à ses frères et sœurs de s'imbriquer parfaitement dans le puzzle de la vie familiale alors que lui n'était qu'une pièce rapportée ; différent de taille et de tempérament, il était trop intelligent pour son bien, lui répétait-on constamment, et trop arrogant. Ce qui sous-entendait qu'un jour il ferait forcément un faux pas et redescendrait à leur niveau.

Vers la fin de sa scolarité et pendant ses études à l'université, il affichait en effet une pointe d'arrogance ; mais c'était une attitude défensive, un moyen de se protéger contre une partie de sa famille et contre la plupart de leurs amis et de leurs relations. Il était différent, ne s'intégrait pas. Et en ne quittant pas l'école à seize ans pour chercher un boulot, comme les autres, il avait proclamé cette différence et s'était exposé à toutes les jalousies mesquines qui lui restaient encore sur le cœur. Par une ironie du sort, presque vingt ans plus tard, c'était les mêmes qui encourageaient activement leurs enfants à faire ce pour quoi il avait tellement dû se battre.

Il fallait moins de dix minutes pour aller du bouchon de Skeldergate Bridge jusqu'au village de Heslington, à quelques kilomètres à l'est. Nick ne faisait presque plus attention aux bâtiments universitaires, mais au début la vue du campus ne manquait jamais de l'émerveiller. D'un côté s'élevait Heslington Hall, élégant petit château élisabéthain, qui abritait à présent le centre administratif ; de l'autre, on trouvait les différents collèges et amphithéâtres, construits au début des années 60 ; et, au centre, un superbe lac.

De son bureau, situé au deuxième étage de Hesketh College, la vue était superbe. Nick resta un moment à contempler
le lac, sa faune et sa flore, et les chemins anormalement
déserts ; c'était très agréable, songea-t-il, de s'y promener
avant de commencer la journée.

Il avait une heure et demie devant lui. Il aurait dû en profiter pour se débarrasser de la paperasserie, mais il ne se sentait pas d'humeur à ça. Il déplaça une pile de directives administratives, fit de la place pour ses livres et se mit à lire en
prenant des notes. Il espérait avoir terminé la plus grande partie de son travail de recherche pour Noël ; cela lui permettrait
d'entreprendre la rédaction d'un nouveau livre pendant son
année sabbatique qui débuterait à Pâques. *Aspects de l'économie rurale dans le nord et l'est du Yorkshire entre 1535 et
1850* ne lui rapporterait peut-être pas beaucoup d'argent, mais
serait d'un grand intérêt et étendrait sa renommée dans le
monde universitaire. C'était le plus important, se dit-il.

Il travailla assidûment et s'arrêta juste un peu avant dix
heures pour une séance de travaux dirigés avec trois étudiants
de première année. A onze heures, il alla à la bibliothèque où
il avait rendez-vous avec un étudiant de troisième cycle.
Comme il revenait à son bureau, il aperçut l'une de ses étudiantes qui l'attendait dans le couloir. N'ayant aucune envie
de la rencontrer, il obliqua brusquement dans le bureau du
département où, feignant une soudaine perte de mémoire, il
resta un moment à se creuser la cervelle afin de formuler une
requête plausible ; une des secrétaires soupira et continua ce
qu'elle était en train de faire, l'autre lui sourit avec indulgence.

— Est-ce que vous pourriez jeter un coup d'œil là-dessus,
docteur Rhodes ? demanda-t-elle en lui tendant une liasse de
notes de service qui s'ajouterait à la pile que Nick venait
d'enlever de son bureau. Il faudrait que je rende tout ça à
l'administration avant la fin de la semaine, c'est possible ?

Il hocha la tête avec un grognement.

— Excusez-moi, Flora, j'avais oublié. Je vais m'en occuper,
promis.

Une voix douce, délibérément séductrice, s'éleva alors près
de Nick.

— Excusez-moi, docteur Rhodes, pourrais-je vous voir un
moment ?

Dissimulant sa contrariété, Nick eut un petit sourire poli.

— Est-ce si important, Jane ? Je suis plutôt occupé en ce moment.

Elle rougit et examina les feuilles qu'il tenait à la main.

— Eh bien, oui, assez...

Elle prit une profonde inspiration.

— C'est à propos de mon mémoire sur les effets des lois sur les céréales.

Il lui jeta un regard oblique, remarqua les longs cheveux châtains et les yeux baissés, les lèvres pleines, la moue boudeuse. Les lois sur les céréales, pensa-t-il, incrédule ; travaillait-elle encore là-dessus ? Se sentant coincé, Nick jeta un coup d'œil à sa montre et proposa à la jeune fille de venir dans son bureau à quatre heures ; il pourrait lui consacrer dix minutes.

Jane Bardy hocha la tête et s'en alla. Nick remarqua que la secrétaire suivait la jeune fille du regard. Lorsqu'elle reporta son attention sur lui, ses yeux pétillaient d'une lueur moqueuse.

— Elles ne vous laissent jamais tranquille une minute, n'est-ce pas, docteur Rhodes ?

Il se rappela alors que Flora se trouvait à la fête de Halloween ; ils avaient même dansé ensemble. Il marmonna quelque banalité et fit demi-tour en direction de la porte. Au même instant, pour la plus grande gêne de Nick, Graham Fish entra.

— Mais c'est... ?

Le maître de conférences du département d'histoire s'éclaircit la voix et eut un geste du menton dans la direction que la jeune fille avait prise.

— Jane Bardy, dit Nick.

Le front de Graham Fish s'assombrit.

— Ah oui, Miss Bardy — l'éternel problème... J'aimerais vous parler, ajouta le Dr Fish en guidant Nick dans le couloir. C'est une de vos étudiantes, n'est-ce pas ? Comment se débrouille-t-elle ?

Nick pinça les lèvres et décida de rester évasif.

— Dans l'ensemble, ça peut aller, mais avec un peu plus de rigueur elle pourrait mieux faire.

— Pas brillante, hein ? Oui, je sais, dit le professeur en

ouvrant la porte de son bureau. Ça ne me surprend pas. Je l'ai eue l'année dernière. J'ai dû me donner un mal de chien pour arriver à lui faire faire quelque chose ! Elle a tout le temps besoin d'être encouragée, flattée. Je me demande si elle est bien à sa place ici...

Ils discutèrent plusieurs minutes de Jane Bardy et de deux autres étudiants dont le travail était constamment au-dessous du niveau requis ; comme Nick promettait de les surveiller d'un peu plus près et s'apprêtait à partir, le Dr Fish lui fit signe de demeurer assis.

— Je suis heureux de vous voir aujourd'hui. Pour deux raisons.

Il se pencha sur son bureau, remua des papiers dans une corbeille métallique.

— Après notre conversation de l'autre jour, je suis tombé sur quelque chose qui pourrait vous intéresser... Ah oui, voilà. C'est un extrait d'un journal tenu par un agent du cardinal de Richelieu. J'ai pensé que vous aimeriez le lire. Voyez-vous, ajouta-t-il en tendant à Nick une feuille de papier couverte d'une écriture tremblée, lorsque vous m'avez parlé de l'incident surprenant survenu dans votre village, et de cette légende rapportée par... ?

— Beauchamp.

— Ah oui, Beauchamp, c'est ça — eh bien, cela m'a rappelé une histoire qui, bien qu'elle ne se soit pas passée en Angleterre, est assez similaire...

Comme Nick commençait à lire, le Dr Fish ajouta pour s'excuser :

— C'est une traduction assez libre, mais l'essentiel y est.

Une fois que Nick se fut habitué à l'écriture très particulière du Dr Fish, il parcourut la feuille rapidement, en levant les sourcils d'étonnement.

— C'est incroyable ! Cela correspond tout à fait à la description qu'on m'a donnée.

— Oui, c'est ce que je me suis dit aussi. Bien sûr, il s'agit d'une sorte d'aparté au milieu de notes de travail ; mais notre homme a été manifestement très secoué par son aventure...

— Suffisamment pour prendre la peine de la consigner, murmura Nick en relisant la traduction. Et il a rencontré cet animal — cette *bête noire*, comme il l'appelle — sur une route près de...

Il regarda de plus près.

— Villy-Bocage ?

— Oui, en Normandie.

— Ah, le bocage normand ! Rien à voir avec l'Angleterre.

Il hocha la tête et continua de lire.

— Il est dit, ici, que la bête serait apparue devant lui, puis aurait reculé dans un fossé et rétréci. C'est bien le mot qu'il a employé, *rétréci* ?

Le Dr Fish hocha la tête.

Nick poursuivit :

— Et il a entendu la bête faire un drôle de bruit, un peu comme de l'eau s'écoulant d'une écluse — un bruit de gargarisme, en quelque sorte.

Nick marqua une pause pour réfléchir à cette coïncidence et se surprit à sourire.

— Étrange, n'est-ce pas ? demanda le Dr Fish.

— C'est le moins qu'on puisse dire.

— Il y a encore autre chose. Je n'ai pas pris la peine de l'écrire, mais cela peut quand même vous intéresser. Quelques semaines plus tard, il y a eu une affaire de sorcellerie dans la région — plusieurs femmes ont été accusées de frayer avec le diable et de s'être... euh, disons, adonnées à certaines pratiques perverses. Je ne sais pas s'il y a un lien entre ces deux affaires, mais cela m'a paru fort curieux...

Nick était du même avis. Ils envisagèrent plusieurs hypothèses, en se demandant notamment si d'autres personnes avaient vu cette bête noire, en dehors de l'intendant de Richelieu. Cela aurait pu créer un climat d'angoisse propice aux accusations de sorcellerie. Ils évoquèrent d'autres cas de sorcellerie, au XVIe et au XVIIe siècle — et un ou deux d'entre eux plus en détail ; au bout d'une demi-heure, Nick prit soudain conscience de l'heure. S'il n'allait pas déjeuner tout de suite, il devrait faire son cours l'estomac vide.

Entendre parler de repas rappela au Dr Fish l'autre raison pour laquelle il avait souhaité rencontrer son collègue.

— Vous et votre femme, êtes-vous libres mercredi soir ? J'ai fait appel à Charlie Cramp pour une soutenance de thèse et il loge chez nous ; nous avons eu l'idée d'inviter quelques amis communs. Qu'est-ce que vous en dites ?

— C'est une excellente idée... Natasha sera ravie, ajouta Nick.

Il en doutait beaucoup, mais c'était une façon de rappeler au Dr Fish le prénom de sa femme : après toutes ces années, il confondait encore Natasha avec Bernice.

— Ah oui, Natasha — une jeune femme adorable. Très douée. Est-ce qu'elle n'a pas été votre étudiante, Nick ?

Ce fut dit d'un air innocent, mais Nick se demanda non sans un certain malaise si son supérieur hiérarchique ne tenait pas à lui rappeler la position officielle sur les relations entre professeurs et étudiants. Le Dr Fish avait vu Nick parler avec Jane Bardy, et, par comble de malchance, il était venu avec sa femme à la fête de Halloween. Avait-il été témoin de son comportement ridicule ? Était-il assez perspicace pour deviner la situation actuelle ?

Nick se força à sourire.

— Oui, je l'ai eue comme étudiante, il y a une dizaine d'années.

— Vraiment ? Que le temps passe vite ! C'est hier pour moi, avoua Fish. En tout cas, transmettez-lui mes meilleurs souvenirs. Nous serons enchantés de la voir mercredi. Disons à sept heures et demie pour huit heures.

— Parfait. Je me fais un plaisir de venir.

Nick sourit et remercia une nouvelle fois pour le document, qu'il glissa dans sa poche. En allant se chercher quelque chose à manger, il pensa à son rendez-vous de quatre heures. Il était temps qu'il ait une discussion sérieuse avec Jane, sur un tout autre sujet que les effets des lois sur les céréales.

Si les deux femmes avaient voulu continuer, l'ultime révision du manuscrit de *Terre noire* aurait pu être terminée dans la soirée, mais après deux longues journées de travail il était plus sage de marquer une pause. A dix-huit heures, Judy Lawrence tapota la main de Natasha et poussa le manuscrit sur le côté.

— Nous finirons demain matin. Vous avez l'air fatigué. Ce qu'il nous faut, maintenant, c'est un repas et une longue nuit.

Natasha était soulagée. Plusieurs heures de concentration intense l'avaient épuisée. Elle se sentait la tête vide et n'avait plus aucun esprit critique. Elle hocha la tête et sourit avec reconnaissance.

— Dans ce cas, je vais téléphoner à Nick, si vous voulez bien. Il m'attend ce soir...

Pendant que Judy allait aux toilettes, Natasha composa le numéro. Nick répondit presque aussitôt. Comme il lui demandait d'une voix chaleureuse si tout s'était bien passé et à quelle heure elle rentrait, Natasha se sentit fondre. Un brusque besoin de tendresse lui noua la gorge.

— Mais, Natasha, si tu rentres demain, comment iras-tu de la gare à la maison ? Je donne un cours à quatorze heures.

— Ne t'inquiète pas, je prendrai un taxi.

Alors, il lui proposa de le rejoindre au collège ; ils pourraient rentrer ensemble, après son cours. Mais elle était trop lasse pour faire des projets et décider quoi que ce soit. Elle lui expliqua qu'elle voulait prendre les choses pas à pas. Un instant plus tard, elle se surprit à s'excuser.

— Mais ce contretemps n'est pas ta faute, déclara-t-il gentiment. Je pense que tu as en effet grand besoin d'un repas et d'une bonne nuit.

— Je voulais dire que je suis désolée d'être si... si horrible depuis quelques jours. Je ne sais pas pourquoi, ajouta-t-elle en balbutiant. Je ne sais pas ce que j'ai...

— Tu es très fatiguée, affirma Nick d'une voix douce. Tu as trop travaillé ces deux derniers mois.

— Mais j'ai été horrible avec toi.

Il en convint avec un petit rire.

— Oublions tout ça. Rentre à la maison et faisons la paix, vraiment...

La spontanéité de son pardon, l'intimité que conférait le téléphone intensifièrent le désir et les remords de Natasha. D'une voix entrecoupée, elle murmura :

— Je t'aime, Nick.

Lorsqu'il lui dit qu'il l'aimait aussi, le cœur de Natasha battit plus vite.

La jeune femme arriva chez elle en début d'après-midi. Elle se sentait, physiquement et psychiquement, aussi vulnérable qu'après une nuit d'insomnie.

Elle paya le taxi, posa son sac de voyage dans la cuisine et se prépara une tasse de café noir ; puis elle fit un effort pour monter prendre un bain. Un peu plus tard, entourée de bulles et d'un nuage de vapeur parfumée, elle commença à se relaxer. Savoir que toutes les questions concernant son livre avaient été réglées la soulageait infiniment. La fin de ce travail, qui avait occupé si longtemps ses pensées, laissait néanmoins un vide qui lui donnait envie de pleurer. Elle avait l'impression de vivre une séparation irrémédiable, comme si on l'avait amputée d'une partie de sa vie qui ne lui appartenait plus et dont, quoi qu'il advînt désormais, elle n'était plus responsable.

Mais ce n'était pas absolument vrai. Elle ne pouvait décliner toute responsabilité vis-à-vis d'un livre qu'elle avait écrit de sa main et qui porterait toujours son nom sur la couverture. Prétendre le contraire serait ridicule. Elle voulait simplement ne plus penser à ce qu'elle avait fait. Pendant trois ans, elle avait consacré presque la majeure partie de son temps à se pencher sur sa jeunesse, à la construire, puis à la démanteler avant de reconstruire ce qui en restait. Maintenant, elle aurait préféré tout oublier.

Chose curieuse, elle n'avait absolument pas éprouvé la même impression après les dernières révisions de *La Leçon d'anglais*. Une grande satisfaction avait primé sur sa fatigue, et elle avait eu le sentiment d'avancer. C'était son premier roman, et il était réussi ; non seulement elle s'était prouvé quelque chose à elle-même en l'écrivant, mais elle avait montré à Nick qu'elle pouvait se faire un nom dans un domaine où, à son avis, on n'avait pas beaucoup de chances de réussir.

Ils n'avaient aucun contact, à cette époque, mais Natasha était sûre qu'il lirait son livre, et comprendrait qu'elle s'était inspirée de leur histoire. Ce qu'il en penserait était secondaire à ses yeux ; ce n'était ni le désir d'être publiée ni l'attrait du succès qui l'avait poussée à écrire. Elle avait cherché avant tout à se libérer de ce qui s'était passé entre eux. La fiction lui avait permis d'aborder les thèmes de l'amour, de la trahison et de l'abus du pouvoir. Nick avait réveillé en elle des émotions conflictuelles qu'elle avait été capable d'exprimer à

93

travers l'écriture. Ces émotions n'étaient pas apaisées, mais elles étaient plus faciles à gérer ; peu importait que le dénouement ne corresponde pas à la réalité. Il contenait sa propre vérité, même si Natasha était la seule à le savoir.

Dans *Terre noire*, les gens à qui elle voulait s'en prendre et face à qui elle voulait crier son point de vue étaient morts ; mais alors qu'elle aurait pu enfin faire le deuil de son père et tirer un trait sur les événéments dramatiques qui avaient suivi son décès, elle avait brisé le fil ténu qui la rattachait à Helen. En dehors du circuit commercial, ce livre n'avait plus de raison d'être ; c'était une fin en soi, pas un commencement.

Elle le regrettait et pleurait sa sœur. Bien qu'elles n'eussent jamais été très proches, Natasha avait le sentiment de l'avoir trahie. En dépit des assurances de Nick, opposant le professionnalisme à la conception étroite et bourgeoise d'Helen, Natasha continuait de juger qu'elle avait mal agi. Mais qu'aurait-elle dû faire ? Changer sa façon de penser ? Empêcher le livre d'être imprimé ? Rembourser les à-valoir ?

C'est impossible, songea Natasha en frissonnant. Ils avaient dépensé l'argent pour la maison.

L'eau commençait à refroidir. Elle songea à faire couler de l'eau chaude, mais elle n'avait plus envie de rester dans son bain. Elle sortit de la baignoire, se sécha et, en peignoir et pantoufles, alla ouvrir la fenêtre.

La vapeur tournoya pendant quelques secondes, puis se dissipa. Natasha s'apprêtait à essuyer la condensation sur les carreaux lorsqu'elle aperçut quelqu'un dans la cour, une femme vêtue de manière surprenante. Sa coiffe, son col et son long tablier blancs se détachaient nettement sur l'intérieur obscur de la grange. Mais que faisait-elle là ? Natasha, stupéfaite, était sur le point de l'appeler quand elle comprit que la femme l'avait vue. Elle hésita, attendant qu'elle lui pose une question ou fasse un signe quelconque.

Mais la femme se contentait de la dévisager.

Gagnée par une sourde angoisse, Natasha claqua la fenêtre.

Elle resta là, un moment, sans bouger, l'esprit vide. Puis, comme la peur se glissait de nouveau dans ses os, elle se secoua, se précipita dans l'escalier et sortit en courant dans la cour. La femme avait disparu. Dans la grange, il n'y avait que la voiture de Natasha, le bric-à-brac habituel et des outils de jardinage. Natasha alluma néanmoins pour s'en assurer, avant de retraverser la cour pour regarder de part et d'autre de la petite route. Rien. Personne.

Elle jura en claquant des dents de froid et se précipita à l'avant de la maison. Il n'y avait personne sous la terrasse ni dans l'ombre du porche, mais quelqu'un aurait pu facilement se dissimuler dans les broussailles. Du coup, elle se hâta de rentrer et prit position à un endroit d'où l'on embrassait tout le jardin. Vingt minutes et deux cigarettes plus tard, seules les ombres avaient bougé. La lumière baissait rapidement, et celle qui s'amusait à lui jouer un tour pourrait bientôt s'esquiver à la faveur de l'obscurité.

Comme le taux d'adrénaline dans son sang diminuait, Natasha se sentit soudain très faible. Elle s'en voulait de s'être laissé effrayer. Elle avait eu un choc, c'était naturel ; mais, en dépit de son costume d'une autre époque, la femme n'avait rien d'un fantôme. Natasha alluma une autre cigarette et entra dans le bureau. Elle introduisit une feuille de papier sous le rouleau de sa machine à écrire, et nota par écrit ce qui venait de se passer en ajoutant une description de la femme. Jeune, pas très grande, pâle, un visage carré, les cheveux cachés sous une coiffe blanche. Une jupe foncée — bleue ou marron ? — qui lui arrivait à peu près à la cheville, et bien sûr le tablier et le col en V blancs, qui se découpaient si nettement contre l'intérieur sombre de la grange.

Les vêtements étaient ceux d'une servante de la fin du XVIIᵉ siècle ou du milieu du XVIIIᵉ, ou du moins leur ressemblaient-ils beaucoup. Natasha refusait de croire que cette femme fût un pur esprit et que sa soudaine disparition pût s'expliquer autrement que par sa vélocité et une parfaite connaissance du jardin. Cependant, le simple fait d'évoquer sa silhouette lui donnait froid dans le dos, et elle n'arrivait pas à trouver de réponse satisfaisante à ces deux questions : qui était cette femme et que faisait-elle dans la cour ?

Lorsque Nick rentra, Natasha s'était presque persuadée que c'était lui qui avait monté cette farce avec le concours d'une de ses étudiantes. Mais pourquoi ? Pour lui faire peur ? Pour l'amener à croire que l'endroit était hanté ? Il s'était peut-être dit que, si Natasha voyait un « spectre », elle accepterait plus facilement la thèse d'un chien fantôme hantant la petite route ?

Et si tout ce qui s'était passé récemment, depuis l'animal mystérieux aperçu par le vieux Toby Bickerstaff jusqu'à ses rapports conflictuels avec Nick, était une mystification ? La veille à Londres, Natasha s'était sentie responsable de la détérioration de sa relation avec Nick ; à présent, elle était convaincue que c'était sa faute à lui. Elle n'avait pas oublié les mouvements lascifs de la fille en vert et la façon dont elle le dévorait avec sa bouche. Peut-être était-elle plus importante pour Nick que Natasha ne l'avait imaginé ; peut-être avaient-ils tout manigancé ensemble...

Cette maison est tout pour lui, pensa-t-elle. En dépit de sa contribution personnelle, Natasha continuait à la considérer comme la maison de Nick. Si elle avait eu le choix, elle serait restée à York.

Fermement résolue à ne pas donner à Nick la satisfaction d'apprendre qu'elle avait eu peur, Natasha décida de ne rien dire. Elle l'accueillit avec une bonne humeur un peu contrainte, qui fit aussitôt penser à Nick que quelque chose n'allait pas.

Il la prit dans ses bras et frotta son nez contre le sien.

— Je suis heureux pour toi que tes soucis soient terminés, ma chérie, murmura-t-il avec tendresse. Tu vas pouvoir te reposer, à présent, et prendre un peu de bon temps...

Elle resta crispée et s'éloigna dès qu'il la relâcha. Déconcerté par le regard qu'elle lui jeta, inattendu après la façon dont elle lui avait parlé au téléphone la veille, il se demanda ce qui avait bien pu se passer dans l'intervalle. Mais elle ne semblait pas disposée à le lui dire. Changeant de tactique, il lui proposa d'aller au restaurant, avec l'espoir qu'elle se détendrait plus facilement dans un environnement différent.

Il s'attendait presque à un refus, mais après un moment de réflexion elle accepta. En rentrant du collège, Nick avait pensé à un restaurant qui lui paraissait trop animé, maintenant, étant donné la morosité de Natasha. Après plusieurs minutes passées à feuilleter l'annuaire, il se rappela un autre établissement, une paisible auberge de campagne. Les prix étaient redoutables, mais l'atmosphère agréable et le service très discret.

Natasha ne fit pas de commentaire. Elle avait l'air ailleurs. En roulant vers l'hôtel, il la mit au courant des derniers potins du collège et de l'invitation à dîner du Dr Fish en l'honneur de Charlie Cramp. Il fut surpris de ne pas l'entendre protester ; elle dit simplement : « Oui. Mercredi, c'est bien. »

A toutes les questions qu'il lui posa sur son séjour à Londres, il ne reçut que des réponses monosyllabiques, et elle toucha à peine à la nourriture, pourtant excellente. C'était surprenant, car elle aimait beaucoup la bonne cuisine et faisait preuve d'un solide appétit, démenti par sa taille menue. C'était une des choses qu'il aimait chez elle. Il avait l'impression qu'en refusant de manger c'était lui qu'elle repoussait, et cela le mit encore plus mal à l'aise.

Comme le serveur jetait un regard anxieux en direction de l'assiette de Natasha en demandant si ces messieurs-dames étaient satisfaits, Nick eut un bref sourire et déclara que c'était parfait. Il commanda deux cafés, puis tendit le bras par-dessus la table pour allumer la cigarette de Natasha. Le regard de sa femme, habituellement doux et expressif, était voilé, ses traits tendus paraissaient ciselés dans la pierre. Il était habitué à ses fréquentes absences. Cette fois, cependant, il savait que son silence était délibéré.

Tandis que les volutes de fumée montaient lentement entre eux, il prit la parole :

— Vas-tu enfin me dire ce qui ne va pas, Natasha, ou jouons-nous au jeu des devinettes ? Si c'est le cas, tu dois me donner des indices. Tu as peut-être eu des ennuis à Londres, mais je ne vois pas comment je pourrais le savoir si tu ne m'en parles pas.

Elle leva sur lui un regard capable de donner un sentiment de culpabilité à l'être le plus innocent. Il se sentit perdre pied.

— Je n'ai pas eu peur, tu sais, affirma-t-elle sur un ton de défi. Ça m'a juste fait perdre mon temps. Je me demande comment tu as pu avoir une pareille idée !

Décontenancé, il fronça les sourcils, ouvrit la bouche puis secoua la tête.

— Mais de quoi parles-tu ?

Elle eut un petit rire triste et détourna la tête.

— Évidemment. J'aurais dû m'attendre à cette réponse. Cela fait partie du scénario, je suppose.

Elle ramena les yeux sur lui.

— C'était bien combiné. Bravo.

— Je ne comprends rien à ce que tu racontes.

— Quand je suis sortie, il n'y avait plus personne. Soit elle s'est cachée sous le tas de compost, soit elle a filé par la route. Ce qui est sûr, c'est qu'elle a fait sacrément vite, Nick. Tu peux être fier d'elle.

La mauvaise conscience le fit automatiquement penser à Jane Bardy, qui s'obstinait à le poursuivre de ses assiduités. La veille, dans son bureau, il lui avait expliqué qu'il était inutile d'insister, qu'elle devait oublier la fête de Halloween et s'occuper de ses affaires. Se rappelant le regard de biche blessée de la jeune fille, il se mordit les lèvres, et se demanda de quoi elle était capable. D'aller chez lui ? A cette idée, il commença à paniquer.

Il prit une profonde inspiration et étendit les mains dans un geste d'innocence vaincue.

— Écoute, ma chérie, je ne sais pas de qui tu parles, ni même de quoi il s'agit. J'ai le sentiment d'être accusé de quelque chose que j'ignore. Est-ce que tu veux bien tout reprendre depuis le début ?

Elle plissa ses beaux yeux noisette et une rougeur subite colora ses pommettes.

— Je pense que la femme que j'ai vue dans la cour, cet après-midi, est une de tes étudiantes.

— Pas que je sache. Qu'a-t-elle fait ? Décris-la-moi.

— Elle n'a rien fait. Elle était juste dans la cour, ou plus exactement devant l'entrée de la grange. Elle m'a regardée. J'étais dans la salle de bains, ça m'a fait un choc.

— Et ?

— Et rien. Quand je suis descendue dehors, elle n'était plus là.

— Qu'as-tu fait ? Elle a pris quelque chose ? A quoi ressemblait-elle ?

— Tu n'es vraiment pas au courant ?

— Dieu m'est témoin, Natasha, que je n'ai envoyé personne chez nous cet après-midi.

Il regarda le visage de sa femme, remarqua le battement de cils quand elle le dévisagea à son tour. Il n'était pas du tout sûr qu'elle le croie.

— Ce devait être une bohémienne qui cherchait à prendre quelque chose dans la grange. Elle voulait peut-être te vendre des pinces à linge ou te dire la bonne aventure. Tu as dû lui faire peur...

— Une bohémienne habillée en costume du XVIIIᵉ siècle ?

— Hein ?

— On aurait dit une illustration de la vie rurale, qui aurait pu s'intituler *Femme de fermier, nord du Yorkshire, vers 1710.* La ressemblance était parfaite, ajouta-t-elle sur un ton admiratif en allumant une autre cigarette. Si elle n'avait pas eu l'air aussi réelle que toi ou moi, j'aurais pu croire voir un fantôme.

Il sentit ses cheveux se dresser sur sa tête.

— Viens, dit-il en repoussant sa chaise. Sortons d'ici.

Dès qu'ils furent rentrés, Nick lut ce que Natasha avait écrit sur l'incident de l'après-midi en se félicitant des connaissances qu'elle avait acquises dans le journalisme. La description de la femme concordait avec ce que Natasha lui avait déjà dit. C'était une femme mince, d'une taille légèrement au-dessous de la moyenne, alors que Jane Bardy était bien en chair et mesurait au moins un mètre soixante-dix. Mais le soulagement de Nick fut de courte durée. Si ce n'était pas Jane Bardy, qui donc était cette femme ? Et que faisait-elle dans la grange ?

Si l'on excluait une plaisanterie de mauvais goût — qui aurait pu avoir une idée pareille ? —, il fallait envisager d'autres hypothèses. Le style des vêtements, coïncidant avec l'âge de la maison, pouvait faire penser que la femme était un fantôme ou que Natasha avait eu une vision.

Malgré sa fascination pour les contes et les superstitions populaires, Nick avait un esprit rigoureux, et pour habitude de s'en tenir aux faits. Mais il croyait qu'il n'y avait pas de fumée sans feu. Si fantastiques que soient certaines légendes, élaborées au cours des siècles, elles avaient toutes pour point de départ un fait réel. C'était ce qu'il aimait à découvrir. La plupart étaient banals et décevants, mais il n'avait jamais cessé d'espérer qu'un jour il trouverait quelque chose d'extraordinaire. D'où son intérêt pour l'histoire de Beauchamp et la bête mystérieuse que Toby avait vue.

Dans le cas présent, bien qu'il eût aimé croire que la maison et ses environs étaient hantés par un de ses anciens occupants, sa raison penchait en faveur d'une autre explication. Il savait combien Natasha avait travaillé dur et les tensions qu'elle avait subies ; Nick avait été blessé par les accusations qu'elle avait lancées contre lui, mais il comprenait que sa femme était à bout, et il pensait qu'elle avait probablement tout imaginé.

Cette hypothèse lui parut encore plus vraisemblable lorsqu'elle insista sur le fait que cette femme avait eu l'air de la reconnaître. Il ne voyait pas comment le fantôme d'une femme, morte depuis au moins deux siècles, pouvait se rappeler quelqu'un de leur époque. A moins, bien sûr, que le fantôme ne fût pas un fantôme, mais une simple hallucination. Auquel cas la signification de cette apparition était à chercher dans le cerveau de la personne qui l'avait vue.

8

— Tu es sûre que ça ne t'ennuie pas ?

— Mais non, quelle idée !

— Je n'aime pas te savoir seule.

— Ne sois pas bête, répliqua-t-elle vivement. Je suis presque toujours seule ; pourquoi serait-ce différent cet après-midi.

— Tu sais très bien pourquoi. Je suis préoccupé par ce qui s'est passé hier.

Sans le regarder, elle continua à sortir des choses des placards et du réfrigérateur.

— Tu ne crois pas qu'il s'est réellement passé quelque chose, hier après-midi, Nick. Tu penses que j'ai des visions.

Il prit une profonde inspiration et essaya de garder son calme. Encore un peu et ils en viendraient aux mots, ce qu'il voulait éviter à tout prix.

— Je suis perplexe, c'est un fait, répondit-il enfin. Mais tu as vu quelque chose dehors ; ça, je n'en doute pas. Et si quelqu'un s'amuse à ce genre de petit jeu, je ne veux pas te laisser seule.

— Écoute, tu as promis à Adam que tu irais à ce match de rugby, et lundi il faudra bien que tu ailles au collège. Tu ne peux pas passer tes journées à faire du baby-sitting ici, dans la perspective très improbable qu'il se passe de nouveau quelque chose.

— Que vas-tu faire ?

— Je ne sais pas, Nick, quelle importance ? J'irai me promener, ou j'écrirai quelques lettres. Peut-être les deux.

Il l'embrassa rapidement et partit.

Une fois que la voiture eut disparu, la fébrilité que Natasha avait combattue toute la matinée se transforma en un besoin impérieux d'aller dans son bureau. Avoir terminé son livre la faisait souffrir comme une plaie ouverte ; mais son environnement habituel, le fauteuil, la machine à écrire, tous ces objets familiers au milieu desquels elle se sentait en sécurité, lui manquaient terriblement. Dès qu'elle aurait glissé une feuille de papier dans la machine, quelque chose lui viendrait à l'esprit et elle pourrait se perdre dans les mots, oublier les mystères et les tourments de la vie, créer un monde neuf, avec des situations contrôlables et des gens qu'elle comprenait.

La tentation était très forte et, n'eût été le noyau dur de son instinct de conservation, elle y aurait sans doute cédé.

« Ne fais pas l'idiote », s'admonesta-t-elle en enfilant ses bottes de caoutchouc et sa veste imperméable. Une fois dehors, l'air froid et vivifiant lui fit reprendre rapidement ses esprits. Entamer un nouveau livre était la dernière chose à faire. Un effort intellectuel supplémentaire, et elle risquait de craquer pour de bon, surtout après la tension de ces derniers jours.

Comme Nick se plaisait à le répéter, ce dont elle avait besoin, c'était de grand air et d'exercices physiques. Marcher d'un pas vif l'apaiserait et stimulerait sa circulation sanguine, disait-il. Il avait peut-être raison.

En pensant au match de rugby, Natasha leva les yeux et se demanda s'il ne pleuvrait pas dans l'après-midi. Une part de malice lui fit souhaiter que le ciel lâchât des trombes d'eau sur les joueurs et les spectateurs. Ce serait bien fait pour eux, et surtout pour Nick, qui la laissait seule dans un tel état d'anxiété. Pour être honnête, elle devait reconnaître qu'il lui avait demandé de l'accompagner ; mais les matchs de rugby à l'école n'étaient supportables qu'à condition d'être rares. Elle ne se sentait pas d'humeur à subir une nouvelle fois Adam dans le rôle de la vedette du jour. D'ailleurs, réfléchit-elle plus gentiment, ce serait bien pour les garçons d'avoir leur père pour eux seuls.

De l'autre côté de la vallée, un mur de nuages gris se posait sur les arbres et les champs, mais l'horizon lui parut trop clair pour qu'il pleuve. Elle continua d'avancer, écrasant sous ses bottes des glands et des pommes sauvages, et soulevant des paquets de feuilles. Il faisait froid et un grand silence enveloppait la campagne. De la cheminée de Toby, une spirale de fumée s'élevait presque à la verticale, avant d'être dissipée par quelque courant d'air invisible. On aurait dit une tornade miniature. Cela la fit songer à Dorothy dans *Le Magicien d'Oz*, déposée sur la route en briques jaunes.

Dans le cas de Natasha, c'était l'enthousiasme de Nick qui l'avait conduite ici, dans cette région vallonnée au charme paisible, dotée de jolis villages, où seules les ruines de quelques châteaux et prieurés témoignaient d'un passé plus dramatique.

Nick voyait, bien sûr, les choses sous un angle différent. Les châteaux et les prieurés l'intéressaient moins que la terre proprement dite. Il se la représentait comme une surface malléable, à la merci des intempéries, à laquelle s'étaient confrontées des générations et des générations, déployant leurs forces et leur talent afin de lui arracher de quoi subvenir à leurs besoins et à ceux de leurs descendants. Pour Nick, c'était là le véritable drame des campagnes, et il en retrouvait des signes dans des petits riens.

A ces paysans morts depuis longtemps, qui s'étaient établis là mille ans auparavant, il portait la même estime que s'il s'était agi de ses propres ancêtres. Les cimetières avec leurs vieilles pierres tombales pouvaient l'émouvoir profondément, mais il n'oubliait jamais de faire remarquer qu'une grande majorité de paysans n'avait eu pour sépulture que le tableau toujours changeant de la nature. L'histoire parlait des gens, disait-il. Avec lui, les faits n'étaient jamais ennuyeux. Ses cours étaient agrémentés de détails amusants et d'anecdotes qui donnaient vie aux rois et aux roturiers, et le rendaient passionnant à écouter. C'est ce qui l'avait attirée chez lui.

Chose curieuse, en dépit de sa nature compatissante et d'une grande sensibilité, il manifestait parfois une réticence qui pouvait aller jusqu'à la froideur. Il parlait rarement de ses parents. C'était pourtant un père tendre et attentionné ; il privilégiait souvent les intérêts de ses fils sur ceux de Natasha, aussi ne pouvait-elle le prendre en défaut sur ce point. Mais, comme mari, il était souvent difficile à comprendre. Par le passé, elle avait attribué ses airs par moments distants à son travail, mais ces derniers temps elle s'était demandé s'il n'y avait pas autre chose.

La veille au soir, il avait tout nié en bloc. D'un ton catégorique, quoiqu'elle eût pris garde, cette fois, de ne pas lui reprocher ouvertement de la tromper. Cela n'avait pas été nécessaire. Il avait abordé lui-même la question en partant des accusations de Natasha, certaine qu'il avait manigancé la mauvaise farce dont elle avait été victime dans l'après-midi.

— Je sais ce que tu penses, avait-il dit dans la voiture, mais tu te trompes complètement. Il n'y a personne dans ma vie, je ne désire que toi, et de toute façon je n'ai pas le temps de me créer ce genre de complications. Je le regrette presque, avait-il ajouté amèrement. Cela pourrait m'aider à supporter la situation actuelle.

— Tu le penses vraiment ? avait-elle demandé d'une voix faible.

— Bien sûr que non. Mais j'aimerais que les choses redeviennent comme avant, Natasha. Je mentirais si je disais le contraire.

Elle savait qu'elle l'avait profondément blessé. Elle avait honte en y repensant. Malgré une bonne nuit, le souvenir de cette femme dans la cour la mettait encore mal à l'aise, mais elle se rendait compte que sa première interprétation était ridicule. Ce n'était pas Nick qui avait manigancé tout ça. Pourquoi aurait-il fait une chose pareille ? S'il avait une liaison — et elle n'en était plus aussi convaincue —, s'il voulait divorcer, il n'avait qu'à le dire. Elle s'en irait ; il n'aurait pas besoin de la chasser.

Ce genre de raisonnement lui fit mal. Se détestant dans le rôle de la femme rongée par le doute et un perpétuel sentiment d'insécurité, elle repensa à la personne vêtue d'un costume ancien. Si ce n'était ni une blague de mauvais goût ni un fantôme, c'était encore plus angoissant, car ce ne pouvait être qu'une hallucination...

« Mais elle avait l'air si réelle », dit tout haut Natasha, ainsi qu'elle l'avait répété à Nick au moins une douzaine de fois, la nuit précédente. Soudain, comme pour lui répondre, de vigoureux battements d'ailes et les couin-couin ricanants d'un troupeau d'oies sauvages rompirent le silence. Natasha sursauta, fit volte-face et vit les oiseaux s'envoler du champ de chaume de Forty Acre en formation triangulaire ; à cause de la haie, elle ne les avait pas remarqués.

La route tournait brusquement sur la droite et, par-delà les granges en ruine, à l'endroit où la haie avait en partie disparu, elle pouvait voir toute l'étendue du bois du Bout du Monde, et la crête derrière. Les moutons bêlaient dans un coin du champ, et on entendait le bruit d'un tracteur. Le bois formait une masse brune, presque violette par endroits, avec juste quelques touches de roux là où les chênes s'accrochaient à leur feuillage dense. A la lisière, entre les chênes, des groupes de bouleaux blancs soulignaient les ombres du sous-bois. Quelques semaines plus tôt, Natasha avait cueilli des asters d'automne, sur la droite, près du vieux pont en bois qui enjambait le fossé. S'enfoncer dans le bois ne lui disait rien aujourd'hui. Sous le ciel bas et gris, il avait un aspect inquiétant. La petite route étroite disparaissait comme un tunnel sous les arbres.

Elle se mit à songer à Mrs. McCoy. Elle ne l'avait pas revue depuis son étrange aventure, le jour où il y avait tant de brouillard. Était-elle retournée dans Dagger Lane depuis, ou promenait-elle désormais son chien ailleurs ? Natasha l'ignorait. Pendant un moment, en pensant à la bête qui avait effrayé le gros chien, elle eut envie de faire demi-tour ; mais, après tout ce qu'elle avait dit sur le sujet, cela lui parut lâche. Elle s'exhorta à garder son sang-froid, et se força à aller jusqu'aux souches d'ormes, où elle s'arrêta pour allumer une cigarette.

A ses pieds, parmi les feuilles, elle aperçut plusieurs douilles ; en se hissant sur l'une des souches, elle se rappela que Toby venait presque toujours chasser dans ce coin. C'était là également, comprit-elle avec un frémissement, qu'il avait découvert les empreintes de la bête.

Elle regarda par terre avec une légère inquiétude. Il n'y avait que des traces de chaussures, les siennes pour la plupart. En contemplant les arbres, elle prit peu à peu conscience du profond silence qui l'entourait, un silence difficile à définir mais qui s'intensifiait. Il n'y avait pas un mouvement, pas un bruissement, et l'air sentait l'automne, le parfum mêlé de la terre, de la mousse, des feuilles en train de pourrir auquel s'ajoutaient la fumée d'un feu de bois et la lente avancée de l'hiver sur la campagne. C'était une odeur prévisible, mais inhabituellement puissante, qui se mélangeait à celle des vieux bâtiments abandonnés, et que Natasha associait aux châteaux et aux abbayes, aux murs qui suintent, aux ruines et au vide des siècles.

Les silhouettes des arbres semblaient s'estomper, comme si toutes ces odeurs glissaient, tels des nuages de fumée, à travers les troncs. Elle respira profondément, consciente d'être en attente et que le silence se concentrait sur elle. Quelque chose en elle frémit, comme une faiblesse provoquée par la faim ou un effort trop grand, et elle comprit alors qu'une présence autour d'elle se nourrissait de ses propres forces, la laissant palpitante, au bord de l'évanouissement.

C'est à cet instant qu'elle vit la femme, la femme de la grange, mais moins distinctement, cette fois, comme dans la projection tremblotante d'un vieux film muet à l'intérieur d'une salle enfumée. Sa jupe était relevée, ses jambes écartées, et il y avait deux hommes sur elle, le visage sombre, sans traits distinctifs, alors que le visage de la femme était pâle, et sa bouche ouverte sur un long cri muet.

Natasha vit ce qui se passait et le ressentit également dans sa chair, comme si des mains invisibles la touchaient, la tenaient et essayaient de la pénétrer, n'attendant qu'un petit geste d'acquiescement pour arriver à leurs fins.

Le rugissement du tracteur dissipa la scène, faisant voler en éclats ce silence palpable qui se fracassa contre les arbres. Comme un temps d'arrêt, juste avant l'orgasme, Natasha demeura gémissante et tremblante, le sang battant à ses tempes dans un bruit plus assourdissant que celui de la machine. Elle se couvrit des deux mains les oreilles, puis les yeux. Quand elle les laissa retomber, ce fut pour découvrir que la machine s'était arrêtée devant elle, monstre grondant et trépidant, peint en bleu vif. Du haut de la cabine, le conducteur lui criait quelque chose qu'elle n'entendait pas.

Il gesticulait également, mais cela ne servait à rien. Il laissa le moteur tourner et sauta à terre. Il était jeune, bien bâti sans être très grand, avec de longs cheveux noirs bouclés attachés sur la nuque. Le blue-jean et la veste *Puffa* semblaient étrangement déplacés. Elle eut l'impression qu'il était fait pour porter des hauts-de-chausses et un pourpoint en cuir.

— Où il est ? s'écria-t-il, le visage déformé par la colère. Où il est, ce clébard ?

Elle le regarda sans comprendre, enregistrant mentalement sa colère, mais davantage effrayée par la proximité du véhicule dont le moteur continuait de gronder de façon menaçante. Les énormes roues étaient presque aussi hautes qu'elle ; elle se vit écrasée, dans la boue, sous leur poids.

— Servez-vous de vos yeux, regardez ce qu'il a fait, votre putain de chien !

A cet instant seulement, parce qu'il secouait son bras droit, Natasha remarqua la remorque et les deux moutons. On aurait dit des paquets de laine tachés de sang. Leur toison était emmêlée et flasque, leur tête pendait comme si elle n'était plus attachée.

— Deux sacrées bonnes brebis. Deux ! Tuées par plaisir !

Il s'arrêta pour reprendre haleine.

— Mais je l'aurai, ce salaud !

Comme il grimpait dans la cabine, il la domina de nouveau.

— Tout ça, c'est votre faute, espèce de femelle stupide !

Le tracteur partit en rugissant dans une embardée, emportant la remorque qui cahotait derrière avec son chargement écœurant.

Une longue minute s'écoula pendant laquelle Natasha resta hébétée, incapable de penser. Puis elle comprit la méprise. L'homme avait dû la prendre pour l'une des habitantes du village, propriétaires d'un chien, probablement parce que peu de femmes venaient seules, sur cette route, à moins de promener leur chien. Il avait dû la confondre avec Mrs. McCoy, car les gens n'aimaient pas beaucoup ce lévrier irandais, très mal dressé.

Elle ressentit soudain le besoin de courir derrière lui et de lui crier : « Je n'ai jamais eu de chien. Ce n'est pas moi qui suis responsable. » Mais le tracteur était déjà loin.

En glissant de son perchoir, Natasha songea que, si elle avait été victime d'une erreur d'identité, McCoy pouvait lui aussi être accusé à tort. C'était une grose brute de chien aux grandes enjambées maladroites, mais était-ce un tueur ? Rien n'était moins sûr. Le coupable était plus probablement l'animal dont les pattes de devant avaient cinq coussinets et dont Nick avait découvert les empreintes ici même.

Natasha s'accroupit pour examiner de nouveau le sol. Il n'y avait pas d'empreintes de pattes, juste une cigarette à moitié consumée, tombée de ses doigts inertes dans la boue. Au souvenir de ce qu'elle avait ressenti à cet endroit, quelques minutes plus tôt, elle eut un nouveau choc. Elle regarda fixement les arbres avec une angoisse sourde. Le battement d'ailes d'un pigeon qui prenait son envol lui donna un coup de fouet ; elle s'enfuit en courant et ne ralentit que devant la porte du vieux Toby.

9

Réveillée en sursaut, Natasha eut un mouvement de recul à la vue de la silhouette penchée au-dessus d'elle. C'était Nick. Soulagée, mais le cœur battant, elle se laissa retomber sur les oreillers en s'efforçant de dissocier le rêve de la réalité. Il y avait de la lumière sur le palier ; seule la chambre était plongée dans le noir ; elle ne savait pas quelle heure il était, ni combien de temps elle avait dormi.

— Il est un peu plus de cinq heures, dit Nick en réponse à la question de Natasha. Je suis désolé de t'avoir fait peur, mais tout était éteint et je me demandais où tu étais.

— Tes cheveux sont mouillés, murmura-t-elle comme il se penchait pour l'embrasser.

— Oui, il pleut à verse, à présent. Mais pendant le match on a été tranquilles. Ils ont très bien joué. L'équipe adverse n'a pas pu faire tout ce qu'elle aurait voulu.

Guidée par l'intuition, elle demanda :

— Ils ont perdu ?

— De trois petits points, et Adam a réussi à marquer un essai. Je vais faire du thé. Je reviens dans une minute et je ne t'épargnerai aucun détail.

— Je vais descendre.

— Mais non, ne bouge pas...

— Je ne suis pas malade, Nick, juste un peu fatiguée. Je me passe de l'eau sur le visage et j'arrive.

Dans la lumière aveuglante de la salle de bains, l'image que lui renvoyait la glace était effrayante. Elle avait le teint blême, les yeux gonflés, les lèvres exsangues. Elle se sécha rapidement et appliqua sur sa peau une crème hydratante. Une ombre verte sur les paupières et une touche de rouge à lèvres améliorèrent un peu sa mine. Elle se regarda avec attention, respira quelques secondes profondément et décida de parler à Nick des brebis égorgées, mais de taire ce qui lui était arrivé juste avant. Elle ne pensait pas être capable d'exprimer l'étrange fascination qu'avait exercée sur elle la scène morbide qui s'était déroulée sous ses yeux ; et même si elle avait su trouver les mots qu'il fallait, il y avait dans ce qu'elle avait vu et ressenti quelque chose de si répugnant qu'elle ne pouvait y songer sans rougir.

Après la honte vint la culpabilité. Elle avait accusé Nick de lui avoir joué un mauvais tour, mais comment aurait-il pu mettre en scène ce qui s'était passé, cet après-midi, dans le bois ? Personne ne l'aurait pu. C'était un écho, un mirage. Une illusion terriblement puissante.

Prise d'un tremblement, elle agrippa le bord du lavabo. Peut-être était-elle le jouet d'hallucinations, après tout.

— Cette terre appartient à Norton-Clive, dit Nick, mais je crois que Jack Morrison lui loue quelques champs pour ses moutons. C'est un homme qui ne paie pas de mine. Tu ne l'as jamais rencontré ? Il possède toutes les terres au nord de la route, mais à le voir on le prendrait pour un miséreux.

Natasha secoua la tête.

— Non, je ne vois pas qui c'est. Où habite-t-il ?

— Plus haut, à Forest Hill Farm. Le chemin qui y conduit est le prolongement de Dagger Lane ; mais le passage est bloqué, évidemment, ajouta-t-il avec un soupir en pensant à la bêtise des fermiers. Je vais lui téléphoner pour savoir s'il s'agit de ses moutons. Et je lui ferai comprendre — avec tact — que ses journaliers doivent avoir des preuves avant d'insulter la première personne venue.

Il repoussa sa chaise et demanda :

— Au fait, à quoi ressemblait le type qui t'a insultée ? Tu t'en souviens ?

— Je crois que je ne pourrai jamais l'oublier, répondit-elle avec brusquerie.

Comme elle se mettait à décrire le conducteur du tracteur, Nick hocha la tête en plissant le front.

— On dirait un de ses fils. Je l'ai vu quelquefois sur la petite route. Bon, je vais l'appeler.

Il revint quelques minutes plus tard, pas totalement satisfait.

— Eh bien, il m'a présenté ses excuses, mais le moins qu'on puisse dire c'est qu'il y a mis de la mauvaise volonté. « Deux de mes meilleurs bestiaux ! Sans des gens comme vous pour venir s'installer chez nous, sûr qu'elles seraient toujours en vie... », répéta Nick avec un sourire. Tu connais le refrain.

— Oui. Est-ce que tu lui as dit que nous n'avions pas de chien ?

— Oui. Et je lui ai dit aussi que cela pourrait être un animal errant, mais il n'y croit pas. S'il revoit ce satané lévrier irlandais sans laisse, il lui tirera dessus.

— Il ne peut pas faire ça !

— S'il voit McCoy tourner autour de ses moutons, il ne se gênera pas.

Natasha réfléchit un moment, puis dit d'une voix accablée :

— Je crois que nous devrions aller au village. Nous devons prévenir Mrs. McCoy, c'est la moindre des choses.

Mais il faisait déjà nuit et il pleuvait. Nick proposa d'attendre le lendemain, et Natasha accepta avec soulagement.

Le lendemain matin, Nick se rendit chez Mrs. McCoy. Il se réjouit d'y être allé seul, car la femme était si remontée qu'elle en devenait incohérente. Quant à son mari, il se tenait obstinément sur la défensive. Leurs dénégations et leurs protestations véhémentes pouvaient s'entendre comme la preuve qu'ils avaient quelque chose à se reprocher et, pour la première fois depuis qu'il avait entendu parler des brebis égorgées, Nick commença à croire à la culpabilité de leur chien. Ils l'avaient peut-être promené en le laissant libre d'aller où il voulait, ou il avait pu s'échapper du jardin mal défendu par une barrière basse. En tout cas, il les aurait prévenus. Il ne pouvait rien faire de plus.

En racontant brièvement à Natasha son entrevue avec les

McCoy, Nick laissa percer le soupçon qui lui était venu. Mais elle préférait l'hypothèse de l'animal errant. En comparant le chien qu'elle avait aperçu dans la lumière des phares avec celui qu'avait décrit Mrs. McCoy, elle se demanda si ce ne serait pas un rottweiler plutôt qu'un labrador ou un prédateur exotique. Les rottweiler étaient le plus souvent noirs, avec une grosse tête et une démarche inquiétante. Et si cet animal était vieux ou blessé, il était normal qu'il cherche à se réfugier sous une haie et émette un grognement dissuasif que le vieux Toby, probablement saoul, avait pu prendre pour un bruit de gargarisme.

Persuadée d'avoir élaboré une théorie qui concordait avec les faits, Natasha se sentit soulagée d'un poids. Elle l'exposa avec enthousiasme à Nick qui acquiesça, mais du bout des lèvres, comme s'il était uniquement désireux de ne pas la contrarier. Elle se sentit aussitôt découragée, et si en colère qu'elle aurait pu le frapper. Lorsque Nick lui proposa, pendant leur petit déjeuner tardif et silencieux, de passer l'après-midi à Whitby, elle hocha simplement la tête d'un air maussade.

Un vent de nord-est secouait la voiture qui filait à travers les landes du Yorkshire. Nick, qui connaissait bien la route, conduisait vite et bien, et prenait plaisir à la succession de virages, montées et descentes. Natasha, enfoncée dans le siège confortable de la Rover, contemplait ce paysage impressionnant. A quelques centaines de mètres au-dessus du niveau de la mer, on se serait cru sur le toit du monde, dans un décor de collines recouvertes de bruyères, rousses et brunes, ondulant sous un ciel qui s'éclaircissait. Çà et là, des groupes de moutons broutaient de petits carrés d'herbe ; c'était un tableau reposant, sans autre bruit que le vent et le ronronnement du moteur de la vieille voiture qui avalait les kilomètres. Ils ne se parlaient pas, mais Nick n'était jamais très bavard quand il conduisait, et Natasha aimait à s'absorber dans ses pensées.

Elle avait essayé avec un certain succès de ne plus songer aux événements de la veille ; ou plutôt de se concentrer sur le jeune conducteur belliqueux du tracteur, car le souvenir de sa colère et de sa grossièreté était infiniment préférable à celui de cette femme violée par deux hommes la prenant comme des bêtes en rut. Le plus terrible était que cette scène demeurait complètement associée au silence profond de la campagne, à l'odeur de pourrissement, et à la sensation sur sa peau de mains qui exploraient son corps. Malgré sa répulsion instinctive, Natasha ne pouvait se défaire d'une excitation indigne.

Ce qui lui restait d'objectivité et de logique réclamait une explication. Frustration sexuelle, aurait conclu un psychanalyste ; mais si frustration il y avait, réfléchit-elle en jetant un rapide coup d'œil à Nick, elle ne pouvait s'en prendre qu'à elle-même. Nick n'y était pour rien. Il la désirait et attendait qu'elle fasse le premier pas ; seulement, elle n'arrivait pas à s'y résoudre. Le problème de Nick, c'était l'orgueil ; mais elle, qu'est-ce qui la bloquait ? Elle n'en avait aucune idée. Elle constatait simplement que, dès que Nick lui faisait des avances, elle se repliait sur elle-même et n'éprouvait plus pour lui ni amour ni désir.

Les tensions, la frustration et la pression de ces derniers mois dont elle n'était pas encore remise étaient autant de théories séduisantes pour expliquer ce qui lui arrivait, mais elle avait connu des situations stressantes auparavant, surtout au moment où elle vivait seule et travaillait beaucoup. L'épuisement pouvait amener à imaginer des choses ; à interpréter de travers l'attitude des gens. On pouvait même devenir légèrement paranoïaque, mais de là à avoir des hallucinations ? Non.

Serait-ce possible, se demanda-t-elle, que des événements traumatiques laissent une empreinte sur un paysage ? Cela allait à l'encontre de toute logique, mais c'était une explication plus séduisante que d'attribuer ses impressions à son imagination malade.

Après la dernière crête, lorsqu'ils commencèrent la longue descente de presque mille mètres vers la mer, Nick et Natasha découvrirent le petit port de Whitby. Niché à l'embouchure de l'Esk, il était protégé par des falaises et des collines. Le soleil brillait au-dessus de la ville et de la mer, le ciel était d'un beau bleu. En haut d'une falaise se dressaient les ruines de l'abbaye médiévale ; sur une autre, un édifice d'époque victorienne dominait la mer, telle une citadelle.

Une grande animation régnait dans la ville. De nombreuses

familles profitaient de ce jour de congé pour couvrir le moindre pouce de trottoir avec enfants, poussette et chien, et créer, bien qu'on fût en novembre, une joyeuse atmosphère de vacances. Chassant ses pensées morbides, Natasha se surprit à rire et, comme ils se frayaient un chemin parmi la foule, elle s'accrocha au bras de Nick. Les bourrasques de vent apportaient des odeurs d'algues, de poisson, de friture, auxquelles se mêlaient des effluves de gas-oil montant des barques de pêche et des chalutiers mouillés le long du quai. Il y avait des mouettes partout ; leurs petits yeux brillaient, à l'affût de morceaux de nourriture ; leurs cris rauques rivalisaient avec les voix flûtées des enfants et les bribes de musique qui venaient des galeries d'attractions.

Par contraste, la jetée était presque déserte. Seules quelques âmes intrépides s'y aventuraient. Le vent du large jetait les brisants sur la plage et soulevait d'immenses gerbes d'écume qui masquaient les grandes et sombres falaises de Sandsend et de Kettleness. Se tenant au solide garde-fou en fer, Natasha, les yeux plissés à cause du vent et du soleil, contempla l'abbaye et l'église au-dessus de la mer et la vieille ville accrochée au flanc de la falaise. Elle pouvait voir l'escalier qui montait jusqu'à l'église en serpentant au-dessus des cheminées et des toits pointus, et les pierres tombales de guingois sur le bord de la falaise, qu'une tempête plus forte que les autres aurait suffi, semblait-il, à faire basculer dans la mer.

Méditant cette pensée, elle se retourna et vit que Nick la considérait de cet air grave et perplexe qui la mettait automatiquement mal à l'aise ; alors, elle fit semblant de s'amuser des farces du vent. Les cheveux de Nick, épais et raides, lui fouettaient le front, révélant ses tempes grisonnantes. D'une main, elle les ramena en arrière, donna un rapide baiser à son mari ; de l'autre, elle lui prit le bras.

— Viens, il vaut mieux retourner vers le port si on ne veut pas être emportés par le vent.

Ils traversèrent le pont mobile et entrèrent dans la vieille ville, où ils déambulèrent dans les rues aux minuscules pavés, s'arrêtant pour regarder les vitrines et de pittoresques petites cours aux noms étranges. Ils grimpèrent l'escalier qui menait à l'église et se faufilèrent entre les vieux bancs pour lire les plaques commémoratives à la mémoire des explorateurs et des capitaines de baleiniers, des pêcheurs et des propriétaires de bateaux, qui avaient prié là mais qui, pour la plupart, étaient morts ailleurs. Le vent était trop violent pour qu'ils puissent se promener autour de l'église ; ils s'attardèrent donc à regarder la mer rentrer dans l'ombre. Ensuite, ils furent heureux de regagner la ville, abritée du vent, et se mirent à la recherche d'un endroit où se restaurer.

Près du port, ils mangèrent un excellent poisson dans un restaurant, aussi animé et chaleureux que les bistrots sur le continent ; mais lorsqu'ils retournèrent à la voiture, Natasha retrouva son anxiété des derniers jours. Elle aurait donné beaucoup pour rester à Whitby, sous le ciel lumineux piqueté d'étoiles. Les lumières, la foule, les boutiques et les restaurants qui ne désemplissaient pas lui rappelaient que rien de tel n'existait à Denton. Cette pensée lui donna une angoisse. Petite, elle avait la même sensation, après l'école, en attendant le car qui la ramènerait chez elle. Une fois dans le véhicule, ça passait ; elle se résignait ; mais c'était toujours un déchirement de quitter l'école et la ville, de regarder ses amies s'éloigner avec d'autres enfants, de les entendre se donner rendez-vous pour le soir même, ou pendant le week-end. Elle avait toujours eu envie de fuir sa sœur et le groupe d'enfants qui habitaient à la campagne, pour courir rejoindre les autres ; mais cela n'aurait servi à rien. Il aurait bien fallu qu'elle finisse par rentrer chez elle, et la désobéissance coûtait cher.

Elle éprouvait la même chose à présent. Elle aurait voulu dire à Nick : « Ne rentrons pas à la maison, cherchons un hôtel où passer la nuit... » Mais à quoi bon ? Il devait faire cours le lendemain et, de toute façon, il faudrait bien rentrer un jour.

Plus tard, dans la voiture, comme ils quittaient les landes et retrouvaient la pluie, aux abords de Pickering, Nick caressa légèrement la cuisse de sa femme en lui demandant avec un sourire dans la voix si elle était fatiguée et prête à aller au lit. S'efforçant de ne pas se crisper au contact de sa main, Natasha répondit simplement qu'elle était fatiguée, en effet. Mais la fatigue n'en était pas la seule cause ; les événements de la veille repassaient sans fin dans sa tête comme une séquence déformée d'un film.

10

Le lendemain matin, il pleuvait toujours. Une pluie triste qui tombait d'un ciel gris. A neuf heures précises, Mrs. Bickerstaff arriva en secouant son parapluie et en maugréant contre le temps. Natasha en convint ; il faisait un temps de chien, humide et froid. Puis elle prit le courrier que Nick lui glissa discrètement en s'en allant.

Il y avait une enveloppe réadressée par son éditeur, sans doute une lettre d'une admiratrice ; et une autre, plus grande, au dos rigide, qui portait le logo d'Oasis Books, assez lourde pour faire battre son cœur un peu plus vite ; Natasha se retira dans son bureau.

C'était une lettre adorable et bien écrite, envoyée par une de ses lectrices qui ne tarissait pas d'éloges sur son premier roman : le genre de lettres qui rendait Natasha heureuse d'être écrivain. Elle la rangea en souriant, avec l'intention de répondre un peu plus tard. L'autre enveloppe contenait la couverture d'une réédition de *La Leçon d'anglais* en livre de poche, qui devait coïncider avec la publication de *Terre noire*. Le motif et les couleurs étaient très réussis. Elle trouva aussi un mot du nouveau directeur de la publication d'Oasis Books. Il se disait satisfait de la nouvelle couverture et espérait qu'elle le serait également. Elle sourit et hocha la tête. Le courrier de la matinée, reléguant au second plan la cour inondée de pluie, lui avait fait du bien. Il existait un autre monde. Un monde de lecteurs et d'éditeurs, d'artistes et d'imprimeurs qui gagnaient leur vie grâce aux livres. C'étaient des gens importants pour elle ; comme elle était importante pour eux ; par comparaison, ce qui se passait à Denton et ses environs n'était qu'une piqûre d'épingle.

Ne pense plus à tout ça, se dit-elle. Oublie Nick et ses sautes d'humeur ; oublie la femme dans la cour et cette étrange expérience dans Dagger Lane. Écris quelque chose, n'importe quoi, un article ou une nouvelle. Il n'est pas nécessaire que ce soit un roman.

A la fin de la matinée, Natasha fut interrompue par le bruit d'un véhicule qui s'engageait dans la cour. Elle avait déjà écrit plusieurs pages sur la promenade qu'elle avait faite le samedi après-midi. Elle s'arrêta à contrecœur, au beau milieu d'une phrase, pour regarder par la fenêtre. Les vitres lui cachaient le visage du conducteur de la vieille Land Rover cabossée, mais lorsqu'il descendit elle le reconnut immédiatement. Son image ne l'avait pour ainsi dire pas quittée. Elle regarda la page à moitié écrite ; elle n'en était pas encore arrivée là...

Son cœur fit un bond, puis se mit à battre de façon désordonnée. Interdite, elle regarda l'homme ouvrir le portail et embrasser du regard la longue maison basse. Il lui donna de nouveau l'impression d'être fait pour porter des hauts-de-chausses et un pourpoint en cuir.

Elle le suivit des yeux tandis qu'il remontait l'allée. Il fit une pause près du porche et leva la main vers la sonnette. La sonnerie la fit sursauter comme si elle avait été ébouillantée ; puis, dans sa hâte d'aller ouvrir, elle se cogna la hanche contre le montant de la porte. Mrs. Bickerstaff descendait l'escalier. Natasha lui fit signe d'attendre à portée de voix.

Elle remarqua que les yeux de son visiteur étaient bleus, très enfoncés et au même niveau que les siens. Elle aurait aimé adopter une attitude hautaine, mais entre la précipitation et l'appréhension elle eut du mal à trouver sa voix.

— Vous désirez ?

— Vous êtes bien Mrs. Rhodes ?

— Natasha Crayke, répondit-elle machinalement.

— Oh !

Les yeux aussi bleus que le lapis-lazuli se troublèrent une

fraction de seconde ; ensuite, il la regarda bien en face et son regard arriva sur elle comme une pointe de feu.

— Mais c'est vous... je veux dire, on s'est bien rencontrés, samedi ? Dans Dagger Lane ?

— Je... oui, je suis la personne que vous avez insultée, répondit-elle dans un souffle.

Il baissa les yeux, fit la moue, enfonça plus profondément les mains dans les poches de sa veste molletonnée. La pluie gouttait du porche sur ses épaules. Il s'éclaircit la gorge.

— Eh bien, je regrette. C'est pour ça que je suis venu. Pour vous faire mes excuses.

Il y avait quelque chose de forcé dans son attitude, comme s'il s'excusait sous la contrainte. Pourtant, au lieu d'accepter ses excuses et de le congédier, Natasha recula et l'invita à entrer pour s'abriter de la pluie. Il pénétra dans la véranda mais, avec un geste en direction de ses bottes boueuses, n'alla pas plus loin. La jeune femme jeta un coup d'œil à Mrs. Bickerstaff, qui leva les yeux au ciel, hocha la tête et remonta au premier étage. Quand elle l'entendit marcher au-dessus, Natasha se tourna vers le jeune homme. Il avait un peu plus de vingt ans et, malgré son air taciturne, un charme canaille.

— Je m'appelle Morrison. Craig Morrison. Forest Hill Farm appartient à mon père et les moutons sont à lui, mais...

Il s'interrompit et, avec un accent de sincérité, ajouta :

— C'est moi qui m'en occupe, c'est pour ça que j'étais si...

— Révolté ? proposa-t-elle avec un petit sourire crispé.

Un sourire apparut sur les lèvres du jeune homme.

— Oui, on peut dire ça.

Décidément, il était très séduisant, songea Natasha. Et il ne parlait pas comme les gens du coin. Il n'avait pas les mêmes expressions, et pas tout à fait le même accent. Mais comme il lui rendait son regard et reprenait la parole, le compliment qu'elle lut dans les yeux bleus effaça toute autre considération.

— Vous savez, je suis vraiment désolé pour ce qui s'est passé. Pour ce que j'ai dit.

Une étrange faiblesse envahit Natasha.

— Oublions ça, répondit-elle en se demandant où était passée sa fermeté de caractère. Mais il y a quelque chose que je ne comprends pas, ajouta-t-elle d'une voix hésitante, pourquoi avez-vous pensé que j'en étais responsable ?

Un sourire plissa les yeux bleu foncé.

— Parce que c'est rare de voir une femme marcher, par ici, sans chien, expliqua-t-il.

— Je m'étonne, répliqua-t-elle avec un petit air provocant, que vous ne m'ayez jamais vue. Je me promène souvent sur cette route. Cet été, du moins.

— Je devais être aveugle...

Incapable de détourner le regard, elle eut soudain terriblement envie de le toucher, d'écraser sa bouche contre ses lèvres, de sentir ses dents sur sa gorge et ses mains d'homme sur son corps. Elle savait ce qui se passerait si elle faisait le moindre mouvement vers lui ; il la désirait aussi, cela se voyait dans son regard, s'entendait à sa respiration. Tout paraissait amplifié. Une chaleur envahit sa poitrine. Seule la conscience confuse de la présence de Mrs. Bickerstaff dans la maison la retint.

Elle se retourna et les feuilles d'un géranium lui frôlèrent la main. Elle sursauta comme si elle avait reçu une décharge électrique. Elle frotta l'endroit où la plante avait touché sa peau nue, puis se mit à enlever les feuilles et les fleurs séchées en les froissant à l'intérieur de sa paume aussi nerveusement que si sa vie en dépendait.

Craig fit un pas vers la porte ouverte. Elle l'entendit prendre une profonde respiration et expirer lentement.

— Je... je n'habite pas chez mon père, dit-il d'une voix incertaine. Je vis seul. A Yew Tree Cottage, à Brickhill, juste à côté de l'église.

Le corps de Natasha sut tout de suite ce qu'il voulait dire, mais son esprit essaya de l'ignorer.

— Yew Tree Cottage ? répéta-t-elle en effeuillant toujours fébrilement le géranium. C'est amusant, notre maison s'appelle Holly Tree Cottage.

Cherchant à rattraper sa remarque stupide, elle demanda :

— Vous pensez que c'est une coïncidence ou que nos ancêtres manquaient d'imagination ?

Un sourire aux lèvres, il répondit :

— A mon avis, c'est une forme de superstition. Ils avaient

peur de leur ombre. Le houx et les ifs[1] sont censés protéger contre les esprits malfaisants.

— Ah oui ?

Elle perçut une note d'anxiété dans sa voix et frémit en repensant à la femme dans la cour.

— Je ne savais pas... du moins, pas pour le houx.

Machinalement, elle tourna son regard vers la haie de houx. Il regarda dans la même direction.

— C'est un beau spécimen, déclara-t-il. On a dû le planter il y a très longtemps. Peut-être au moment où la maison a été construite.

— Cela m'étonnerait...

— Ça pousse très lentement, vous savez.

— Ce n'est pas le seul...

— Oui, je vois. L'autre là-bas a dû se développer à partir du premier buisson.

Il la considéra en souriant.

— Ne prenez pas cet air inquiet. Ce sont des contes de bonnes femmes, tout ça.

— Oui, je sais bien, répondit-elle, mais ses mains tremblaient.

Elle pensa à la femme violée et éprouva la sensation d'être pénétrée de force. Pendant un instant, le sourire de Craig s'élargit, comme s'il comprenait ce qui se passait en elle ; puis, au grand soulagement de Natasha, il cessa de la dévisager pour considérer la maison.

— Vous avez fait du bon boulot, déclara-t-il. C'était dans un état épouvantable quand j'étais gamin. Le vieux qui habitait là ne faisait jamais rien. Il a laissé la maison se dégrader. Je me disais toujours que c'était une honte.

— On a eu beaucoup de travail...

— Oui, je peux m'imaginer. Moi aussi, je dois faire des travaux chez moi ; mais ça prend du temps et de l'argent, et je n'ai ni l'un ni l'autre !

Il rit comme si c'était sans importance et laissa ses yeux s'attarder sur les plantes en pot, et l'alignement bien net des paires de bottes, au-dessous. Après quoi, il se tourna vers elle et demanda :

---

1. *Holly tree* : houx ; *yew tree* : if.

— Est-ce que je pourrai vous revoir ?

Décontenancée, Natasha fuit le regard insistant du jeune homme et bredouilla :

— Eh bien... mais pourquoi pas ! Quand j'irai me promener...

Se sentant stupide, elle se tut.

— En cette saison, il fait un peu froid, dehors..., murmura-t-il avec un sourire.

L'allusion sexuelle rappela aussitôt à Natasha la scène dans le bois et empourpra ses joues. Pendant un instant, elle respira avec difficulté.

— Oui, dit-elle enfin, mais un peu d'exercice en plein air, c'est très sain...

Elle comprit trop tard l'interprétation que l'on pouvait faire de sa phrase et, de nouveau, rougit.

— Je ne vous le fais pas dire, répondit-il en riant de la confusion de la jeune femme. Bon, je dois y aller, ajouta-t-il avec une moue en regardant la pluie. Il faut que je conduise des bêtes au marché. J'espère qu'on aura l'occasion de reparler des bienfaits de l'exercice physique en plein air.

Il lui fit un clin d'œil et un sourire, tandis que Natasha se forçait à sourire et le regardait monter dans la Land Rover. La façon dont il effectua son demi-tour dans la cour la fit grimacer. Il la salua de la main et lança son véhicule sur la petite route.

La conviction qu'elle allait le revoir remplit Natasha d'une joie irrationnelle teintée d'angoisse. Il y avait chez lui une force sauvage qui touchait la même corde en elle, et dont elle découvrait pour la première fois l'existence. Elle revit les yeux de Craig Morrison. Sa longue bouche à la lèvre inférieure sensuelle, ses cheveux noirs bouclés, attachés sur la nuque par une lanière rouge incongrue. L'anneau en or complétait l'allure de pirate, et disait assez qu'il n'était pas du genre à demander la permission quand il voulait quelque chose. Et, en pensant à ce qu'il voulait, Natasha frémit de plaisir.

Elle resta un moment sur le seuil à respirer l'air humide et glacé, puis elle regagna son bureau. Elle avait intérêt à y rester tant qu'elle n'aurait pas retrouvé son sang-froid ; cette bouffée d'excitation n'échapperait sans doute pas au regard perçant de Mrs. Bickerstaff.

Natasha ferma la porte, s'assit à son bureau et alluma une cigarette. Elle s'efforça de faire abstraction de ses fantasmes et du désir violent qui la tenaillait pour tenter d'analyser objectivement la personne de Craig Morrison. C'était un garçon emporté, impétueux, et un peu trop sûr de lui ; mais le fait qu'il la désirait, et ne craignait pas de le montrer, était plus que flatteur : c'était enivrant. Ça la changeait agréablement des intellectuels, de leurs raisonnements compliqués, de leur manie d'analyser chacun de leurs actes et de leur difficulté à s'engager.

En se remémorant sa conversation avec Craig, et ses expressions quand il avait dit ceci ou cela, elle se surprit à sourire ; puis elle se rappela le motif de sa visite, et prit conscience que ni l'un ni l'autre n'avait parlé du lévrier irlandais. Elle s'en voulut ; elle aurait aimé demander des détails sur McCoy et prendre la défense de cet animal stupide afin de lui éviter de recevoir un coup de fusil. Elle aurait dû aussi parler du chien abandonné qu'avait vu Toby ; quoi qu'en pensât Nick, c'était certainement lui le coupable.

Un coup frappé à la porte la fit tressauter comme une enfant prise en faute. Mrs. Bickerstaff glissa la tête dans la pièce pour demander si elle devait préparer des sandwichs pour le déjeuner. Natasha regarda sa montre et constata avec surprise que l'heure habituelle de leur pause était passée de plus de trente minutes.

— Oui, oui, s'il vous plaît. J'étais tellement absorbée par mon travail que je n'ai pas vu l'heure tourner.

Mrs. Bickerstaff disparut. Une femme d'ordre et de routine, pensa Natasha avec un soupir.

— Un drôle de zigoto, ça oui ! D'où il sort, on se le demande. Il ne ressemble pas à ses frères. C'est un vrai fauteur de troubles, ce Craig.

Mrs. Bickerstaff renifla d'un air désapprobateur et tamponna les coins de sa bouche avec un mouchoir en papier.

— Ça ne m'étonne pas qu'il vous soit tombé dessus à bras raccourcis, à propos des brebis. Cogner d'abord, se renseigner ensuite : c'est tout lui.

— Il a été grossier, mais il ne m'a pas tapée, répliqua Natasha. Il est venu pour s'excuser.

— C'est son père qui l'aura envoyé. Il ne viendrait pas de lui-même. Et pour commencer, si ça avait été un de ses frères, il n'y aurait pas eu besoin d'excuses, dit Mrs. Bickerstaff. Eux, ils auraient commencé par vous demander si vous aviez un chien.

Natasha haussa les épaules.

— Enfin, il n'y a pas de mal !

Après un moment, elle ajouta :

— A propos, quel âge a-t-il ?

Mrs. Bickerstaff réfléchit.

— Voyons voir... c'est le plus jeune des quatre, et l'aîné a le même âge que mon Christopher. Il a vécu au Canada pendant deux ans, alors je pense qu'il doit avoir vingt-trois ou vingt-quatre ans, maintenant.

— Au Canada ? Craig Morrison a vécu au Canada ?

— Oui, ça ne fait pas longtemps qu'il est rentré.

Elle fit couler l'eau dans l'évier.

— Cinq ou six mois, je pense.

— Je trouvais qu'il avait un accent. Je comprends maintenant. Que faisait-il, au Canada ?

— Fermier. Comme ici.

— Pourquoi est-il allé là-bas ?

Avec un regard oblique, Mrs. Bickerstaff répondit :

— Disons que le climat était devenu malsain pour lui, par ici.

Intriguée, Natasha voulut en savoir davantage. Elle dut déployer tout son pouvoir de persuasion pour réussir à apprendre que Craig avait eu une liaison avec une femme mariée. Et il lui fallut procéder à une série de suppositions et d'éliminations avant de découvrir que cette femme n'était autre que l'épouse de leur député, le major Norton-Clive. Ayant servi de nombreuses années chez les parents du major, au manoir de Sheriff Whenby, Mrs. Bickerstaff rechignait à dire ce qu'elle savait ; mais elle n'aimait pas beaucoup l'actuel propriétaire, jugeait qu'il n'arrivait pas à la cheville de son père et ne comprenait pas ce qui l'avait pris d'épouser en secondes noces « cette petite traînée ».

— Comment Craig Morrison l'a-t-il connue ?

— Il a travaillé là-bas. Quand il est sorti de l'école d'agriculture, le régisseur l'a pris comme exploitant agricole stagiaire. Il est resté environ six mois.

— Jusqu'à ce que le secrétaire d'État le surprenne avec sa femme, la belle Amanda ?

Vera Bickerstaff se pinça les lèvres.

— Non, c'est le régisseur. Ça a coûté cher, je peux vous le dire.

Natasha commençait à comprendre pourquoi Craig Morrison avait effectué un stage au Canada. Le sous-secrétaire d'État avait préféré faire jouer ses relations et débourser pas mal d'argent plutôt que de voir le nom d'Amanda Norton-Clive associé à celui d'un fermier. Natasha imaginait les gros titres. La presse populaire s'en serait donnée à cœur joie.

— Vous gardez tout ça pour vous, n'est-ce pas, miss Crayke ? Je ne vous ai rien dit. Et mettez-vous bien dans la tête que c'est un mauvais numéro, ce Craig Morrison. Il ne respecte personne. Donnez-lui-en long comme le doigt et il prendra long comme le bras.

Il y avait un avertissement dans son regard, comme si elle savait pertinemment ce qui s'était passé entre eux dans l'entrée. Mais, après avoir débité son morceau, elle se retourna pour laver la vaisselle.

— Si vous voulez mon avis, plus tôt il trouvera un boulot loin d'ici, mieux ce sera. Avec ses cheveux et sa boucle d'oreille, ajouta-t-elle avec un autre reniflement dégoûté, il a tout l'air d'un bohémien.

De la bouche d'une femme de la campagne, c'était une condamnation sans appel. En pensant aux tenues vestimentaires des étudiants à l'université et à la façon dont elle s'habillait elle-même dix ans plus tôt, Natasha réprima un sourire.

— Ça lui passera, dit-elle d'un ton apaisant, consciente de parler comme une vieille dame.

Personnellement, ça lui était égal. Elle le désirait tel qu'il était, avec les cheveux longs bouclés, l'anneau à l'oreille et le reste.

11

Il était un peu plus de trois heures lorsque Mrs. Bickerstaff s'en alla, et déjà la pâle lumière de l'après-midi hivernal prenait des tons crépusculaires. Natasha retourna dans son bureau et alluma toutes les lampes pour chasser la pénombre. Étrange, songea-t-elle en rassemblant les feuilles éparses sur sa table de travail, que Craig Morrison soit arrivé juste au moment où elle s'appliquait à décrire l'incident survenu dans Dagger Lane. Étrange qu'il l'ait interrompue pour la seconde fois consécutive.

Elle jeta un coup d'œil sur les pages qu'elle tenait à la main, retira celle de la machine à écrire, et les fourra toutes dans un tiroir. Elle ne voulait plus penser à ça, pour le moment. Son attention se porta sur la nouvelle couverture de son premier roman. Comme elle la prenait dans ses mains avec un sentiment de gratitude, elle se souvint qu'elle devait appeler le directeur de la publication à Oasis Books. Oliver Duffield était un nouveau venu dans la maison et elle le connaissait mal ; à vrai dire, ils ne s'étaient rencontrés qu'une fois. L'image qu'elle gardait de lui était celle d'un homme dans la trentaine, plutôt séduisant.

La standardiste lui passa le bureau de Mr. Duffield. Natasha fut aussitôt frappée par la voix bien modulée qu'elle entendit au bout du fil. Voyelles limpides et consonnes toniques, son interlocuteur avait une prononciation impeccable. Dans le ton, elle perçut néanmoins une chaleur, qui devint plus manifeste encore lorsqu'ils se mirent à discuter de la couverture, et surtout quand il lui confia qu'il venait de lire son nouveau manuscrit et terminait juste une lettre dans laquelle il lui faisait part de ses impressions.

— Ça vous a plu ?

— Plu ?

Il eut un rire très doux, comme pour signifier que ce n'était pas l'expression adéquate.

— J'ai été tellement pris par l'histoire que j'ai veillé une grande partie de la nuit pour la terminer...

Natasha rosit de joie et de fierté. Elle pressa un peu plus le récepteur contre son oreille et sentit son sourire s'épanouir. Il avait aimé *Terre noire*. L'histoire l'avait touché ; il s'était identifié aux personnages et avait été ému par leurs problèmes ; il avait même eu pitié du prêtre.

Natasha s'en étonna, mais cela lui fit plaisir — non à cause d'un attachement particulier pour ce personnage, mais parce qu'elle avait voulu le décrire comme un être humain, non comme un monstre. C'était uniquement dans son univers à elle que les prêtres étaient des monstres.

« ... et ce que j'ai beaucoup aimé, c'est votre façon de renverser certaines idées reçues. Par exemple à propos de la campagne, plus oppressante que libératrice. Nous autres citadins, nous avons tendance à voir dans la campagne un symbole de la liberté, alors que vous la donnez à voir plus ou moins comme une prison...

Cette analyse la surprit.

— Est-ce que je dépasse votre pensée ? demanda-t-il.

— Peut-être. Je ne sais pas, répondit-elle en riant, je ne m'étais jamais posé la question en ces termes ; mais oui, c'est possible. Cela dépend de ce qu'on demande à la vie, je suppose.

Il y eut une légère pause.

— Mais vous aimez votre vie à la campagne ? Écrire, je veux dire ?

De nouveau, Natasha trouva difficile de répondre. Est-ce que ce mode de vie lui convenait ? Elle n'en était pas sûre. Hormis le plaisir certain que lui avait donné la visite de Craig

Morrison, elle aurait volontiers échangé sa vie ici contre les dangers plus prévisibles de la vie citadine.

— Excusez-moi, murmura-t-il, je ne voulais pas être indiscret. Mais je suis un de vos fervents admirateurs et tout ce qui vous concerne m'intéresse forcément.

Il y avait une telle douceur dans sa voix que Natasha se sentit prête à tout lui pardonner. Oliver Duffield aurait pu discourir l'après-midi entier, elle ne se serait pas lassée de l'écouter. Elle essaya de se remémorer son visage, mais en dehors d'un regard pénétrant et d'un beau sourire ses traits restaient flous. Elle songea qu'elle aimerait bien le revoir, rien que pour savoir si sa présence aurait sur elle le même effet que sa voix.

— Natasha, dit Oliver Duffield comme s'il devinait les pensées de la jeune femme, avez-vous l'intention de vous rendre bientôt à Londres ? Nous pourrions déjeuner ensemble.

Natasha n'avait rien prévu de tel, mais l'idée lui plut aussitôt. Ce serait délicieux de passer quelques heures dans un restaurant avec Oliver Duffield, dont la tâche consistait pour une part à lui faire sentir combien elle leur était précieuse. Elle s'entendit accepter, et même proposer un jour de la semaine suivante.

Natasha raccrocha et s'étira comme un chat. Oui, pensat-elle, cela lui ferait beaucoup de bien d'être choyée et complimentée après tout le travail qu'elle avait fourni ces derniers mois. Elle en avait besoin, elle le méritait, et ne laisserait pas passer une telle occasion.

La sonnerie du téléphone arracha Natasha au sentiment de sa propre importance. C'était Nick. Il voulait savoir si elle avait des projets pour la soirée. Giles aimerait connaître son avis sur une pièce historique montée par les étudiants ; si Natasha n'y voyait pas d'inconvénients, Nick dînerait avec lui et ils prendraient peut-être un pot après.

Natasha répondit que cela ne l'ennuyait pas, mais elle se sentit terriblement abattue, tout à coup. Nick côtoyait des gens toute la journée, tandis qu'elle-même était confinée dans cet endroit perdu, sans rien à faire ni personne à qui parler. Il y avait une nuance d'agacement dans sa voix quand elle demanda à Nick à quelle heure il pensait être de retour.

— Écoute, si tu ne veux pas que je reste dîner, je peux rentrer immédiatement.

— Mais non. De toute façon, je n'ai rien préparé, il vaut mieux que tu dînes avec Giles.

— Natasha, ça va ? Il ne s'est rien passé, aujourd'hui, n'est-ce pas ?

— Non, rien. Je vais bien, très bien.

Il y eut une pause.

— Parfait, alors, à tout à l'heure. Vers dix heures, je pense.

C'est-à-dire vers onze heures, songea-t-elle en raccrochant. Et si elle appelait Craig Morrison ? Cette seule question était déjà une trahison, mais son désir pour lui était assez fort pour fouler aux pieds les beaux principes. Soudain, la nuit parut se coller aux carreaux comme une voyeuse et Natasha se dépêcha de tirer les rideaux.

Son nom n'était pas dans l'annuaire. Il y avait bien un Morrison à Forest Hill Farm, mais pas à Brickhill ; elle essaya même les renseignements. En vain. La peur de ce qu'il pourrait penser l'empêcha de poursuivre plus loin — d'aller par exemple en voiture jusqu'à Brickhill et de frapper chez lui. Elle n'était pas encore prête à franchir ce pas.

En désespoir de cause, Natasha téléphona à Fay en espérant qu'elle serait chez elle et libre. Fay était une femme discrète qui ne portait pas de jugement de valeur. A défaut de voir Craig Morrison, Natasha pourrait au moins parler de lui.

Lorsqu'elle raconta à Fay que Nick et Giles dînaient ensemble, Fay rit avec bienveillance et l'invita chez elle.

— Tu as déjà mangé ? demanda Natasha en suivant Fay à l'intérieur. Nous pouvons aller au restaurant, si tu veux.

— Ma chérie, j'ai étudié toute la journée — je suis un autre cours et j'ai une tête de déterrée, au cas où tu n'aurais pas remarqué ! Je n'ai pas mangé, non ; mais je vais nous préparer quelque chose en vitesse, et déboucher une bouteille de vin. Ça te va ?

— J'en ai apporté une, répondit Natasha en riant et en sortant d'un sac de supermarché, telle une magicienne, une bouteille de sauvignon australien.

Fay avait acheté récemment une petite maison en terrasse

que Natasha adorait au point de la lui envier. Située à l'extérieur des remparts, la pièce principale jouissait d'une belle vue sur la cathédrale, et les détails originaux étaient d'une telle richesse que Natasha en oubliait le cauchemar que représentaient la pose d'une couche isolante, l'installation électrique à refaire et l'équipement de la cuisine, tout ce par quoi Fay venait de passer. Cette maison rappelait à Natasha celle qu'elle possédait avant d'épouser Nick ; mais la sienne avait été modernisée, alors que celle-ci conservait le charme de l'ancien. A chaque visite, elle s'extasiait et laissait transparaître son envie. Fay ne la comprenait pas.

— Mais ta maison est magnifique, Natasha. Toutes ces poutres et ces planchers en chêne... Cela a dû vous coûter une petite fortune. J'ai dépensé beaucoup, et pourtant il n'y avait pas grand-chose à faire, par rapport à chez vous. Tu n'es pas heureuse, là-bas ?

Natasha s'arrêta de tourner la salade.

— Je ne sais pas, dit-elle lentement.

Fay la regarda avec attention.

— Qu'y a-t-il, ma chérie ? C'est la maison ou c'est Nick ?

Pendant et après le dîner, elles parlèrent surtout des problèmes que rencontrait Natasha depuis qu'elle avait terminé son livre. Natasha eut des remords cuisants au souvenir des quelques moments intenses qu'elle avait vécus avec Giles, mais elle estima qu'il n'avait probablement parlé de rien à Fay. D'ailleurs, qu'y avait-il à raconter ? Soucieuse de ne pas dramatiser les choses, elle fit un récit plein d'humour de sa première rencontre avec Craig Morrison et de la proposition qu'il lui avait faite, le matin même. Elle reconnut qu'elle n'était pas dans son assiette, le samedi après-midi, mais ne mentionna pas ce qui s'était passé juste avant son tête-à-tête avec le jeune fermier, ainsi que l'apparition de la femme, le vendredi, dans la cour. Fay était une auditrice patiente et bienveillante, mais Natasha avait peur de ce qu'elle pourrait penser de ce genre de choses. Peut-être y verrait-elle une forme de frustration sexuelle induisant fantasmes et hallucinations — ou, pis, elle penserait que Natasha devenait folle.

Natasha aurait souhaité que Fay tombe d'accord avec elle pour dire que les hommes étaient impossibles à vivre, que le mariage était une institution ridicule et dépassée, et qu'il n'y avait aucune raison qu'elle se prive d'un plaisir avec ce jeune fermier au tempérament ardent qui la trouvait manifestement à son goût. Ni même avec Oliver Duffield, plus cultivé et plus mondain.

De ce point de vue, Fay fut plutôt décevante. Elle soutint que, si Nick avait une liaison, Giles serait à coup sûr au courant et qu'il en aurait parlé à Fay.

— Pas forcément. Il aurait pu craindre que tu me le répètes. Et il ne s'agit peut-être pas d'une liaison, rétorqua Natasha. C'était peut-être une aventure d'un soir.

— Ce n'est pas du tout le style de Nick, tu le sais très bien.

— Tu n'étais pas à cette fichue soirée ! Je persiste à croire qu'il a emmené cette fille en vert dans son bureau pour tirer un coup. Et Giles le sait, j'en mettrais ma main au feu.

Fay poussa un soupir désolé, prit la bouteille de vin et remplit son verre.

— Je n'étais pas là, en effet. C'est dommage. Je lui aurais remis les idées en place.

Natasha eut un petit sourire piteux.

— Oui, tu l'aurais fait, j'en suis sûre. Alors que moi, j'étais clouée sur place, pétrifiée...

— Écoute, dit Fay en pressant la main de Natasha, tous les hommes peuvent faire une bêtise. Si Nick a perdu la tête, ce soir-là, ce dont tu n'es pas absolument certaine, c'est une histoire terminée. Nick ne jure que par toi. Il ne risquerait pas son mariage pour quelques frissons à la sauvette.

— Non ?

— Mais bien sûr que non. Et je te conseille de ne pas tenter le diable, de ton côté. Tu as trop à perdre.

En s'en allant, Natasha se sentait rassérénée. Cette conversation avec son amie lui avait fait du bien ; mais elle se rendait compte que Fay n'avait pas pris toute la mesure de son désir pour Craig Morrison. Selon Fay, la meilleure chose à faire, dans ce genre de situation, était de flirter pour s'amuser un peu et de s'en tenir là, à moins que ce ne soit vraiment sérieux.

Seulement, Fay ne s'était pas trouvée à quelques centimètres seulement de Craig.

Natasha roulait à vive allure sur les routes de campagne en

s'abandonnant à ses fantasmes, agréablement amplifiés par le rythme trépidant d'une musique rock. Dans la traversée du village, elle éteignit la musique et ralentit juste avant de s'engager dans Dagger Lane. Droit devant, sur la crête, elle aperçut un éclair de lumière, les yeux de quelque animal qui traversait la petite route. Un instant, au souvenir de l'autre nuit, elle fut saisie d'une brusque angoisse et freina ; elle pensa voir quelque chose bouger sous la haie, une ombre plus noire que les autres qui fit bondir son cœur d'inquiétude, mais quand elle s'arrêta pour regarder il n'y avait rien.

Le cœur battant très fort, Natasha s'accusa d'avoir trop d'imagination. Elle continua, longea le mur de la maison, la haie de houx, et entra dans la cour.

Lorsqu'elle s'arrêta devant la grille, Nick sortit à grands pas de la maison.

— Mais où diable étais-tu ? demanda-t-il en ouvrant violemment la portière. Je me rongeais les sangs !

Après un mouvement de recul, Natasha se défendit en attaquant :

— Puisque tu dînais avec Giles, j'ai eu envie d'aller voir Fay...

— Tu aurais pu au moins m'appeler ou me laisser un mot ! Pourquoi ne l'as-tu pas fait ?

Natasha s'agrippa au volant.

— J'ai oublié, je suis désolée.

— Oublié ? Seigneur...

Il claqua la portière et retourna d'un pas rageur dans la maison. Tremblante, Natasha se gara dans la grange, coupa le contact et éteignit les lumières. Comme elle descendait de voiture, une boule soyeuse frôla ses jambes ; elle sursauta, baissa les yeux et vit l'un des chats, qui ronronnait de plaisir en sentant la chaleur du véhicule.

Avant de partir pour l'université, le lendemain matin, Nick passa la tête dans la chambre d'ami.

— A propos, dit-il brusquement, nous sortons demain soir. J'ai pensé qu'il valait mieux que je te le rappelle, au cas où tu voudrais acheter des fleurs, des chocolats, ou ce que tu voudras, pour Nancy Fish.

— Je n'ai pas oublié, répondit Natasha en se frottant les yeux.

En fait, cela lui était complètement sorti de la tête.

Quelques instants plus tard, comme la voiture s'engageait bruyamment dans l'allée, elle se redressa contre les oreillers et essaya de se rappeler en quel honneur avait lieu ce dîner et pourquoi ils étaient invités. Elle alla en titubant dans le bureau de Nick et regarda le carnet de rendez-vous. A la date du mercredi 27 novembre, il avait écrit de son écriture penchée, bien nette : *Graham Fish, Charlie Cramp, etc.*

— Oh, mon Dieu...

12

— A mon avis, dit Charlie Cramp à propos de la soutenance de thèse qui avait eu lieu plus tôt, à mon avis, répétat-il en faisant tourner le cognac au fond de son verre, son seul point faible est de diminuer l'importance des facteurs sociaux, à l'origine du mouvement, et de trop insister sur la déférence. Mais, sous réserve des corrections que j'ai faites, et dont vous voudrez bien lui remettre une copie (ici, le regard perçant de Charlie Cramp se tourna vers le Dr Fish), je n'ai aucune hésitation : il mérite son doctorat. Dans l'ensemble, c'est une excellente thèse.

Dieu soit loué, songea Natasha, car les quelques personnes présentes — notamment Graham Fish — attendaient ce verdict depuis plusieurs heures déjà. Réprimant un bâillement, elle regarda le maître de conférences du département d'histoire se lever de son siège.

« ... cela me fait immensément plaisir. Si M. le Professeur veut bien m'excuser, je vais téléphoner tout de suite pour lui annoncer la bonne nouvelle. Il sera ravi.

— Mais certainement.

Voûté, l'air ratatiné, le Pr Éric Benson bourrait sa pipe.

— Je trouve qu'il s'est vraiment très bien débrouillé à l'oral...

Il semblait s'adresser à l'assemblée, mais il sourit d'un air complice à Natasha comme s'il savait exactement ce qu'elle pensait.

Natasha aimait bien Éric Benson. En dépit de son âge et de son arthrite, une lueur espiègle dansait au fond de ses yeux, comme si le monde, avec tous ses défauts, l'amusait secrètement. A la différence de Charlie Cramp, ce n'était pas un homme loquace ; il n'en avait pas moins complimenté Natasha sur sa toilette et insisté pour qu'elle s'assoie à côté de lui, bouleversant le plan de table élaboré avec soin par Mrs. Fish. Il s'était ensuivi une légère confusion qui n'avait pas contribué à dissiper la mauvaise humeur de Nick. Au moment de partir, lorsque Natasha avait enfin été prête, il avait critiqué la façon dont elle s'était habillée. Il jugeait que sa courte robe en velours noir et ses longues bottes en daim étaient mal choisies pour un dîner qui devait rassembler principalement des universitaires et leurs épouses. Comme il n'avait pas une position aussi élevée dans la hiérarchie universitaire, et que Natasha était la plus jeune des invitées, d'au moins vingt ans, Nick était soucieux de ne pas les provoquer, d'une manière ou d'une autre ; mais Natasha n'était pas d'humeur à faire des compromis. Lorsqu'il lui avait reproché de ressembler au jeune héros des pantomimes de Noël, joué traditionnellement par une actrice, elle avait répliqué que, dans ce cas, sa tenue était parfaite, car les réunions entre universitaires étaient tout aussi éloignées de la réalité que ce genre de spectacles. Bien que Natasha eût contribué à égayer la soirée du professeur, Nick n'arrivait pas à se détendre ; Éric Benson allait bientôt prendre sa retraite et ses excentricités étaient, à présent, plus tolérées qu'elles n'inspiraient le respect.

Observant d'un air inquiet la pipe du Pr Benson, Nancy Fish lui proposa de reprendre du pudding ; mais le Pr Benson avait bien mangé et ne souhaitait plus qu'une chose : un café et fumer la pipe. Devant l'air embarrassé de leur hôtesse, Natasha se sentit partagée entre la compassion et l'amusement. Le vieil homme n'était pas antipathique, mais il utilisait un tabac très puissant dont l'arôme ne partirait pas avant plusieurs jours ; Mrs. Fish, liée par les lois de l'hospitalité, hocha la tête avec un sourire. Le vieil homme se renversa contre le dossier de sa chaise et approcha une allumette du fourneau de sa pipe ; des ronds de fumée âcre commencèrent à se former au-dessus, donnant le signal aux autres fumeurs. Natasha ne laissa pas passer l'occasion.

Nick était visiblement tenté de l'imiter ; il tripotait une petite cuiller à la façon dont il jouait d'ordinaire avec son paquet de cigarettes. Il soupira et se tourna vers le Dr Cramp.

— Pensez-vous qu'il ait une chance d'être publié ?

— Eh bien, hormis les questions spécifiques du mouvement, il apporte sur cette période un éclairage nouveau, très intéressant, concéda le vieil homme. Dépouillée de ses appendices, c'est une thèse tout à fait publiable.

Il réfléchit un moment.

— Il faudrait, bien sûr, une maison d'édition respectable. Nous verrons ce que nous pouvons faire pour lui.

Natasha se demanda si ce « nous » était un « je » de majesté, ou s'il incluait Nick. D'après ce qu'elle savait de Charlie Cramp, les deux interprétations étaient possibles. Il avait été le mentor de Nick, autrefois, et portait toujours un intérêt de propriétaire à sa carrière, bonté dont il attendait en retour de grands et menus services. Dans le monde universitaire, c'était un usage établi, mais Natasha ne le trouvait pas moins choquant ; ce qui l'agaçait le plus était la propension de Charlie Cramp à parler de Nick — même en sa présence — comme de son ancien élève. C'était si dévalorisant. Il faut dire que Charlie Cramp avait la manie de rabaisser les gens, surtout les femmes. Natasha n'était pas surprise que le Dr Elizabeth Powell, connue dans le département pour ses idées féministes, eût décliné l'invitation de ce soir.

En raison de son absence, ils formaient un nombre impair à table, mais cela ne semblait pas gêner le Pr Benson ; il avait déjà tapoté trois fois le genou de Natasha. Elle s'amusa à l'imaginer faisant la même chose à Mrs. Cramp, assise à la place qu'aurait dû occuper Natasha, à côté de la chaise momentanément vide du Dr Fish. C'était une étrange petite bonne femme avec des cheveux blancs, très courts et crépus, et d'énormes yeux de myope qui, lorsqu'ils n'étaient pas fixés en adoration sur son mari, regardaient nerveusement d'un côté et de l'autre. Sentir la main du Pr Benson sur elle l'aurait sans doute fait japper comme un caniche.

Reportant son attention sur le Dr Cramp, Natasha essaya de deviner ce qui avait attiré ces deux êtres l'un vers l'autre et les liait depuis trente ans. Ce n'était pas la beauté, décida-t-elle. Le crâne étroit de Charlie Cramp avait un haut front incliné s'évasant au niveau de ses pommettes proéminentes, qui s'effilaient en une mâchoire plus étroite encore ; de cou, point, mais il avait les épaules voûtées d'un homme de grande taille qui a passé sa vie courbé au-dessus d'un bureau. C'était sa bouche, petite, légèrement insolente, ainsi que ses yeux, vifs et perçants, qui révélaient son véritable caractère.

Natasha, qui s'interrogeait sur la nature de la relation entre Charlie Cramp et sa femme, n'avait conscience que d'un vague brouhaha. Elle se demandait comment le Dr Cramp faisait l'amour quand elle s'aperçut qu'il était en train de lui poser une question. Lorsqu'il planta ses yeux droit dans ceux de Natasha et que sa bouche s'incurva en un sourire, elle sentit dans son ventre une brusque chaleur qui la fit sortir de sa torpeur, horrifiée.

La gorge nouée, Natasha secoua la tête et essaya de sourire en bredouillant une excuse. Elle n'avait aucune idée de ce dont il s'agissait.

Tel un chat s'amusant avec une pelote de laine, le Dr Cramp eut un large sourire et sa voix ressembla à un ronronnement.

— Vous étiez fort loin de nous, ma chère, dit-il.

Le cœur de Natasha battait comme celui d'un oiseau en cage, et elle avait aussi peu de chances que lui de pouvoir s'échapper.

— Oui, j'en ai peur, murmura-t-elle.

— Ne prenez pas cette mine effrayée, ma chère, ce n'est pas très grave... (Son regard de prédateur, vaguement amusé, s'attarda sur Natasha et elle eut l'impression qu'il la déshabillait des yeux.) ... je me suis simplement rappelé que vous gribouillez, vous aussi, ajouta-t-il avec un petit sourire narquois à l'adresse de Nick. Mon ancien élève, ici présent, m'apprend que vous êtes publiée par une maison d'édition très honorable. Ils ont un secteur éducatif, n'est-ce pas ?

— Oui, je crois.

Natasha fut tout de suite sur ses gardes. Pendant un instant, au-delà de la panique qu'elle éprouvait devant la montée d'un désir irrépressible, elle se demanda en quoi cela pouvait intéresser Charlie Cramp. Puis elle songea soudain qu'il cherchait peut-être un moyen d'introduire le jeune homme qui venait de soutenir sa thèse ou, pis, à s'informer sur d'autres auteurs. Nick lui avait appris que son éditeur s'occupait des travaux de deux éminents historiens que Charlie Cramp avait accusés de chercher les faveurs du public. Non qu'il les eût lui-même méprisées, songea-t-elle, s'il en avait bénéficié.

— Je crois qu'ils pourraient s'intéresser au jeune Mountfield, énonça-t-il d'un air songeur. Je crois qu'il a un avenir. Qu'en pensez-vous, professeur ?

Libérée du regard insolent de Charlie Cramp, Natasha s'excusa discrètement sans attendre ce que M. le Professeur avait à dire et, les jambes toutes molles, elle prit le chemin de la salle de bains.

Elle s'assit avec soulagement sur la cuvette des W.-C., le temps que cesse la vibration continue de ses muscles. Un peu d'eau froide sur le visage et l'air frais qui entrait par la fenêtre ouverte la ranimèrent. Elle resta penchée un moment au-dessus du rebord de la fenêtre, à laisser couler sur son visage et ses épaules l'air nocturne, humide et froid. La façon dont son corps avait réagi face à Charlie Cramp la remplissait d'horreur ; rien que la pensée de sa main sur elle la faisait frissonner de dégoût.

Des questions, des mouvements d'aversion et des nausées la traversèrent. Il fallait qu'elle évite à tout prix de croiser les yeux de Charlie Cramp pour empêcher l'éveil aberrant de ses sens. Elle s'arma de courage pour redescendre au rez-de-chaussée, décidée à étudier la nappe pendant le reste de la soirée. Si elle donnait l'impression de s'ennuyer ou d'être triste, ce ne serait pas loin de la vérité.

Au pied de l'escalier, elle manqua de se cogner contre Nancy Fish, qui sortait de la cuisine en rapportant du café.

— Oh pardon, ma chère. Vous allez bien ? Je vous trouve un peu pâlotte. J'espère que ce n'est pas la nourriture ?

— Non, pas du tout, Mrs. Fish, le dîner était excellent. J'avais juste un peu chaud.

Natasha se força à rire.

— Je me suis rafraîchie dans la salle de bains.

Comme les deux femmes faisaient halte dans le couloir, Mrs. Fish s'adressa à Natasha en la fixant d'un œil pénétrant :

— Il ne faut pas faire attention à Charlie Cramp, vous savez. Gribouiller, mon Dieu, quelle idée ! J'ai lu votre roman, je l'ai trouvé magnifique. Je n'ai pas pu le lâcher avant de l'avoir terminé.

Elle rit et secoua la tête.

— Je ne sais pas comment vous faites. Moi, j'ai du mal à écrire des lettres !

— C'est une obsession, dit Natasha en souriant. Une fois que les personnages existent, ils ne me laissent plus en paix.

— Et le prochain avance ?

— Je viens juste de le terminer. Il devrait paraître à l'automne.

— Je suis impatiente de le lire.

Cet enthousiasme sincère réchauffa le cœur de Natasha, qui pensa, une fois de plus, que Mrs. Fish était l'épouse idéale pour un universitaire. Gentille, sensible, patiente, elle aimait recevoir, que ses hôtes fussent d'humbles étudiants ou des professeurs d'université.

— Je vais ouvrir une autre fenêtre, déclara-t-elle en la précédant dans la salle à manger. C'est un peu enfumé, ici...

Comme Natasha retournait à sa place, le Pr Benson se servait de sa pipe pour souligner un argument, ce qui par chance lui permit de ne pas attirer l'attention sur elle.

— J'ai lu votre critique dans le supplément littéraire du *Times*, Charlie. J'ai trouvé que vous n'étiez pas très tendre pour le jeune Sharpe. Ce qu'il disait sur le soulèvement était neuf et rafraîchissant. Pour moi, du moins.

— Plutôt original et démodé, si j'ai bonne mémoire, rétorqua le Dr Cramp. Quant aux critiques qu'il m'adresse dans le chapitre 9 — eh bien, elles manquent totalement de consistance.

— Ne dites pas n'importe quoi ! s'exclama le Pr Benson, vous avez réglé de vieux comptes, c'est tout.

Un silence suivit. N'osant lever les yeux, Natasha n'en était pas moins consciente de la colère de Charlie Cramp.

Soudain, il partit à rire, au soulagement général, perceptible dans les toux, les soupirs et les petits rires qui se firent entendre autour de la table.

— Eh bien, dit-il avec chaleur, en permettant à Graham

Fish de remplir son verre. On agit tous ainsi, non ? Cela fait partie du jeu...

Involontairement, Natasha hocha la tête. Elle méprisait ce jeu auquel s'adonnaient certains écrivains et critiques. Elle fut tentée de faire une remarque, mais au même moment Nancy Fish intervint d'une voix enjouée, pour essayer de changer de sujet.

— J'aimerais beaucoup entendre parler de votre animal mystérieux, Nick, dit-elle. Graham m'a fait part d'une coïncidence tout à fait étonnante concernant cette histoire, et j'avais hâte de vous voir pour connaître la suite.

Natasha pensa qu'il allait refuser, mais l'encourageant d'un sourire Nancy Fish vint à bout des réticences manifestes de son invité. Avec un geste d'excuse à l'adresse de ses interlocuteurs distingués, Nick commença d'une voix hésitante par une brève description du vieux Toby Bickerstaff, qui semblait être la première personne à avoir vu la grande créature noire, non identifiée, dans Dagger Lane, à la lisière du bois.

Non, c'est moi qui l'ai vue la première, songea Natasha ; et je sais que c'était un chien. Puis elle s'aperçut que Nick respectait la chronologie des événements, et fut soulagée qu'il passât sous silence l'incident dans la voiture. Dans un silence flatteur, Nick décrivit ensuite en détail la rencontre de Mrs. McCoy avec la créature. Après une pause pendant laquelle Nick glissa un coup d'œil indécis en direction de Natasha, il parla de la légende évoquée par Beauchamp, selon laquelle un chien noir aurait été vu dans l'église de Brickhill aux alentours de 1630 et, n'ayant pu être capturé, se serait évanoui en traversant le mur de l'église.

L'association entre les propos de Craig Morrison sur le pouvoir prêté aux ifs et le fait que sa maison fut située tout près de l'église fit sur Natasha une impression désagréable. Les autres étaient manifestement intrigués par cette histoire, à l'exception du Pr Benson qui tirait sur sa pipe d'un air sceptique, et de la femme de Charlie Cramp qui semblait troublée.

Nancy Fish trouvait que c'était une merveilleuse histoire pour une nuit d'hiver, elle le dit, et demanda quelles déductions on pouvait en tirer ; ce fut bien sûr le Dr Cramp qui répondit avec toute la suffisance d'un expert.

— *Padfoot*, affirma-t-il d'un ton cassant.

— Pardon ?

— *Padfoot*, c'est ainsi qu'on l'appelle par chez nous — pas là où je vis actuellement, mais là où je suis né, dans le Norfolk. C'est un animal mystérieux qui correspond à votre description, Nick. On ne sait pas au juste si c'est un chien ou un chat ; mais, ajouta-t-il avec un rire dans la voix, puisque c'est un fantôme, ce pourrait être l'un et l'autre !

« Il est censé apparaître sur les petites routes de campagne, non loin de Happisburgh, près de la mer, où mes parents avaient une ferme. Je me rappelle très bien avoir entendu des gens qui étaient partis à la recherche de *Padfoot* prétendre l'avoir vu. Mon père aussi l'a aperçu ; mais lui, ce fut par hasard.

— Ah oui ?

Nancy Fish était comme hypnotisée. Charlie Cramp attendit pour poursuivre d'y être encouragé. Il le fut.

— Il revenait à vélo de son tour de garde pour la défense du territoire — c'était pendant la dernière guerre, et la côte du Norfolk était particulièrement vulnérable. Cette créature surgit tout à coup devant lui, au beau milieu de la route. Il manqua tomber, tant il freina brusquement, mais il ne réussit pas à éviter la bête ; il la heurta et lui passa dessus. Bien sûr, elle n'était pas réellement là mais, en regardant derrière lui, il lui sembla qu'elle n'avait pas bougé de place.

Le sang de Natasha se glaça dans ses veines, elle crut un instant qu'elle allait s'évanouir. Elle regarda Nick, qui soutint son regard et elle vit dans ses yeux à quoi il pensait. Il pensait au chien qu'elle avait voulu éviter en freinant, le chien qu'elle croyait avoir touché et qui avait disparu, faisant douter Nick de ce qu'elle affirmait.

Presque imperceptiblement, il secoua la tête. Pas ici, semblait-il dire, pas devant ces gens.

— J'avais environ huit ans, reprit Charlie Cramp. L'âge crédule, direz-vous, et vous aurez raison. Mais mon père était fermier, il n'avait pas l'habitude de raconter des fariboles, et il a toujours soutenu qu'il avait bien vu *Padfoot*, roulé dessus et, contre toute attente, n'en était pas mort.

Dans le silence qui suivit, Nick s'éclaircit la gorge.

— Que voulez-vous dire ?

— Eh bien, voyez-vous, on racontait dans la région que voir *Padfoot* portait malheur.

Il but une gorgée de cognac, comme pour réprimer un frisson, ou peut-être pour cacher la gravité avec laquelle il considérait cet incident. D'un ton plus léger, il ajouta en regardant Natasha, qui détourna aussitôt les yeux :

— Je m'étonne que vous n'ayez pas d'histoire semblable à nous raconter, ma chère...

Natasha, la gorge serrée, sut qu'aucun son ne sortirait de sa bouche. Alors, elle le regarda fixement, en sachant pertinemment qu'elle devait avoir l'air d'un animal apeuré.

— ... vous qui venez des Fens, si je ne me trompe pas.

Comment le sait-il ? se demanda-t-elle, mais la question ne passa pas ses lèvres.

— Je n'ai jamais rien entendu de tel, réussit-elle à articuler enfin. Mais mon père n'était pas superstitieux.

— Oh, mais il me semble, ma chère, que cette histoire est plus complexe que ça.

Avec un sourire satisfait, il leva à l'adresse de Natasha son verre, mais celui-ci était vide.

Sous la table, le Pr Benson tapota le genou de Natasha. Puis, ayant rempli sa pipe qu'il fixa entre ses dents d'une manière menaçante, il dit :

— Parlez-vous sérieusement, Charlie, à propos de ces histoires de fantômes ?

— Oui, Éric.

Nick intervint :

— Connaissez-vous d'autres récits se rapportant à cette légende précise ? Giles Crowther m'a parlé du *Barquest* de Whitby, bien sûr, mais j'aimerais en lire d'autres.

— Mon Dieu, Nick, il doit y en avoir des dizaines ! Le folklore est une industrie florissante, plus encore à notre époque qu'au siècle dernier. Je n'ai pas pris la peine de m'y intéresser moi-même. Mais, ajouta-t-il avec un petit rire dédaigneux, si un jour vous tombez sur *Padfoot*, ne manquez pas de me prévenir !

13

Espèce de vieux machin prétentieux, songea Nick en se rappelant cette conversation. La manie de Charlie Cramp d'avoir réponse à tout et de toujours vouloir avoir le dernier mot était aussi agaçante que son ton suffisant. Cinq ans plus tôt, lorsqu'ils se voyaient presque chaque jour, Nick avait eu du mal à supporter le vieil homme. Le tutorat, vestige du passé auquel, par tradition, les universitaires s'accrochaient encore, était, grâce à Dieu, en voie de disparition. Depuis le départ de Charlie Cramp, Nick ne devait plus rien à personne. Mais bien qu'il eût commencé à se faire un nom dans les cercles universitaires, il détestait l'insinuation selon laquelle il devait tout à son ancien mentor.

En rentrant chez eux, cette nuit-là, Natasha avait été plus précise que ça. Mais, une fois dans la voiture, elle s'était de nouveau retranchée dans une attitude défensive. Nick savait parfaitement dans quelle angoisse l'avait jetée le récit du vieux Cramp ; elle avait dû ordonner dans sa tête toutes les pièces du puzzle et, comme Nick, croire à ce qu'elle avait vu. Seulement, elle avait refusé d'en parler. C'était de loin le côté le plus exaspérant d'une soirée dans l'ensemble très décevante.

Si le mutisme de Natasha désespérait Nick, le dédain de Charlie Cramp pour le petit mystère dont il avait fait état à table le mettait carrément hors de lui. Piqué au vif, Nick n'avait qu'une envie : poursuivre ses recherches et voir cette fameuse bête noire, ne fût-ce que pour apaiser sa propre curiosité. Ce serait amusant de recueillir des informations, de rassembler les légendes, de trouver leurs sources puis de rédiger ses propres conclusions. Charlie Cramp pourrait toujours ricaner !

Le samedi matin, après un petit déjeuner tardif, Nick sortit pour se faire une idée du temps et voir si la route était praticable. C'était un jour lugubre qui donnait envie de rester chez soi. De gros nuages gris foncé s'étalaient au-dessus des champs décolorés. Il avait envisagé de se rendre à pied à Brickhill, mais il y avait presque dix kilomètres aller et retour, et le ciel menaçait de déverser de gros paquets de pluie. Nick songea à sa voiture, confortable et pratique, garée dans la grange. Pourquoi ne pas la prendre ? Après tout, l'excursion jusqu'à Brickhill pouvait ne rien donner. C'était juste un point de départ, un endroit incontournable qu'il devait éliminer au plus vite pour porter son attention ailleurs.

Il rentra chercher son manteau et les clefs de la voiture. Natasha était en train de nettoyer le four.

— Tu sors ?

— Oui. J'ai envie de faire un saut jusqu'à Brickhill. Je ne serai pas long.

— Pourquoi à Brickhill ? demanda-t-elle en interrompant sa tâche.

Il haussa les épaules.

— Je veux jeter un coup d'œil sur l'église. Sur les stèles commémoratives, ajouta-t-il au hasard, car il ne savait pas très bien ce qu'il cherchait.

— Oh, répondit-elle en souriant (ce qui était devenu rare), je pense que je vais venir avec toi, si ça ne t'ennuie pas. Ça me fera du bien de prendre l'air.

Comme elle allait chercher une veste chaude, Nick soupira. Il aurait préféré y aller seul.

Suivre l'étroite route bordée de haies qui partait de Denton en direction d'York, puis revenir vers Brickhill par un chemin vicinal prenait environ un quart d'heure. Nick, qui avait déjà visité cette église quelques années auparavant, se rappela qu'il fallait passer prendre les clefs au bureau de poste, dans la grand-rue, quelques mètres avant la pente raide qui montait à l'église. C'était en fait l'unique rue du village. La poste se trouvait au début d'une rangée de cottages qui se terminait à proximité de l'entrée du cimetière.

En possession des clefs, Nick retourna à la voiture qu'il avait garée devant le portail, et ouvrit la petite porte pour Natasha. Il trouvait qu'elle avait l'air dans les nuages. Elle contemplait les jardins dénudés le long de la rue principale, et les façades des maisons en brique, dépourvues de caractère. Aux yeux de Nick, les fermes alignées en retrait de la pelouse communale avaient beaucoup plus d'intérêt.

— Nous sommes déjà venus ici, deux ou trois fois, tu te souviens ?

— Une fois, le corrigea-t-elle, l'été dernier. Nous avons pris quelque chose au pub.

Comme la mémoire lui revenait, Nick eut un sourire un peu triste.

— Oui, tu as raison.

Au début de l'été, songea-t-il, par une longue et belle journée. Ils avaient poncé et ciré les planchers ; puis, vers quatre heures, Nick avait décidé de faire grève et insisté pour qu'ils aillent se promener. Ils étaient partis sans prendre le temps de se changer, avec leurs jeans pleins de taches de peinture et de vieilles chemises. L'air chaud, imprégné de l'odeur puissante des haies et du bourdonnement satisfait des abeilles, était si enivrant qu'ils avaient poussé jusqu'à Brickhill, et terminé leur promenade dans le pub du village. Ils avaient bu de la bière dans la salle délicieusement fraîche, et avaient réussi à obtenir du propriétaire qu'il leur préparât des sandwichs bien qu'il ne servît pas de repas ; dans le soir qui tombait, ils avaient ensuite refait la longue route à pied jusqu'à chez eux.

— C'est Dagger Lane, n'est-ce pas ? demanda Natasha en interrompant la rêverie de Nick.

Il se retourna pour regarder de l'autre côté de la rue. Entre deux maisons de ferme, un chemin boueux émergeait dans la grand-rue ; il se prolongeait juste en face, le long de l'église, mais une barrière en protégeait l'accès.

— Oui, c'est bien Dagger Lane, dit-il. L'ancienne route pour York.

Natasha semblait étrangement fascinée ; elle alla observer de près l'étendue herbeuse entre le cimetière et la rangée des maisons.

— Tu veux visiter l'église ? demanda-t-il enfin. Elle est un peu décevante, je dois dire. A part un magnifique portail du premier gothique anglais, il n'y a pas grand-chose.

— Pourquoi pas ? répliqua-t-elle avec un haussement d'épaules. C'est pour ça que nous sommes venus, n'est-ce pas ?

Il fit demi-tour et la précéda dans l'allée bordée d'ifs qui dominait le cimetière. L'église avait été édifiée sur un promontoire rocheux qui dominait la vallée d'York, mais, chose étrange, pas à son point le plus haut. Cette position élevée avait été occupée, un siècle avant l'édification de l'église, par le château de quelque obscur baron normand. Nick doutait qu'il eût été entièrement en pierre ; mais d'après la légende locale, lorsqu'il avait été abandonné, les pierres avaient servi à reconstruire l'église qui, à l'origine, était en bois. Ce château avait disparu depuis longtemps ; seuls les tertres herbeux rappelaient l'emplacement du mur d'enceinte.

De tels vestiges n'étaient pas rares dans la région, et Nick ne leur accorda qu'un coup d'œil au passage. Soupesant la grande clef en fer, il s'arrêta pour contempler la très belle porte, qui avait dû être protégée pendant une grande partie de son existence par un porche médiéval. Le porche, comme tant d'autres choses présentant un intérêt architectural, avait probablement été enlevé une centaine d'années auparavant par quelque riche gentilhomme campagnard à la vue étroite. Cependant, les impressions en dents de chien, les sculptures de grotesques et les masques représentant des faces humaines étaient remarquablement bien conservés. Il examina les minuscules têtes, coiffées de bonnets à guimpe, et comprit avec une bouffée de satisfaction qu'il regardait les caricatures des gens qui vivaient là au XIIIᵉ siècle. Une émotion d'une nature différente le saisit lorsqu'il remarqua parmi les lutins et les diablotins un masque de chien à l'air féroce.

Avec un sourire sardonique, il le montra du doigt à Natasha.

— Voilà ton rottweiler, à moins que ce ne soit un mastiff. C'est assez ressemblant, tu ne trouves pas ?

Elle fit une grimace et montra les dents en direction de

l'animal, mais il eut le sentiment qu'elle le visait personnellement. Il introduisit la clef dans la serrure et, après quelques tentatives infructueuses, réussit à ouvrir la porte en chêne massif, qui tourna sur ses gonds en le tirant en avant. Une appréhension le fit frissonner (à moins que ce ne fût l'humidité glacée, qui sentait les coussins d'agenouilloir et la poussière), et il s'arrêta un instant avant de s'avancer dans la nef.

— Il doit y avoir un interrupteur quelque part, chuchota-t-il à Natasha. Est-ce que tu peux le chercher ?

Elle le trouva et l'obscurité uniforme de l'église fut soudain trouée çà et là de taches de lumière entourées de vastes zones d'ombre. Ils se promenèrent en étudiant, chacun de leur côté, les monuments commémoratifs, le bruit de leurs pas se répondant sur le sol en pierre. La voix de Natasha, dans le voisinage de la chaire, résonna soudain avec la force d'un jeune vicaire en train de menacer ses ouailles des feux de l'enfer et de la damnation.

— Qu'est-ce que tu cherches exactement ?

Nick virevolta, surpris, la main sur l'effigie en marbre d'un notable du pays à la lèvre boudeuse et portant perruque.

— Je ne sais pas. Rien de précis.

— Eh bien, si ça ne t'ennuie pas, je vais marcher dans le cimetière. Je parie qu'il fait moins froid dehors qu'ici.

Le soulagement qu'il éprouva lui donna un regain d'énergie.

— Comme tu veux...

Il la regarda s'en aller et, lorsque la porte se fut refermée, ses mouvements se firent plus résolus. Pour quelque raison mystérieuse, la présence de sa femme l'inhibait.

Il s'arrêta un moment pour admirer la silhouette cassée et mutilée d'un gentilhomme du XVᵉ siècle en armure. Les graffiti du XIXᵉ siècle gravés sur la tombe l'impressionnèrent tout autant. Les autres monuments funéraires étaient plus récents et moins intéressants ; il n'y avait là rien qui pût l'éclairer. Mais que cherchait-il, au juste ? A vrai dire, il l'ignorait ; cependant, quelque chose le retenait malgré lui dans ce lieu.

Quelques minutes plus tard, alors qu'il se dirigeait vers la porte, prêt à abandonner, il remarqua sur une table, à côté du tronc des pauvres, un petit guide touristique. Bien qu'il ne s'attendît pas à apprendre quoi que ce soit, Nick le ramassa et parcourut rapidement la première page. D'après la brève introduction, les informations contenues dans cette brochure avaient été recueillies en 1923. Nick en avait peut-être déjà pris un exemplaire lors de sa précédente visite, mais il ne s'en souvenait pas.

Soudain, à la troisième page, une note extraordinaire attira son attention.

Il ne reste plus rien du château de Brickhill, édifié par le baron brigand, Reynald de Briec, le canis venaticus *des anciens chroniqueurs ; mais ses pierres ont servi, vers 1250, à la construction de cette église.*

— Ça alors, c'est trop fort ! murmura-t-il en se laissant tomber sur le banc le plus proche.

Il relut le paragraphe et réprima une brusque envie de rire. *Canis venaticus* — c'était plutôt du latin de cuisine, mais le sens était clair. Reynald de Briec, fondateur de la localité de Brickhill, était connu sous le nom de « chien de chasse ».

C'était un surnom étrange, même pour l'époque. Lorsque le pays était en proie à l'anarchie, au moment où le roi Étienne de Blois et la comtesse Mathilde se battaient pour le trône, beaucoup de barons brigands avaient pour surnoms « le loup », « le faucon » ou simplement « le noir ». Mais « le chien de chasse » était inhabituel, songea Nick ; cela laissait supposer qu'il était l'homme de main de quelqu'un de plus puissant à qui il obéissait au doigt et à l'œil.

Cet indice méritait d'être creusé. Il devrait essayer de trouver l'origine de ce nom et jeter un coup d'œil sur les anciens registres paroissiaux afin de chercher d'autres références.

Avant de quitter l'église pour rejoindre Natasha, Nick, le guide à la main, observa une nouvelle fois le chien monstrueux qui montrait les crocs.

— Qui t'a placé ici ? demanda-t-il à voix haute. Et pourquoi ?

Il parcourut du regard les vieilles pierres de l'église en se demandant pour la première fois si le château de Reynald de Briec n'était pas plus important que ce n'était généralement le cas, à cette époque. Mais alors, pourquoi avait-il été abandonné ?

Les ifs formaient un écran qui l'empêchait de voir Natasha.

Il dut revenir sur ses pas et contourner l'église pour aller à sa recherche. Il pensait qu'elle serait près des quelques pierres tombales restant encore debout, ou en train de déambuler sous les arbres qui coiffaient le sommet de la colline ; mais elle n'était visible nulle part. Légèrement irrité, il redescendit vers la voiture et fut surpris de l'apercevoir dans l'étroite allée herbeuse qui séparait le cimetière du premier cottage.

— Natasha !

Elle sursauta et se retourna.

— Qu'est-ce que tu fabriques ?

Elle arracha une branche de l'arbuste qui surplombait la barrière du jardin et revint à pas lents vers la voiture.

— C'est du jasmin jaune, dit-elle d'un air qu'il trouva légèrement provocant. Si j'arrivais à le faire prendre, ça ferait joli contre le mur.

— Tu parlais à quelqu'un ? demanda-t-il en scrutant la maison et le petit jardin planté d'un if massif.

Il avait cru apercevoir un mouvement derrière la fenêtre.

— A qui veux-tu que je parle ?

— Je ne sais pas, répondit-il avec agacement, à la personne qui habite là, j'imagine.

Elle haussa les épaules et monta dans la voiture. Le plaisir que lui avaient donné ses découvertes envolé, Nick remonta le col de sa veste pour se protéger du vent de plus en plus froid, et retourna au bureau de poste afin de rapporter les clefs. Lorsqu'il poussa la porte, une cloche retentit avec un bruit de casserole. La femme qui les lui avait remises un peu plus tôt arriva de l'arrière-boutique et frissonna en le saluant.

— Brr, ça se refroidit. Je ne serais pas étonnée qu'il neige.

Il pensa à part lui qu'il était encore trop tôt, mais il convint que l'hiver était là pour de bon. Comme il lui tendait les clefs par-dessus le comptoir, elle lui demanda s'il avait trouvé ce qu'il voulait. Il répondit que oui, et assura qu'il avait bien fermé les portes et éteint les lumières.

— Parfait. Y en a beaucoup qui ne se donnent pas cette peine ou qui oublient. Je n'aurais pas eu envie de me traîner jusque là-haut, tantôt... Et c'est pas lui qui ira, ajouta-t-elle dans un rire en désignant la pièce du fond. Il regarde les courses !

148

Nick hocha la tête avec sympathie et demanda le journal local.

— A propos, dit-il comme elle le pliait avant de le lui donner, savez-vous si on raconte de drôles d'histoires à propos de cette église ? Des histoires de fantômes, par exemple.

Sur le moment, elle parut interloquée, puis elle éclata de rire.

— Vous, vous avez dû voir des ombres ! Remarquez, ça ne me surprend pas ; cette vieille église donne la chair de poule à tout le monde, surtout à cette époque de l'année. Mon mari (elle montra de nouveau la pièce du fond) a été adjoint du bedeau, bedeau, et ensuite sacristain pendant quarante ans ou plus, et il n'aime toujours pas y aller à la nuit, je peux vous le dire. Personne pourrait l'y forcer. Il y a des gens comme ça. J'en ai entendu, des histoires ! Je ne dis pas que j'y crois, mais ça fait réfléchir...

Intrigué, Nick hocha la tête en l'approuvant.

— Il y a pas si longtemps, j'ai dit comme ça au pasteur : « Avec la télévision, ça a été la fin des fantômes. » Et vous savez ce qu'il m'a répondu ?

Comme Nick secouait la tête, elle se pencha par-dessus le comptoir d'un ton confidentiel.

— Il m'a dit comme ça : « Non, Mrs. Peckitt, ils n'ont pas disparu. Ils sont toujours là, mais ils ne peuvent pas rivaliser avec la télévision. »

Son sourire entendu et satisfait semblait réclamer un commentaire. Nick hocha de nouveau la tête.

— Il a sans doute raison.

— Eh oui.

Elle tapotait le comptoir avec la monnaie de Nick, qui se demanda s'il la récupérerait un jour et regretta d'avoir entamé cette conversation.

— Si vous voulez en savoir plus sur l'église, il vous faut voir le pasteur. Je suis sûre qu'il pourra vous apprendre des choses.

Nick n'en était pas aussi sûr. Le pasteur de Brickhill avait également la charge des paroisses de Denton et de Sheriff Whenby. C'était un homme fort occupé, dont le premier souci devait être le mauvais état de ses trois églises médiévales. Nick le connaissait peu, mais il voyait en lui plus un organisateur jovial et énergique qu'un guide spirituel éclairant son troupeau. Bien que dans sa propre vie la spiritualité fût devenue presque inexistante, Nick regrettait que son pasteur en manque ; et il voyait mal un homme à l'esprit pratique entamer sérieusement une discussion sur les fantômes.

Tentant une dernière fois la chance, il demanda à la femme :

— Vous-même, vous ne savez rien de particulier ?

Il y eut une pause pendant laquelle ils se dévisagèrent avec curiosité.

— Non, répondit-elle enfin. Pas vraiment.

C'est le *pas vraiment* qui le décida à insister davantage. Il avait trop souvent entendu cette réponse dans la bouche d'étudiants, en général plus désorientés qu'ignorants.

— J'ai lu récemment, déclara-t-il, qu'il y a très longtemps un chien noir était apparu dans cette église. Vous n'avez jamais... ?

— Un chien noir ? Vous voulez dire une sorte de fantôme ?

Comme il opinait, la poitrine et les épaules de la femme se soulevèrent d'amusement.

— Oh, cette vieille histoire ! Aussi vieille que le monde. On nous faisait peur avec le vieux Reynard quand on était gosses.

Devant l'air ahuri de Nick, elle ajouta :

— Reynard, comme maître renard.

— Oh, oui, bien sûr, comme la fable.

Elle rit de nouveau.

— C'était une histoire à vous faire dresser les cheveux sur la tête ! *Si tu n'es pas sage, Reynard t'emmènera !* nous disait-on.

Nick fut frappé par la similitude des noms. Impatient de clarifier les choses, il demanda :

— Mais votre Reynard, ce n'était pas un renard, n'est-ce pas ? C'était le chien de l'église ?

— Tout juste. On disait qu'il rôdait dans la région. Remarquez, personne ne m'a jamais affirmé l'avoir vu. Tout ça, c'est des contes à dormir debout.

Ramassant son journal et sa monnaie, Nick sourit et secoua la tête.

— On ne sait jamais, plaisanta-t-il.

Il ne pouvait s'empêcher de penser à l'aventure qui était arrivée à Toby.

La main sur la porte, il se retourna.

— Encore une chose... quand on vous disait que Reynard vous emmènerait, qu'est-ce qu'on entendait par là ?

Pour la première fois, la femme eut l'air mal à l'aise.

— Eh bien, vous savez, c'était juste pour effrayer les enfants, les forcer à aller se coucher.

— Et s'ils n'obéissaient pas, insista-t-il, Reynard les emmenait avec lui et les mangeait ?

— Euh, oui, quelque chose comme ça.

Ayant réveillé ses peurs d'enfant, elle hésitait à les formuler ; Nick le perçut et ressentit pour elle un élan de sympathie.

Avec un sourire morose et un dernier commentaire sur le mauvais temps, il la remercia et sortit dans le vent cinglant. Mais la certitude d'avoir une piste le fit retourner à la voiture d'un pas léger.

Natasha, emmitouflée dans sa veste matelassée, était livide et tremblante. L'espace d'une seconde, en se glissant derrière le volant, il se trouva transporté plusieurs années en arrière, dans la bibliothèque de l'université, le jour où il était tombé amoureux de la jolie jeune fille en face de lui. Il éprouva un vif désir de la prendre dans ses bras, de la réchauffer et de lui redonner le sourire en baisant ses lèvres merveilleusement sculptées.

A l'instant où il tendait le bras vers elle, elle s'exclama avec humeur :

— Eh bien, tu as mis le temps !

— Excuse-moi, répondit-il d'un ton sec. La postière était une terrible bavarde.

— Jeune et blonde, sans doute ?

Nick se mordit les lèvres.

— Plutôt grisonnante et d'un certain âge, j'en ai peur.

Refusant de céder à la provocation, il démarra.

— On rentre directement à la maison ?

— Non, je voudrais boire quelque chose pour me réchauffer. Je meurs de froid.

Ils descendirent la rue du village. Le pub aurait dû s'appeler

The Black Dog[1], pensa Nick, mais l'enseigne qui oscillait sous le vent montrait trois gros bovins passant un gué. Le nom du pub était *The Drovers*[2].

Ce soir-là, n'arrivant pas à s'endormir, Nick essaya de lire au lit un de ses romans préférés ; mais même Wilkie Collins fut incapable de retenir longtemps son attention. Au lieu de se concentrer sur l'histoire de la Dame en Blanc, son esprit revenait sans cesse sur les mystères qui l'entouraient.

A une heure du matin, il se leva et se rendit dans son bureau. Si le comportement de Natasha paraissait incompréhensible, du moins pouvait-il coucher par écrit les points essentiels de l'autre énigme. Qui sait, cela l'aiderait peut-être.

Nick n'était pas un spécialiste de l'époque médiévale et, parmi ses livres, dont seule une partie se trouvait chez lui, il ne possédait pas grand-chose, hormis des textes secondaires sur certains aspects de cette période, notamment sur la chevalerie. Il les passa rapidement en revue, puis s'assit à son bureau et commença à noter les indices qu'il possédait.

(a) Dans Dagger Lane, entre la maison et le village, Natasha voit un chien noir, à la lumière des phares,

(b) Toby aurait vu une grosse bête noire sur la petite route, près du bois du Bout du Monde.

(c) Mrs. McCoy aperçoit une bête noire dans le brouillard, du même côté du bois.

(d) Toby et Nick trouvent les empreintes d'un animal de grande taille, près des souches d'orme. Ce pourrait être celles d'un chien, mais l'animal a cinq griffes au lieu de quatre.

(e) Vers 1630, un grand chien noir aurait été vu dans l'église de Brickhill.

(f) L'histoire est connue à Brickhill où la bête — un chien courant — est surnommée Reynard.

(g) Le château de Brickhill fut construit par un certain Reynald de Briec, à l'époque du roi Étienne de Blois.

---

1. Le chien noir.
2. Les conducteurs de bestiaux.

(h) *Un chroniqueur a parlé de ce Reynald comme du « chien*
de chasse ».

Reynald = Reynard ???

Nick relut ses notes avant d'ajouter :

(i) *En France, au début du XVIIe siècle, un agent du cardinal*
de Richelieu entrevit une bête noire près de Villy-Bocage.
Il en a donné une description détaillée par écrit.

Est-ce possible, songea-t-il, qu'une légende associée à un
baron du XIIe siècle, ait survécu pendant huit cents ans ? Non,
impossible. Mais si Reynald et Reynard ne font qu'un, rai-
sonna-t-il, il faut se rendre à l'évidence : cette légende s'est
perpétuée jusqu'à nous.

Y a-t-il un rapport, se demanda-t-il encore, entre le surnom
du baron et le nombre de fois où des gens l'ont vu, au cours
du XVIIe siècle et maintenant ?

— C'est impossible, dit-il à voix haute. Pour qu'une
légende populaire survive aussi longtemps, il faut qu'elle soit
entretenue par quelque chose...

Et dans ce cas, réfléchit-il, il doit s'agir de visions de la
« bête » à un rythme plus rapproché qu'une tous les trois
cents ans...

Brusquement épouvanté de reconnaître en lui les germes
d'une véritable obsession, Nick jeta le papier de côté et
retourna se coucher. Comme il glissait dans le sommeil, il se
rappela une conversation qu'il avait eue avec Natasha dans la
journée.

— ... une simple petite enquête d'historien... qui ne me
conduira ni à un cadavre, ni à un coupable, ni même à un
crime...

14

Au cours de la nuit, il était tombé d'importantes chutes de neige. En repensant à la postière de Brickhill, Nick fit la grimace ; pour ce qui était du temps, ses prédictions se révélaient justes.

Le vent avait formé des congères contre la grange et les murs du jardin. Mais, apparemment, il ne gelait pas. Sous un pâle soleil, la haie gouttait, et le passage d'un tracteur avait souillé l'aveuglante blancheur de la neige.

Il faisait même moins froid que Nick ne le pensait et, pendant un moment, ses yeux éblouis admirèrent le tapis d'un blanc immaculé qui recouvrait la cour et les champs alentour, donnant une beauté particulière à la plaine qui s'étendait devant la maison. Le toit de vieilles briques en terre cuite, amoureusement patinées par les ans, était strié de blanc, et la vieille haie de houx rehaussait ce tableau par une touche vert foncé. En observant la maison, il se demanda qui l'avait fait construire. Il était bien décidé à mener sa petite enquête, même si ce genre de recherche était toujours long, souvent frustrant, et que des choses plus importantes viennent généralement se mettre en travers. Une fois qu'il aurait examiné les registres paroissiaux de Brickhill, il jetterait un coup d'œil à ceux de Denton-on-The-Forest. Avec un peu de chance, il en sortirait quelque chose.

Il rentra, se prépara un petit déjeuner et regarda les gros

titres des journaux du dimanche. Lorsque Natasha descendit, de gros nuages étaient apparus au sud-ouest, annonçant de nouvelles chutes de neige.

— Tu ne m'as pas dit que tu voulais aller à Londres, demain ?

— Mardi.

— Hum. Si ça empire, tu ferais aussi bien d'y renoncer. Il risque de reneiger, cette nuit, ajouta-t-il en baissant son journal pour regarder le ciel. Je n'irai peut-être pas faire mon cours.

— Mais pourquoi ? Ils auront certainement dégagé les routes avant l'aube. Tu sais bien qu'ils le font toujours.

— Toujours ? répéta-t-il doucement, surpris par le ton véhément de Natasha. En février, l'année dernière, on a été bloqués deux jours, si tu te souviens bien.

— La neige ne tient pas en novembre.

Horripilé par l'esprit de contradiction de Natasha, Nick lui tendit les revues littéraires et déclara qu'il avait du travail.

Sur son bureau, il trouva les notes qu'il avait prises la veille. Il les relut, s'arrêta à *Reynald = Reynard ???* et tira à lui la machine à écrire. Un ami, dont il avait fait la connaissance pendant ses études et qui était à présent spécialiste de l'histoire médiévale à Bristol, pourrait peut-être l'aider. Après les formules de politesse d'usage pour lui demander des nouvelles de sa santé et de sa famille, Nick lui écrivit :

Je fais une recherche sur le village de Brickhill, situé au sud de Denton-on-the-Forest. J'aimerais connaître tout ce qu'on peut savoir sur Reynald de Briec, qui a fait construire le château, probablement au XIIᵉ siècle. A part ça, j'ignore tout de lui, sinon que dans le guide de l'église il est surnommé canis venaticus, *sans autre précision — ce que je traduis par « chien de chasse ». J'espère que cela pourra t'aider.*

Il s'arrêta un moment, se demanda s'il y avait autre chose à ajouter ; mais se contenta de formuler deux ou trois remarques plus personnelles avant de cacheter l'enveloppe. Quelques minutes plus tard, en cherchant l'adresse de David, il tomba sur celle de Sally Armitage. Il savait qu'elle avait quitté le musée du Château pour s'installer à Ghylldale, dans les landes, au nord d'York. Elle serait certainement à même de lui fournir des renseignements précieux sur les légendes populaires du folklore régional.

En mettant un mot dans son journal pour penser à l'appeler, Nick se demanda si c'était sage. Mais ils s'étaient quittés depuis presque cinq ans et, à chacune de leurs rares rencontres, elle s'était toujours montrée gentille avec lui.

Après le déjeuner, il recommença à neiger et Natasha se demanda si Nick n'avait pas raison pour le temps. En fin d'après-midi, placée devant une alternative qui était loin de l'enthousiasmer : lire les nouvelles ennuyeuses des journaux ou regarder un vieux film à la télévision, elle songea que ce serait une bonne idée de vérifier l'état des routes. Nick, du même avis, alla chercher son manteau.

La neige, accumulée devant la haie, étayée par les ronces et transpercée par les tiges des patiences et des épilobes, était douce et profonde. Nick entra dedans avec ses bottes pour en mesurer la hauteur et, par endroits, enfonça jusqu'aux genoux. De son côté, Natasha qui marchait dans les traces du tracteur laissait derrière elle un sillage d'empreintes boueuses. Le jour baissait rapidement et devant eux, dans le village, des lumières commençaient à s'allumer, çà et là, telles des étoiles scintillant entre les arbres. Il n'y avait pas de vent et la température était assez douce. Suivant la courbe de la pelouse communale, le ruisseau gazouillait distinctement, et une voiture qui les dépassa à faible allure fit des éclaboussures : autant d'indices que la neige était en train de fondre. Ils avancèrent jusqu'à la route, où la circulation automobile avait rendu le revêtement apparent, et convinrent que tout serait rentré dans l'ordre le lendemain matin.

Sur cette assurance, ils s'en retournèrent par une ruelle qui desservait un groupe de cottages situés derrière l'église, et coupèrent à travers le cimetière pour rejoindre la pelouse communale. A la différence des tombes de Brickhill, la plupart se dressaient bien droites, et celles qui étaient situées au nord, à l'ombre de l'église, étaient blanches de neige, tels des cadavres dans leur linceul. Tout était silencieux, et voilé d'une lumière bleu indigo. Rien ne bougeait. Il n'y avait pas eu de service religieux à Denton, ce jour-là ; et laisser des traces dans la neige vierge des allées, ou parler autrement qu'à voix basse leur apparaissait comme une profanation. Ils dépassèrent l'église puis s'arrêtèrent net en entendant une voix d'ivrogne, derrière la grille.

Le visage rougi par l'effort et l'alcool, Toby rentrait chez lui, sans regarder ni à droite ni à gauche, après une longue station dans un pub des environs.

— Je me demande où il a bien pu aller, demanda Nick. Pas au *Half Moon*, en tout cas, puisqu'il est fermé le dimanche.

— Probablement au pub de Sheriff Whenby. C'est le plus proche.

— Mon Dieu, quelle abnégation ! murmura Nick, il y a au moins cinq kilomètres jusque là-bas.

Toby les aperçut, hésita, avança encore de quelques mètres, puis les attendit sur la vaste pelouse. Un grand bonhomme de neige se dressait au milieu : avec sa casquette et son air fourbe, il ressemblait tellement au vieil homme que Natasha faillit éclater de rire.

— Dans quel état sont les routes un peu plus bas ?

— Ça peut aller. J'aurais dû prendre mon vélo.

— Vous vous en sortez, par ce temps ? demanda Nick.

— Je m' débrouille.

Respirant bruyamment dans la légère montée, au début de Dagger Lane, Toby reprit la parole :

— Morrison a perdu une aut' brebis, cette nuit. Raide morte qu'il l'a retrouvée, comme les autres.

— Où ça ?

— Dans l' champ derrière l' bois du Bout du Monde. C' matin, il est parti avec ses fils pour trouver l'animal qu'a fait ça. Y dit que c'est un chien, l' coupable.

— Il sait de quel chien il s'agit ? demanda Natasha.

— Pour lui, c'est tout vu : c'est le lévrier irlandais.

Pendant un moment, le vieil homme parut sur le point d'ajouter autre chose, mais ses paroles se perdirent dans une quinte de toux.

— C'est certainement le chien abandonné, affirma Natasha, mais Nick secoua la tête.

— Pensez-vous que ce pourrait être l'animal que vous avez vu ? demanda-t-il à Toby.

Le vieil homme renifla et s'essuya le nez avec sa manche.

— Une bête de cette taille, si elle avait faim, ça s' pourrait bien. Mais les brebis ont pas été mangées, juste égorgées.

— Pour tuer un mouton, déclara Natasha, il faut bien une créature en chair et en os. Ce doit être le chien errant.

Le vieil homme ne répondit pas.

— Y sont arrivés au pub, juste comme je partais. Ils ont cherché toute la journée. J' leur ai dit qu'ils perdaient leur temps.

Il secoua la tête et ajouta :

— Ça s' réchauffe.

— C'est le dégel, dit Nick en donnant un coup de pied dans un tas de neige poudreuse.

— Oui. Ça aurait pu être pire. Mais on perd rien pour attendre.

Il les laissa devant chez eux, et dans le noir qui tombait, traînant les pieds et sifflant faux, il continua son chemin vers son misérable logis solitaire.

— Des brebis égorgées...

— Qu'est-ce que ça prouve ? demanda Natasha, irritée par l'ivrognerie du vieil homme et le fait qu'il l'eût ignorée. En tout cas, il s'amuse bien. Il s'enfile de la bière en veux-tu en voilà, en vertu de ce qu'il a vu ou de ce qu'il croit avoir vu.

Nick la regarda avec étonnement et une sorte de dégoût.

— Ne parle pas sur ce ton, dit-il en entrant dans la maison, ça ne te va pas.

Ils dînèrent à la cuisine en regardant la télévision dans un silence quasi total, comme ils en avaient pris l'habitude. Après le repas, Nick déclara qu'il avait du travail et disparut au premier. Natasha opta pour une pièce de théâtre sur BBC 2 qui ne parvint pas à capter son attention. Ses pensées revenaient sans cesse aux brebis égorgées et à Craig Morrison, sautant du tracteur ou entrant sous le porche. Elle pensait aussi beaucoup à Oliver Duffield, dont la voix était si envoûtante ; à la différence de Craig, il serait tendre et sensuel...

Juste après dix heures, Nick descendit boire quelque chose. Il resta un moment assis, à côté du fourneau, puis annonça avec un bâillement théâtral qu'il montait se coucher. Il fit une pause sur le seuil et se retourna pour jeter un coup d'œil à Natasha, mais ne demanda pas où elle avait l'intention de dormir. Il était désormais entendu qu'elle préférait faire chambre à part.

Demeurée seule, Natasha se détendit aussitôt. Force lui fut de constater à quel point la présence de Nick lui pesait. La situation empirait. Elle ne pouvait plus le regarder sans avoir envie qu'il disparaisse. Sa jalousie inquiète avait laissé place à l'indifférence. Il pouvait avoir des maîtresses s'il en avait envie ; elle en venait même à le souhaiter. Si seulement il pouvait partir, pour de bon, elle serait libre de faire ce qu'elle voulait, quand et avec qui elle voulait.

La pensée de Craig Morrison ne la quittait plus. Cela l'excitait d'imaginer qu'il la prenait brutalement plusieurs fois de suite. Au cours des trois ou quatre derniers jours, ce scénario l'obsédait. Il y avait dans son désir une telle urgence qu'elle n'osait pas sortir de chez elle, de crainte de se jeter dans les bras d'un inconnu.

Ses fantasmes tournaient essentiellement autour de Craig Morrison, mais elle avait la fâcheuse impression que presque n'importe quel homme ferait l'affaire. L'autre jour, tandis qu'elle marchait dans les rues d'York, un homme avait attiré son attention. Lorsqu'elle avait croisé son regard, elle avait ressenti un désir presque incontrôlable. L'homme, un touriste manifestement, s'était arrêté ; il s'était retourné et, l'espace d'un instant, elle avait cru qu'il allait la saisir par le bras et l'entraîner dans la ruelle la plus proche. Le plus horrible était qu'elle en avait eu terriblement envie ! C'était une sensation à la fois dangereuse et enivrante, comme se pencher en plein vent pour regarder au pied d'une falaise. Mais, ce jour-là, cet homme était accompagné d'un ami qui l'avait éloigné du bord en riant.

La veille, elle en avait voulu à Nick de lui avoir fait rater une autre occasion. Une minute de plus, et elle serait entrée dans la maison de Craig, tant elle avait envie de lui. « Lundi après-midi... », avait-il murmuré. Elle avait alors arraché une branche de jasmin et rejoint Nick. Ce matin, en voyant la neige, Natasha avait pensé que la présence de Nick allait encore une fois faire échouer ses plans.

Une fièvre des sens la tourmentait. Incapable de se concentrer sur le drame ennuyeux qui défilait sur le petit écran, elle éteignit et alla se coucher. Il y avait encore de la lumière dans la grande chambre, mais elle ne prit pas la peine d'entrer pour souhaiter bonne nuit à Nick. Presque n'importe quel homme aurait fait l'affaire, sauf Nick. Lui, elle ne le désirait pas du tout.

Elle se déshabilla, se glissa nue entre les draps glacés, trembla un moment avant d'allumer, se caressa. Penser à ce qui se passerait le lendemain, à l'air arrogant de Craig Morrison, exacerba son plaisir. Quelques instants plus tard, chaude, le corps en sueur, elle se détendit, respira profondément et sombra dans le sommeil.

Le hululement d'un hibou la tira d'un rêve. Elle devinait sa présence, tout près, juste derrière la fenêtre, probablement dans la haie. Sans ouvrir les yeux, elle écouta l'appel répété de l'oiseau nocturne et souhaita ardemment qu'il s'en aille, se taise et la laisse en paix. Il partit enfin, et son long cri rauque mourut dans le lointain. Dans le petit lit, Natasha se tourna sur le côté pour chercher une position confortable. Au moment où elle retrouvait son calme, elle perçut un autre bruit, un grognement bas et soutenu, assez semblable à celui d'un chien montrant les dents, mais beaucoup plus doux et plus fluide, comme le ronronnement amplifié d'un chat en train de manger.

Cela venait du jardin ou de la petite route. En tout cas, c'était très près de la maison. Natasha souleva la tête, tendit l'oreille, se demanda ce que diable cela pouvait être, repensa aux brebis égorgées, à la bête de Toby, et à la créature à cinq griffes qui avait laissé ses empreintes près du bois. Les battements de son cœur faisaient un bruit assourdissant dans sa poitrine ; elle pensa appeler Nick, mais son souffle était comme collé à l'intérieur de sa poitrine et elle n'osait pas se lever. Le bruit devint intermittent ; il parut diminuer, comme si l'animal s'éloignait de la maison et descendait la petite route.

Son cœur et sa respiration reprirent un rythme à peu près normal ; Natasha se renfonça contre les oreillers et s'efforça de chasser de son esprit l'image sinistre de l'énorme chien noir bavant au-dessus de sa proie fraîchement égorgée. Elle frémit d'horreur à la pensée des chats dans la grange, mais il n'y avait eu ni cri ni bruit de lutte ; de toute façon, s'il en avait été autrement, Natasha n'était pas certaine qu'elle aurait eu le courage d'aller voir.

Par bonheur, Colette était dans la maison. Après avoir passé quelques minutes à guetter le moindre son, Natasha se demanda si elle ne devrait pas descendre ; seulement, elle avait peur que la lumière n'attire la bête. Blottie dans la chaleur du lit, elle pensa à Nick. Mais aucun bruit ne parvenait de la pièce d'à côté. Il devait dormir.

Juste au moment où elle commençait à se relaxer, le bruit revint, plus distinct cette fois, si proche que la bête devait se trouver à l'intérieur de la maison. Et elle se rapprochait. C'était une grande bête aux mâchoires pendantes, qui montait l'escalier, avec un gargouillement dans la gorge.

Lorsque Natasha ouvrit la bouche pour crier, sa voix resta coincée dans sa gorge. Elle voulut se lever et se cacher, mais le lit la retint ainsi que l'eût fait une laisse. Le gargouillement se rapprocha ; elle pouvait même entendre les griffes de la bête sur le plancher en chêne ; puis un museau fureta contre la porte, qui s'ouvrit. Natasha, les yeux exorbités de terreur, regarda la forme voilée qui semblait augmenter de taille et changer d'aspect ; et bientôt, ce ne fut plus un chien qui la menaçait, mais la silhouette d'un homme se confondant aux ombres mouvantes sur le mur. Ses traits étaient dans le noir, mais ses yeux fixés sur Natasha glacèrent son sang dans ses veines et bloquèrent sa respiration. Elle reconnut dans le regard concupiscent qui la considérait, éclairé d'une flamme sardonique, le reflet de ses propres fantasmes, mais cette fois ce n'était plus des produits de son imagination.

La créature paraissait obligée de lutter pour garder sa forme. Elle fit un pas en avant. Natasha recula, se cogna au mur, donna des coups de pied dans les draps pour se libérer, s'enfuir...

Comme elle cherchait son souffle pour crier, la femme arriva. Elle portait la même toilette très simple, un tablier, et un grand col blanc qui était en réalité une sorte de châle dont les pointes étaient enfoncées sur le devant de sa jupe. Elle s'en débarrassa et, en même temps, libéra de sa coiffe ses longs cheveux pleins de lumière, qui cascadèrent sur ses épaules. Se déplaçant très lentement entre Natasha et ce fantôme terrifiant, elle ôta son corsage, sa jupe. Elle était en chemise. La créature hésita entre les deux femmes puis, chose incroyable, la forme qu'elle cherchait désespérément à prendre cessa soudain d'osciller. C'était une silhouette dense, en trois dimensions, qui se profilait dans le noir : celle d'un homme décharné, vêtu d'une sorte de tunique. Il tourna la tête et suivit des yeux la femme qui relevait sa chemise et reculait contre le mur.

Il se rapprocha d'elle. Livide, impassible, elle ne fit pas un geste. Il la souleva et la pénétra brutalement. Natasha vit son visage sur l'épaule de l'homme, bouche ouverte et yeux fermés, comme sur la petite route, près du bois.

Natasha se réveilla couverte d'une sueur froide, les draps enroulés autour de ses chevilles ; le duvet avait glissé par terre, et son corps nu était secoué de mouvements convulsifs, comme si elle avait été violée. Le visage de la femme, froid et dur, et celui de l'homme, sombre et irréel, étaient si nettement imprimés dans son cerveau qu'il lui semblait les voir encore devant elle : le mouvement de leurs corps unis dans une même haine ; le dédain de la femme face à la cruauté de l'homme.

Geignant doucement, Natasha tendit la main vers la lampe de chevet ; elle tressaillit en allumant, mais accueillit avec soulagement la lumière. Elle agrippa l'édredon, l'enroula autour d'elle, ferma ses bras autour de ses genoux, et s'efforça de chasser les visages de la nuit en fixant l'un après l'autre les objets familiers : les tableaux, l'armoire, le miroir. La chambre, avec des murs blancs et du plâtre, blanc également, entre les poutres, était claire ; ce n'était pas la pièce sombre et angoissante de son cauchemar. Même la porte n'était pas à la même place. Merci, mon Dieu, pensa-t-elle. Merci, mon Dieu, pour ça.

Ce n'était qu'un rêve, ne cessait-elle de se répéter, un simple cauchemar. Mais lorsqu'elle recouvra enfin son calme, elle craignit de se rendormir. Elle attacha avec soin sa robe de chambre, alla à la porte et chercha l'interrupteur. Elle ne se risqua à l'extérieur de la chambre qu'après avoir éclairé le long palier et la cage d'escalier. Elle s'arrêta un moment devant la porte de Nick, songea à le réveiller, mais se dit qu'il la croirait devenue folle et descendit au rez-de-chaussée. Dans le vestibule, elle chercha le commutateur de la cuisine avant d'entrer. Elle découvrit avec soulagement que Colette était assise sur l'appui de fenêtre, la tête tournée vers le jardin.

Natasha se versa quelque chose à boire, puis elle prit son paquet de cigarettes et un roman qu'elle avait commencé au début de la semaine. Elle lut jusqu'à ce que ses yeux voient trouble. Vers cinq heures du matin, dormant debout, elle retourna en bâillant dans son lit.

Un peu après huit heures, Nick lui apporta une tasse de thé.

— J'ai pensé qu'il valait mieux que je te réveille. Mrs. Bickerstaff arrive à neuf heures.

Il alla à la fenêtre et tira les rideaux.

— Il n'y a presque plus de neige.

Comme elle enfilait non sans mal sa robe de chambre, Nick se tourna vers elle.

— A propos, quand je suis descendu ce matin, tout était allumé, déclara-t-il.

Ces mots lui trouèrent le crâne comme les élancements d'une forte migraine. Elle grimaça de douleur, leva les mains à son front et ferma les yeux ; mais les images angoissantes de son mauvais rêve étaient encore plus vivaces derrière ses paupières fermées. Elle reconnut l'avant-goût de la nausée, s'agrippa au duvet et regarda la pièce en s'efforçant d'ouvrir grands les yeux.

— Oui, dit-elle d'une voix faible, j'ai été réveillée par un horrible bruit dehors.

Elle frissonna et tendit la main vers la tasse de thé.

— Je ne sais pas ce que c'était. Probablement un renard qui tuait un lapin. Je me suis rendormie, mais j'ai rêvé. Un cauchemar épouvantable. Alors, je me suis levée et j'ai fait du thé.

— Pourquoi ne m'as-tu pas réveillé ?

— J'y ai pensé, mais tu ne pouvais rien faire de toute façon.

— Tu as préféré laisser allumé partout.

Ne sachant pas si c'était un reproche, elle leva les yeux vers lui. Il portait un survêtement qui moulait ses épaules et ses jambes, et mettait en valeur la ligne élégante de son corps. Par contraste, cela rappela à Natasha l'homme de son rêve, sque-

163

lettique et amorphe. Horrifiée, elle cligna les yeux et détourna la tête.

— Tu es déjà sorti ?

— Non, j'y vais. Je pense que je vais courir autour du village. La petite route sera trop glissante, ce matin.

Mais il resta encore un moment, les yeux fixés sur l'encolure en V de sa robe de chambre, qui dévoilait ses seins. D'un geste prude, Natasha resserra les pans de son vêtement autour d'elle. Il s'en alla et, en chaussettes, descendit sans bruit l'escalier. Quelques minutes plus tard, la porte d'entrée claqua. Nick était sorti pour son jogging matinal.

Un peu plus tard, au petit déjeuner, Natasha laissa entendre qu'elle était susceptible de faire un tour en ville dans l'après-midi, et même de prendre le thé avec Fay si celle-ci était chez elle. Sans lever les yeux du *Guardian*, Nick dit que dans ce cas il resterait faire une partie de squash avec Giles.

— A quelle heure rentreras-tu ?

— Vers sept heures ou peut-être un peu plus tard.

— Si tu décidais de rester plus longtemps, essaie de ne pas rentrer saoul à minuit. Tu sais que j'ai prévu d'aller à Londres demain.

Il cessa de manger son toast.

— Est-ce que j'ai l'habitude de rentrer saoul à minuit ? demanda-t-il en la dévisageant.

Il repoussa son assiette et ajouta avec amertume :

— Je n'ai pas oublié que tu allais à Londres. Je serai debout de bonne heure, comme d'habitude, et je te déposerai à la gare.

Comme Mrs. Bickerstaff apparaissait à la porte du jardin, Nick s'éclipsa au premier pour prendre une douche et se changer. Vingt minutes plus tard, vêtu d'une chemise et d'une cravate vert sombre, d'une veste en tweed de chez Hattis et d'un pantalon noir, son pardessus sur l'épaule, il partit en laissant dans son sillage le parfum caractéristique de Paco Rabanne.

15

Passer une heure en compagnie d'un petit groupe d'étudiants de première année qui, même en cette fin de trimestre, montraient un visage résolument taciturne ne contribua pas à améliorer le moral de Nick. Lorsqu'il remonta, à l'heure du déjeuner, il était intimement convaincu que sa vie n'avait aucun sens. Découragé, il se dirigea vers son bureau, en composant dans sa tête une lettre de démission, sans prêter attention au salut d'un collègue, ni aux étudiants qui attendaient dans le couloir.

Avec une tasse de café instantané pour essayer de se réconforter, il alla à la fenêtre et s'abîma dans la contemplation de la surface vert-de-gris du lac. Même les canards l'avaient abandonnée. Ils demeuraient tapis dans l'herbe, inconsolables. Tournant le dos à son bureau, Nick embrassa du regard les épais dossiers en attente. Il aurait pu jeter le tout à la poubelle. De la paperasserie, songea-t-il avec dégoût ; comment diable l'administration voulait-elle que les enseignants fassent de la recherche alors qu'elle traitait les universitaires comme des chefs de bureau ? Et le gouvernement qui souhaitait que la recherche occupe une place de plus en plus importante... Comme si les universités étaient autre chose que des chaînes de montage ! La qualité, la valeur et l'originalité ne comptaient plus ; il fallait des résultats concrets, et la pression exercée sur les enseignants pour les amener à produire quelque chose — n'importe quoi — afin de maintenir le rendement du département était phénoménale.

Les travaux de Nick traînaient en longueur. Le livre qu'il avait eu tellement envie d'écrire était au point mort. Il savait pourquoi. Il se sentait vieux et las. Son moral et son enthousiasme étaient comparables à celui des étudiants de première année, qui lui semblait pourtant au plus bas.

Mais c'était un problème qui ne dépendait pas uniquement de lui. D'ailleurs, pouvait-il résoudre quoi que ce soit tout seul ? Même ses problèmes personnels lui paraissaient insurmontables ; cette chose avec Natasha se dressait devant lui comme la face nord de l'Everest chaque fois qu'il essayait d'en faire le tour. La plus grande difficulté résidait dans le fait qu'elle le tenait à distance, physiquement et mentalement, et le traitait avec une froideur de jour en jour plus marquée.

Si seulement il avait pu lui parler ! Mais toute conversation, même sur les petites choses de la vie quotidienne, était devenue pour ainsi dire impossible. Au cours des derniers jours, il y avait eu entre eux des propos durs et cyniques, et même, par moments, une sorte d'aversion, alors que seulement un mois plus tôt, en dépit de fortes pressions extérieures, ils étaient très proches l'un de l'autre et s'entendaient à merveille.

Que s'était-il passé ? Pensait-elle vraiment qu'il avait une liaison ? Il ne pouvait croire qu'elle en était encore à ruminer le comportement malheureux qu'il avait eu à la fête de Halloween. Il lui avait assuré qu'il n'y avait personne d'autre dans sa vie. Cela n'avait rien changé. Ce manque de confiance était destructeur. Il lui donnait l'impression d'être un criminel.

Pour une femme qui se vantait d'être calme, pondérée et logique, Natasha se conduisait comme une enfant. Il fallait peut-être voir dans ses réactions étranges les conséquences du stress, mais Nick avait appris à ses dépens qu'elle avait parfois un comportement étrange. Ce qui était visible en surface donnait rarement une idée juste de ce qui se cachait au-dessous. Il lui suffisait de songer à la première fois où il avait vu Natasha pour s'en convaincre.

Il soupira en examinant les meubles de l'autre côté de la pièce : neufs à l'époque, ils donnaient à présent de sérieux signes de fatigue. La table basse était bonne à jeter au feu. Mais il se rappelait comme si c'était hier l'entrée de Natasha pour sa première séance de travaux dirigés et la façon dont elle s'était assise en face de lui. La première impression qu'elle lui avait faite était gravée dans sa mémoire. A ses yeux, elle ressemblait plus à une groupie sortant d'un concert de hard rock qu'à une étudiante en histoire sérieuse et appliquée. En sciences sociales, les professeurs ne se seraient peut-être pas formalisés des chaînes et des épingles de nourrice, lui si. Et le fait qu'elle voulût faire une licence d'anglais comprenant des UV d'histoire, au lieu de suivre le cursus plus classique d'histoire, l'avait encore plus irrité. Chaque fois qu'il l'avait regardée — ce qu'il avait essayé d'éviter —, il avait eu envie de lui dire d'aller se débarbouiller, de se recoiffer et de mettre des vêtements plus décents.

Cela n'avait pas été un bon début. Mais pendant qu'il était occupé à la terrifier, elle l'avait, de toute évidence, beaucoup troublé, même s'il n'en avait pas eu conscience sur le moment.

Sans le soutien de Giles, Natasha aurait sans doute abandonné ses études d'histoire pour échapper à ces angoissants travaux dirigés. Les choses se seraient arrêtées là. Nick n'aurait jamais su quelle jeune fille vulnérable se cachait derrière le masque. Il n'aurait jamais découvert sa personnalité complexe et fascinante. Il n'aurait pas connu les plus grandes joies de sa vie, ni les abîmes de désespoir dans lesquels elle était capable de le précipiter.

Il ferma les yeux et se frotta le front pour essayer d'atténuer une douleur à la tête, avivée par le souvenir de vieilles blessures. Si Giles ne s'en était pas mêlé, beaucoup de complications douloureuses lui auraient été épargnées, songea-t-il avec amertume. Mais il y avait eu tant de moments merveilleux qu'il ne pouvait avoir de regrets.

Giles, qui s'inquiétait pour Natasha, leur étudiante à tous deux, était intervenu ; il avait dit à Nick qu'il était pontifiant et borné, et devrait arrêter de décharger ses problèmes sur ses étudiants. Nick, contraint et forcé d'analyser son attitude, n'avait pas aimé ce qu'il avait vu ; cependant, il n'avait pas été autrement surpris, car ce n'était pas la première fois qu'il était en colère contre lui-même et le tour que prenait sa vie. Mais se rendre compte que beaucoup de personnes avaient remarqué son humeur de plus en plus acariâtre était loin d'être agréable.

Il réalisait à présent qu'il avait failli devenir un homme impossible. Son ami lui avait fait comprendre qu'il devait non seulement s'excuser auprès de Natasha, mais faire son possible pour qu'elle continue à suivre ses cours, car elle voulait étudier les liens entre les romans de Hardy et l'économie agricole au tournant du siècle.

Nick qui, dans sa jeunesse, avait été lui aussi un fervent de Thomas Hardy avait commencé à s'humaniser et s'était efforcé de montrer qu'il était capable de sourire, surtout quand ses étudiants lui rendaient d'excellentes copies.

C'était le cas de Natasha. Un sourire se dessina sur les lèvres de Nick au souvenir du premier mémoire qu'elle lui avait remis. Il avait été heureusement surpris de découvrir son niveau de compréhension, sa maîtrise de la langue, et sa capacité d'exprimer une opinion par écrit. Elle n'avait pas toujours raison — à vrai dire, elle se trompait souvent —, mais son raisonnement était admirable. C'est ce qui l'avait attiré chez elle. A chacune de leurs entrevues pourtant, ses cheveux hirsutes, son maquillage outré et ses réponses monosyllabiques, qui rendaient les conversations si laborieuses, le mettaient au désespoir.

Cette période lui laissait le souvenir d'un fort sentiment de frustration, ce qui n'était pas le moindre des paradoxes, songea-t-il, car aujourd'hui, confronté à une situation qu'il ne contrôlait pas, il ressentait exactement la même chose.

Puis le hasard lui avait donné une chance, un jour de la fin février, alors que le sol était recouvert de neige. Il s'en souvenait bien, parce qu'il y avait eu un problème avec une des chaudières, et dans la grande bibliothèque il faisait très froid ; seules quelques âmes déterminées s'y trouvaient, et la plupart cherchaient à se procurer des livres plutôt qu'à étudier. Nick qui avait besoin de vérifier une référence, s'était dirigé vers la section appropriée et, à sa grande surprise, il avait vu Natasha, assise à l'une des tables. Il ne l'avait pas reconnue tout de suite. A moitié dissimulée derrière une pile de livres, emmitouflée dans des écharpes et des pull-overs, elle était plus pâle que jamais dans la lumière blanchâtre, réfléchie par un ciel lourd de neige.

Absorbée par sa lecture, elle ne semblait pas l'avoir remarqué et, pendant quelques secondes, il l'observa à la dérobée.

Elle avait l'air si différente, sans maquillage ! Les cheveux, les yeux et les longs cils très noirs étaient intacts. Sous cette lumière implacable, le visage de Natasha ressemblait à une étude monochrome — le plan du nez, des joues et du front aussi parfait que sur une photographie de Beaton.

Il remarqua pour la première fois combien elle avait l'air fragile. Jusque-là, elle lui avait donné l'impression d'être tout en angles et en aspérités ; en cet instant, détendue, inconsciente d'être regardée, on sentait chez elle une douceur et une fragilité qui réveillaient les instincts protecteurs de Nick. Il ne comprenait pas comment il avait pu la considérer comme une menace.

Il est vrai qu'elle représentait bien un danger pour lui. Au cours des mois qui suivirent, elle avait chamboulé sa vie, pour le meilleur et pour le pire, non par une volonté délibérée mais en étant simplement elle-même : étrange et enchanteresse, provocante et belle.

Si belle. Abandonnant son livre, elle avait levé les yeux, rencontré le regard de Nick, et une brusque rougeur avait coloré ses joues. Envahi à son tour par une chaleur soudaine, mais conscient que Natasha menait quelque obscur combat intérieur et avait besoin d'aide, Nick s'était approché d'elle pour lui parler. C'était simple, et pourtant cela avait tout changé. Alors que, pendant des mois, leur relation était restée celle qu'un professeur entretient avec ses étudiants, à partir de ce jour, Natasha avait enfin été capable de parler à Nick. Il était impatient de la voir ; peu à peu, elle prit de l'assurance. Et, avec l'épanouissement de sa personnalité, son apparence devint moins artificielle. Son air méfiant céda la place à une grande douceur, qui trahissait un sentiment de satisfaction et de joie.

Lui aussi était heureux, extraordinairement heureux. Et il pensait qu'après tout ce qui s'était passé dans les mois précédant leur rencontre ses plaisirs innocents avec Natasha étaient un bonheur mérité. Bien sûr, cela n'allait pas sans une part d'aveuglement, sinon il aurait été obligé de voir l'abîme qui s'ouvrait devant lui et dont il devait s'éloigner au plus vite.

Giles aurait pu lui donner un autre avertissement, mais il se contentait de soulever un sourcil narquois de temps à autre ; l'hiver céda la place au printemps, puis ce fut le début de l'été.

S'il avait été moins aveugle, et Natasha moins innocente, Nick aurait reconnu le danger plus tôt ; mais lorsque s'imposa à lui toute la force de son amour et de son désir pour elle, il était déjà trop tard.

Il avait aussi des regrets, surtout lorsqu'il pensait aux garçons. Comme il les aimait et ne voulait pas qu'ils pâtissent de ses erreurs, il avait essayé, après la rupture avec Natasha, de faire comme s'il n'y avait jamais rien eu entre eux. Mais ce ne fut pas si facile et, pendant les trois années qui suivirent, il avait payé cher ces quelques semaines de bonheur. Sa relation avec ses fils en gardait des traces. Bernice y veillait.

Ce qui l'avait anéanti au moment où Natasha l'avait quitté, c'était qu'elle ne lui avait donné aucune explication. Soit, il était marié, ce n'était un secret pour personne ; mais ils n'avaient jamais abordé franchement ce sujet. Lorsqu'il était avec elle, il était heureux. Il ne voulait pas lui faire partager l'angoisse de ses nuits blanches. Durant ces brèves semaines de bonheur, au début de l'été, Natasha était tout pour lui ; c'est alors qu'elle avait rompu, sans un mot d'explication.

Son premier roman, *La Leçon d'anglais*, était assez révélateur, mais il ne lui avait pas apporté la réponse qu'il cherchait. En le lisant, près de six ans après leur séparation, il avait été bouleversé, mais n'avait pas compris la conclusion.

Nick contempla la surface unie du lac et se demanda ce qu'il pourrait faire. Se pencher sur le passé ne l'avait pas rendu plus sage, mais avait soulevé des questions auxquelles il aurait fallu depuis longtemps apporter une réponse. Au cours des deux dernières années, ces questions lui avaient paru déplacées et dangereuses. Mais elles resurgissaient à présent, et il pensa qu'il était grand temps de les régler. Il y aurait peut-être des retombées douloureuses, mais c'était préférable à leur mésentente actuelle.

Plus il y songeait, plus il lui semblait vital d'aborder le problème de front, sans attendre. Il regarda sa montre et prit son agenda. A quinze heures, il avait une séance de travaux pratiques qu'il pouvait reporter, et il allait prévenir Giles qu'il ne pourrait pas jouer au squash.

Il l'appela à son bureau, sans succès. Il composait le numéro du secrétariat quand on frappa à la porte.

Avec une exclamation d'ennui, il raccrocha et dit à son visiteur d'entrer. En reconnaissant Jane Bardy, il se sentit découragé. Il ne cessait depuis plusieurs semaines de repousser ses avances. En vain. A la différence de Natasha, que son air sévère, autrefois, intimidait et qui se repliait sur elle-même à la moindre critique, Jane Bardy semblait aveugle et sourde à tous les signaux. C'était une belle fille, sûre d'elle, au physique d'actrice ; Nick la voyait bien déclamant sous les feux des projecteurs, alors qu'il avait du mal à croire qu'elle décrocherait un jour une licence d'histoire.

Comme elle disposait sur le bureau le classeur qu'elle serrait dans ses bras, les yeux de Nick se trouvèrent juste à la hauteur de sa poitrine et il remarqua tout de suite que, sous l'ample cardigan et la chemise d'homme blanche, elle ne portait rien. La forme de ses seins, même l'aréole foncée du téton, était parfaitement visible.

Il eut conscience de laisser son regard s'attarder une fraction de seconde de trop. Baissant soudain les yeux, il résista au besoin impérieux de s'éclaircir la gorge, ramassa le classeur et l'ouvrit. Les mémoires demandés, qu'il ne s'était pas attendu à recevoir avant Noël, se trouvaient devant lui. Il les feuilleta en s'autorisant, à la vue des pages à l'écriture soignée, un petit grognement approbateur. Le contenu était probablement discutable, mais au moins le travail était fait.

— Vous avez bien travaillé...

Ayant recouvré la maîtrise de son regard et de ses pensées, Nick se risqua à lever les yeux ; il découvrit un sourire satisfait.

— Je pensais que vous seriez content.

Refusant de répondre, il dit :

— Dois-je comprendre que vous avez rattrapé tout votre retard ? Le Dr Fish m'a parlé d'un mémoire... ?

Elle détourna la tête avec une moue.

— C'est-à-dire que j'ai encore deux mémoires à terminer, mais...

— Dans ce cas, vous devriez vous mettre au travail le plus vite possible. Maintenant, Jane, excusez-moi, mais je dois absolument...

— Je ne suis pas venue seulement pour mon travail, l'interrompit-elle. Je voulais vous demander quelque chose...

Elle hésita devant la sécheresse de son regard, puis lança tout de go :

— Je... ou plutôt, on s'est demandé si vous aimeriez venir à une petite fête pour Noël. Ce sera sur le campus, ajouta-t-elle précipitamment. On a décidé à plusieurs d'organiser quelque chose avant la fin du trimestre. Mercredi en huit...

La bouche de Nick se fendit en un bref sourire.

— C'est une bonne idée et c'est très gentil à vous de m'inviter ; malheureusement, je ne crois pas que je pourrai venir.

Il fit semblant de vérifier dans son agenda.

— Oui, c'est bien ça, c'est le jour où mes fils viennent chez moi pour les vacances. Je devrai aller les chercher à leur école.

A vrai dire, les garçons n'étaient pas libres avant la semaine suivante, mais Jane Bardy n'était pas censée le savoir.

Nick se leva, contourna son bureau et fit une pause en tendant le bras vers la porte.

— Quoi qu'il en soit, je souhaite que votre fête soit un succès. Passez un...

— Mais vous ne comprenez donc pas...

Comme il se retournait, elle s'élança vers lui, jeta ses bras autour de son cou et colla sa bouche à la sienne. Instinctivement, Nick la saisit par les bras. Malgré son indignation, il hésitait entre deux formes de violence : la repousser brutalement ou la serrer contre lui. Il aurait pu si facilement la prendre sur le sol de son bureau et dissiper toute sa frustration !

Il se força à rester aussi rigide qu'une statue jusqu'à ce que, d'elle-même, elle se détachât de lui ; ce qu'elle fit en se frottant les bras, avec une grimace de douleur, à l'endroit où les doigts de Nick avaient laissé une marque.

— Je suis désolé, dit-il avec brusquerie. Je ne voulais pas vous faire mal.

— Ça va, murmura-t-elle en baissant la tête pour cacher sa gêne. C'est ma faute, de toute façon...

Elle avait soudain des larmes dans la voix.

— Vous êtes quand même un beau dégueulasse.

— Je le serais, répliqua-t-il d'un air sévère, si je couchais avec vous sur votre invitation.

Elle renifla et ramena les pans de son cardigan sur sa chemise blanche, qui ne dissimulait pas grand-chose, avant de s'écrier d'un ton accusateur :

— Je croyais... je croyais sincèrement...

— Mais je vous ai dit, il y a deux semaines, que cela devait cesser !

Ah, cette sacrée fête de Halloween ! songea-t-il avec fureur, en allumant une cigarette pour se calmer. Devrait-il en supporter éternellement les conséquences ? Il avait envie de lui crier de partir, de le laisser seul. Il avait des problèmes autrement plus graves que les transports amoureux d'une jeune fille ; mais il savait que c'était sa faute à lui. Il s'était conduit comme un imbécile. Le plus stupide, le plus incroyable était qu'il ne l'avait tout simplement pas reconnue, avec sa perruque verte et son maquillage. Saoul et s'amusant comme un petit fou, il ne lui était même pas venu à l'esprit qu'elle pouvait être l'une de ses étudiantes, et qu'elle cherchait à le séduire. Elle avait failli réussir. N'eût été Liz Powell, le professeur féministe du département, qui l'avait fusillé du regard au moment où il guidait Jane Bardy vers la porte, Nick aurait pu avoir à se reprocher beaucoup plus qu'une étreinte passionnée et quelques baisers torrides.

Que lui avait donc dit Liz Powell ? « Vous devriez vous laver le visage, docteur Rhodes. Vous êtes affreusement vert... » Elle avait compris la situation au premier coup d'œil, et le mépris perceptible dans son regard et dans sa voix avait eu sur Nick l'effet d'une douche froide. Par chance, les amies de sa cavalière les avaient rejoints juste à ce moment-là ; Nick en avait profité pour s'excuser et monter au premier, dans les toilettes des hommes. Un peu plus tard, débarbouillé, il était tombé sur Giles, qui avait tiré immédiatement les mêmes conclusions que Natasha.

Il semblait que personne, y compris Jane Bardy, ne voulût croire la vérité sur ce qui s'était passé cette nuit-là. Nick avait essayé de parler à la jeune fille, après le sous-entendu de Graham Fish, mais il avait manifestement été trop allusif. Si elle ne s'était pas jetée à son cou, ce jour-là, c'est qu'elle avait dû caresser l'espoir d'arriver à ses fins à force de persévérance.

Le problème, c'est qu'il se sentait encore coupable de s'être aussi mal conduit, cette nuit-là, et détestait avoir à s'expliquer.

Il prit une profonde inspiration et s'éloigna de Jane, en se mettant à l'abri derrière son bureau.

— Jane, c'est une situation délicate — vous le savez aussi bien que moi.

Il indiqua la chaise qu'elle venait de quitter.

— Asseyez-vous un moment, je vous prie.

Elle obéit à contrecœur, en cachant son visage derrière un rideau de cheveux.

— Vous êtes une jeune femme très séduisante, et je suis sûre que vous en avez tout à fait conscience. Vous savez aussi que je suis marié et que je suis assez vieux pour être votre père.

Autant de clichés dont l'ironie le frappa amèrement ; mais si, la première fois, il avait essayé d'être subtil, cette fois il n'y alla pas par quatre chemins.

— Je me suis déjà excusé pour mon comportement le soir de Halloween, aussi ne reviendrai-je pas là-dessus. Mettez-vous bien dans la tête que, si j'avais su que vous étiez une de mes étudiantes, cela ne serait jamais arrivé. Est-ce bien clair ?

— Oui, mumura-t-elle d'une voix à peine audible.

— Bien, dit-il vivement en sentant qu'il progressait. Alors, vous devez comprendre que vous perdez votre temps avec moi, un temps précieux que vous devriez consacrer à vos études. Vos résultats ne sont pas suffisamment brillants pour que vous puissiez vous permettre de négliger votre travail.

Il fit une pause pour laisser ses paroles produire leur effet.

— Si je dois continuer à être votre directeur d'études, Jane — et, pour le moment, je ne suis pas sûr que ce soit souhaitable —, il est absolument nécessaire que nous ayons une relation sans équivoque. Je ne veux pas que ce genre d'incidents se reproduise. En ce qui me concerne, c'est une histoire terminée. Nous sommes d'accord ?

Elle acquiesça du bout des lèvres, se leva et marcha vers la porte. Elle rejeta ses longs cheveux en arrière et lui adressa un petit sourire pincé.

— Merci pour le sermon, dit-elle d'un ton amer, je vous oublierai sans doute un jour, mais je doute de pouvoir jamais oublier...

C'était une sortie dramatique que Nick apprécia en partie,

même si cela le fit grincer des dents. Comme la porte se fermait, il proféra tout bas un chapelet de jurons.

Regardant sa montre, il comprit que l'entretien avait duré presque une demi-heure. S'il voulait trouver Natasha avant qu'elle ne parte à York, il devait se dépêcher. Attrapant au vol son pardessus et son cartable, il sortit à grands pas de son bureau et manqua de se cogner à Haydn Parker. A son habitude, l'aumônier avait revêtu sa tenue de camouflage — jeans et sweat-shirt — et il portait un paquet d'affiches.

— Salut, Nick ! Je venais te voir, dit-il en riant. Tu as une minute avant de te sauver ? C'est à propos du match de bienfaisance, le 14...

Bien que Haydn fût plus jeune de quelques années, les deux hommes avaient joué ensemble au rugby et ils étaient encore de grands amis. En général, Nick était content de le voir, mais aujourd'hui il était pressé.

— Haydn, excuse-moi, ça ne peut pas attendre ? Je suis terriblement pressé...

— Si, mais...

Il se tut et jeta à Nick un regard pénétrant.

— Ça va ? Tu as l'air un peu...

Nick eut un bref rire forcé.

— Non, ça ne va pas, si tu tiens vraiment à le savoir. Mais je survivrai. J'ai eu une matinée horrible, voilà tout, et je veux rentrer pour voir Natasha avant qu'elle ne s'en aille.

Une poigne solide saisit le bras de Nick, qui sentit la chaleur de Haydn à travers sa veste.

— Tu as des ennuis chez toi ?

— Non, pas vraiment, Haydn, tout va bien.

Nick devina que Haydn savait qu'il mentait. C'était quelqu'un à qui il était très difficile de mentir.

— Viens me voir quand tu auras une minute, dit Haydn, puis il sourit. Il faut que nous parlions de ce match de bienfaisance.

— Vers la fin de la semaine, ça va ?

— O.K. ! Tu sais où me trouver.

16

— Vous allez bien, Mrs... Miss Crayke ?

Natasha sursauta ; elle n'avait pas entendu entrer Mrs. Bickerstaff. Elle ôta ses mains de la machine à écrire et les joignit sur ses genoux.

— Oui, oui. J'ai juste un peu de mal à écrire ce... cet article.

— Parce que j'ai frappé deux fois, et vous n'avez pas répondu.

Elle posa la tasse de café sur le bureau.

— Vous êtes sûre que ça va ? Je vous trouve une petite mine. Vous ne couvez pas quelque chose, j'espère ?

— Non... non, je ne pense pas.

— J'ai bientôt fini. Il ne me reste plus que le repassage. Je voulais vous dire que, si vous voulez aller en ville, vous pouvez partir maintenant. Je fermerai la maison.

Elle regarda Natasha avec une sollicitude presque maternelle.

— Mais si rien ne vous y oblige, à votre place, je resterais ici...

— Oui, vous avez peut-être raison, déclara Natasha d'une voix faible, en souhaitant simplement que Mrs. Bickerstaff s'en aille.

— A votre place, je laisserais tomber. Pourquoi ne pas y aller demain matin de bonne heure ? Vous auriez toute la journée devant vous.

Natasha hocha la tête et dit que c'était ce qu'elle allait faire, sans prendre la peine de parler de son voyage à Londres. Elle pouvait toujours se décommander. Quant à son intention déclarée de faire des courses, ce n'était qu'un alibi ; elle avait prévu, en réalité, de se rendre chez Craig Morrison à Brickhill.

Lorsque la porte se fut refermée, elle resta prostrée un moment, le visage dans ses mains. Que lui arrivait-il ? Pendant plusieurs jours, elle avait vécu dans l'attente fiévreuse de le voir, en se consumant de désir pour lui ; seulement cette nuit...

Cette nuit...

Elle chassa aussitôt ce souvenir. Frissonnant de froid, elle étreignit le radiateur jusqu'à ce que le tremblement de son corps cessât. Elle était hantée non par des fantômes ou des vampires, mais par ses propres fantasmes. Se rendre compte que son désir pour Nick, qui, pendant presque dix ans, n'avait pas perdu de sa force, s'éteignait rapidement — au point qu'elle ne se souciait presque plus de ce qu'il pensait d'elle, ni même de ce qui pouvait advenir de leur mariage — avait quelque chose de terrifiant. Elle ne se reconnaissait plus ; sa personnalité semblait se désagréger de jour en jour.

Était-ce le début de la folie ? se demanda-t-elle. Une forme de schizophrénie ? L'estomac noué, elle se rongea avec frénésie un ongle, puis elle ressentit un besoin urgent de fuir, de ne pas demeurer dans cette maison une minute de plus.

Elle se leva brusquement de sa chaise et arpenta la pièce, d'une fenêtre à l'autre, comme elle l'avait fait par intervalles toute la matinée. Elle avait essayé de répondre au courrier de la semaine précédente ; mais chaque fois qu'elle s'installait devant sa machine à écrire, une seule phrase lui venait à l'esprit : PAR LA GRÂCE DE DIEU. AMEN. Bien que cela n'eût aucun sens, elle l'avait tapée en lettres capitales, en tête d'innombrables feuillets, qu'elle avait ensuite déchirés et détruits. Mais la phrase revenait toujours et toujours. Natasha était allée dans la cuisine pour écouter la radio ; elle avait regardé le journal et parlé à Vera Bickerstaff ; mais, dès qu'elle s'était rassise à son bureau, elle avait tapé : PAR LA GRÂCE DE DIEU. AMEN.

Elle « entendait » cette phrase de la même façon qu'elle « entendait » les dialogues lorsqu'elle écrivait un roman ; mais

177

c'était plus troublant, car beaucoup plus compulsif que tout ce dont elle avait fait l'expérience jusque-là. C'était une voix de femme. Comment ne pas repenser à la femme qu'elle avait vue en rêve, et dans le bois du Bout du Monde — celle-là même qui se trouvait sur le seuil de la grange !

Une nouvelle vague d'angoisse la submergea, réduisant à néant son sang-froid gagné de haute lutte, et elle se mit à pleurer comme une enfant.

— Oh, mon Dieu, murmura-t-elle dans une prière inconsciente, ne me laissez pas sombrer dans la folie ! Ne me laissez pas devenir folle...

Avec le sentiment d'être prisonnière, Natasha alla à la fenêtre qui donnait sur le village. Elle l'ouvrit et respira profondément l'air hivernal, humide et froid ; la senteur qui venait de la terre, des feuilles et de la pluie, et la vue des habitations, à peu de distance, lui apportèrent un certain réconfort. Elle mit en balance Craig Morrison, Londres et Oliver Duffield, puis les deux hommes et les feuilles tapées à la machine qui jonchaient son bureau. Son cœur se souleva de dégoût au souvenir des fantasmes qui l'obsédaient depuis plusieurs jours. Les yeux de Craig Morrison ; la voix d'Oliver Duffield ; elle avait pensé constamment à eux en imaginant des scénarios plus osés les uns que les autres. Comment de telles pensées avaient pu lui venir à l'esprit ? C'était tout simplement effrayant. Et maintenant cette... cette voix, cette femme... ce sentiment d'être manipulée d'une autre façon...

Tournant le dos à son bureau, elle but une gorgée de café et prit ses cigarettes, sans quitter des yeux la page commencée, qui était engagée dans la machine à écrire. Cela aurait pu être le travail de quelqu'un d'autre car, pendant environ deux heures, elle avait tapé dans un état second, et ce récit à la première personne n'était pas du tout son style.

Un bruit de moteur l'arracha à sa lecture. Elle regarda par la fenêtre et vit la Rover de Nick qui s'arrêtait dans la cour, sous une pluie battante. Elle resta un moment figée, à l'observer tandis qu'il remontait l'allée ; au moment où Nick pénétrait sous le porche, elle arracha la feuille qui se trouvait dans la machine à écrire et la jeta dans un tiroir avec les autres.

Elle ouvrit la porte. Dans le vestibule, à quelques mètres d'elle, Nick se tourna pour accrocher son manteau et, en la voyant, il marqua une pause. Quelque chose dans son attitude et dans sa manière de la regarder alarma Natasha. Elle avait l'impression qu'il lisait en elle comme dans un livre, qu'il savait ce qui se passait et ce qu'elle avait fait. Puis la voix de Mrs. Bickerstaff s'éleva et il se détourna ; un moment plus tard, après un autre coup d'œil à Natasha, il monta au premier.

Elle se demanda pourquoi il rentrait au milieu de l'après-midi, alors qu'il avait dit qu'il serait en retard. Tourmentée par l'inquiétude et le remords, elle le rejoignit dans son bureau. Debout près de la table, il regardait par la fenêtre.

— Tu rentres tôt, dit-elle d'une voix mal assurée.

— Oui, j'en ai assez de cette situation ; je pense qu'il est temps d'avoir une discussion.

Il lui lança un bref regard avant de se perdre de nouveau dans la contemplation de la pluie, comme si c'était celle-ci et non Natasha qui détenait la solution de ses problèmes. Dans cette lumière pâle, brouillée, le teint de Nick tirait sur le vert. Natasha pensa qu'il avait l'air souffrant, mais elle se refusa à le dire. Elle ne voulait pas parler. Elle pouvait donner le change à condition de ne pas ouvrir la bouche, de ne pas se lancer dans une explication.

Afin d'éviter que leur entrevue prenne un tour trop sérieux, elle essaya de plaisanter :

— Avec Mrs. Bickerstaff dans la maison, je ne sais pas si tu choisis bien ton moment...

Natasha se rendit compte tout de suite qu'elle parlait d'une voix tendue qui sonnait faux.

— Qu'elle aille se faire foutre ! s'exclama Nick brusquement. Nous devons parler, Natasha. Maintenant.

— Parler de quoi ?

Il se retourna et la dévisagea, le regard brillant de colère.

— Tu oses me le demander ? Après la façon dont tu te conduis depuis quelques semaines ! J'estime que j'ai droit à une explication !

Natasha chercha à tâtons la poignée de la porte.

— Ne me parle pas comme si j'étais une de tes maudites étudiantes !

Comme elle ouvrait la porte, il la claqua d'un coup sec, et la maintint fermée. Penché au-dessus de Natasha, le souffle court, son visage était tout près de celui de la jeune femme ; dans le demi-jour, elle pouvait se voir dans les yeux de Nick.

— Tu n'es plus mon étudiante. Tu es ma femme, Natasha. L'aurais-tu oublié ? Ma femme ! Cela ne signifie donc rien pour toi ?

Il ferma les yeux et appuya son front contre celui de Natasha ; elle sentait son haleine sur sa joue et l'étreinte puissante de ses doigts contre sa clavicule. Elle voulait lui crier de la laisser tranquille.

— Natasha, murmura-t-il d'une voix rauque, je suis désolé, mais je ne peux pas continuer à vivre comme ça...

Elle le plaignit tout à coup et prit peur en pensant à ce qui leur arrivait. Mais, lorsqu'elle put parler, un fond de méchanceté la poussa à dire :

— Je suppose que tu veux parler de tes droits conjugaux ?

Les mains lui en tombèrent le long du corps ; il recula. Le coup qu'elle lui portait parut retomber sur elle et, pendant un moment, ils demeurèrent face à face, en retenant leur respiration.

Se raidissant pour arrêter le tremblement de ses membres, Natasha agrippa la poignée de la porte et la tourna.

— Nous ne vivons plus au XIXᵉ siècle, Nick. Si je ne veux pas coucher avec toi, je n'y suis pas obligée.

Il la regarda en secouant lentement la tête, comme assommé.

— Et maintenant, si tu veux bien m'excuser, conclut-elle d'un ton sec, j'allais sortir. J'ai des courses à faire.

Après cet échange, elle n'aurait pas supporté de rester une minute de plus. Elle attrapa ses affaires et s'élança sous la pluie jusqu'à sa voiture. Tremblant de peur et de regret, elle roula comme une automate le long des routes sinueuses, en direction de York.

Parvenue à la hauteur de Brickhill, il lui vint un haut-le-cœur. Elle n'avait aucune envie de voir Craig Morrison maintenant. Lorsque les tours jumelles de la cathédrale se découpèrent au-dessus des toits, Natasha prit soudain conscience de l'endroit où elle se trouvait. Elle fit instinctivement demi-tour pour chercher une place. Une fois la voiture garée, elle n'avait plus qu'à marcher, comme si elle allait faire des courses ainsi qu'elle l'avait dit à Nick.

Se couvrant la tête d'un foulard, Natasha fit un saut de côté pour esquiver une vague de voitures, puis pénétra dans le cœur de la ville par Monk Bar, porte ancienne percée dans les remparts. Elle essayait d'ignorer la pluie, mais les voitures l'éclaboussaient et les piétons la heurtaient avec leurs grands parapluies. Elle se sentait malheureuse comme les pierres et excessivement vulnérable ; une femme poussant un enfant dans une poussette-canne s'exclama d'agacement et fit toute une histoire pour éviter Natasha, qui dut serrer les dents afin de ne pas éclater en sanglots.

Elle marmonna une excuse et allongea le pas. La vue des vitrines décorées pour Noël, puis une odeur d'oranges provenant d'un éventaire en plein air à laquelle succéda l'arôme des épices devant une herboristerie la rendirent encore plus triste. Elle avait toujours aimé cette période de l'année, surtout quand elle vivait à York, où il n'y avait pas de décorations tape-à-l'œil, uniquement le scintillement des échoppes dans les rues médiévales, et les sapins de Noël au-dessus des portes. Une vague de nostalgie, aussi forte que le mal du pays, la submergea. York lui avait beaucoup manqué et lui manquait toujours énormément ; aussi était-elle tentée d'expliquer ses difficultés présentes par la décision de Nick d'habiter à la campagne.

Malgré la pluie, elle continua à marcher et à regarder autour d'elle, jusqu'à ce qu'une odeur de café fraîchement moulu la fît ralentir et entrer dans une vieille boutique avec une fenêtre en saillie, et un salon de thé au premier. Il y avait du monde, mais près de la fenêtre Natasha trouva une place dans le coin fumeurs ; elle ôta son manteau mouillé et alluma une cigarette avec soulagement. Elle avait froid et ses mains étaient agitées d'un tremblement. Une femme, tout près, la dévisagea avec curiosité avant de se replonger dans la lecture du menu. Natasha se tourna vers la fenêtre, d'où elle pouvait voir les gens qui faisaient leurs achats dans Stonegate : le défilé des imperméables et des parapluies ; les enfants en bottes de caoutchouc et en suroît ; les couples qui s'arrêtaient pour regarder les vitrines, de l'autre côté de la rue.

Les maisons étaient en bois et dotées de pignons, avec de

petits carreaux aux fenêtres supérieures ; une grande bible était suspendue au-dessus de la porte d'une boutique et, sous l'avant-toit de sa voisine, il y avait un diable accroupi, peint en rouge vif ; ces vieilles enseignes — la première signalant un libraire, la seconde un imprimeur — dataient de l'époque où les gens ne savaient pas lire. Natasha les trouva néanmoins étrangement appropriées au monde présent. Dieu et Satan ; la vérité et le mensonge, amour et sexualité. Dans la vie, la vertu et le péché n'étaient jamais aussi nettement circonscrits que les mots qui les désignaient.

Natasha se demanda sous laquelle de ces enseignes Nick l'avait embrassée pour la première fois, car l'embrasure de la porte où ils s'étaient abrités ensuite lui faisait face.

C'était curieux qu'un tel souvenir lui revienne en mémoire à cet instant précis ; mais en se reportant en arrière elle se rappela qu'ils s'étaient disputés, quelque temps avant. A vrai dire, ce n'était pas vraiment une dispute : à l'époque, elle n'était pas en mesure de contester ouvertement les jugements de Nick. Il lui avait demandé ce qu'elle comptait faire après sa licence. Lui voulait qu'elle continue, parce qu'il la sentait capable de poursuivre une carrière universitaire, mais Natasha n'avait jamais eu semblable ambition. Pour elle, l'université était un moyen de s'évader, pas une fin en soi.

Lorsqu'elle lui avait enfin avoué que son désir le plus cher était de devenir écrivain, il avait été atterré. « Romancière ? avait-il demandé comme si le mot lui-même était une sorte de bactérie. « Tu veux écrire des romans ? » Elle entendait encore le ton de sa voix, voyait son regard assombri et son air incrédule. Quand elle lui avait dit qu'elle avait l'intention de travailler dans le journalisme pour gagner sa vie et acquérir de l'expérience, il avait eu un de ces lents sourires dont il avait le secret et lui avait expliqué que les écrivains ratés couraient les rues, et qu'écrire était un art plus difficile à maîtriser qu'on ne le pensait en général. « Les salles de rédaction regorgent de gens qui caressent le rêve de devenir écrivains, et c'est pareil dans les départements d'anglais de la plupart des universités. Demande à Giles Crowther, il te le dira. »

Mais Natasha se moquait de l'avis de Giles ; elle avait compté sur le soutien et l'approbation de Nick. En être privée l'avait profondément déstabilisée. Par la suite, cependant, le besoin de lui prouver qu'elle ne poursuivait pas des chimères, qu'elle était capable de réussir, avait été un moteur supplémentaire.

Et elle avait gagné son pari. Nick, il fallait lui rendre cette justice, s'était répandu en excuses et n'avait pas ménagé ses compliments ni son admiration. Mais, au moment où ses encouragements auraient été si importants, il nourrissait d'autres projets pour sa protégée, et sa déception avait été manifeste. Natasha ne savait pas ce qui l'avait le plus blessée : le fait que Nick ait dénigré son rêve le plus cher ou le sentiment d'être devenue, à ses yeux, une personne ordinaire, indigne de l'intérêt qu'il lui portait.

Elle s'était débrouillée pour l'éviter presque toute une semaine, puis il était venu la chercher. Avec dans les yeux un mélange de repentir et d'exaspération, il lui avait dit : « Tu imagines un reporter du *Mirror*, ou même du *Guardian*, se sauvant au bout du monde parce que quelqu'un aurait critiqué le journalisme ? »

Mais elle avait su qu'elle était pardonnée, car il l'avait invitée à dîner au restaurant. C'était la première fois. Ils déjeunaient parfois ensemble avant d'effectuer le tour des librairies. Elle le voyait aussi souvent au pub lorsqu'il avait fini ses cours ; mais il passait d'habitude ses soirées chez lui. Elle s'était demandé si sa femme était en voyage. Elle se rappela avoir mis un temps fou pour choisir la toilette qu'elle mettrait. Parce que c'était l'été et qu'il faisait chaud, elle avait fini par fixer son choix sur sa robe préférée (la seule qu'elle possédât, à vrai dire), en tissu soyeux et dentelée dans le bas comme c'était la mode. Noire, bien sûr. A cette époque, tout ce qu'elle portait était noir ; même ses cheveux naturellement foncés étaient teints.

A ce souvenir, Natasha sourit. Des cheveux noirs, une robe noire, une nouvelle paire de bas noirs très fins, et une paire de talons aiguilles qu'elle avait achetée pour une somme ridicule dans une boutique de dépôt-vente. La sobriété inhabituelle de sa coiffure et de son maquillage était la seule concession qu'elle avait faite à Nick. Bien qu'elle eût considérablement atténué les choses, au cours des mois précédents, elle eut conscience, ce soir-là, d'avoir atteint l'équilibre parfait entre la sophistication et le raffinement. Même les filles avec qui elle partageait son appartement se montrèrent très impressionnées et s'écrièrent qu'elle était superbe.

Nick était manifestement du même avis. Quoiqu'il n'eût fait qu'une allusion discrète à l'apparence de Natasha, son regard et sa voix disaient assez qu'il était sous le charme, et cette admiration masculine la grisait. Pour la première fois, elle se sentait sur un pied d'égalité avec lui ; elle n'avait plus peur de se rendre ridicule. Au début, ce fut même Nick qui parut légèrement intimidé. Il la regardait en souriant puis, très vite, détournait les yeux. Mais, après un ou deux verres de vin, il se détendit et ils discutèrent de toutes sortes de choses, en évitant les sujets trop sérieux comme l'avenir de Natasha. Il rit beaucoup, et elle eut soudain l'impression que la différence d'âge entre eux n'était pas si grande. Les barrières étaient tombées. Natasha se surprit à lui avouer combien elle avait été intimidée lors de leur premier entretien, comme il lui avait paru sévère et conventionnel. Ils rirent, ensuite Nick leva son verre et déclara : « Je me cache derrière un masque, Natasha, comme toi. »

Sur le moment, elle avait pensé qu'il plaisantait. Maintenant, elle savait qu'il avait dit la vérité. Il y avait encore tant de choses de lui qu'elle ignorait ! Pourtant, ce soir-là, elle s'était sentie très à l'aise, comme s'ils n'avaient aucun secret l'un pour l'autre.

Il était radieux et ses yeux verts souriaient en la regardant. Ils avaient terminé leur repas et le vin dans une atmosphère festive, et les serveurs italiens, percevant plus vivement que Natasha la naissance d'une idylle, avaient été aux petits soins pour elle pendant que Nick réglait l'addition.

Une fois dehors, il lui avait pris la main et l'avait serrée dans la sienne en affirmant :

— Tu es vraiment adorable. J'aimerais avoir dix ans de moins et pouvoir tout recommencer.

Sincèrement surprise, elle avait éclaté de rire.

— Mais ! s'était-elle exclamée en s'arrêtant pour lever les yeux vers lui. Tu as tout...

— Je ne t'ai pas, toi, avait-il répliqué, si doucement qu'elle n'avait pas bien su s'il le pensait, s'il plaisantait ou s'il était saoul. Il était resté un moment immobile à la regarder, et elle avait compris que, saoul ou non, il était très sérieux.

— Mais...

— Oui, mais...

Il avait haussé les épaules, souri et pressé les doigts de Natasha.

— Ce n'est pas grave. Viens, je te raccompagne chez toi.

Il n'avait rien ajouté et, pendant un moment, elle n'avait entendu que sa respiration, aussi rapide que la sienne, ponctuée par le staccato de ses hauts talons. Puis, quand ils s'étaient trouvés à une bonne distance du restaurant, dans Stonegate, une rue obscure et étroite, il avait soudain déclaré :

— C'est aussi bien que je n'ai pas la voiture, j'ai trop bu. Tu veux rentrer tout de suite ou tu veux te promener un peu ?

A cause des amies avec qui elle partageait un appartement, Natasha n'avait pas voulu l'inviter à monter boire un café ; mais elle non plus n'avait pas envie que la soirée se termine déjà.

— Je veux bien marcher, avait-elle dit, mais est-ce qu'on pourrait aller un peu moins vite ? Avec ces chaussures...

— Mais oui, bien sûr, excuse-moi.

Il s'était arrêté, juste là — de l'autre côté de la rue — et il avait regardé ses escarpins noirs au bout pointu et les ridicules talons de sept centimètres. Puis son regard était lentement remonté le long des jambes galbées, découvrant plus haut la taille svelte, des seins menus et le cou trop long. Lorsqu'il avait rencontré les yeux de Natasha, il s'était rapproché d'elle et avait dit :

— J'avais complètement oublié tes chaussures...

Ils la grandissaient et la rendaient plus facile à embrasser.

Elle se rappelait ce moment comme si c'était hier, le contact de la chemise très douce de Nick et de ses cheveux soyeux lorsqu'elle avait passé timidement ses mains autour de son cou. C'était la première fois qu'elle se tenait aussi près de lui et, sauf par accident, elle ne l'avait jamais touché. L'écart entre l'imagination et la réalité l'avait tellement surprise que c'était à peine si elle avait eu le temps de remarquer la légère pression de ses lèvres sur les siennes. Elles étaient beaucoup plus fermes qu'elle ne l'avait imaginé et, comparés au corps flexible de Natasha, ses bras et ses épaules étaient durs ; serrée tout contre lui, elle avait senti le cœur de Nick battre très vite, et la chaleur de son souffle contre sa joue.

Non, elle ne rêvait pas, avait-elle pensé tout à coup. C'était bien son directeur d'études, le Dr Nicholas Rhodes, l'homme dont elle avait eu si peur, qui l'avait enlacée et l'embrassait...

L'instant suivant elle avait craint que sa surprise ne lui ait fait rater le meilleur de l'expérience, et que celle-ci ne se renouvelle pas. Lorsqu'il avait abandonné ses lèvres pour la regarder, il avait souri d'un air piteux en voyant l'expression de Natasha.

— Mon Dieu, avait-il murmuré, suis-je rouillé à ce point ? Pour l'amour du ciel, viens par ici et laisse-moi t'embrasser comme il faut.

Et, dans l'embrasure profonde et obscure de cette porte, de l'autre côté de la rue, il s'y était employé avec une sensualité qui avait grisé Natasha. C'était si différent de tout ce qu'elle avait connu jusque-là ! Il n'y avait dans ce baiser aucune contrainte, pas de coups de langue répulsifs ni de bouche baveuse auxquelles on cherche, à tout prix, à se soustraire. Cet homme la touchait comme si elle lui était infiniment précieuse. Avant de l'embrasser, il avait caressé du bout des doigts la douceur bombée de sa bouche. Elle avait éprouvé grâce à cette étreinte un ravissement qu'elle aurait voulu prolonger éternellement.

Combien de temps étaient-ils restés là, dans le renfoncement de cette porte ? Elle n'en avait aucune idée. Sans doute assez longtemps, pensa-t-elle, car lorsqu'ils s'étaient séparés, elle avait les lèvres gonflées et brûlantes, et le corps en feu, ce qui n'avait pas pu échapper à Nick. Il semblait aussi troublé qu'elle ; il avait allumé deux cigarettes avec des mains tremblantes et, quand il avait parlé pour dire qu'il devait la ramener chez elle, sa voix était voilée.

La rue, déserte jusque-là, avait soudain résonné de paroles et de rires ; des gens qui sortaient du *Old Starre* et du *Punch-bowl* venaient vers eux. Nick avait glissé son bras autour des épaules de Natasha, et l'avait attirée contre lui, sans paraître se soucier qu'on les voie ensemble. Cela avait été un moment de grand bonheur ; aimée et amoureuse, elle avait eu l'impression de rejoindre enfin la race des humains. Le reste ne comptait pas.

Mais les doutes qui la rongeaient à la pensée que Nick vivait

186

avec sa femme et ses enfants avaient rapidement eu raison de cet état d'euphorie.

A présent, elle comprenait à quel point elle était mal préparée, à l'époque, pour assumer les turbulences d'une liaison, surtout avec un homme de l'âge et de l'expérience de Nick. Elle était peut-être intelligente et perspicace, mais elle demeurait assez immature sur le plan psychologique ; elle manquait trop d'assurance pour se débrouiller dans ce genre de relation, nouveau pour elle, et n'avait rien à quoi se rattacher lorsque la situation était devenue trop difficile — ce qui arriva assez vite. Elle était seule, et jouer avec le feu l'effrayait ; Nick lui-même lui faisait peur parfois, à cause non seulement des risques qu'il prenait, mais aussi du pouvoir qu'il avait sur elle. Près de lui, elle avait l'impression de ne plus avoir aucune volonté ; et dès le moment où ils avaient commencé à faire l'amour ensemble, elle avait eu le sentiment que le sexe était la seule chose qui l'intéressait ; il n'était jamais rassasié.

Nick ne sut jamais à quel point Natasha se sentait coupable lorsqu'elle pensait à sa femme.

Et il ne devina jamais non plus combien elle était mal à l'aise lorsqu'il était chez elle. Les amies de Natasha étaient dans le secret, bien sûr, car il venait souvent dans la journée, mais la jeune fille s'inquiétait de ce qu'elles pouvaient raconter et, surtout, craignait que leurs propos ne viennent à certaines oreilles.

Elle aimait Nick, pourtant. D'un amour intense, presque douloureux. Entre deux rendez-vous, elle était comme une droguée en manque, et se détestait dans ce rôle. L'été approchait, le long été durant lequel elle allait devoir rentrer chez elle, trouver un travail, pendant que Nick passerait ses vacances en famille, effectuerait un voyage de recherche en France, s'immergerait dans son travail. Il avait parlé de l'emmener en France avec lui, mais comment aurait-elle pu l'accompagner ?

Vers la fin du trimestre, il invita ses étudiants à déjeuner chez lui. Il l'avait toujours fait, et il tenait beaucoup à ce qu'elle soit présente. Il réfuta chacune de ses objections et lui fit promettre de venir. C'était une erreur, bien sûr, Natasha en avait eu le pressentiment. Le voir chez lui, entre sa femme et ses enfants, la mit à l'agonie.

Nick habitait près de la rivière, dans une maison en terrasse d'époque victorienne. Il y avait un beau jardin, des pièces claires, des murs entiers garnis de livres, des meubles confortables, des jouets, des photos et des dessins d'enfants. En d'autres circonstances, Natasha aurait été sous le charme, mais ce dimanche-là un sentiment d'envie associé à un complexe d'infériorité avait pris le dessus. Comment pouvait-elle lutter contre tout ça ? La bataille était perdue d'avance. La femme de Nick avait encore renforcé cette impression. C'était une grande belle femme, avec de longs cheveux roux bouclés.

Natasha avait eu l'occasion de la rencontrer deux ou trois fois avant d'être l'amie de Nick, et elle lui avait paru antipathique. Elle avait néanmoins des atouts physiques indiscutables, et Natasha s'était demandé ce que Nick pouvait bien lui trouver à elle. N'ayant aucun espoir d'évincer pareille rivale, Natasha avait simplement enfilé un jean et un tee-shirt et, par provocation, elle avait hérissé ses cheveux. Au moins, on ne la remarquait pas au milieu des autres, même si elle fumait et buvait trop, mangeait du bout des lèvres et ne desserrait pas les dents. Trois longues heures s'écoulèrent pendant lesquelles elle pria pour passer inaperçue ; mais Nick, dans le rôle d'hôte affable, ne l'entendait pas de cette oreille. Il bavarda avec tous ses invités et joua avec ses enfants ; il en tenait un dans ses bras lorsqu'il vint discuter avec Natasha et, sous prétexte de trouver un livre dont elle avait parlé, il lui avait montré son bureau.

Il avait renvoyé le petit garçon et lui avait demandé ce qu'elle avait ; il l'avait même embrassée. C'était une situation insupportable pour Natasha. Furieuse contre Nick, elle avait pris congé peu après, à la faveur d'autres départs, et remercié sa femme d'un sourire en évitant son regard.

Deux jours plus tard, elle avait rompu brutalement, même avec une certaine cruauté, pour la simple raison qu'elle manquait trop de confiance en elle pour s'y prendre autrement. Sur le moment, elle avait pensé qu'une rupture brutale valait mieux qu'un va-et-vient déchirant entre l'espoir et le déchirement de la séparation ; elle s'était trompée. Jamais elle n'avait autant souffert. Seule la fin de l'année universitaire, en l'empêchant de revenir sur sa décision, lui avait permis de s'y tenir.

L'été fut interminable. Elle n'oublierait jamais les longues journées de canicule, le sentiment nauséeux de solitude ; son travail dans le fast-food. Des années après, l'odeur des hamburgers et des frites suffisait à lui donner mal au cœur.

A la longue, le stade de la douleur aiguë était passé ; elle s'était peu à peu habituée à son chagrin, comme on apprend à vivre avec de l'arthrite ; il ne mettait plus sa vie en danger, c'était juste un point excessivement sensible. Elle avait obtenu sa licence l'année suivante ; et, deux ans après, pour essayer de mettre fin à une mélancolie latente, elle s'était lancée dans la rédaction de son premier roman, qui avait pour cadre la ville d'York et le milieu universitaire. C'était l'histoire d'un jeune étudiant candide, loin de chez lui pour la première fois. En se rappelant la chambre exiguë et sombre dans laquelle elle l'avait écrit, et le monde féroce dans lequel elle évoluait en tant que reporter débutant, Natasha se dit qu'elle aurait dû être comblée d'habiter dans sa maison actuelle. Elle n'était pas heureuse, pourtant. Le sentiment de paix qu'elle avait éprouvé au début avait disparu ; la quiétude était devenue isolement, et elle courait le risque de perdre le contact avec le monde réel.

17

Resté seul dans la maison, après le départ de Mrs. Bickerstaff, Nick, assis à son bureau, regardait fixement le reflet de la lampe sur les vitres. A intervalles rapprochés, de petites gouttes d'eau glissaient le long des carreaux tels des chapelets de larmes scintillantes.

Il se sentait aussi meurtri qu'après une violente partie de rugby au cours de laquelle il aurait reçu des coups de pied en veux-tu en voilà et aurait été piétiné à maintes reprises, sans avoir la satisfaction d'avoir bien joué, ni personne avec qui s'apitoyer pour avoir été battu à plate couture. Dans ce jeu-là, il n'y avait apparemment ni règles ni arbitre.

La dureté de Natasha l'avait assommé. Il n'en était pas encore revenu. Et elle lui avait parlé sur un ton qui ne laissait aucun doute sur le sens de ses paroles. Sa femme lui avait clairement signifié qu'elle ne le désirait pas, n'avait aucune envie de faire l'amour avec lui, et peut-être même ne l'aimait plus.

Mais pourquoi ? L'avait-il blessée au point de mériter un tel traitement ?

Autant de questions qu'il ne cessait de retourner dans sa tête et qui réveillaient des souvenirs désagréables. Que lui avait dit un jour Natasha dans son bureau ? Sous le choc, il ne se souvenait plus du contexte ; mais il se rappelait au moins un mot, car celui-ci était totalement inattendu dans la bouche

190

d'une jeune fille de sa génération. *Entaché*, c'était ça ; elle lui avait raconté quelque chose sur le fait qu'elle ne l'aimait pas et que son honneur était entaché par leur relation. Et, à la façon dont elle avait prononcé ce mot, Nick avait senti qu'il exprimait exactement le fond de sa pensée.

Et voilà que cela recommençait. Une telle douleur. Pourquoi ? Qu'avait-elle donc, seigneur ? Était-elle devenue folle ? Avait-elle décidé que le travail d'écrivain et la vie conjugale étaient incompatibles, ou avait-elle rencontré un autre homme ? C'était une pensée extrêmement désagréable. Après avoir réfléchi un moment, il secoua la tête. Non, c'était peu vraisemblable. Comment aurait-elle pu avoir une liaison ? Elle n'allait jamais nulle part et ne connaissait personne dans le village ; de plus, elle ne vivait que pour son travail. Une liaison serait à ses yeux une perte de temps précieuse, réfléchit-il avec un rictus ironique.

Mais, tant qu'elle ne daignerait pas l'éclairer sur les raisons de ses sautes d'humeur, il en serait réduit aux conjectures. Cela le mit dans une colère qui eut pour effet d'atténuer son chagrin. Elle n'en fait qu'à sa tête, pensa-t-il amèrement ; mais la patience de Nick avait des limites ; il en avait assez de toutes ces idioties ! Il était temps qu'elle grandisse et cesse de se conduire comme une enfant. Et si elle en avait vraiment assez de lui, eh bien, qu'elle fiche le camp. Lui resterait là.

Fortifié par cette décision, il prit une autre cigarette dans le paquet qu'il trouva au rez-de-chaussée, et l'alluma dans un geste de défi. Puis il aspira la fumée dans ses poumons, reconnut avec volupté le goût du tabac et la détente délicieuse que l'on éprouve en fumant.

Il était presque quatre heures et demie. Il pouvait peut-être encore arriver à joindre Giles, au collège. Ce dont il avait besoin, à présent, c'était d'une bonne partie de squash, et après ça d'un remontant.

Lorsque Natasha rentra, seul le porche était éclairé et la voiture de Nick n'était pas dans la grange. Elle faillit céder à un mouvement de panique en pensant qu'il était peut-être parti pour de bon ; après quoi, elle se rappela que le matin même il avait parlé d'aller voir Giles, et son sentiment de détresse se transforma aussitôt en un cynisme douloureux.

— Salaud, murmura-t-elle en regardant fixement la maison vide et solitaire, battue par la pluie. Tu t'en fous, hein ?

Elle laissa tourner le moteur de la Peugeot et resta un moment au volant, se demandant ce qu'elle allait faire. Elle réalisa avec un choc qu'elle appréhendait d'entrer seule dans la maison et, plus encore, de garer la voiture dans la grange vide et obscure. Elle songea à retourner à York pour demander à Fay de l'héberger ; mais cela lui parut si défaitiste qu'elle eut honte. Elle finit par trouver un compromis ; elle laisserait la voiture dehors et courrait jusqu'à la maison.

Elle eut l'impression que la pluie avait transpercé instantanément ses habits encore humides. Lorsqu'elle ouvrit la porte, elle tremblait de tous ses membres. Colette sortit pour l'accueillir, renifla, et se sauva d'un bond dans la nuit. Natasha la rappela, mais elle était déjà loin.

— Oh, et puis zut !

Elle poussa la porte et tourna la clef dans la serrure.

Il faisait délicieusement chaud dans la cuisine. Retirant ses vêtements de dessus, Natasha mit la bouilloire sur le feu et chercha dans le réfrigérateur quelque chose à manger. Elle n'avait pas envie de cuisiner, mais il y avait beaucoup d'œufs et du fromage. Elle se prépara rapidement une omelette qu'elle mangea avec du pain et du beurre, assise devant le fourneau, en robe de chambre. Après, elle se sentit rassérénée. Les émotions qui l'avaient secouée tout au long de la journée lui revinrent, et elle se demanda si elle ne subissait pas le contrecoup des tensions récentes et de la nuit particulièrement éprouvante qu'elle avait passée. Elle trouva un réconfort à se dire qu'elle avait presque tout imaginé.

Mais à neuf heures, lasse de regarder la télévision, elle se sentit de nouveau mal à l'aise et songea à se coucher de bonne heure. Alors qu'elle cherchait un livre, elle se rappela la liasse de feuilles qu'elle avait tapées à la machine et fourrées dans son tiroir, sans les avoir lues.

En ordonnant les feuillets, Natasha s'étonna de leur quantité. Écrire lui demandait toujours un effort et elle n'avançait que lentement, alors que ce texte semblait être sorti de la machine sans aucun effort.

PAR LA GRÂCE DE DIEU. AMEN. Mots étranges, qui tenaient de la prière ou de la supplication, et dont la signification demeurait obscure...

Comme il faisait froid à présent dans le bureau, elle s'installa dans la cuisine, alluma une cigarette et se mit à lire.

Je m'appelle Sarah Mary Kirkham. J'ai été baptisée à Hammerford, sur les bords de la rivière Nidd, deux jours avant Noël, en l'an de grâce 1695.

Mes parents n'ayant jamais eu d'enfant, en près de vingt ans de mariage, ma naissance surprit tout le monde. Ma mère avait plus de quarante ans au terme de sa grossesse et elle souffrait tant qu'on craignit pour sa vie. Personne ne soupçonnait son état. Je vins au monde pourtant, après plus de trente heures de travail, confondant les médecins et notre famille.

Les larmes succédèrent à ce bonheur car ma mère, trop âgée pour supporter cette naissance après des années de stérilité, mourut. Mon baptême fut précédé d'un enterrement, mais j'étais trop jeune pour comprendre et, n'ayant jamais eu de mère, elle ne m'a pas manqué outre mesure.

Je crois savoir que mon père eut beaucoup de regrets. Des larmes lui montaient aux yeux chaque fois qu'il parlait de ma mère, mais il était d'un naturel optimiste. C'était un homme qui cherchait à prendre la vie du bon côté et il y réussissait assez bien. Lorsque je fus en âge de comprendre, sa tristesse avait été en grande partie compensée par la joie d'avoir un enfant. S'il fut déçu que ce soit une fille, il n'en souffla jamais mot. Je fus choyée et dorlotée comme seule une fille peut l'être — et, plus encore, une fille unique !

Mais s'il me passait mes caprices, mon père ne délaissait pas mon éducation. Je devais apprendre les lettres, les chiffres, à monter à cheval et à tenir la maison. Notre cuisinière m'apprenait à cuisiner et, chaque jour, j'accompagnais mon père dans ses tournées.

La maison et la majeure partie des terres que nous cultivions étaient louées au châtelain, homme distant, souvent absent, qui s'intéressait plus à la spéculation qu'à la culture proprement dite. Le père de notre propriétaire s'était prononcé en faveur du Parlement, pendant la guerre civile ; cela ne l'avait pas rendu populaire, mais expliquait — selon mon père — son manque d'intérêt pour la terre. Il se souciait de la productivité, uniquement si cela pouvait lui rapporter de l'argent, et tant qu'on lui payait ses fermages, il était heureux d'en laisser le soin à d'autres.

Mon père, lui, était un fermier-né, aussi désireux d'obtenir de bonnes récoltes des arpents loués que de ses propres champs, situés dans une paroisse voisine. Cet amour de la terre, hérité de sa famille et de sa belle-famille, n'avait cessé de croître au fil des ans. C'était un homme aisé, respecté pour sa gestion rigoureuse et sa bonne humeur, qui était le bienvenu à presque toutes les tables des environs.

A quatorze ans, j'étais encore assez jeune pour considérer mon père comme le centre de l'univers. S'il m'arrivait de penser à l'avenir, je suppose que ce devait être pour nous imaginer menant éternellement la même vie, planifiant les travaux de la saison prochaine, calculant nos revenus, discutant les nouvelles, rendant visite à nos amis et aux membres de notre famille. Il ne me venait jamais à l'esprit que mon père vieillissait et devait faire des projets pour mon avenir afin de remettre entre les mains d'un gendre honnête et digne de confiance ce qu'il avait acquis.

En dépit de mes efforts pour l'ignorer, je grandissais. Grande pour mon âge, le corps anguleux, j'étais rarement malade. Je m'enorgueillissais de participer aux travaux des champs quand c'était nécessaire et de venir à bout des tâches courantes à la laiterie et à l'office. J'aurais pu faire mieux en couture et en tissage, mais je connaissais les herbes et pouvais préparer de bons repas, même au cœur de l'hiver.

Si, de l'aube au crépuscule, mes journées étaient bien remplies et laissaient peu de place à la réflexion, le travail n'était pas toujours très dur, et nous avions des distractions. Pendant l'été 1710, nous fûmes invités au mariage de ma plus jeune cousine, Elizabeth Piper, qui devait avoir lieu à l'église Holy Trinity dans Goodramgate, à York. Deux jours plus tôt, accompagnés d'un valet d'écurie, nous parcourûmes à cheval les huit milles qui nous séparaient de la ville, nos beaux habits suivant derrière, sur un cheval de charge.

Mon père avait acheté pour l'occasion un nouveau manteau et des hauts-de-chausses, et il portait sa meilleure perruque. Quant à moi, j'avais une jupe et un corset neufs que m'avait confectionnés une de nos voisines à Hammerford, la veuve Dennison.

J'étais dans un état de grande agitation, et mes nouveaux habits n'y étaient pas pour rien. Malgré la crainte mêlée de respect que faisaient naître en moi la soie et le satin, et la peur de ne pouvoir manger à ma faim dans un corset aussi serré, je me sentais plus adulte. La veuve Dennison avait cherché à mettre ma silhouette en valeur, mais à vrai dire j'étais aussi plate qu'un garçon et, malgré les rubans jaunes soyeux, l'étroite pièce d'estomac en pointe du corsage accentuait ma maigreur. Cependant, mon malaise était moindre que ma joie, à l'idée de passer trois nuits avec mes cousines et d'assister à un événement exceptionnel.

La sœur de mon père, ma tante Margaret Piper, était affairée du matin au soir. Le lendemain, en voyant mes mains rugueuses, mes ongles cassés, mon visage hâlé, parsemé de taches de rousseur, et mes cheveux drus, éclaircis par le soleil, elle fit la grimace.

— C'est d'un commun ! déclara-t-elle avec un soupir en essayant de dissimuler mes cheveux sous un carré de dentelle extrait de son armoire à linge. Ce n'est pas une beauté, Jack, murmura-t-elle à l'adresse de mon père, et si tu la laisses travailler dans les champs elle finira par ressembler à une paysanne ! Elle va bientôt vouloir se marier, mais les hommes ne veulent pas d'un sac d'os !

Mon père rit de bon cœur, mais l'insinuation me fit rougir jusqu'à la racine de mes pauvres cheveux. Tante Margaret était une femme replète avec une forte poitrine, mère de cinq beaux enfants — deux garçons et trois filles. Elle devait savoir de quoi elle parlait. Pour elle, il ne faisait aucun doute que je me marierais d'ici à un ou deux ans.

Je m'écriai que je me moquais de mon apparence, car je ne voulais pas me marier mais demeurer avec mon père et l'aider à gérer la ferme.

— Juste ciel ! Mais il n'en est pas question, mon enfant ! Avec tes espérances, tu n'as pas besoin de rester vieille fille. Tu te marieras et tu auras des enfants, comme c'est le devoir de toutes les bonnes épouses.

Elle me serra dans ses bras et me tapota l'épaule mais le

regard qu'elle lança à son frère m'accabla. Elle semblait dire que j'étais trop maigre et trop laide, et que mon seul attrait était la fortune dont j'hériterais à la mort de mon père.

Cette pensée m'était insupportable. Je me libérai, me précipitai vers mon père et lui demandai qui prendrait soin de lui si je me mariais et quittais la maison.

Tante Margaret suggéra qu'il ne tenait qu'à lui de se remarier, mais mon père protesta en riant et déclara que la compagnie de nos domestiques lui suffisait amplement. Il affirma pour tenter de me rassurer que j'épouserais à coup sûr un homme qui m'aimerait pour moi-même. Mais je n'arrivais pas à le croire.

J'éprouvai un cruel sentiment d'abandon, comme si j'avais été trahie par mon propre père. Cela m'empêcha de prendre plaisir à la cérémonie du mariage dont je m'étais fait une joie, et assombrit cette journée qui aurait dû être si heureuse. Je fus ombrageuse avec tout le monde. Même mes beaux habits m'ennuyaient. Ils me rendaient irritable tout en créant l'illusion que j'étais trop vieille pour être consolée. Devant mon air rébarbatif, mes cousines m'évitèrent. La seule personne à me témoigner quelque intérêt, au cours du repas de noces, fut une cousine du côté de la famille de mon oncle Piper, une jeune femme de dix-huit ou vingt ans, qui semblait avoir autant que moi besoin d'un coin tranquille. Elle s'appelait Caroline Stalwell, et elle était aussi jolie et frêle que j'étais laide et robuste.

Nous parlâmes un moment de la mariée et du marié, et de l'endroit où ils allaient habiter, puis Caroline me confia qu'elle-même était mariée depuis un peu plus d'un an et qu'elle attendait un enfant pour l'automne.

Surprise, je la regardai plus attentivement. On était en juin, et jamais je n'aurais pu deviner qu'elle était enceinte. Caroline Stalwell n'avait ni la corpulence ni le fort embonpoint des paysannes ; mais c'était une dame et je pensai que cela changeait tout. Comme je la questionnais sur son mari, elle me le montra du doigt. Richard Stalwell était en train de discuter avec mon père. J'ignorais qu'ils se fussent déjà rencontrés auparavant, pourtant ils devisaient tels de vieux amis.

— Je parie qu'ils sont en train de parler de porcs et de génisses, dit Caroline.

— C'est normal pour des fermiers, déclarai-je, surprise par le ton de sa voix. C'est ce qui les fait vivre.

Elle éclata de rire et me donna une petite tape sur la main.

— Ah, tu es bien une fille de fermier ! Tu as plus de chance que moi, car je ne connais rien à la culture. Je crains que mon pauvre Richard ne me trouve bien ignorante, avoua-t-elle quelques minutes plus tard, sans regret apparent. Mais je dois reconnaître qu'il est très gentil...

Son petit sourire et la façon dont elle posa la main sur son ventre me firent rougir et détourner la tête sans bien savoir pourquoi. Je regardai dans la direction de son mari et, croisant par inadvertance son regard, je devins rouge comme une pivoine. Il était très beau, avec des yeux d'un bleu exceptionnel...

Natasha jugea ces quelques pages assez inoffensives. Cela pouvait donner un roman historique, ou quelque chose d'un peu plus piquant. C'était différent de ce qu'elle avait fait jusque-là, et très éloigné de son style habituel, mais il n'y avait pas de quoi se mettre dans tous ses états. Ses angoisses lui parurent soudain hors de propos, et elle s'étonna d'avoir éprouvé tant d'inquiétude. Cette histoire ne pourrait pas être présentée au public comme un fascinant roman moderne (selon l'expression utilisée pour le lancement de *La Leçon d'anglais*), mais quelle importance ? Ce début lui paraissait original et captivant, et elle eut soudain très envie de savoir ce qui allait se passer.

En tant qu'écrivain, réfléchit-elle, c'était une expérience nouvelle d'être dans le noir le plus complet.

Natasha tapait à la machine, absorbée par l'histoire de Sarah Mary Kirkham. La sonnerie insistante du téléphone la ramena sans transition à la réalité. Elle mit un moment à se rappeler où elle était. Le cœur cognant à grands coups dans sa poitrine, elle saisit le téléphone pour le faire taire, mais quelques secondes s'écoulèrent avant qu'elle se sente capable de répondre.

— Oui ?

C'était Giles. A sa manière d'articuler distinctement, elle sut aussitôt qu'il était saoul. De l'explication oiseuse dans laquelle il se lança, elle comprit que Nick était ivre lui aussi.

— Écoute, il est dans un état, disons, de douce euphorie. Saoul, non, mais pas en état de conduire. Tu sais comme la police est devenue pointilleuse...

— Oui, Giles, je sais. Tu veux dire que Nick est bourré et qu'il reste dormir chez toi.

Il y eut une exclamation peinée à l'autre bout du fil.

— Natasha, ma chérie, ne sois pas comme ça...

— A une heure pareille, c'est difficile, Giles... En tout cas, ajouta-t-elle en s'adoucissant un peu, merci de m'avoir prévenue.

— Attends une seconde.

Natasha entendit un murmure de voix étouffé.

— Nick veut que je te dise qu'il est désolé pour demain matin ; il devait te déposer à la gare, je crois...

Mon Dieu ! Comment avait-elle pu oublier le déjeuner avec Oliver Duffield ? La première chose à faire le lendemain serait de l'appeler et de trouver une excuse.

— Ce n'est pas grave, Giles, dis-lui que cela n'a pas d'importance. J'ai décidé de ne pas aller à Londres.

Non, songea-t-elle en retournant à la machine à écrire, elle n'irait pas à Londres. Elle avait des choses plus importantes à faire.

18

Le café et l'aspirine atténuèrent les effets les plus désagréables de la gueule de bois, mais n'allégèrent en rien le poids de son chagrin. Il n'y avait qu'un remède : le travail, décida Nick stoïquement. Ne supportant plus de penser à Natasha et à leur dernière dispute, il décida de fixer son attention sur d'autres problèmes.

Pendant la pause de la mi-journée, alors qu'il s'interrogeait sur Reynald de Briec, le fondateur du château de Brickhill, et sur ses liens possibles avec Reynard, le chien courant légendaire, Nick prit une décision. Au diable les scrupules, il allait téléphoner à Sally Armitage ; s'il voulait avancer, il ne devait négliger aucune piste. Il appela donc le musée de Ghylldale.

C'était un petit musée dont le personnel se composait presque exclusivement de bénévoles, mais il n'en était pas moins tout à fait passionnant. Pendant qu'on allait chercher le conservateur, Nick se demanda quelle réception lui serait réservée.

— Sally ? Bonjour, c'est Nick Rhodes... Oui, je sais, ça fait un bail. Comment vas-tu ?

La réponse ironique de la jeune femme mit sur les lèvres de Nick un sourire qui s'élargit un peu plus lorsque leur échange prit un ton badin.

— Oui, je sais, je t'appelle uniquement quand j'ai besoin de quelque chose, je suis désolé... Non, je voudrais absolument avoir certaines informations, et c'est plus ton domaine que le mien. Contes populaires, légendes, ce genre de choses...

Il la mit en quelques mots au courant de la recherche qu'il faisait, et sentit tout de suite qu'il avait éveillé son intérêt. Elle lui donna le nom et le numéro de téléphone d'une personne qui pouvait lui être utile et promit de chercher de son côté. Après cela, la conversation prit un ton plus personnel. Elle voulut savoir pourquoi il n'était pas venu au musée de Ghylldale depuis qu'elle avait été nommée conservateur. Elle avait fait de nombreuses transformations, et c'était, affirma-t-elle, l'endroit idéal où amener ses fils un samedi ou un dimanche.

Nick promit en riant qu'il le ferait pendant les vacances de Noël et, comme il disait au revoir à la jeune femme, il pensa que cela lui changerait aussi les idées. Revoir Sally lui ferait plaisir. Elle avait le sens de l'humour et c'était une personne très directe — un peu trop parfois, mais elle arrivait toujours à le faire rire.

Il avait gardé d'elle une image précise, celle d'une femme bien bâtie, une natte d'épais cheveux blonds rejetée sur le côté, en train de bricoler le moteur d'un vieux tracteur, ou de se frayer un chemin au milieu d'une collection d'outils agricoles rouillés. Ils s'étaient connus des années auparavant. A l'époque, elle travaillait au musée du château à York, mais il avait toujours senti qu'elle perdait son temps là-bas. Sally offrait un curieux mélange de capacités intellectuelles et physiques, et aimait à avoir les mains pleines de cambouis. Nick avait toujours pensé qu'elle aurait pu travailler comme mécanicienne dans un garage et diriger en même temps une chaîne prospère de stations-service. Du temps de leur liaison, cinq ans plus tôt, la voiture de Nick n'avait jamais été si bien entretenue.

Il conservait de l'affection pour elle, car elle l'avait soutenu au moment où il traversait une période difficile. Mais, dès qu'il avait commencé à aller mieux, leur relation s'était détériorée. A qui la faute ? Il ne le savait pas. D'ailleurs, cet échec n'était pas forcément la faute de l'un ou de l'autre. En y repensant, il avait l'impression qu'ils s'étaient apporté mutuellement quelque chose, puis étaient partis chacun de son côté...

Mais ils s'étaient séparés sans heurts, et Nick en serait toujours reconnaissant à Sally. Il lui savait également gré de lui avoir communiqué le numéro de téléphone du Dr Betty Wills.

C'était, avait précisé Sally, un médecin à la retraite, qui faisait parfois des conférences pour l'Association d'éducation populaire sur le folklore, les mythes et les légendes, passe-temps qui tenait de la véritable obsession.

« C'est une femme un peu bizarre, avait ajouté Sally. Elle vient parfois fouiner dans la bibliothèque. Je lui ai souvent proposé d'établir le catalogue de la collection avec l'aide d'une spécialiste ; mais elle fait semblant de ne pas comprendre, alors qu'elle s'y connaît mieux que personne... »

Bizarre ou pas, songea-t-il, ça vaut la peine de la contacter.

Il composa le numéro que Sally lui avait donné. La sonnerie résonna plusieurs fois avant que quelqu'un ne décroche. Au début, il pensa que la voix jeune et légère qui lui répondait ne pouvait pas être celle du Dr Wills ; c'était pourtant bien elle, et quelques instants plus tard elle lui rappelait qu'ils s'étaient déjà rencontrés, trois ou quatre ans auparavant, à une réception donnée à l'université. L'espace d'un instant, il se demanda s'il devait mentir, puis choisit d'avouer qu'il ne s'en souvenait pas et expliqua la raison de son appel.

Il y eut une pause. Elle commença par dire qu'elle ne connaissait pas grand-chose sur les chiens fantômes, puis elle mentionna la légende du caniche du prince Rupert, tué à la bataille de Marston Moor, au cours de la guerre civile. Mais Nick connaissait l'histoire et, de toute façon, n'y croyait pas.

— Marston Moor se trouve de l'autre côté d'York, dit-il. Je m'intéresse plutôt à la région autour de Sheriff Whenby. Vous n'avez pas entendu parler de chiens fantômes dans ce coin ?

Elle hésita. Nick se demanda si c'était parce qu'elle ne savait rien ou, au contraire, parce qu'elle savait beaucoup de choses qu'elle n'avait pas envie de divulguer.

— Eh bien, je ne suis pas sûre, répondit-elle, je ne suis pas sûre que cela se rattache à ce qu'on appelle le folklore. Il existe une légende qui se passe à Brickhill ; mais elle devait déjà être tombée dans l'oubli lorsqu'elle a été consignée par écrit, aux environs de 1800, ou peut-être un peu plus tard.

Ah, pensa Nick, on se rapproche. Il jeta un coup d'œil à sa montre : il avait un cours dans très peu de temps.

— Cela me paraît très intéressant, docteur Wills, déclara-t-il avec enthousiasme. Est-ce que nous pourrions déjeuner ensemble prochainement, pour en parler plus en détail ?

Elle hésita, mais finit par dire qu'elle devait rendre des livres à la bibliothèque du collège. Elle pouvait le rencontrer ce jour-là.

Heureux de cet arrangement, Nick se déclara impatient de la voir. De meilleure humeur qu'au début de la matinée, il rassembla ses notes pour son cours sur l'exploitation des champs et se dépêcha de descendre.

En rentrant chez lui en voiture, il se sentit brusquement épuisé. Pourvu, pensa-t-il, que Natasha ne soit pas en train de ressasser des rancunes à propos de la veille. Il n'avait qu'une envie : manger un peu et aller se coucher ; si elle avait quelque chose à dire, il espérait qu'elle attendrait le lendemain.

Son vœu fut exaucé. Elle était taciturne mais polie ; elle prépara le dîner et, lorsqu'il se risqua à demander pourquoi elle avait décidé de ne pas se rendre à Londres, elle répondit simplement qu'elle n'en avait pas eu envie. Ce qu'elle avait à faire là-bas pouvait attendre ou se régler par téléphone.

Le ton courtois de Natasha rendit Nick mal à l'aise. C'était trop artificiel. Il aurait préféré qu'elle lui fasse des reproches, le critique, lui dise enfin, pour l'amour de Dieu, pourquoi elle n'avait pas envie de faire l'amour avec lui !

Il était si tendu qu'un nerf se contracta sous son œil. Il appuya dessus avec son doigt, mais le tremblement persista. Il se frotta un moment, puis demanda doucement :

— Tu veux que nous parlions ?

Elle poussa un soupir et posa la revue qu'elle était en train de lire.

— Non, pas maintenant. Je suis trop fatiguée, je n'ai pas beaucoup dormi la nuit dernière.

— Moi non plus.

— Mais pour des raisons différentes, je suppose, riposta-t-elle sèchement.

Renonçant à lutter, il monta se coucher.

Le lendemain matin, afin de se changer les idées, il téléphona à l'Institut Borthwick pour savoir s'il pouvait avoir accès aux archives paroissiales de Brickhill. Bien qu'il fût également tenté de consulter les index des testaments de Denton, il n'y céda pas. Il lui faudrait au moins deux jours pour vérifier les noms de tous ceux qui résidaient à Denton au moment de leur décès, et étaient suffisamment sains d'esprit ou fortunés pour laisser un testament. Il ne disposait pas d'assez de temps pour le moment. Et comme la recherche des différents propriétaires de la maison pouvait se révéler très intéressante, il ne devait pas la bâcler. Dans l'immédiat, il lui fallait tenter d'élucider la question du chien aperçu par Toby, et ses liens possibles avec Reynald de Briec.

Après le déjeuner, il alla à York, gara sa voiture et marcha jusqu'au bâtiment du XVe siècle, situé dans Peasholme Green, qui abritait l'Institut de recherche historique. Avant la Réforme, St. Anthony's Hall, qui y était à présent rattaché, avait fonctionné comme hospice pour les malades démunis et les personnes âgées ; par la suite, il avait servi tour à tour d'arsenal, d'atelier, de prison et d'usine lainière. Plus récemment, cela avait été une école de garçons pour les catégories sociales les plus défavorisées. Le hall d'entrée, avec ses carreaux polis et ses marches en pierre usées, rappelait toujours à Nick le temps où il allait en classe, même si son école avait accueilli sur ses bancs les fils et les filles de ce qu'on appelle, aujourd'hui, les cadres moyens. Un certain nombre d'enfants des classes ouvrières, auxquelles il appartenait, avaient néanmoins réussi à faire suffisamment impression sur les examinateurs pour être admis. Il sourit avec une ironie désabusée en repensant aux sentiments ambivalents qu'il avait nourris vis-à-vis de l'école. La conscience d'être différent, de ne pas être totalement intégré, l'avait poussé à travailler beaucoup pour prouver qu'il était aussi bon que les autres, sinon meilleur.

Mais comme il montait l'escalier, ce rappel du passé disparut. Le premier étage de l'Institut Borthwick était d'un tout autre style ; avec ses hauts plafonds aux poutres apparentes et les parquets en chêne qui craquaient à chaque pas, on se serait cru dans un château médiéval, et le silence y était aussi profond que dans la bibliothèque d'un monastère.

Feuilleter les pages en vélin des registres originaux, dont le simple contact vous donne le sentiment de toucher le passé du doigt, aurait mieux correspondu à l'atmosphère du lieu, songea Nick. Mais bien sûr, prendre des notes sur les annotations gribouillées dans les marges, débrouiller de petits détails hors de propos, écrits plus de trois cents ans plus tôt, lui aurait pris des heures. Au lieu de quoi, il se trouvait face à la froide efficacité d'un écran de visualisation et d'un dévidoir de documents photographiques. Les microfilms ne parlaient pas à l'imagination, mais ils remplissaient à merveille leur fonction : protéger les manuscrits anciens. Ils faisaient aussi gagner du temps. Nick les avait en horreur.

Il eut néanmoins la satisfaction de découvrir que les registres paroissiaux de Brickhill, datant d'avant la guerre civile (et pas uniquement les transcriptions de l'évêque), avaient survécu. Durant cette période chaotique, où les registres étaient mal tenus, parfois même abandonnés, un grand nombre d'entre eux avaient été détruits sous les excès du zèle puritain. Ceux de Brickhill avaient dû être bien cachés, à moins qu'on ne les eût respectés, ou qu'ils ne fussent passés inaperçus.

Nick fit tourner le microfilm jusqu'en l'an 1635, où s'était produit l'incident rapporté par Beauchamp dans son livre, et il déchiffra l'écriture resserrée et tremblée. Il n'y avait, hélas, que l'habituelle succession des baptêmes, des mariages et des enterrements, sans commentaires. Il ne put s'empêcher d'éprouver une grande déception. Il avait le sentiment irrationnel d'avoir été induit en erreur par Beauchamp, et délibérément conduit sur une fausse piste. Il resta assis un moment à regarder l'écran, puis il ramena le film au début du registre. Il découvrit une note qui faisait état de la dîme due au pasteur, gribouillée en abrégé et datée de 1662. Reprenant espoir, il enroula la bobine jusqu'à la fin du registre qui, selon les indications portées sur la boîte, allait jusqu'en 1668, après le vide inévitable causé par la guerre civile, entre 1643 et 1656.

Après trois pages blanches, il sentit monter en lui l'excitation de l'explorateur touchant au but. Sur la dernière page de garde, il y avait une série d'écritures comptables sous le titre : *Dîmes qui me sont dues — 1636 apr. J.-C.* Un sous-titre plus tardif indiquait : *Liste des papistes réfractaires dans la paroisse,* en l'an 1662 ; et au-dessous, d'une écriture à l'encre pâle, en partie recouverte par la liste des noms, il lut :

La Saint-Martin — 1635 apr. J.-C.
Clefs de la porte à changer.
Admonester ce coquin de Tesseyman qui a manqué de respect au pasteur pendant le service.
Maistre Yokham étant en train de prêcher, un grand chien noir a pénétré dans le chœur, traversé la nef, puis s'en est allé sans qu'on ait pu l'attraper ; certains ont dit que c'était le diable en personne. Maître Yokham a dit que c'était quelque pauvre puritain condamné à errer sur terre.

Jn. Cartwrighte
Bedeau, 1635

Nick sourit. Si c'était là l'ossature de l'histoire rapportée par Beauchamp, alors pour une fois la presse populaire de l'époque avait à peine exagéré. Songeur, il recopia le texte sans changer une virgule ; après quoi, il rembobina le film, le rangea dans sa boîte et retourna au campus.

A la fin de la semaine, Nick eut la surprise de trouver au bureau du département une lettre de son vieil ami David, le médiéviste. Il la décacheta dans son bureau, et tandis qu'il parcourait la page son visage s'éclaira.

Cher Nick,
Je suis content d'avoir de tes nouvelles. Je me demandais comment tu allais. Bien, je présume, puisque tu n'as pas dit le contraire.
Ton mot m'a intrigué, car je ne me serais pas attendu à une telle requête de ta part. Comme j'ai pensé que tu aimerais avoir une réponse rapidement, la voici. J'ai fait le tour de tout ce que j'ai ici et épluché quelques volumes de la bibliothèque. Sur Reynald de Briec, il n'y a pas grand-chose.
Il a reçu des terres du seigneur de Mowbray, à l'époque où Étienne de Blois est monté sur le trône en 1135. Il venait de Normandie, où son père avait reçu des propriétés des

ducs, mais ce n'était pas un personnage très important. Il a acquis plusieurs châteaux des Mowbray que ceux-ci tenaient de la couronne. En 1135, Reynald reçut des Paynel de Drax un domaine au sud de « Deynton Sub Galtris », et en fit, semble-t-il, sa résidence principale.

Une seule charte porte son sceau, qui a la forme d'un grand chien courant, mais je ne peux pas l'affirmer avec certitude. Il fut mêlé à un conflit local qui n'avait rien à voir avec la lutte entre Étienne de Blois et la comtesse Mathilde, bien qu'il combattît pour Étienne de Blois à la bataille de Standard en 1138 et fût associé par les chroniqueurs à la maison du comte d'Albemarle.

Dans la chronique du moine de Nostell, je suis tombé sur une référence à son propos, assez étrange. Voici ce qu'il écrit (d'après la transcription de Clay au XIXe siècle) : « A cette époque (il ne précise pas laquelle) se trouvait parmi eux Reynald de Briec, homme plus impitoyable qu'une horde de Scandinaves, qui, selon ses ennemis, avait fait un pacte avec le diable et les revenants, au point, est-il dit (c'est moi qui souligne), que pour assouvir sa faim contre nature des plaisirs de la chair, il n'hésitait pas à sacrifier homme ou femme qui tombait par malchance entre ses mains, et parcourait la campagne à cheval pour choisir ses victimes. Cependant, il arriva qu'un jour un prêtre au cœur pur réussit, grâce à la prière, à lui faire entendre raison. »

Une sacrée nature, on dirait, ce Reynald ! C'est très vague, je sais. Hélas, c'est tout ce que je peux faire. Je ne vois pas où trouver d'autres informations mais, à mon avis, même un spécialiste de l'histoire contemporaine peut, à partir de là, tirer certaines conclusions ! Le sceau de Reynald de Briec représentait un chien courant — peut-être un limier — et la remarque du chroniqueur indique qu'il était un chasseur, d'où ton canis venaticus.

Comment et quand est-il mort ou fut-il tué ? Je n'en ai pas la moindre idée. Je ne sais pas non plus comment les prières du prêtre ont pu agir ! (Mais ça, c'est peut-être une pure invention.)

J'ai cherché à qui avait appartenu le château de Brickhill, et j'ai découvert qu'en 1150 le propriétaire n'était pas Reynald. Était-il ou non apparenté à Reynald ? Mystère. En *tout cas, c'est la preuve que l'association entre Paynel et Reynald n'avait plus cours, à ce moment-là. Les documents concernant les Mowbray montrent que Reynald avait été remplacé dans leurs châteaux au plus tard en 1154, l'année de l'accession au trône d'Henry II.*

C'est tout ce que je puis t'apprendre pour le moment. Si tu veux, tu peux jeter un coup d'œil sur les chartes...

Nick secoua la tête. Il aurait préféré étudier le texte original, en se faisant aider par David pour la traduction. Mais c'était pure curiosité, car Clay était quelqu'un de fiable.

En relisant la lettre, Nick se sentit plein de gratitude envers son ami. David lui apportait plus d'informations qu'il n'en avait espéré, et il s'était manifestement donné du mal pour le renseigner le plus vite possible. Les faits rendaient le lien entre Reynald et Reynard plausible, et offraient matière à spéculation. Nick trouvait extraordinaire que de Briec ait marqué à tel point cette région de son empreinte que la colline où avait été érigé son château portait toujours son nom, alors même qu'il y avait habité à peine dix ans.

Mais pourquoi un bail aussi court ? En ces temps troublés, on pouvait imaginer qu'il avait été tué en combattant ; d'un autre côté réfléchit Nick, si Reynald était aussi malfaisant que le moine du monastère de Nostell Priory le suggérait, on avait fort bien pu l'assassiner. A moins que ses suzerains, les Paynel, las de la guerre, n'en aient eu assez des mœurs de De Briec et ne l'aient renvoyé aux Mowbray, ou même en Normandie.

Mais il y avait aussi de fortes chances pour qu'un homme cruel périsse d'une mort violente. Et comme les meurtres étaient souvent des affaires domestiques, de Briec avait peut-être été assassiné par ses propres soldats, non loin du château, et enterré dans une terre non consacrée. N'était-ce pas la raison invoquée dans les mythes et les légendes pour expliquer l'apparition d'esprits tourmentés ?

19

Caroline Stalwell, cousine éloignée du côté des Piper, mourut en couches au mois d'octobre. Son bébé, un petit garçon chétif, décéda trois jours plus tard. Mon père s'absenta deux jours pour se rendre à l'enterrement. Restée seule chez nous, je parcourus à cheval les champs de Hammerford, battus par la pluie, en versant quelques larmes sur le sort cruel de cette jeune femme et de son enfant. Sa fin brutale m'attristait, car elle n'était pas beaucoup plus âgée que moi. Si je me mariais, pensai-je égoïstement, je pourrais connaître le même sort. Je n'avais pas encore commencé à vivre, je ne voulais pas mourir ; ainsi pleurai-je, plus sur moi, je suppose, que sur cette lointaine cousine.

J'eus quinze ans en décembre et, à Noël, nous fûmes invités à loger chez ma tante et mon oncle, à York. Il arriva que mon père dut retourner à la maison, mais nous fûmes de nouveau tous réunis pour la fête des Rois. Tante Margaret donna, à cette occasion, un banquet auquel elle convia autant de monde qu'elle pouvait en recevoir. En comptant les fils et les filles, les épouses et les enfants, plusieurs cousins et leur progéniture, il y avait près de quarante personnes, rassemblées dans la grande salle aux chevrons apparents de leur vieille maison, située dans Goodramgate. Nous étions serrés sur des bancs autour de tables à tréteaux, par ordre d'âge et de lien de parenté, les enfants les plus vieux, comme moi, placés à chaque pied. Les petits étaient couchés ou censés l'être ; j'aperçus quelques bouts de nez qui pointaient et plusieurs paires d'yeux qui nous observaient depuis la galerie.

Je découvris avec surprise que Richard Stalwell était là, lui aussi, assis à côté de mon père, à la table du bout. Je me souviens de m'être dit qu'il ne méritait pas d'être à cette place ; puis j'éprouvai pour lui une compassion semblable à celle qui avait dû toucher le cœur de tante Margaret. Elle l'avait certainement placé à côté de mon père parce qu'ils avaient beaucoup de sujets d'entente : même mon père trouvait parfois la conversation des marchands difficile à suivre.

Richard, tout de noir vêtu, hormis du lin blanc autour du cou, aussi repérable qu'un puritain, se distinguait des autres invités aux habits colorés. Il ne portait pas de perruque ; ses cheveux noirs, lisses et brillants, étaient attachés sur la nuque par un simple ruban. Mais si son visage était pâle et grave, il ne semblait pas tellement morose ; je le surpris même en train de sourire aux plaisanteries de mon père et à rire avec nous, lorsque débuta le jeu de Noël qui consistait à happer des raisins secs trempés dans du cognac en train de flamber et à les manger tout chauds. Plus tard, lorsque les tables eurent été enlevées pour faire de la place aux musiciens et aux danseurs, tante Margaret me fit signe de quitter le groupe de filles et de garçons parmi lequel je me trouvais pour venir la rejoindre, et elle me dit que mon père désirait me parler. Je craignis d'avoir fait quelque chose de mal, mais en me voyant il parut tout aussi étonné que moi. Le premier instant de surprise passé, il retrouva sa présence d'esprit, et me présenta à son compagnon. Devais-je souhaiter un joyeux Noël à Richard Stalwell ou lui présenter mes condoléances ? Ne sachant quel parti prendre, je restai muette, et lorsqu'il inclina la tête avec un sourire je lui répondis simplement par une petite révérence. Mon père faisait seul les frais de la conversation, et expliquait, pour ma plus grande gêne, que j'étais sa fille unique et le rayon de soleil de ses vieux jours.

Jusqu'au jour où tu jugeras bon de te débarrasser de moi en me mariant, pensai-je avec amertume après lui avoir glissé un long regard oblique. Je m'aperçus avec consternation que Richard Stalwell avait surpris ce reproche muet, et lorsque je croisai ses yeux j'y vis une lueur amusée. Mais il se reprit très vite.

— Votre père, me déclara-t-il, m'a dit que vous étiez une jeune fille très accomplie pour votre âge.

Le rouge me monta aux joues. Comment osait-il se moquer de moi ?

— J'essaie de me rendre utile, monsieur.

— Vous lisez et vous écrivez, je crois ? Est-ce que je peux savoir quelles sont vos lectures ?

Je sentis qu'il me dévisageait comme un phénomène de foire. A la vérité, je lisais chaque fois que j'en avais l'occasion. Je devais connaître presque tous les livres disponibles à Hammerford, parmi lesquels la douzaine de volumes que possédait mon père, ceux du pasteur qui couvraient deux étagères, et la collection de transcriptions de la veuve Dennison. Elle ne pouvait lire la poésie que chérissait tant son défunt époux, mais elle prenait plaisir à m'écouter. Nous aimions beaucoup Robert Herrick, et je connaissais ses poèmes par cœur. Ne sachant ce qu'il convenait d'avouer, je répondis :

— Je lis la bible, monsieur, et les nouvelles qui arrivent chez nous.

C'est une réponse modeste, pensai-je, et sans danger. Mon père éclata de rire.

— Elle lit tout ce qui lui tombe sous la main, Richard. Les livres d'histoire, la poésie, les tracts politiques. Je me demande parfois ce qu'elle en retient !

Il repartit à rire, de bon cœur, certain de présenter une curiosité. Mon sourire devait plus ressembler à une grimace figée, mais dans le regard de Richard Stalwell je lus autant de compassion que d'intérêt.

— Votre père a beaucoup de chance, déclara-t-il gentiment, d'avoir une compagne à l'esprit aussi vif.

— Vous êtes généreux, monsieur.

Je courbai la tête avec modestie et, tandis que les deux hommes reprenaient leur conversation, je me plongeai dans l'étude de mes mains, crispées sur mes genoux. Je me demandais comment prendre congé d'eux sans offenser les bonnes manières lorsque Richard Stalwell, entendant les musiciens accorder leurs instruments, murmura qu'il devait partir.

— En d'autres circonstances, me dit-il, j'aurais été très heureux de me joindre aux danseurs, mais hélas...

Il montra ses habits de deuil. Je me sentis contrainte de prononcer quelques paroles de sympathie à propos du malheur qui l'avait frappé.

— Elle était si gentille, affirmai-je, et si jolie...

— Oui, répondit-il froidement, elle était.

Dans le bref silence qui suivit, je craignis d'avoir commis un impair. Au même instant, mon père attira l'attention de sa sœur et conseilla à Richard de profiter de ce que celle-ci se trouvait inoccupée pour prendre congé. Richard me salua et nous laissa ; mais, tout le temps qu'il resta dans le hall, je ne le quittai pas des yeux. J'avais honte de ma jeunesse, de ma laideur et de mon absence de conversation. Et je regrettais, par-dessus tout, d'avoir parlé de sa femme...

C'est l'évocation de Noël, plus que la personne de Caroline Stalwell, qui fit s'arrêter Natasha. Elle s'étira et marcha jusqu'à la fenêtre, à l'autre bout de la pièce. La vue de ce côté, quoique légèrement plus intéressante, était tout aussi lugubre. Un fouillis de mauvaises herbes décolorées s'étendait devant la terrasse ; même les chênes étaient dénudés, à présent, et levaient leurs branches, semblables à des bras arthritiques, vers un Dieu qui les avait oubliés.

Noël ! Dans quatre semaines exactement, ce serait Noël, et depuis plusieurs jours, lorsque Nick était absent, elle ne faisait rien d'autre qu'écrire. L'histoire de cette Sarah Mary Kirkham, les menus incidents de sa vie, ses amis, ses parents, sa passion enfantine pour Richard Stalwell commençaient à devenir une véritable obsession. Avec une ironie désabusée, Natasha songea que Sarah Kirkham avait une vie beaucoup plus intéressante et animée que la sienne. Elle avait des conversations avec son père et les domestiques, alors que Natasha Crayke avait à peine prononcé un mot depuis le départ de Mrs. Bickerstaff, lundi après-midi.

Elle soupira en pensant à Nick. Ils regardaient ensemble le journal télévisé, prenaient leurs repas dans un silence quasi total, puis chacun gagnait sa chambre, dans des mondes séparés. Il régnait dans la maison un climat aussi lugubre que dehors. Si Noël n'avait pas été aussi proche, pensa Natasha, elle serait partie et aurait laissé Nick se débrouiller seul.

Mais, sans être croyante, l'idée d'une rupture pendant la période des fêtes lui paraissait particulièrement cruelle. En pensant aux jumeaux et au bonheur qu'ils connaissaient douze mois plus tôt, une boule se forma dans sa gorge et des larmes lui montèrent aux yeux. La maison était encore très inconfortable, car les travaux n'étaient qu'à moitié réalisés, mais cette atmosphère de bivouac avait plu aux garçons, qui en avaient oublié d'être difficiles.

Et s'ils avaient eu très froid, l'année précédente, sans chauffage central, avec les gelées hivernales, la température, cette année, en dépit de tous les radiateurs, était carrément glaciale.

Parcourue de frissons, Natasha se rendit dans la cuisine. Le fourneau rougeoyait encore, mais avait besoin d'être alimenté. Elle soupira, alluma la bouilloire, et sortit pour aller jusqu'au petit appentis, au bout de la maison, où ils entreposaient le charbon. En entendant le grondement d'un tracteur qui remontait Dagger Lane, elle pensa tout de suite au jeune Morrison. Elle hésita, eut confusément envie de se cacher, mais sans savoir où. Dans un énorme vacarme, le tracteur bleu apparut. Il était trop tard. C'était Craig, en effet. Il l'avait vue et arrêtait son engin.

Elle lui rendit son salut, puis continua sa tâche, pelletant le charbon pour remplir le seau en cuivre comme si elle alimentait une chaudière.

Il approcha et la regarda par la porte ouverte.

— Vous avez besoin d'un coup de main ?

— Oui, je veux bien, merci.

Il ramassa le lourd seau à charbon et la suivit dans la maison après avoir enlevé d'un coup de pied ses bottes boueuses dans la véranda. Il remplit le fourneau d'un geste compétent de propriétaire avant de se tourner vers elle.

— Vous connaissez l'histoire ? demanda-t-il. Si la montagne ne va pas à Mahomet...

— Craig, je suis désolée. J'aurais dû...

— Oui, vous auriez dû.

Il l'observa avec un sourire contraint et ajouta :

— Si vous me dites pourquoi vous n'êtes pas venue, je ne vous punirai peut-être pas...

— Je... eh bien, c'est-à-dire...

Elle laissa sa phrase en suspens, lui indiqua une chaise, et lui demanda s'il voulait du café.

— Je veux bien m'asseoir si vous me donnez un journal.

Elle lui tendit le *Guardian* de la veille qu'il lorgna avec amusement, avant de l'étaler avec soin sur une chaise et de s'asseoir.

— Comme vous n'êtes pas passée lundi, j'attendais un mot d'explication, reprit-il d'un ton de reproche. Est-ce qu'on n'avait pas rendez-vous ?

— Je n'avais pas promis de venir.

— Non, pas précisément, mais...

— J'ai eu un empêchement, déclara-t-elle très vite en pensant à Nick. Mon mari est arrivé juste au moment où j'allais partir. Et vous n'avez pas le téléphone, n'est-ce pas ?

— Vous auriez pu faire un saut, m'envoyer un mot.

— J'ai été très occupée, dit-elle en lui tournant le dos pour s'occuper du café. Mon travail m'a pris tout mon temps. Avec les délais à respecter, les corrections... vous savez ce que c'est.

Il eut un sourire un peu étrange.

— Non, je n'ai aucune idée de ce que vous faites dans la vie.

— Je suis écrivain.

Pendant un moment, elle pensa qu'il ne la croyait pas ; mais soudain il se détendit et fit mine d'être très impressionné. Il demanda quel genre de livre elle écrivait, et reconnut avec honnêteté qu'il entendait le nom de Natasha Crayke pour la première fois.

Elle l'étudia pendant qu'il parlait et trouva qu'il avait l'air très jeune. Avec ses longs cheveux frisés que ne retenait plus le cordon rouge, il ressemblait davantage à un étudiant qu'à un pirate. Gênée, elle détourna le regard.

— Vous êtes différente de l'autre jour, affirma-t-il soudain.

Elle sursauta. Elle passa la main dans ses cheveux qui réclamaient un shampooing, pensa à sa pâleur, et sans avoir besoin de baisser les yeux se vit dans son vieux jean et ses jambières, son sweater chaud et confortable, mais beaucoup trop grand pour elle et feutré. Puis elle se rappela que, à la première visite de Craig, elle n'était pas particulièrement bien habillée non plus.

— Vous trouvez ? demanda-t-elle avec un petit rire forcé. C'est parce que je travaille, voyez-vous — j'ai toujours l'air d'une clocharde quand je travaille !

— Ce n'est pas ce que je veux dire, répondit-il d'un ton laconique sans cesser de la dévisager.

— Alors, je ne comprends pas...

— Je veux dire que... vous êtes vous-même, c'est tout.

Il haussa les épaules et détourna le visage ; ensuite, il rencontra de nouveau le regard de Natasha et eut un sourire carnassier.

— Eh bien, pour commencer, vous ne cherchez pas à me séduire !

Natasha rougit, ce qui lui arrivait rarement, et cela le fit rire. Il lui glissa un regard de côté et ajouta :

— Je peux encore avoir envie de vous, mais...

Elle éclata de rire, soulagée qu'il accepte si facilement de la trouver dans une autre disposition d'esprit.

— Avec l'allure que j'ai aujourd'hui ? C'est un compliment !

— Oui.

Pendant un moment, il prit plaisir à la détailler. Ensuite, il déclara :

— Mais vraiment, je n'y comprends rien. Quand nous avons parlé, le premier jour...

Il se tut, secoua la tête, apparemment perdu dans un abîme de perplexité.

Elle devina que sa bonne humeur cédait la place à une certaine tension et, lorsqu'il changea de position pour la regarder bien en face, elle vit une étincelle de colère dans ses yeux.

— La première fois que nous avons parlé ensemble, reprit-il avec brusquerie, vous auriez fait fondre un iceberg. Et la semaine dernière, c'était pareil. Pourtant, ce jour-là, vous aviez même votre mari dans les jambes. A propos, comment vous avez fait pour le semer ? Je l'ai entendu qui vous appelait. Il n'avait pas l'air content.

— Je ne sais pas, marmonna-t-elle. Il avait l'esprit ailleurs, je crois.

— Il doit passer beaucoup de temps à avoir l'esprit ailleurs ! Il est aveugle, ma parole !

— Non, il est historien, répliqua-t-elle avec amertume.

— Oh, je vois. Le pauvre.

Cela lui a coupé l'herbe sous le pied, songea Natasha. Retenant un soupir, elle comprit que l'atmosphère entre eux était de nouveau plus détendue. Elle lui offrit une cigarette. Il ne fumait pas. Elle en alluma une pour elle et dit :

— Je suis désolée, Craig. Vraiment. Je ne sais pas ce qui m'a pris la semaine dernière. Il y a eu quelque chose, oui ; mais maintenant, c'est fini.

Il digéra ces paroles.

— Vous êtes une femme pleine de contradictions, hein ? déclara-t-il au bout d'un moment. J'étais convaincu que j'allais toucher le gros lot avec vous et je me retrouve gros-jean comme devant, assis dans votre cuisine, à boire un bon Dieu de café en me demandant lequel de nous deux est le plus cinglé.

Natasha essaya de sourire, mais Craig touchait de trop près un point sensible.

— Tous les écrivains sont fous, vous ne le saviez pas ? demanda-t-elle pour se donner une contenance.

— Non. Je croyais que c'étaient les peintres.

Elle rit.

— Les peintres aussi.

— Et les musiciens ?

— C'est bien possible.

Riant de nouveau et le trouvant, tout compte fait, très sympathique, Natasha changea de sujet.

— Bon, assez parlé de moi. Et vous ? Comment vont vos moutons ? Il paraît que vous avez perdu une autre brebis, le week-end dernier.

Le visage du jeune homme se rembrunit.

— Oui.

Perdu dans ses pensées, il griffa une marque sur le dessus de la table.

— Cette saleté de chien va revenir, je le sens.

— Ce n'est peut-être pas le lévrier irlandais, dit-elle vivement.

215

— Non ? Quel autre chien pourrait laisser des empreintes de cette dimension ?

Natasha soutint son regard sans broncher.

— Il y a un chien abandonné qui rôde dans les parages. Un grand chien noir. Plusieurs personnes l'ont vu.

Il eut un rire moqueur.

— Oh non, vous n'allez pas vous y mettre, vous aussi ! Le vieux Toby Bickerstaff m'a suffisamment raconté de sornettes, dimanche dernier, avec ses histoires de fantômes et tout le reste. Ce qui tue mes moutons, ce n'est pas un esprit ; c'est une bête en chair et en os qui a des pattes pareilles à celles de ce lévrier irlandais.

— Oui, je sais. Nick a vu les empreintes. Mais ce ne sont pas celles de McCoy.

— Ne me dites pas qu'il avait cinq griffes à chaque patte.

Il secoua la tête.

— Je suis sûr que ce vieux fou a inventé jusqu'aux empreintes. Il est assez fêlé pour ça.

Natasha n'avait jamais considéré cette éventualité. Mais non, c'était impossible. Nick ne se serait pas laissé duper si facilement !

— Je ne suis pas de votre avis. D'ailleurs, le vieux Toby n'est pas un si mauvais bougre, quand on le connaît un peu.

Craig Morrison lui lança un regard moqueur.

— Ah oui ? Vous plaisantez ! Je vous parie un billet de dix livres que vous le connaissez très mal.

Redevenu sérieux, il la toisa longuement sans détourner les yeux et dit :

— Il a tué quelqu'un autrefois, vous savez. Un homme qu'il a trouvé dans le bois en train de baiser sa gonzesse. Il l'a poignardé, puis lui a coupé les couilles. Il a écopé de quinze ans pour ça.

Natasha le regarda, horrifiée.

— Qu'est-ce que vous dites ?

— Il a tué un homme. Pourquoi pensez-vous qu'il habite dans cette vieille roulotte toute défoncée ? Personne ne voulait de lui à sa sortie de prison. Il peut être méchant, surtout quand il a bu. Enfin, il s'est calmé maintenant.

Le ton nonchalant avec lequel le jeune homme répondait

216

sans le savoir aux questions qu'elle et Nick s'étaient posées à propos du vieil homme avait quelque chose de terrifiant.

— Comment savez-vous ça ?

— Je suis né à Denton. J'ai passé presque toute ma vie ici. Je devais avoir dix ou onze ans quand il est sorti de prison, je m'en souviens encore. On ne parlait que de ça dans le village. Chaque fois que le vieux Toby est bourré, les gens se tiennent à carreau et parlent de ce qu'il a fait cet après-midi-là, après avoir quitté le pub...

Saisie d'un nouveau tremblement, Natasha demanda si Toby s'en était pris aussi à la femme. Craig pensait que non ; au procès, le principal témoin, c'était elle.

— Qui était-ce ? Qu'est-elle devenue ?

— Dieu seul le sait. C'est une femme qu'il avait ramenée avec lui. Elle n'était pas d'ici.

Donc elle ne comptait pas vraiment, songea Natasha avec ironie.

— Il est réellement dingo, vous devriez faire attention, ici, seule toute la journée. Votre mari le trouve peut-être sympathique, mais il ne sait pas à qui il a affaire. A votre place, je m'en méfierais.

Cet avertissement rappela à Natasha la mise en garde de Mrs. Bickerstaff contre Craig Morrison. Autre ironie. Elle songea aussi à son refus obstiné de parler du cousin de son mari. Était-ce à cause de son passé d'assassin qu'elle l'avait traité un jour de « sale vieux dégoûtant » ? Sur le moment, Natasha s'était demandé si ces qualificatifs visaient quelque perversion sexuelle ou son aspect physique ; maintenant qu'elle savait ce que Toby avait fait, Natasha comprenait mieux Mrs. Bickerstaff. Si Nick avait eu un meurtrier dans sa famille, songea-t-elle, il aurait éprouvé la même chose.

Mais ce serait difficile d'expliquer tout cela à Nick sans révéler la source de ses informations ; elle mentait mal, et il saurait lui tirer les vers du nez si elle lui paraissait trop évasive. Cette pensée lui fit jeter un coup d'œil à sa montre. Il était déjà plus de trois heures. Nick pouvait rentrer d'un instant à l'autre.

Craig se leva.

— Oui, dit-il d'un ton sec, il est temps que je m'en aille. Je ne veux pas tomber sur votre mari.

Comme elle se levait pour le reconduire, ses yeux se trouvèrent au même niveau que ceux du jeune homme. Pendant un long moment, ils se dévisagèrent — elle, légèrement sur la défensive ; lui, avec un regard rieur.

S'approchant un peu plus d'elle, il déclara :

— Je regrette que vous ayez changé d'avis...

Elle eut soudain peur qu'il l'embrasse — certaine, cette fois, de ne pas en avoir envie.

Comme elle reculait d'un pas, il l'enveloppa d'un regard froid.

— Merci pour le café. Et, si jamais vous changez d'avis, vous savez où j'habite...

En le regardant traverser la cour, Natasha sentit ses muscles se relâcher ; et lorsque le tracteur démarra en direction de Denton dans un vrombissement, elle poussa un long soupir avant de regarder sa montre. Craig était resté presque une heure. Une chance que Nick ne soit pas rentré à ce moment-là...

Natasha frissonna et retourna dans la cuisine, incapable de retrouver sa concentration. Pour se secouer, elle se mit à préparer le repas du soir ; mais, en découpant la viande avec un grand couteau de cuisine, elle ne put empêcher ses pensées de revenir sur le vieux Toby Bickerstaff et le meurtre qu'il avait commis, trente ans plus tôt. Le couteau qu'elle tenait à la main, ses mains rouges et poisseuses lui évoquèrent des scènes macabres. Révoltée, elle se dépêcha de terminer ce qu'elle était en train de faire et poussa la cocotte dans le four.

20

La semaine suivante, Nick eut l'impression de ne pas sortir de l'une de ces interminables réunions passées à médire entre collègues dont les projets favoris étaient modifiés et reportés à plus tard, tandis que des clans se formaient et se défaisaient, dans un climat hostile qui donnait le sentiment que rien ne serait résolu pour le deuxième trimestre. Et les notes administratives qui ne cessaient de s'accumuler ajoutaient à son agacement. Quant aux étudiants, leur mine s'allongeait au fur et à mesure que le trimestre s'éternisait.

Le mauvais temps n'arrangeait rien. En cinquante ans, on n'avait pas connu automne plus humide. Décembre arriva au milieu d'un déluge qui dura plusieurs jours. Des inondations se produisirent dans le pays de Galles et dans le Sud-Ouest ; et les nouvelles écluses, à York, ne purent empêcher l'Ouse de sortir de son lit et d'inonder les rues qui bordaient ses rives. Les précipitations balayaient le campus comme une pluie de mousson, en cherchant les points faibles des bâtiments au toit plat. Il fallut fermer l'un des amphithéâtres, et dans plusieurs salles de Hesketh College l'eau suintait du plafond ; les étudiants de la résidence avaient dû déménager dans des logements provisoires. Et on ne pouvait se déplacer d'un collège à l'autre sans recevoir une bonne douche ; le lac ressemblait à une mer miniature creusée par la tempête ; même les canards s'étaient réfugiés sous les buissons.

Le jeudi, Nick retourna dans son bureau, juste à temps pour pouvoir accueillir le Dr Wills. Il espérait que sa visite lui ferait oublier ses soucis. Elle arriva à l'heure. Dès que la porte s'ouvrit, il se rappela l'avoir déjà vue, mais les circonstances de cette rencontre continuaient de lui échapper. Il se sentit désolé de l'avoir obligée à monter toutes ces marches, car elle était âgée et très grosse.

Nick traversa la pièce pour saluer sa visiteuse et l'aider à se défaire de son imperméable en plastique, de son châle en cachemire et d'un gros cardigan qui devait peser plusieurs livres. L'ample poitrine du Dr Wills haletait et sa peau pâle avait rosi, mais elle le remercia assez sèchement.

Comme elle s'était fait prier pour lui communiquer ce qu'elle savait, Nick fut surpris de l'entendre entrer sans préambule dans le vif du sujet.

— Vous m'avez demandé si j'avais connaissance d'histoires de chiens fantômes dans la région de Sheriff Whenby. Je ne sais pas si c'est bien ce que vous cherchez, mais il existe une vieille légende qui a pour cadre le village de Brickhill. Ce n'est pas très loin...

— Euh, non, en effet, murmura-t-il, et il tenta de rester impassible tandis que son invitée se mettait à fouiller dans un grand cabas.

Elle en sortit une liasse de feuilles.

— Je vous ai apporté des notes que j'ai prises il y a long-temps. Vous pouvez les garder, je n'en ai pas besoin dans l'immédiat. Si vous voulez, ajouta-t-elle en les lui tendant, je peux vous les résumer. Le document probant, comme vous le verrez, date de 1720...

— De 1630, pour être exact, dit Nick impulsivement en lui coupant la parole.

Comme elle lui jetait un regard glacial, il regretta de ne pas avoir su tenir sa langue. Apparemment, le Dr Wills n'aimait pas qu'on la corrige.

— Je suis désolé, reprit-il avec un sourire. Mais je travaille sur ce sujet depuis quelque temps...

Il expliqua sur un ton d'excuse qu'il avait étudié les registres paroissiaux et lu le livre de Beauchamp.

L'expression du Dr Wills se radoucit.

— Je l'ignorais, avoua-t-elle avec un regain d'intérêt non

déguisé. La référence la plus ancienne que je possède provient du journal rédigé par un pasteur, entre 1720 et 1728.

Comme il lui demandait si elle avait connaissance de références ultérieures, elle cita trois récits, publiés au XIXᵉ siècle.

— Celui de Chambers est le plus instructif. Il a dû avoir des sources que je ne connais pas. C'est une histoire très intéressante, poursuivit-elle d'un ton vif, car elle s'inscrit dans ce qu'on pourrait appeler le schéma de la Belle et la Bête. Pardonnez-moi si je suis un peu trop simpliste, mais la bête de Brickhill n'est pas le fantôme d'un animal, c'est celui d'un homme qui apparaît sous la forme d'une bête.

Laissant échapper un soupir, Nick hocha la tête. De supposition en supposition, il en était arrivé à la même conclusion.

— Continuez.

— Eh bien, si nous revenons à ce pasteur, il note dans son journal que cette croyance est indigne d'esprits éclairés. Mais il laisse entendre que les gens du village y croyaient dur comme fer, et il fait allusion à une apparition survenue peu de temps auparavant, en 1723. Il semblerait que les gens en aient beaucoup parlé, et il remarque que les plus superstitieux considéraient la bête comme une sorte de mauvais présage. Ce qui lui paraissait le plus étrange (et, sur ce point, je suis d'accord avec lui), c'est que l'animosité des villageois était moins dirigée contre la bête que contre une femme du village.

« Une veuve. Le pasteur parle d'elle à plusieurs reprises. Vers la fin de 1723, il s'étonne de sa brusque disparition. Le bruit a couru qu'elle serait partie s'installer ailleurs.

Le Dr Wills marqua de nouveau une pause.

— Il est clair que le pasteur soupçonnait quelque chose de louche. Il a mené sa petite enquête, mais il n'a pas réussi à retrouver sa trace.

Ne sachant quoi penser, Nick secoua la tête.

— Vous dites que se serait produite une confusion entre la bête fantôme et cette femme ?

— Dans l'imaginaire populaire, oui. C'était l'hypothèse du pasteur. C'est pourquoi il était aux cent coups.

— Le pasteur de Brickhill, je suppose.

Elle parut surprise.

— Non. Si la bête est toujours associée à Brickhill, le pas-

221

teur en question s'occupait d'une paroisse voisine, Denton-on-the-Forest.

Nick resta un moment sans voix.

— Je présume, déclara-t-il enfin, que la veuve était l'une de ses paroissiennes ?

— Oui. C'est ce qui explique qu'il se soit senti si concerné par sa disparition.

Le Dr Wills regardait Nick intensément, attendant qu'il lui explique pourquoi il était si surpris. Comme il ne pipait mot, elle poursuivit sur un ton assez sec :

— Chambers, qui est plus fiable, voit dans l'apparition du chien fantôme un événement rare, indépendant des saisons, et qui se rattache plutôt à des troubles au sein de la communauté. Il donne également un nom à cette bête.

— Reynard ?

Gratifié d'un nouveau regard glacial, Nick décida que le Dr Wills n'était pas la charmante vieille dame que son apparence pouvait laisser supposer. Elle avait dû être ce genre de médecin qui déteste voir leurs malades exprimer à voix haute leur avis.

— Oui, c'est bien ça, répondit-elle comme si elle avait du mal à l'admettre. Reynard, comme le renard.

Peu désireux de lui communiquer immédiatement les résultats de ses propres recherches, Nick lui demanda si elle avait fait d'autres investigations sur ce thème. Il cita l'exemple du *Padfoot* de Charlie Cramp ; à son tour, elle nomma les noms de bêtes légendaires — *Gytrash, Skryker, Barquest* — et déclara que leurs histoires étaient communes à presque toutes les zones rurales isolées.

— La Bête de Brickhill, poursuivit-elle, comme je l'ai surnommée il y a quelques années dans une conférence que j'ai donnée pour l'Association d'éducation populaire, a certains points communs avec ces créatures, dans la mesure où elle apparaît uniquement sur des routes et des chemins isolés. Il semble qu'elle n'ait jamais été aperçue dans une clairière ou en plein champ. Mais à mon avis, ajouta-t-elle lentement, cette bête — ou cette chose — a... un caractère spécifique.

— « La chose » conviendrait peut-être mieux, dit Nick en jetant un coup d'œil à sa montre. Je crois que nous devrions aller déjeuner avant qu'il ne reste plus rien à manger...

Il prit l'écharpe et le cardigan du Dr Wills, et ouvrit la porte. Comme ils descendaient l'escalier, elle dit :

— Manifestement, je suis passée à côté de l'incident dans l'église et je suppose que je dois avoir d'autres lacunes, mais j'ai trouvé quelque chose sur la veuve.

— Ah oui ! Quoi donc ?

Nick fit un signe de tête à Flora, qui gravissait les marches, et s'arrêta pour laisser passer une bande d'étudiants.

— Eh bien, avant sa disparition, elle a été jugée pour fornication...

Au passage, Flora saisit le mot au vol ; son regard se durcit, puis elle adressa un sourire narquois à Nick et poursuivit son ascension.

— ... et elle n'a pas été condamnée. Comment expliquez-vous ça ?

— Influence ?

— A mon avis, elle a couché avec ses juges.

Nick releva les sourcils.

— Elle devait être très jolie, dit-il avec un sourire.

— Oui, je crois que c'était une très belle femme.

Un sourire aux lèvres, il précéda le Dr Wills à l'intérieur du réfectoire et choisit une table d'angle dans un coin tranquille. Lorsqu'ils furent installés, Nick devant une portion de hachis Parmentier, le Dr Wills devant quelque chose qui voulait se faire passer pour de la moussaka, elle reprit la parole :

— A mon sens, ce cas entre dans une catégorie à part, peut-être même unique.

— Vraiment ?

— J'en suis sûre, affirma-t-elle en considérant Nick de ses yeux pâles. Voyez-vous, l'apparition de ce chien fantôme ne survient pas dans un lieu précis, au cours d'une saison particulière, ni même à certains jours de l'année. Chambers estimait qu'elle était déterminée par l'existence de tensions au sein de la communauté villageoise. Pour ma part, je serais tentée de penser que l'apparition était provoquée par une personne du village, sans qu'elle en ait conscience.

Les yeux fixés sur son assiette, Nick réprima un sourire.

— Qu'est-ce qui vous fait penser ça ?

— Oh, je n'ai pas l'ombre d'une preuve, admit-elle d'un air

contrarié qui fit frémir ses joues. Mon diagnostic se fonde sur des indices très minces.

Irritée, elle attaqua ses légumes et, un moment plus tard, demanda :

— Savez-vous pourquoi la bête s'appelait Reynard ?

— Oui, je crois.

Après une légère hésitation, il palpa sa poche, en sortit la lettre de David et la lui donna à lire.

Comme le Dr Wills parcourait la feuille des yeux, Nick vit l'arc très fin de ses sourcils se soulever de plaisir.

— Mais c'est... c'est le chaînon qui me manquait ! Cela confirme ce que j'ai dit !

Nick se renfrogna. Dans ce qu'elle avait dit jusque-là, il ne voyait pas d'autre chose que des suppositions. Il voulait davantage. Ses notes seraient peut-être plus instructives. Il réfléchit un moment, puis se lança :

— Il faut que vous sachiez que la chose a été vue récemment.

Elle écarquilla les yeux et ouvrit la bouche toute ronde.

— Par vous ?

— Non, pas par moi. Par quelqu'un qui vit près de chez moi. Ma femme et moi habitons à Denton, je ne sais plus si je vous l'ai dit. En tout cas, poursuivit-il en poussant son assiette sur le côté et en prenant ses cigarettes, le vieil homme dont je parlais a toujours habité à Denton ou dans les environs. Il a aperçu la chose un soir au crépuscule, au début du mois dernier. Et, deux jours plus tard, une femme qui promenait son chien l'a vue aussi. Elle a eu une peur bleue et le chien aussi. Il faisait jour, mais il y avait du brouillard, alors nous avons pensé que son imagination lui avait joué des tours.

« Il se peut, ajouta-t-il avec prudence, que ma femme l'ait vue aussi. Sur la petite route, juste avant d'arriver chez nous, bien qu'elle jure que c'était simplement un chien noir — un labrador, ou quelque chose comme ça. Mais il était minuit passé, il pleuvait et le vent soufflait en tempête...

Il y repensa un moment avant de hausser les épaules.

— Elle a probablement raison. Ce devait être un chien.

— Et à quel endroit se sont produites ces apparitions ? Près du village, je suppose ?

224

— Dans Dagger Lane, l'ancienne route qui va de Denton à Brickhill.

Les yeux du Dr Wills s'élargirent.

— Vous croyez manifestement à ce que ces gens vous ont raconté à propos de la bête.

Avec un haussement d'épaules, Nick avoua qu'il y croyait en effet.

— Cela va à l'encontre de toute logique, mais j'y crois, oui.

Nick se demanda pourquoi il hésitait à parler des empreintes découvertes près du bois. Il décida de garder cette information pour plus tard.

Le Dr Wills tamponna les coins de sa bouche avec une serviette en papier et but quelques gorgées d'eau. Elle dit qu'elle aimerait bien voir l'endroit où c'était arrivé.

— Je serais très heureux de vous y emmener, dit Nick. Le seul problème, c'est qu'il y a cinq kilomètres de Denton à Brickhill, et la chaussée n'est pas toujours en bon état. La première partie qui descend vers le bois, ça va encore ; mais après, marcher devient plus difficile.

— Nous irons à pied jusqu'au bois, puis nous prendrons la voiture pour aller à Brickhill. Samedi matin, ça vous irait ?

Interloqué, il s'entendit répondre :

— C'est-à-dire que je suis libre mais, avec un temps pareil, vous pensez que c'est une bonne idée ?

— Mon Dieu, quelques gouttes de pluie ne nous feront pas fondre !

Il rit.

— Non, sans doute. Eh bien, c'est entendu. Disons onze heures. Ensuite, nous pourrons déjeuner au pub.

— C'est moi qui vous inviterai, dans ce cas, déclara-t-elle, les yeux brillants de coquetterie bon enfant.

En lui rendant son sourire, Nick comprit soudain qu'il éprouvait de la sympathie pour cette femme étrange. Il la regarda rassembler ses affaires, son sac et son châle, puis il griffonna son adresse et son numéro de téléphone sur un morceau de carton, et la route à suivre pour arriver jusque chez lui. D'ici là, lui déclara-t-il, il aurait lu ses notes.

Ils se quittèrent près de Hesketh College. Après quoi, Nick remonta dans son bureau pour feuilleter le dossier que Betty Wills lui avait laissé. La lecture rapide de quelques pages lui montra qu'il y avait bon nombre d'informations intéressantes, mais aussi beaucoup de répétitions. Il poussa un soupir, alluma une cigarette, et laissa ses pensées revenir sur le Dr Wills. Il ne s'étonnait plus que Sally l'ait décrite comme une originale.

A la fin de la semaine, Natasha se sentait épuisée et à bout de nerfs. Lorsque Nick lui apprit que le Dr Betty Wills passerait chez eux le samedi matin, elle se renfrogna. La raison de cette visite l'agaçait prodigieusement. Bien que Nick ne lui eût pas donné de détails, elle savait pourquoi le Dr Wills venait et trouvait ça ridicule. Chien errant ou spectre, personne n'avait rien vu depuis des semaines ; même les moutons paissaient en paix. Comme Nick déclarait qu'il avait invité le Dr Wills à marcher dans Dagger Lane, Natasha se prémunit contre une invitation éventuelle à les accompagner en déclarant qu'elle serait occupée tout le samedi.

— D'ailleurs, ajouta-t-elle, je suis sûre que tu ne tiens pas à t'encombrer d'une sceptique comme moi pendant que vous comparez vos notes.

La mâchoire de Nick se durcit, mais il ne fit aucun commentaire.

La pluie s'arrêta vendredi dans la soirée, et le samedi l'aube se leva, lumineuse et froide. Le ciel était d'un bleu délicat, sans un nuage ; le bois mettait une tache brun foncé à l'horizon ; les champs et les haies formaient un patchwork délavé d'ocre, de beige et de gris. Natasha regarda par la fenêtre avec le sentiment indigne de mourir d'ennui. Elle se serait bien promenée, mais pour rien au monde en compagnie de Nick et du Dr Wills. En se dirigeant vers la salle de bains, elle pensa qu'elle avait besoin d'une journée de repos et qu'un tour en ville s'imposait pour acheter les provisions indispensables, les cartes et les cadeaux de Noël.

Une heure plus tard, ignorant le regard noir que lui lança Nick, en train de laver sa voiture, elle lui fit au revoir de la main d'un air joyeux et décidé. Abandonne-le à ses obsessions, se dit-elle au moment où la voiture quittait la petite route cahotante et débouchait devant la pelouse communale. Aussi longtemps qu'il la laissait libre d'aller et venir à sa guise, il pouvait faire ce qu'il voulait.

21

Le Dr Wills arrangea son écharpe sur sa veste volumineuse, à l'épreuve des ronces, puis elle extirpa une canne de sa voiture. Nick remarqua avec satisfaction qu'elle portait une solide paire de chaussures en cuir et d'épaisses chaussettes en laine. Les joues roses d'excitation, elle semblait décidée à braver tous les dangers.

Comme ils longeaient la petite route, il lui parla du vieux Toby. Elle voulait le voir, lui dit-elle, pour entendre de sa bouche le récit de son aventure, l'autre soir, à la tombée du jour. Nick eut beau essayer de l'en dissuader en lui expliquant que Toby n'aimait pas beaucoup les étrangers, le Dr Wills ne voulut rien entendre. Aussi fut-il soulagé lorsque, une fois arrivé à la hauteur de la caravane, personne ne répondit à son appel. Le vieil homme devait être dans quelque pub, comme chaque week-end.

Tout à sa déception, le Dr Wills répondait d'un air distrait aux questions que Nick lui posait sur ses recherches. Il avait feuilleté ses notes la veille au soir, et les jugeait intéressantes. Elles contenaient plusieurs références à des textes qu'il n'avait pas lus. Si beaucoup de choses présentaient un intérêt secondaire, Nick avait été intrigué par une allusion au journal d'un ancien pasteur de Denton. Il aurait aimé le consulter — non tant parce qu'il croyait ce journal susceptible de lui apporter des révélations sur la bête mystérieuse que parce qu'il pouvait lui fournir les noms de familles et de propriétaires susceptibles d'éclairer l'histoire de Holly Tree Cottage. Cependant, le Dr Wills ne se décidait pas à lui dire où il se trouvait. Elle répétait qu'il s'agissait d'un manuscrit extrêmement difficile à lire et que, lorsqu'elle l'avait examiné, dix ou douze ans plus tôt, c'était chez des particuliers.

— Chez qui ? insista Nick en ayant l'impression d'être un policier en train de questionner une informatrice particulièrement peu loquace.

— Le journal de ce pasteur se trouve, ou du moins se trouvait, parmi les papiers des Norton-Clive, au manoir de Sheriff Whenby. Mais si vous avez déjà rencontré le major, vous savez parfaitement qu'il n'a pas de temps à consacrer aux gens de notre espèce.

Nick sourit, mais ne contesta pas ce point. Dans ses discours, le major Norton-Clive aimait à répéter que l'avenir requérait son entière attention et que le passé devait se débrouiller tout seul. C'était sans doute une formule politique percutante, mais il avait beau jeu de mépriser le passé après que plusieurs générations l'eurent mis à l'abri du besoin en assurant son avenir.

— Alors, comment avez-vous réussi à le voir ? demanda Nick.

— La première femme du major était une amie à moi. Nous partagions les mêmes hobbies.

Nick se demanda si le spiritisme en faisait partie. Il se rappelait vaguement avoir entendu dire que la première Mrs. Norton-Clive s'intéressait aux sciences occultes. Est-ce qu'elle n'organisait pas des séances de spiritisme au manoir ? Nick se promit de poser la question à Sally Armitage ; il lui demanderait aussi si elle savait où se trouvaient les papiers de la famille. Le major pouvait les avoir jetés.

Lorsqu'ils arrivèrent près du bois, le Dr Wills surprit une fois de plus Nick en proposant de le traverser. Il regarda sa montre, l'état du sous-bois, et enfin sa compagne ; elle avait l'air très sérieuse.

— Mais pourquoi ? demanda-t-il. D'après ce que nous savons, la chose reste sur les chemins.

— Oui, mais votre Toby l'a bien vue à la lisière du bois, et je suis sûre que ce vieux pont pourri conduit quelque part, docteur Rhodes.

Sur ce, elle brandit sa canne comme une épée et se dirigea vers le pont d'un pas décidé. Nick essaya de lui parler des souches d'orme au pied desquelles il avait découvert les empreintes, mais elle répliqua qu'ils verraient ça plus tard.

Conscient de ne pas être à la hauteur, Nick prit une profonde respiration et la suivit. Il ne pouvait faire autrement, mais il se sentait légèrement mal à l'aise au milieu de cet enchevêtrement de branches. Une fois qu'ils se furent enfoncés dans le bois, il s'aperçut avec surprise que le chemin était bien tracé, comme si des gens l'utilisaient encore de temps en temps — ou même, une seule personne, de façon régulière : Toby probablement, qui braconnait dans le coin. Par endroits, le sous-bois devenait un fouillis inextricable de fougères et de ronces qui s'agrippaient aux vêtements. Nick passa devant pour tenter de protéger le Dr Wills, mais à un moment donné il perdit la trace du sentier. C'est elle qui le retrouva et s'y engagea avec insouciance, forçant le passage à l'aide de sa canne, enjambant les obstacles avec une agilité surprenante. Le bois du Bout du Monde avait-il été un jour une plantation ? C'était difficile à dire, songea Nick. Les arbres poussaient, à présent, de façon anarchique ; beaucoup de bouleaux argentés, victimes d'un sol saturé, étaient tombés ou pourrissaient sur place. L'air était humide et froid et, en s'engageant toujours plus profondément dans le bois, ils trouvèrent des mares d'eau brune stagnante, entourées de roseaux et de souches moussues ; le soleil hivernal ne pénétrait pas jusque-là et, en été, le feuillage devait former un écran impénétrable.

Transi, Nick se demanda ce qu'ils faisaient là. Comme en réponse à cette question muette, le Dr Wills s'écria d'un ton joyeux :

— Je suis décidée à suivre ce chemin jusqu'au bout. Il n'est pas abandonné, c'est manifeste — j'aimerais savoir pourquoi.

— Je peux vous le dire, répondit-il. Les pigeons ramiers font leurs nids dans ces arbres et, de l'autre côté, il y a des lapins de garenne. Je les ai vus depuis les champs. Le vieux Toby en est friand.

— Vous n'aimez pas beaucoup les bois, n'est-ce pas ? Vous préférez les grands horizons.

— C'est exact.

Nick se représentait ses ancêtres comme des hommes de la

plaine, qui évitaient les forêts et les endroits où pouvaient se cacher les hors-la-loi et les esprits errants. Le cœur battant juste un peu plus vite, il se surprit à tendre l'oreille. Il regrettait presque de ne pas avoir le fusil de Toby.

Il se demandait combien de temps il leur faudrait pour traverser le bois, et se sentait si mal à l'aise qu'il ne remarqua pas tout de suite ce que le Dr Wills avait vu devant elle.

— Eh bien, s'exclama-t-elle soudain, je me demande comment diable on a pu apporter ça ici ?

Nick regarda par-dessus l'épaule de sa compagne : ils étaient arrivés dans une petite clairière qu'avaient peut-être utilisée des charbonniers au siècle dernier, ou des gardes-chasse à une époque plus récente. Dans un coin de la clairière se trouvait un ancien wagon de chemin de fer, de ceux qu'on utilisait autrefois pour transporter les chevaux et les bestiaux. Il était enfoncé jusqu'aux essieux et encore plus délabré que la caravane de Toby, mais on y avait percé deux fenêtres, et la porte coulissante était entrouverte. A l'intérieur, Nick crut discerner une table et une vieille chaise. Sa curiosité éveillée, il avança la tête pour jeter un coup d'œil à l'intérieur, le Dr Wills sur ses talons.

— Reculez-vous ! s'écria-t-elle soudain.

Il se retourna vers elle. Elle était aussi pâle qu'un linge.

— Qu'y a-t-il ? demanda-t-il, craignant qu'elle ne se sente mal parce que l'effort qu'elle venait de fournir avait été trop grand.

Haletante, elle s'agrippa à son bras.

— Allons-nous-en, dit-elle avec difficulté avant de repartir en direction du sentier. Il s'est passé quelque chose d'affreux, ici.

— Quoi donc ?

Il était très inquiet, à présent.

— Reynard ?

— Non, non.

Sous le couvert des arbres, elle fit une pause pour reprendre son souffle. Elle était sincèrement choquée. Ce n'était pas du chiqué. Il lui fallut au moins une minute avant de réussir à parler.

— Des violences physiques, répondit-elle enfin. Beaucoup de sang, voilà ce que je vois.

Elle leva les yeux, le regard fixe.

— Que s'est-il passé ici ? demanda-t-elle.

— Je n'en ai pas la moindre idée. Je ne savais même pas que cet endroit existait.

Elle soupira.

— Non, bien sûr, puisque vous n'aimez pas les bois. Mais quelqu'un emprunte régulièrement ce chemin...

Elle baissa la tête, incapable de poursuivre.

Déconcerté, Nick demanda :

— Vous avez dit que vous voyiez du sang. Qu'entendez-vous par là ?

Elle ne répondit pas immédiatement. Elle s'appuya contre un arbre et déclara enfin d'une voix lasse :

— Oh, mon cher, que vous êtes aveugle ! Vous ne pouvez même pas faire un effort d'imagination ?

Comme il secouait la tête, elle fit claquer sa langue avec humeur.

— Je suis douée de seconde vue, dit-elle, c'est pour ça que j'ai arrêté la médecine, depuis des années. Je ne pouvais plus supporter de voir la mort tout le temps, du moins de plus en plus souvent. Je voyais ce qui allait arriver, mais je ne pouvais rien faire, à part retarder un peu les choses, soulager la douleur, et...

Elle se tut, secoua la tête avec colère.

— C'était si éprouvant que j'ai été forcée d'abandonner mon métier.

Elle avait un tel accent de sincérité que Nick fut ébranlé.

— Je suis désolé, affirma-t-il. Je n'en avais pas la moindre idée.

Perplexe, mais certain qu'elle ne jouait pas un jeu, il ajouta :

— Vous avez toujours eu ce... don ?

Elle haussa les épaules.

— Je crois que oui. Lorsque j'étais enfant, cela se traduisait par des éclairs de conscience. Je savais quand les gens mentaient, par exemple. Mais je croyais que c'était pour tout le monde pareil. Puis j'ai découvert que cela m'était propre et j'ai pris peur. J'ai essayé de me défaire de ce pouvoir, et maintenant j'arrive à le contrôler. Mais là (elle montra du doigt la clairière) je me suis laissé surprendre.

Regardant autour de lui avec inquiétude, Nick déclara :

— Si vous vous sentez d'attaque, je pense que nous devrions rentrer.

Le sentier était trop étroit pour laisser passer deux personnes de front, mais Nick insista pour qu'elle marche devant lui. De cette façon, il pouvait l'avoir sous les yeux et avancer à la même allure qu'elle, beaucoup plus lente qu'à l'aller. Lorsqu'ils sortirent du bois, ils éprouvèrent un profond soulagement et apprécièrent de pouvoir se reposer un moment près des souches d'orme avant de reprendre le chemin de Holly Tree Cottage.

Nick alluma une cigarette, inspira profondément et tourna le visage vers le soleil.

— C'est une chance, dit-il avec un petit sourire, que nous ayons choisi une journée ensoleillée. Pour rien au monde je ne me serais aventuré là-dedans s'il avait plu ou par un temps couvert.

— Quelque chose a dû vous causer une grosse frayeur dans votre enfance, remarqua-t-elle finement en levant les yeux vers lui.

Il rit.

— C'est probable. Toutes nos peurs ont leur source dans cette période de notre vie, n'est-ce pas ?

— Je pense à une pantomime de Noël, *Les Enfants dans le bois* ; est-ce que je me trompe ?

Ce fut à son tour de la regarder fixement. Soudain, il se revit à trois ou quatre ans, perdu au milieu d'autres enfants, dans une salle obscure ; devant lui, sur la scène faiblement éclairée, deux enfants dorment sous d'énormes arbres qui agitent leurs branches semblables à des bras, remuent leurs yeux et leur bouche...

Il se rappela qu'il avait appelé sa mère en criant et, comme il pleurait à chaudes larmes, une femme l'avait fait sortir de la salle.

— Vous tombez toujours aussi juste ? demanda-t-il avec un frisson.

— Non, mon cher, mais je vois que vous êtes confronté à un certain nombre de problèmes. Vous devriez les régler avant qu'ils ne gâchent votre vie.

— Que voulez-vous dire ?

— Je ne sais pas — je suis fatiguée, répondit-elle avec aga-

232

cement. Ce genre de choses m'épuise, vous savez. Je pense que je vais avoir besoin de votre aide, déclara-t-elle en le prenant par le bras.

Elle était pâle et paraissait exténuée. Elle avait perdu son entrain et, tandis qu'ils montaient à pas lents la pente, elle pesait de tout son poids au bras de son compagnon. Aux approches de la caravane, Nick fut soulagé de voir qu'il n'y avait toujours aucun signe de Toby.

— D'après vous, c'est ce Toby qui emprunte le sentier ? demanda le Dr Wills quand ils furent un peu plus loin.

— Oui, c'est certainement lui. Je ne vois pas qui cela pourrait être d'autre.

— Alors, il n'est pas étranger à ce qui s'est passé.

— Aux actes de violence ? Au sang ? C'est un braconnier, vous savez ; il tue des oiseaux, des animaux.

Elle eut un geste dédaigneux.

— Non, déclara-t-elle, je veux parler de violences commises sur des êtres humains. Il s'agit de viol, de meurtre.

Loin du bois, cela paraissait inimaginable. Et plus encore de penser que le vieil homme, que Nick voyait presque tous les matins, pouvait avoir été mêlé à des actes criminels. Nick était obligé de reconnaître qu'il avait fini par le trouver sympathique.

— Pour l'amour de Dieu, dit-il avec lenteur, vous êtes sûre de ce que vous affirmez ? Je connais Toby, je...

— J'en suis sûre, répondit-elle froidement. D'ailleurs, c'est peut-être lui le fameux Reynard.

— Oh, docteur Wills, vous ne croyez tout de même pas...

— Oui, je sais, vous êtes un sceptique. Comme la plupart des hommes. Mais je vous assure qu'il y a des gens par ici qui attirent cette bête. Qu'ils en aient conscience ou non n'y change rien. Elle rôde et ne partira pas tant qu'elle n'aura pas eu ce qu'elle voulait.

— Et que veut-elle ?

— Je ne sais pas bien, avoua-t-elle comme ils arrivaient.

Nick la précéda à l'intérieur de la maison et prépara du café. Le Dr Wills demanda un remontant et Nick alla chercher du cognac. Il s'en versa également une goutte.

Reprenant la conversation, le Dr Wills déclara :

— Voyez-vous, il se peut que cette bête ou cette chose

continue de poursuivre ses proies, à moins qu'elle n'ait dégénéré en une sorte de charognard qui se nourrirait de choses moralement pourries.

Bien qu'ils eussent franchi les frontières de la logique depuis près d'une heure, Nick n'était pas prêt à s'aventurer plus loin. Pas encore, en tout cas. Il cherchait toujours à comprendre ce qui s'était passé dans le bois.

Pour la ramener sur ce sujet, il demanda :

— Mais quel rapport avec la clairière ? Vous pensez qu'il y en a un ?

Elle réfléchit un moment, avala un peu de cognac.

— A mon avis, non. C'est trop récent pour ça. A moins que...

Elle se tut, secoua la tête.

— J'allais dire : à moins que la bête ne l'ait en quelque sorte provoqué ; mais ce serait assez fou, j'en ai peur.

Ce commentaire amena un sourire sur les lèvres de Nick, un sourire un peu triste. C'était la première fois qu'il avait affaire à une voyante. Avant sa rencontre avec le Dr Wills, il aurait dit que les extralucides étaient en général des charlatans ; pourtant, le Dr Betty Wills ne lui donnait pas l'impression de chercher à le tromper. Elle était certainement douée d'une sorte de perception extrasensorielle ; il mettait simplement en doute les conclusions auxquelles elle aboutissait. Si elle avait raison, réfléchit-il une fois seul, alors cette chose était douée de sensations et d'une volonté propres, ou bien soumise à quelque autre force sensible qui lui permettait au moins de réagir. Et une réaction impliquait une forme de vie.

C'est ce qu'il trouvait le plus difficile à accepter. Que la bête puisse être le fantôme de Reynald de Briec, condamné à errer sur terre sous la forme d'un chien errant pour l'éternité, Nick n'était pas loin de le croire ; mais le reste lui paraissait par trop incroyable. Que cet animal puisse être davantage qu'un simple esprit, qu'il ait une réalité tangible, des sensations, se nourrisse de la vie des autres et provoque le mal autour de lui, comme le Dr Wills semblait le suggérer, Nick ne pouvait le concevoir. A l'instar du vieux pasteur de Denton, il sentait que de telles croyances étaient indignes d'esprits éclairés.

22

Les questions que Nick ne cessait de retourner dans sa tête le rendaient nerveux. Il aurait eu besoin d'en parler avec quelqu'un, de préférence avec Natasha. Jusque-là, chaque fois qu'il lui avait fait part de ses réflexions ou de ses doutes sur tel ou tel point, elle s'était montrée une auditrice attentive. Elle connaissait le jargon des historiens et comprenait souvent à demi-mot ce qu'il voulait dire. Parfois, le simple fait de formuler une pensée encore floue permettait à Nick de la préciser ; il arrivait aussi que Natasha l'interrompe et lui dise carrément qu'il partait dans une mauvaise direction, notamment lorsqu'il s'agissait d'un problème concernant la politique du collège ou un problème psychologique, songea-t-il avec un sourire.

Cet aspect de leur relation lui manquait. Il se demanda si à elle aussi cela manquait. Natasha avait toujours été une amie pour lui. Bien plus que sa première femme, qui parlait beaucoup mais ne savait pas écouter ; Bernice ne s'intéressait pas aux problèmes des autres, sauf lorsqu'ils la concernaient directement ; mais, même dans ce cas, elle était toujours pressée de passer à autre chose. A la longue, Nick avait renoncé à essayer d'expliquer les choses ; il n'avait plus cherché son appui, même sur la question de leur mariage. Il cessa également de l'écouter. Les mots glissèrent sur lui et firent partie du fond sonore de la vie familiale.

Natasha n'aurait pu être plus différente. Elle était calme, posée, sensible là où Bernice était impétueuse et véhémente ; et, à la différence de sa première femme, elle aimait échanger avec lui des idées. Souvent, lorsqu'elle travaillait à son roman, elle s'arrêtait pour faire du thé et en profitait pour lui soumettre un projet d'intrigue.

— Imagine que tu te trouves dans cette situation, disait-elle, comment réagirais-tu ?

Il donnait son avis, elle réfléchissait puis s'en allait, le problème apparemment résolu. Il avait adoré ça, car cela lui donnait non seulement le sentiment de lui être utile, mais aussi qu'elle avait besoin de lui autant qu'il avait besoin d'elle pour tester de nouvelles idées. Ni l'un ni l'autre n'aimant beaucoup les mondanités, ils s'étaient plu à mener une vie paisible ; ils écoutaient de la musique, allaient au restaurant, parfois au théâtre ou au cinéma. Même leurs silences étaient conviviaux. A l'inverse, maintenant que leur bonne entente n'était plus qu'un souvenir, la maison était silencieuse et leur absence de conversation évoquait une trêve entre deux armées. Chaque fois qu'il pénétrait dans la maison, Nick sentait de l'orage dans l'air.

Dans la maison vide, il tournait comme un lion en cage. Il avait envie de changer de décor et de bavarder avec quelqu'un d'équilibré et de subtil, capable de l'aider à y voir plus clair dans l'entrelacs des idées folles qui l'obsédaient.

Il se versa un grand whisky, alluma une cigarette, et arpenta la pièce en réfléchissant à ce qu'il pourrait bien faire. Il pensa à Giles mais, un samedi, il serait sans doute avec Fay ; alors, Nick songea à Sally.

Il avait besoin de savoir certaines choses et il était sûr qu'elle pourrait lui apporter quelques réponses ; il hésita pourtant. Il aurait aimé l'inviter à dîner mais, étant donné son état d'esprit, cela lui parut malhonnête. En allant téléphoner, Nick jugea qu'il valait mieux lui proposer de passer au musée le lendemain. Elle le lui ferait visiter, et ensuite ils prendraient le thé ensemble ; rien ne pouvait être plus innocent.

Mais il avait oublié qu'elle le connaissait très bien. Il ne s'était pas écoulé une minute qu'elle dit :

— Je te trouve bien bizarre. C'est le Dr Betty qui te fait cet effet-là ?

Il rit en éludant la question, mais Sally était tenace. Un moment plus tard, elle revint à la charge :

— Pourquoi ai-je l'impression que tu es seul chez toi et en pleine déprime ?

Il rit de nouveau, gêné par tant de perspicacité ; mais il lui en fut également reconnaissant.

— Tu as peut-être un sixième sens, répondit-il.

Il y eut une légère pause.

— Dans ce cas, pourquoi ne viens-tu pas me voir ? proposa-t-elle d'un ton léger. Je voulais t'appeler, justement. En fouillant dans la bibliothèque, cet après-midi, j'ai trouvé deux livres susceptibles de t'intéresser. Si tu passes, tu pourras y jeter un coup d'œil, puis m'inviter au restaurant pour me remercier de tout le mal que je me suis donné. Je n'ai pas envie de faire la cuisine.

A l'autre bout de la ligne, Nick sourit, soulagé.

— Tu es prête ? Je serai chez toi dans une heure.

Ayant noté la route à suivre pour parvenir jusqu'à la maison de Sally dans Ghylldale, Nick monta se doucher et se changer. Sa montre indiquait déjà cinq heures passées. S'il voulait partir avant le retour de Natasha, songea-t-il avec un vif sentiment de culpabilité, il ne devait pas traîner.

Il était en train de nouer sa cravate dans la chambre lorsqu'il entendit une voiture s'arrêter dans l'allée. Il enfila sa veste et regarda dans la cour depuis la fenêtre du palier. Natasha, chargée de plusieurs sacs en plastique pleins à craquer, descendait de voiture. Il étouffa un juron et se tritura les méninges pour trouver une façon de partir sans dire où il allait.

Se doutant qu'elle serait fatiguée et de mauvaise humeur comme presque chaque fois qu'elle revenait de ce genre d'expéditions, il lui prit les sacs des mains et s'arma de courage afin de ranger les provisions pendant qu'elle garait la voiture dans la grange.

Lorsqu'elle rentra, il mettait les biscuits et les céréales dans un placard, les boîtes pour le chat dans un autre.

— A propos, dit-il sans se retourner, il faut que je sorte ce soir.

Avant qu'elle ait le temps de demander où il allait, il se hâta d'ajouter :

— Le Dr Wills m'a donné quelques pistes intéressantes. J'ai envie de les exploiter tout de suite.

— Un samedi soir ? demanda Natasha d'un ton sarcastique en lui jetant un coup d'œil.

Ses yeux noirs étaient pleins de reproche. Par contraste avec sa peau à la pâleur délicate, ils paraissaient plus grands, ses cils plus longs. Nick sentit son cœur s'arrêter puis se remettre à battre plus vite, le laissant sans voix ; il se dit qu'il aimait sa femme, et se demanda pourquoi il s'apprêtait à inviter Sally Armitage au restaurant.

Mais il se rappela que Natasha ne le désirait pas et, faisant mine d'être pressé, il s'arracha à son regard pathétique.

— Oui, répondit-il avec brusquerie, et comme je dois me rendre à Newcastle, je ferais mieux de me dépêcher.

— A Newcastle ? Tu connais quelqu'un à Newcastle ?

— Un ancien collègue, dit-il en pensant à David, qui enseignait à Bristol, un médiéviste. Tu ne le connais pas.

Elle fit une pause avant de demander :

— Tu rentreras ce soir ?

— Oui, j'imagine. Mais tard. De toute façon, ajouta-t-il en se dirigeant vers la porte, j'ai mes clefs.

— Nick !

Déjà dans la véranda, il se retourna. Elle se tenait dans le vestibule, toute raide, et sa silhouette se découpait dans la lumière qui venait de la cuisine.

— Nick, que se passe-t-il ?

L'ironie de cette question le fit pousser un soupir.

— C'est ce que j'essaie de découvrir.

— Je... je ne veux pas parler de...

En entendant cette voix hachée qui lui faisait mal, il durcit son cœur et déclara :

— Le problème, c'est que tu ne veux pas savoir, Natasha. Moi si.

Tremblant de froid, elle se frotta les bras et se détourna.

— Oh, après tout, ça n'a pas d'importance.

Mais c'était très important, au contraire. Vital, même.

Lorsqu'il arriva au cottage de Sally à Ghylldale, il se demandait si cette visite était bien sage. Mais il accepta un verre avec plaisir et fut agréablement surpris de voir que Sally se conduisait avec lui comme s'ils étaient restés en contact au cours des cinq dernières années, au lieu de quelques brèves et rares rencontres. Il y avait au moins dix-huit mois qu'ils ne s'étaient vus. Cependant, elle parlait du musée et lui faisait visiter son minuscule quatre-pièces avec un entrain bon enfant qui le désarma et lui fit du bien.

C'était une demeure aussi fascinante qu'une maison de poupée de l'époque victorienne ; elle regorgeait de souvenirs d'époque que Sally collectionnait depuis des années, mais les plafonds bas et la faible hauteur des portes révélaient qu'elle avait été construite pour des gens beaucoup plus petits que lui. Plus petits, et moins exigeants en ce qui concernait leur espace vital ; des gens qui avaient dû travailler comme domestiques au manoir datant de l'époque de Jacques Ier, juste à côté, et abritant le musée de Ghylldale.

En regardant par la fenêtre, Nick frissonna à la vue des vieilles bâtisses qui se dressaient par-delà le minuscule jardin de Sally. Il était étrange de penser que, parmi toutes ces habitations restaurées, la plus vieille, construite au XIVe siècle, était vide. Nick aurait voulu savoir si Sally n'avait jamais peur ; au lieu de ça, il lui demanda si elle ne se sentait pas seule. Quelque chose vacilla dans le regard de la jeune femme, comme s'il avait touché un nerf sensible.

Elle était assez honnête pour l'admettre.

— Oui, parfois, dit-elle.

Elle s'éloigna de lui et se versa un autre whisky. Nick secoua la tête ; quoi qu'il se passe, il devait absolument reprendre le volant le soir même.

Après s'être rassise avec son verre à la main, elle éclata de rire.

— J'aime mon travail. Je n'ai jamais été aussi heureuse, aussi satisfaite ; mais on se sent très loin de tout, ici. Les gens sont adorables, empressés, serviables... Ce sont de vrais amis. (Elle rit de nouveau.) Seulement, je serai toujours une étrangère. Tu sais comment c'est.

Oui, il connaissait cette forme de solitude. A York, au musée du château, Sally était entourée de personnes semblables à elle ; malgré un sentiment d'étouffement dont Nick avait fait lui-même l'expérience à l'université, elle ne passait pas pour une originale, une sorte de phénomène. Alors qu'ici être une femme célibataire et belle, féministe et pacifiste faisait d'elle une personne à part.

Il voulait la réconforter, mais doutait d'y parvenir avec des mots. Il eut un sourire étrange, essaya de plaisanter.

— Tu devrais peut-être te marier, Sally, c'est la seule façon de se faire accepter à la campagne !

— Toi, le mariage te réussit ? demanda-t-elle sèchement.

— Bof !

Il leva son verre à l'adresse de Sally.

— Touché, miss Armitage !

— Tu as envie d'en parler ?

— Non, répondit-il en secouant la tête. Merci, mais je n'y tiens pas.

Elle l'observa un long moment.

— Mon Dieu, Nick, que tu es buté ! Tu n'as donc toujours pas appris à parler de ce qui ne va pas ? Après tout le mal que je me suis donné, il y a cinq ans, je pensais que tu pouvais communiquer plus facilement, surtout avec les femmes. Ne fais pas cette tête-là, ça ne prend pas avec moi, tu devrais le savoir, depuis le temps !

Il se mit à rire, et la tension entre eux se dissipa.

— Très bien, je m'avoue vaincu. C'est gentil à toi, Sally, mais je ne veux vraiment pas en parler. J'ai besoin de tes lumières sur un tout autre sujet. Voilà... (Il jeta un coup d'œil à sa montre.) Au fait, je meurs de faim. On ne pourrait pas aller au restaurant maintenant et discuter en mangeant ?

— Mais si, bien sûr.

Elle vida son verre.

— On peut aller au pub à pied — ils ont une salle de restaurant ravissante et la nourriture est succulente.

Il l'aida à passer sa canadienne en soulevant la natte blonde qui lui arrivait au milieu du dos. Il se rappela qu'elle avait de beaux cheveux, qui ondulaient naturellement en vagues douces lorsqu'elle les laissait libres.

Chez cette femme énergique, douée de sens pratique, c'était un trait romantique inattendu, et presque sa seule vanité, songea Nick avec un sourire. Porté par un brusque élan de tendresse, il la serra brièvement contre lui.

— Au cas où j'aurais oublié de te le dire, déclara-t-il, je suis très content de te revoir.

— C'est drôle, répliqua-t-elle en pouffant, j'allais dire la même chose !

Ils sortirent dans la nuit froide, sous le ciel piqueté d'étoiles ; une odeur de bruyère montait de la lande. Nick inspira profondément, puis expira lentement, conscient de la paix alentour et de l'absence de tension. Accrochées aux flancs escarpés de la vallée, les maisons de Ghylldale mettaient çà et là des bouquets de lumière, mais le silence n'était rompu que par le murmure du vent et le glouglou d'un ruisseau en contrebas. Des formes rappelant de grosses pierres rondes n'étaient ni plus ni moins que des moutons, serrés les uns contre les autres pour se tenir chaud ; et, de l'autre côté du pont, devant l'auberge du village, les lumières scintillantes d'un arbre de Noël invitaient à entrer. C'était le genre d'endroit que Nick aimait, et il comprenait que Sally s'y plaise. Il se demanda s'il pourrait vivre lui aussi si loin de tout et exercer le même métier qu'elle. Il en doutait.

Cette petite marche lui avait aiguisé l'appétit. Ils allèrent directement dans la salle à manger ; Nick choisit une soupe de céleri, et un bifteck ; Sally commanda un pâté et un poulet chasseur, et déclara qu'un vin rouge lui conviendrait parfaitement.

Il se mit à rire.

— Tu n'as pas oublié...

— Bien sûr que non. Je me souviens de beaucoup de choses sur ton compte, Nick Rhodes. Nous avons passé de bons moments ensemble et nous nous sommes quittés en bons termes — c'est assez rare.

— Tu trouves ?

— Oui. Beaucoup d'hommes se font des idées fausses. Ils s'imaginent que, parce que je ne suis plus toute jeune, je meurs d'envie de me fixer. Ils décident qu'ils sont amoureux, puis sont incapables de comprendre à quel moment il faut tirer un trait.

Elle lui adressa un sourire affectueux et lui effleura la main.

— Toi, tu n'étais pas comme ça.

— Non, mais je peux comprendre pourquoi les hommes tombent amoureux de toi...

241

Il la regarda un long moment ; une rougeur monta aux joues de Sally et une lumière éclaira ses yeux, des yeux bleu clair qui reflétaient toutes les nuances de sa pensée, aussi rapides à pétiller de malice qu'à se figer de dédain.

Contrairement aux yeux de Sally, ceux de Natasha étaient aussi sombres, lisses et opaques que le chocolat noir. Natasha pouvait cacher facilement ses sentiments, alors qu'on voyait en Sally comme dans une eau limpide.

En observant Sally tandis qu'ils parlaient, mangeaient et parlaient à bâtons rompus, Nick sentit qu'elle le trouvait toujours très séduisant et cela mit un baume sur son âme blessée. Il la soupçonnait aussi d'avoir envie de faire l'amour avec lui, et cette découverte augmenta le plaisir qu'il prenait à sa compagnie. Il eut soudain très envie que le dîner se termine et qu'elle l'invite à prendre un café chez elle ; la conversation roula alors sur Bernice et leur divorce, et Nick comprit la gravité de la situation. Il se rappela un repas avec Natasha, des années auparavant. Un mélange d'innocence et d'aveuglement s'était soldé par des années de tristesse et de complications émotionnelles dont il ne s'était pas encore complètement remis. Il n'était pas sûr de pouvoir repasser par tout ça.

Sally sentit le changement qui s'opérait en lui, de même qu'il avait perçu chez elle, un peu plus tôt, un sentiment de solitude et son désir de trouver une détente dans l'acte sexuel.

— Qu'est-ce qui ne va pas ? demanda-t-elle comme ils retournaient vers le cottage et la voiture de Nick.

Il voulut s'en sortir par une boutade, mais cela lui parut indigne.

— A part toi, tout va mal, répondit-il d'un air accablé.

Ils marchèrent en silence jusque chez Sally.

— Entre un moment. Il n'est qu'un peu plus de dix heures et je pense vraiment que tu as besoin de parler...

Nick n'aurait pu trouver meilleure confidente que Sally, car elle connaissait les raisons qui avaient conduit Nick à se séparer de sa première femme, et semblait comprendre à quel point il se sentait perdu. Elle se montra compatissante, fit du café, posa les questions qu'il fallait et partagea son paquet de cigarettes avec lui ; mais il avait du mal à commenter une situation qu'il ne comprenait pas lui-même. Le fait que Sally n'eût jamais rencontré Natasha compliquait encore les choses.

« Mais ta femme a toujours été un peu étrange, n'est-ce pas ?
disait Sally. Du moins, c'est l'impression que j'avais quand tu
me parlais d'elle. »

Il voulait lui expliquer qu'elle n'était pas étrange mais unique. C'était quelqu'un d'exceptionnel qui lui avait apporté un
grand bonheur ; seulement, pour le moment la douleur
l'emportait sur le reste. Il voulait dire que leur manque de
compréhension venait de lui. S'il trouvait le moyen de se faire
comprendre d'elle, alors peut-être tout s'arrangerait.

Mais il était trop malheureux. Un sentiment d'échec lui
paralysait la langue, et lorsque Sally, devinant son chagrin,
s'approcha de lui et le prit dans ses bras, il ne la repoussa
pas.

23

Lors d'une pause dans le déroulement de l'histoire, Natasha bâilla, s'étira et se frotta les yeux. Bien que le cendrier fût déjà plein, elle alluma une nouvelle cigarette et poussa la machine à écrire sur le côté. Je suis si fatiguée, songea-t-elle, si lasse. Elle resta un moment assise, la tête entre ses mains, puis elle rassembla ses forces et se leva. D'un pas chancelant, elle traversa la pièce, heurta le montant de la porte et continua dans le salon en direction de la cuisine. Une fois qu'elle eut mis l'eau à bouillir, elle regarda sa montre ; il était plus d'une heure du matin !

Prise de panique, elle se précipita dans son bureau et rassembla une demi-douzaine de pages tapées à la machine, qu'elle fourra dans une chemise en papier kraft. Nick allait bientôt rentrer et elle ne voulait pas qu'il sache ce qu'elle avait fait. Elle retira le cendrier, souffla sur le bureau pour chasser la cendre, ouvrit quelques paquets de cartes de Noël et les étala pour tenter de donner l'impression qu'elle avait passé son temps à écrire des lettres de vœux. Demain matin, se dit-elle, il faudra que je fasse quelques enveloppes.

Après avoir alimenté la chaudière et mis le thermostat en position nuit, Natasha monta se coucher. Elle était trop fatiguée pour lire. Elle s'endormit dès que sa tête toucha l'oreiller.

Lorsque Natasha se réveilla, l'arôme du café chaud lui chatouilla les narines. En s'asseyant dans son lit, elle remarqua que les rideaux étaient tirés et que les rayons d'un soleil hivernal, bas à l'horizon, éclairaient le pied de son lit. Elle regarda le réveil et découvrit avec stupeur qu'il était presque midi. Bien qu'elle eût dormi plus de dix heures, elle éprouvait une telle lassitude, elle avait la tête si lourde qu'elle se sentait incapable de se lever, de parler ou de prendre la moindre décision.

Elle avala une gorgée de café en pensant à la virée de Nick à Newcastle. Le seul médiéviste dont elle se souvenait donnait des cours à Bristol. Ce ne pouvait donc pas être lui. Mais cet ancien collègue était peut-être une femme, après tout, une femme qu'il avait rencontrée autrefois et que Natasha ne connaissait pas. C'était possible, mais son esprit demeurait trop confus pour former de vrais soupçons. Quoi qu'il en soit, elle ne l'avait pas entendu rentrer.

Natasha prit sa robe de chambre. En s'enveloppant dedans, elle aperçut son reflet dans le miroir et poussa un grognement. Ses cheveux étaient ternes et auraient eu besoin d'une bonne coupe, son visage gardait des traces du maquillage de la veille et les creux derrière ses clavicules étaient aussi profonds que des salières. Elle faisait peur à voir. Maigrir ne l'avait jamais avantagée et, avec les angoisses des dernières semaines, elle avait perdu plus de kilos qu'en suivant un régime draconien.

Elle alla dans la salle de bains et se lava le visage ; mais les marques autour de ses yeux n'étaient pas un reste de maquillage, c'étaient des ombres sous la peau, des bleus qui la rendaient presque décharnée. Elle injuria l'image que lui renvoyait le miroir, mais se promit de prendre du repos. Il n'y avait pas de raison qu'elle se laisse dévorer par cette histoire ; elle avait besoin de se refaire une santé.

Sur le palier, il y avait une odeur alléchante de bacon en train de frire. La voix de Nick lui parvint de la cuisine : il préparait des sandwiches au bacon et lui demandait si elle en voulait un. Elle avait très faim tout à coup, et la pensée de se faire dorloter lui donna envie de retourner se coucher ; elle brossa ses cheveux, essaya d'en tirer le maximum, et posa sur ses pommettes et ses lèvres livides une touche de fard corail, juste assez pour que cela paraisse naturel ; elle ne voulait pas donner à Nick l'impression qu'elle avait accompli un effort particulier pour le petit déjeuner au lit.

Il arriva quelques minutes plus tard. Natasha le remercia pour le sandwich et le café tout en l'observant. Il portait un pantalon noir et un pull en grosse laine torsadée dont les dégradés de vert s'accordaient avec la couleur de ses yeux. Il se dégageait de sa personne une force et une chaleur qui inspiraient confiance. Et il avait un charme fou. Elle aurait voulu se pendre à son cou et qu'il la serre dans ses bras ; presser son visage contre sa large poitrine, avouer qu'elle était malheureuse comme les pierres, et regrettait son attitude avec lui. Elle aurait aimé lui parler de l'histoire qu'elle écrivait, car elle commençait à soupçonner que cela dépassait le cadre d'un banal roman d'amour. Certains détails étaient au moins aussi inquiétants que sa compulsion à l'écrire.

Mais Nick semblait ignorer les angoisses de Natasha. Cela faisait longtemps qu'il n'avait pas eu l'air aussi détendu. Il sourit au soleil, demanda si elle avait besoin d'autre chose, et lui dit de rester au lit autant qu'elle le désirait.

Natasha tiqua.

— Ça s'est bien passé à Newcastle ? demanda-t-elle.

— Oui, très bien, répondit-il d'un air désinvolte en se tournant pour regarder par la fenêtre. Oh là là ! le jardin est dans un état... Il faut absolument que je fasse quelque chose, au printemps.

— Tu as trouvé ce que tu voulais ?

— Oui. J'ai appris pas mal de choses sur Brickhill et le bonhomme qui a fait construire le château. Et, en plus, poursuivit-il en se retournant vers elle, je sais maintenant où se trouvent les papiers des Norton-Clive. Tu ne devineras jamais ! Ils ont été confiés l'année dernière à l'Académie d'histoire de la division nord du comté d'York ! On peut dire qu'ils ont bien gardé le secret. J'en parlerai à Freddie Kirkpatrick quand je le verrai.

Natasha fronça les sourcils et se demanda ce que les Norton-Clive venaient faire dans cette histoire.

— A quelle heure es-tu rentré ? questionna-t-elle, bien décidée à ne pas laisser dévier la conversation. Il devait être très tard.

Nick s'arrêta près de la porte.

— Il était minuit passé quand je suis parti de là-bas, alors j'ai dû arriver ici vers deux heures du matin. J'espère que je ne t'ai pas réveillée ?

— Non. C'était juste pour savoir.

Dès qu'elle eut terminé son sandwich, Natasha se précipita sur le palier. De la cuisine lui parvint le bourdonnement de la machine à laver. C'était un détail insolite, car Nick ne s'occupait jamais du linge, sauf s'il avait besoin d'un survêtement propre...

Elle alla dans la salle de bains et regarda dans le panier de linge sale. Il n'y avait que quelques sous-vêtements et des paires de chaussettes. Dans la grande chambre à coucher, aucun habit ne traînait. Chemises et caleçons étaient bien rangés.

De quoi pouvait-elle l'accuser ? De se montrer serviable ? Mais ne s'employait-il pas à présent à effacer des traces compromettantes — parfum, rouge à lèvres ou n'importe quoi d'autre ? Cet ancien collègue pouvait fort bien être une femme ; elle avait peut-être répondu à quelques-unes des questions qui le tracassaient, mais Natasha fut soudain sûre et certaine qu'elle avait satisfait d'autres demandes.

Elle sentit ses genoux se dérober sous elle et se laissa choir sur le lit fait, comme si elle tombait d'une grande hauteur. Le choc passé, son esprit se mit à galoper, ses anciens soupçons s'ajoutant aux nouveaux. Que disait-on à propos de l'infidélité ? Un homme qui a trompé une femme trompera les autres. C'était vrai. Et ne disait-on pas qu'on payait toujours ses fautes un jour ou l'autre ? Natasha savait qu'elle avait fait souffrir Bernice Rhodes pendant des années, et par conséquent ses fils.

Avant que sa douleur ne devienne insupportable, elle s'habilla en hâte et attrapa au vol les clefs de la voiture. Il fallait absolument qu'elle sorte, qu'elle quitte cet endroit avant de s'effondrer.

Lorsqu'elle revint en fin d'après-midi, Nick voulut savoir où elle était allée, et pourquoi elle était partie à toute vitesse, sans un mot d'explication.

— Je suis sortie, dit-elle en le regardant droit dans les yeux. J'avais besoin de prendre l'air.

— Pendant trois heures ?

— Pourquoi pas ? Tu t'es bien absenté huit heures, hier soir !

Il tourna la tête, l'air penaud, et monta dans son bureau. Après le dîner, lorsqu'il fut retourné travailler, Natasha alluma une cigarette et essaya de se détendre. Elle était de nouveau à cran. Sa tristesse avait cédé la place à l'agacement et au ressentiment. Elle en voulait toujours à Nick de sa conduite à la fête de Halloween. De plus, sa présence lui était à ce point insupportable qu'elle avait été obligée de quitter la maison dans l'après-midi, et à présent elle ne pouvait chercher un réconfort dans son propre travail. Elle avait hâte de retrouver Sarah et le monde dans lequel la jeune fille évoluait. Si la vie, à cette époque, était plus pénible, elle était aussi moins compliquée, dans la mesure où les questions de l'honneur et de la vertu étaient plus nettement définies.

Incapables de rester inactive, Natasha, se réfugia dans son bureau et ferma la porte derrière elle. Elle pouvait au moins lire son manuscrit, et peut-être continuer à avancer lorsque Nick se serait couché...

L'hiver, cette année-là, ne fut pas très rigoureux, mais il me parut inhabituellement long. Les restrictions, imposées par le mauvais temps, m'irritaient plus que jamais ; je maudissais la pluie et le froid. C'était pire que la neige, car avec la neige venait le gel, et du moins l'air était sec. Mais, cet hiver-là, nous restâmes près du feu à écouter Mercy se plaindre de ses rhumatismes et Polly de ses engelures. Le vieux Samuel, quant à lui, inquiétait tout le monde à propos des chevaux. Ils étaient, à vrai dire, aussi malheureux et de mauvaise humeur que leurs maîtres. Même les chiens traînaient comme des âmes en peine, la tête basse, en exhalant des soupirs à crever le cœur.

Pendant le Carême, le Nidd déborda, envahissant les

champs et rendant les routes impraticables. Nous apprîmes que York était inondé. Des gens périrent noyés et des animaux furent emportés. Par chance, la maison de nos parents, les Piper, était construite sur une hauteur. Cela ne les empêcha pas de se réjouir de l'arrivée du printemps autant que leurs cousins de la campagne et d'être aussi impatients qu'eux de célébrer Pâques.

La fête tombait tard, cette année-là, et lorsque nous allâmes en ville, toute trace d'inondation avait disparu, et le printemps était déjà bien avancé. Cela me rendait aussi joyeuse et nerveuse qu'une jeune pouliche ; j'étais impatiente de croquer la vie, mais je manquais de confiance en moi. Tout l'hiver, j'avais pensé à Richard Stalwell, et il continuait d'occuper mes pensées. Je me demandais s'il trouverait le temps de passer chez les Piper pendant que je séjournerais chez eux. Cela paraissait improbable, car le printemps était pour les fermiers une saison où les tâches ne manquaient pas et mon père ne pouvait rester à me tenir compagnie en ville. Comme mon séjour devait durer trois semaines, je voulais aider de mon mieux ma tante dans la maison, rendre visite à mes cousins, et me faire confectionner de nouveaux habits. Que je voie ou non Richard, j'étais résolue à me distraire agréablement.

Je ne fus pas déçue et, à ma grande surprise, je vis également Richard plusieurs fois : diverses raisons le retenaient semble-t-il en ville.

Bien qu'il portât encore le deuil, il était moins sombre qu'à Noël, et vêtu de vestes brodées que je trouvais toutes plus belles les unes que les autres. Et il était très prévenant envers moi, ce qui me flattait, malgré la crainte qu'il m'inspirait. Il faut dire qu'il avait dix ans de plus que moi, qu'il était élégant, instruit, et propriétaire de sa ferme et de ses terres. Sans compter qu'il avait été marié à la belle Caroline, aux cheveux noirs et au teint délicat. Je ne pouvais espérer rivaliser avec elle, pas même à cette époque de l'année, car, malgré ma pâleur, j'avais des taches de rousseur sur le nez et, si j'avais commencé à prendre des formes, j'étais loin d'être ce qu'on appelle une fille appétissante.

J'aurais tant voulu être belle et bien en chair, plus âgée que je ne l'étais, et capable de jouer avec mes yeux et mon éventail, comme mes cousines ! Je n'avais pour moi que ma robuste santé et mes espérances d'avenir. Des attributs que j'imaginais fort répandus. Richard Stalwell n'aurait pas de mal à trouver une nouvelle épouse dans la douzaine de paroisses autour d'York, et sans doute le ferait-il dès qu'il se sentirait prêt. Je ne comprenais pas pourquoi tante Margaret s'obstinait à me faire parader devant lui dans mes nouveaux habits.

Mon père vint me chercher à la fin de mon séjour. Sur le chemin du retour, nous parlâmes de choses et d'autres, mais surtout de Richard Stalwell. Pendant mon absence, mon père avait dû se rendre à Sheriff Whenby pour affaires et il était rentré chez nous en effectuant un crochet par Denton-on-the-Forest. Il était passé voir son parent par alliance et avait été fort impressionné par l'étendue de ses terres, plus de trente hectares, dont une forte proportion de bonnes prairies.

Je fus tout aussi impressionnée.

— Alors, il doit avoir du bon bétail, dis-je.

— Oui, après l'hiver, ses bêtes sont grasses et en bonne santé. Il leur donne des navets à manger, ajouta mon père d'un air pensif, et à ce qu'il m'a dit il expérimente la rotation des cultures...

Ces innovations, dont nous avions déjà entendu parler par ailleurs, nous avaient toujours laissés sceptiques ; mais si Richard les mettait en pratique, avec succès, nous étions prêts à les prendre en considération. Je commençai à comprendre l'intérêt que mon père lui portait, indépendamment de moi. Il me vint à l'esprit, comme à mon père, que le capital nécessaire pour réaliser ce genre d'expériences était sans doute ce dont il manquait.

Était-ce la raison de l'attention qu'il me témoignait ? A moins qu'il ne s'intéressât pas à moi, mais se contentât d'observer les conventions tandis qu'il entretenait son amitié avec les Piper et mon père afin d'obtenir un prêt ?

Les soupçons naissants de Sarah vinrent contrebalancer l'adoration qu'elle vouait à Richard Stalwell. Elle avait toujours appréhendé de parler de lui avec son père ; sa défiance soudaine rendait les choses encore plus difficiles. Mais comment ne pas évoquer Richard, quand ce dernier vint leur rendre visite trois fois au cours de l'été ?

Si ces visites causaient une effervescence dans la cuisine, Sarah découvrit que l'ambivalence de ses sentiments envers Richard l'avaient guérie de sa timidité. Plus à l'aise dans la maison de son père, elle se mit à le traiter avec une certaine condescendance, qui, loin de l'offenser, ne fit, semble-t-il, qu'augmenter son intérêt pour elle. A quinze ans, Sarah apprenait vite, songea Natasha, et chez elle un esprit calculateur commençait à transparaître. Dès qu'elle comprit que Richard la courtisait, elle le questionna sur sa famille en feignant de ne s'intéresser ni à sa maison ni à ses arrangements domestiques, puis elle l'amena à parler de ses cultures et du bétail, l'impressionnant par ses questions intelligentes et perspicaces.

Satisfaite, je refusai volontairement de faire avec eux le tour des terres de mon père. Je souffris le martyre de devoir m'inventer des affaires plus urgentes, car je mourais d'envie de montrer à Richard comme nous nous débrouillions bien, de voir quelle serait sa réaction et d'entendre ses remarques. Pour être franche, je voulais par-dessus tout profiter de sa compagnie, savourer sa manière de regarder, de parler et de rire ; mais je ne voulais pas le laisser croire que j'étais une proie facile. La deuxième fois, je refusai également, et ne cédai qu'à la troisième, sur l'ordre de mon père.

Ce jour-là, mon père ayant trouvé une raison de s'absenter un moment, nous restâmes seuls dans le potager. C'était très adroit car le jardin, clos de mur avec ses planches bien nettes, en carrés et en triangles, était mon domaine, une source de plaisir et de fierté. Nous étions au milieu de l'été, et la végétation était luxuriante. Déjà hautes sur leurs tuteurs, les fleurs rouge vif des haricots se détachaient sur les feuilles vert clair, au-dessus des rangs serrés d'oignons et de civette. Les pommes de terre venaient également bien, et les petits pois étaient déjà en cosses ; deux triangles de soucis orange poussaient des rejetons sur les plates-bandes d'une douzaine d'herbes aromatiques ; le long des murs, les églantiers étaient en fleur. En octobre, ils me donneraient des fruits pour mon sirop d'églantine, excellent préventif contre le scorbut.

Comme nous marchions, mon jupon effleura une haie de lavande, libérant un suave et lourd parfum qui me fit penser aux piles de draps brodés et bien repassés dont la moitié me reviendrait lorsque je me marierais. Dans l'ensemble, j'étais satisfaite du spectacle qui s'offrait à notre vue, et heureuse de la présence à mon côté de Richard Stalwell ; il se rendait certainement compte que je n'étais pas une jeune fille oisive et écervelée.

Loin de lui, je n'avais pas de mal à me convaincre que son opinion sur moi m'importait peu, mais lorsqu'il était là j'y attachais énormément d'importance. Je voulais qu'il me trouve aussi désirable que je le trouvais séduisant, même si son désir devait être davantage éveillé par mes compétences que par mes charmes. Néanmoins, bien qu'il ne fût pas avare de compliments sur mes qualités, j'aurais souhaité qu'il se montrât plus amoureux, et n'eût pas toujours ce regard amusé.

Je songeais à Robert Herrick, dont je récitais les vers à voix haute lorsque je travaillais dans la maison et à la ferme, et j'espérais que mon compagnon serait suffisamment ému pour me chuchoter quelque chose d'aussi romantique ; mais, même dans ce lieu charmant, mes espoirs furent vains.

Il regardait, souriait, admirait, et pendant que nous cheminions le long des allées il me prit le bras, me rendant douloureusement consciente du contact de sa main, et désespérément muette. Ses propos restèrent prosaïques. Il évoqua sa sœur Agnès, qui tenait sa maison, et dit :

— Votre père est venu nous rendre visite à Denton. Cela me ferait plaisir de vous y recevoir tous les deux, si vous acceptiez de faire le voyage. Vous pourriez voir la ferme et notre potager, ajouta-t-il avec un sourire, mais je dois vous confesser qu'il est loin de valoir le vôtre...

Répondant au compliment par un autre sourire et une inclination de la tête, je tentais de garder mon calme malgré mon cœur qui tambourinait dans ma poitrine. Les implications contenues dans cette question m'interloquèrent, et je restai muette.

Comme je ne répondais pas, Richard se tourna vers moi.

— J'espère que vous viendrez, cela me ferait très plaisir.

— Je... je dois en parler à mon père, monsieur, bredouil-
lai-je avec une humilité inhabituelle.

Conscient de son regard sur moi, je n'osai lever les yeux.

— Sur ce point, dit Richard d'une voix douce, il agira
selon vos désirs.

— Alors, monsieur, murmurai-je, la gorge serrée, ce sera
un honneur pour moi d'être votre invitée.

24

Le lundi matin, Nick devait voir Haydn Parker pour parler du match de rugby prévu à la fin du trimestre. La semaine précédente, après la réunion du comité, ils n'avaient pas eu le temps de discuter de problèmes personnels. En se rappelant que Haydn lui avait offert quelque temps auparavant de passer le voir s'il en éprouvait le besoin, Nick se sentait mal à l'aise à l'idée de le rencontrer.

Samedi après-midi, s'il avait pris le temps de réfléchir au lieu de se laisser séduire par la personnalité et les théories du Dr Wills, il aurait pu demander conseil à une autre personne — comme Haydn Parker, qui était intelligent, gentil et discret. Il était trop tard, maintenant, songea Nick ; d'ailleurs, en sa qualité d'ecclésiastique, Haydn n'aurait peut-être pas approuvé les recherches de Nick et le fait qu'il recoure à quelqu'un comme le Dr Wills.

Et il aurait certainement condamné ce qui s'était passé entre Sally et Nick, samedi soir. Nick ne savait pas très bien quoi en penser lui-même. D'une certaine façon, il se sentait plutôt mieux maintenant, mais il avait aussi des remords. Il aurait mieux valu que Sally se montrât moins compatissante, et lui-même moins émotif ; il regrettait surtout de ne pas avoir repris la route en sortant du restaurant. Nick aimait toujours Natasha ; Sally n'avait été qu'un substitut ; il avait beau se répéter qu'elle était plus que consentante, cela ne diminuait pas son sentiment de culpabilité.

Nick se demanda si Natasha soupçonnait quelque chose.

Un peu plus tard, il se surprit à mentir à Haydn Parker.

— Non, je t'assure, dit-il en réponse à une question de son ami, tout va très bien. Quelques petites frictions, tu sais comment c'est, mais rien de grave. Merci de ta sollicitude...

Après quoi, se sentant plus fautif que jamais, il tenta de se changer les idées en téléphonant à Freddie Kirkpatrick, secrétaire de la division nord du comté d'York de l'Académie d'histoire. Après une longue conversation au cours de laquelle Nick dut réfuter un certain nombre d'objections, on lui accorda enfin l'autorisation de consulter le journal du pasteur de Denton-on-the-Forest, qui se trouvait parmi les papiers des Norton-Clive.

Le mercredi après-midi, Nick s'installa dans une pièce minuscule de Northallerton qui donnait sur la principale ligne de chemin de fer de la côte est. De temps à autre, un rapide, lancé à toute vitesse, ébranlait les vitres et attirait son regard vers la fenêtre, et il craignit de se laisser distraire. Puis une vieille femme au visage impassible apporta les boîtes, et il dut chercher en sa présence le manuscrit qui attisait sa curiosité. La femme ne parlait pas, ne souriait pas, et ne quittait des yeux ni les boîtes ni les mains de Nick. Celui-ci avait l'impression d'être un criminel sous la surveillance vigilante et inhibante d'une gardienne de prison et, au début, il travaillait avec une douloureuse lenteur.

Le temps passait et le nombre de boîtes à examiner diminuait; Nick commençait à se demander si le Dr Wills ne l'avait pas induit en erreur. Elle avait pu inventer n'importe quoi pour donner plus de poids à sa théorie. A trois heures, il avait mal au dos et ses mains étaient sales; la poussière de plusieurs siècles s'était accumulée sous ses ongles et dans sa gorge; il aurait donné n'importe quoi pour boire une tasse de café et fumer une cigarette.

Le classement des papiers semblait n'obéir à aucune logique particulière; correspondances et journaux intimes alternaient avec des legs, des lettres d'affaires, des dessins de meubles, des plans d'agrandissements pour la maison et le jardin. Avant que ses yeux et son cerveau n'acquièrent une sorte d'automatisme, Nick remarqua une facture de Thomas Chippendale sous une lettre de William Pitt, 10 Downing Street, et un carnet de recettes de cuisine appartenant à lady Amelia Norton-Clive, au-dessus d'un poème que lui avait adressé lord Byron. Il y avait une correspondance datant de la guerre civile à propos de la mobilisation des troupes pour soutenir le roi, et des notes officielles prises pendant la Première Guerre mondiale. Pas étonnant, songea Nick, que tant d'historiens eussent harcelé les Norton-Clive pour jeter un coup d'œil sur ces papiers. Ils étaient aussi divers que fascinants, et Nick aurait aimé pouvoir tout éplucher. Mais le temps lui manquait. Il essaya d'ignorer les noms et les dates, pour chercher un livre relié ou une grosse liasse de feuilles manuscrites.

A la fin, il ne restait plus qu'une boîte contenant la comptabilité du domaine, de grands livres reliés cuir, datés de 1799. Tout ce travail pour rien, pensa-t-il. Merci, docteur Wills.

Il semblait impossible que le manuscrit convoité se trouvât là. Nick sortit néanmoins les livres un par un, pour vérifier la nature de leur contenu. L'avant-dernier était plus petit, en mauvais état, sale. Nick se dit qu'il devait être plus vieux que les autres ; mais en l'ouvrant il découvrit une écriture tremblée, en pattes de mouche, de longs « S » semblables à des « f » et une surabondance d'abréviations.

— Oh ! mon Dieu...

Il chercha la première page, vit le nom de l'auteur, la date et l'endroit où il avait été rédigé, et grogna de soulagement et de frustration. Il était quatre heures moins dix. Il lui restait soixante minutes tout au plus pour étudier les notes prises par le révérend James St. John Everard Clive, de la paroisse St. Oswald, à Denton-on-the-Forest.

Il avait espéré, bien sûr, assimiler chaque détail concernant la paroisse, peut-être même établir l'identité des propriétaires fonciers, afin d'étudier les testaments établis à Denton à une date ultérieure. Il avait espéré trouver une allusion à sa maison, bien qu'il y eût peu de chances que celle-ci fût mentionnée sous son nom actuel. Mais pour cela, il devrait attendre d'avoir sollicité et obtenu un autre rendez-vous. En attendant, tout ce qu'il pouvait faire était de vérifier les notes du

Dr Wills en cherchant le nom de la veuve au centre de la polémique qui avait éclaté en 1723.

Comme il s'efforçait de trouver les pages correspondant à cette année-là, le nom lui sauta soudain aux yeux.

Apr 12 jrs de neige et de gel, avons inhumé Richd Stalwell et son neveu, pris ds un blizzard au retour d'York; trouvés 4 jrs plus tard, du côté de Brickhill. La mort prématurée de R.S. est une grde perte pour la paroisse, sa veuve fort affligée.

Nick regarda fixement ces quelques lignes. C'était une information qui n'apparaissait pas dans les notes du Dr Wills. Il se reporta rapidement à la date — le 4 février 1723 — et recopia les commentaires du pasteur. Comme il tournait la page, la vieille gardienne soupira, gigota et regarda sa montre d'un air plein de sous-entendus. Sans lever les yeux, Nick déclara :

— Je suis désolé, mais maintenant que j'ai découvert ce que je cherchais, je ne veux pas partir avant d'avoir noté toutes les références. Ça ne sera pas long...

Nick poursuivit sa lecture, et au fur et à mesure qu'il s'accoutumait à l'écriture du pasteur il repéra plus rapidement le nom de Stalwell. Il trouva deux mentions — l'une en mars, l'autre en avril — de visites que le pasteur avait faites à la veuve, et dans lesquelles il laissait percer son admiration pour le courage de cette femme qui voulait continuer à s'occuper seule de la ferme. Nick décela également un certain mécontentement à l'égard des proches de Richard Stalwell, qui n'avaient apparemment apporté aucune forme de soutien à leur jeune parente en deuil.

Le pasteur était retourné chez Mrs. Stalwell en juin et en juillet. Il évoquait le mauvais temps et se faisait du souci pour les prochaines récoltes. A la fin du mois d'août, il s'inquiétait de l'inconduite notoire de Mrs. Stalwell, qu'il imputait à la solitude et au chagrin. Un homme en avance sur son temps, pensa Nick, surpris. En octobre, le révérend Clive, du haut d'une tribune improvisée en plein air, accusait ses paroissiens d'être une bande d'analphabètes et de paysans superstitieux, qui expliquaient la maigre récolte par la présence d'un chien fantôme, censé hanter la région, et d'une sorcière aux ordres de cet animal.

A cinq heures dix, Nick avait noté tous les commentaires du pasteur sur Sarah Stalwell, y compris ceux qui étaient consignés autour de la Saint-Martin et au début de 1724 : après avoir exprimé sa perplexité, le pasteur s'y montrait de plus en plus inquiet en ce qui concernait la disparition de la jeune veuve. Il était même allé voir le pasteur de Hammerford, pour savoir si elle ne serait pas retournée dans son village natal. Mais cet ecclésiastique était un nouveau venu et ne savait rien sur Sarah Stalwell. Le révérend Clive finit par conclure, sans grande conviction, que la jeune femme s'était installée à York. Après tout, elle avait de la fortune et, à la ville, elle pouvait mener le genre de vie qu'elle voulait, sans exciter la curiosité ni l'animosité de ses voisins.

Nick aurait aimé poursuivre sa lecture pour s'assurer que le Dr Wills n'avait pas laissé passer autre chose ; mais il était tard, sa gardienne était prête à lui arracher le livre des mains et il avait mal à la tête. Avec les mêmes réticences que le vieux pasteur, il abandonna Mrs. Stalwell et partit à la recherche d'une boisson quelconque. Une cafétéria voisinait avec un pub ; Nick choisit le pub, encore tranquille à cette heure, et commanda une pinte de bière. Il en avala la moitié en deux gorgées, laissa la chope sur le bar et chercha un téléphone. Il appela chez lui et prévint Natasha qu'il devait travailler encore un peu et qu'il dînerait dehors ; puis il composa le numéro de Sally.

De Northallerton, deux routes conduisaient à Ghylldale, et l'une comme l'autre traversaient les landes, au nord d'York. La route du sud était plus longue, mais elle avait l'avantage d'être plus familière à Nick ; à partir de Pickering, il laissa la voiture prendre de la vitesse tout en analysant les menus indices qui avaient franchi les siècles pour parvenir jusqu'à lui. Une fois de plus, il était frappé par l'impression très forte que lui procurait le contact direct avec un document original. Cela n'avait rien à voir avec ce qu'il ressentait en face d'une transcription. C'était comme si l'auteur avait réussi à imprimer sur le papier, tel le peintre sur sa toile, ses aspirations, ses croyances et ses doutes.

Le Dr Wills lui avait mis en tête des idées folles qui l'avaient profondément perturbé plusieurs jours durant. Les notes qu'elle lui avait confiées — passionnantes, mais incomplètes — l'avaient détourné de toute pensée rationnelle. Mais maintenant qu'il avait vu de ses propres yeux et touché de ses mains le manuscrit du révérend Clive, Nick sentait qu'il pouvait abandonner ses soupçons les plus angoissants et se raccrocher à la logique, si rassurante.

— Tu vois, expliqua-t-il plus tard à Sally, ce que le Dr Wills m'a laissé entendre, c'est que cette bête était une sorte d'esprit malin qui habitait la femme Stalwell, sans sorcellerie, à moins d'assimiler la promiscuité sexuelle à de la sorcellerie. C'est peut-être ce dont les habitants de Denton, vers 1720, ont voulu l'accuser.

— Tu penses qu'ils l'ont rendue responsable de ce qu'ils ne comprenaient pas, parce qu'ils ne l'aimaient pas ?

— Oui. Sarah Stalwell n'était pas du village, vois-tu, mais de Hammerford, sur les bords de la rivière Nidd, à une douzaine de kilomètres à l'ouest d'York. Et comme elle avait de la fortune, à la mort de son mari, elle n'était à charge ni de ses voisins ni de sa belle-famille — laquelle ne semble pas avoir manifesté beaucoup de bienveillance à son égard. Je ne sais pas quel âge elle avait ni comment elle était de sa personne ; mais on peut supposer, d'après les notes du pasteur — *La mort prématurée de Richard Stalwell est une grande perte pour la paroisse...* — qu'elle était jeune et jolie.

Avec un petit sourire cynique, Nick ajouta :

— Tu crois que le pasteur aurait montré autant d'indulgence envers une vieille bique obsédée sexuelle ?

— Malheureusement non, mais j'ai une affection particulière pour les vieilles biques obsédées sexuelles ; pas toi ?

— J'essaierai, promit-il avec un sourire. Mais si cette femme était jeune, jolie, indépendante sur le plan financier, et étrangère au village, les autres femmes pouvaient la jalouser et lui en vouloir.

Amusée, Sally approuva.

— Oui, sûrement !

Elle entreprit de débarrasser la table basse sur laquelle ils avaient dîné ; le plateau dans les mains, elle se retourna et dit :

— Et elle n'était pas veuve depuis très longtemps, ne l'oublie pas.

— Eh bien ?

— Je veux dire que les relations sexuelles devaient lui manquer, tu ne crois pas ?

Il réfléchit un instant.

— C'est probable.

— Alors, elle a commencé à coucher avec Paul et Jacques.

Nick la suivit dans la cuisine.

— Tu as raison, déclara-t-il. Elle avait des amants, mais qui ? Denton était un hameau. Il ne devait pas y avoir beaucoup d'hommes de sa condition sociale et ils devaient tous être mariés. Il reste les ouvriers agricoles...

Sally fit gicler du produit pour la vaisselle dans une cuvette remplie d'eau chaude et tendit à Nick une serviette.

— Tu ne veux quand même pas insinuer qu'une femme comme elle pouvait faire l'amour dans sa maison avec des journaliers, Nick ? Elle n'aurait rien pu tirer d'eux, après ça. Sans compter qu'il ne devait pas y en avoir beaucoup de séduisants ! Et pense aux conditions de vie, à cette époque. Nous parlons de pauvres gens. Les maladies, le rachitisme, les mariages consanguins, la laideur étaient le lot commun. Il faut s'ôter de la tête la vision hollywoodienne de l'ouvrier agricole au XVIIIe siècle...

— Oui, oui, je sais — les gens bien nourris et instruits restaient entre eux, et les pauvres se débrouillaient comme ils pouvaient.

Nick soupira en empilant les assiettes.

— En tout cas, quel que soit celui ou ceux avec qui elle couchait, et quel que soit l'endroit où cela se passait, elle n'a pas dû être très discrète. Son comportement aura irrité beaucoup de monde, et provoqué des rumeurs sur son compte. Mais le fait d'être propriétaire d'un grand domaine et d'employer de la main-d'œuvre la rendait virtuellement intouchable.

— Alors, ils ont imaginé qu'elle commerçait avec le diable ou un esprit malin...

— Le fameux chien noir...

— Oui, et ils l'ont accusée de sorcellerie.

— Tout juste !

Ils se regardèrent un moment en examinant cette conclusion. Puis Sally sourit et se remit à faire la vaisselle.

— C'est logique, dit-elle d'un ton ironique en le regardant par-dessus son épaule, si elle détournait les hommes de leurs femmes légitimes, elle était forcément sorcière !

Cette remarque toucha Nick au vif. Il sentit ses lèvres remuer, mais c'était plus une grimace qu'un sourire.

— Oui, tu as raison...

Un moment plus tard, Sally ajouta :

— Quoi qu'il en soit, elle a disparu. Que lui est-il arrivé, à ton avis ?

— Je ne sais pas, murmura-t-il, songeur. Il est possible que les villageois lui aient rendu la vie impossible, surtout si elle ne modifiait pas son comportement. Après l'humiliation qu'elle a subie, elle a pu avoir envie de se faire oublier et juger qu'il était plus sage de quitter le village...

— Mais ?

Il secoua la tête.

— Il est étrange qu'elle ait abandonné la ferme...

25

Voyager restait une entreprise hasardeuse et, lors de ses fréquents déplacements, mon père avait l'habitude d'emmener un domestique qui lui tenait compagnie et pouvait, en cas de besoin, assurer leur défense. Non pas le vieux Samuel, qui ne supportait plus l'incommodité des déplacements à cheval, mais un jeune, muni de pistolets qu'il cachait derrière la selle, et d'un couteau qu'il fixait à son genou.

Même en ayant évité York, nous cheminions déjà depuis plusieurs heures lorsque mon père, au milieu de la matinée, ramena son cheval au pas, et désigna du doigt le clocher d'une église qui émergeait d'un nid de verdure. Denton se trouvait dans une petite vallée entourée d'arbres. La fumée des feux de midi épaississait la brume de chaleur, mais on apercevait des maisons çà et là, et les champs derrière.

Depuis notre position, au nord-ouest du village, mon père m'indiqua la belle demeure en brique de Richard, au sud, ses terres clôturées, son bétail, ses prés et la prairie luxuriante en contrebas, irriguée par un bon et large ruisseau.

J'avais chaud et soif, et je mourais de faim, mais le spectacle de ces acres bien clos dissipa ma fatigue. J'avais sous les yeux la beauté qui naît de l'ordre et de la réussite. Les terres de Richard Stalwell s'étalaient devant moi et, à cet instant, je les convoitais autant que le maître des lieux. J'étais prête à marchander tout ce que j'avais, ma jeunesse, ma force et la fortune qui me reviendrait un jour, pour être la maîtresse de ce domaine.

La flamme de l'ambition avait dû éclairer mon regard. Mon père se mit à rire et me tapota le genou en un geste d'approbation.

— Je te l'avais dit, déclara-t-il avec une satisfaction non déguisée, il se débrouille bien.

C'était une maison longue et basse, mais plus grande que la nôtre. Construite avant la guerre civile par le grand-père de Richard, l'intérieur était très simple mais pratique, avec un couloir qui reliait les pièces de devant à celles de l'arrière, et devait éviter l'apport de boue dans la grande salle. Il y avait aussi des vastes réserves et une laiterie sur un des côtés. A l'autre extrémité de la pièce principale, et chauffée par sa cheminée, se trouvait un petit salon avec un escalier en chêne qui montait en faisant un coude vers les chambres à coucher du premier étage...

Saisie d'un frisson, Natasha se leva et ferma les rideaux. Elle regarda les pages manuscrites étalées sur son bureau. Ses soupçons se transformèrent en certitude : la belle maison en brique de Richard Stalwell était *la sienne*, et les soixante-dix acres de terre bien cultivées de Richard Stalwell n'étaient autres que les champs qu'elle voyait chaque jour de part et d'autre de Dagger Lane...

Elle tourna brusquement la tête vers le fond de la pièce. Les étagères et son fauteuil étaient plongés dans l'ombre, car seule la lampe posée sur son bureau était allumée ; pendant un moment, Natasha eut peur d'effectuer le moindre geste. Puis elle réagit et bondit sur ses jambes pour allumer la suspension. La lumière éclaira les livres, le classeur, et la table qui supportait la photocopieuse. C'était une pièce du XXe siècle tout à fait ordinaire.

Mais l'espace d'une seconde...

Natasha traversa le salon à grands pas, puis le vestibule dallé — le couloir qui reliait l'avant et l'arrière de la maison, si pratique pour une famille de fermiers ! Elle entra dans la cuisine. Des réserves. Une laiterie. C'est là qu'elles se trouvaient bien sûr ! Nick le lui avait dit au moment des travaux. La cheminée du fourneau, contre le solide mur intérieur, n'avait pas plus d'un siècle. Cent cinquante ans au maximum. La partie rajoutée contre le mur extérieur orienté au nord-est, avec la porte à l'embrasure profonde qui donnait dans l'office, et l'appentis où ils mettaient le charbon étaient quant à eux, selon Nick, des agrandissements datant du XIXe siècle.

Mais qu'avait donc dit Nick à propos de la salle commune ? Ah oui, elle était un *vestige de la grande salle médiévale.* Sa cheminée avait au moins quatre cents ans. Elle existait sans doute déjà à l'époque où la maison n'était qu'une habitation de plain-pied à toit de chaume, où une famille entière vivait, préparait les repas et mangeait devant le feu. Les femmes se retiraient probablement dans la petite pièce adjacente où elles tissaient, brodaient, cousaient...

Saisie par une faiblesse soudaine, Natasha agrippa le montant de la porte. Son bureau, la pièce qu'elle s'était choisie pour elle...

Mais il n'y avait pas d'escalier à cet endroit... L'escalier, raide et étroit avec son palier à mi-étage, au-dessus de la porte, se trouvait dans l'entrée. Ce détail au moins ne correspondait pas à sa description de la maison de Richard Stalwell. Comme le rythme de sa respiration se calmait, Natasha retourna dans la cuisine et s'assit avec une cigarette devant une tasse de café en se disant que toute cette histoire sortait de son subconscient. La connaissance qu'avait Natasha de la vie d'une jeune fille telle que Sarah lui venait de sources diverses — les livres, Nick, son constant intérêt pour l'histoire anglaise. Il n'y avait, somme toute, rien d'étrange à ce qu'elle raconte dans un récit à la première personne ce que sa mémoire avait enregistré au fils des ans. Cela ne prouvait en rien que Sarah eût existé, ni que la famille de Richard Stalwell eût fait reconstruire cette maison.

D'ailleurs, Mrs. Bickerstaff avait dit que les Whitehead avaient toujours habité là. Selon elle, ce n'était pas particulièrement de bons fermiers ; ils avaient mal entretenu la ferme et n'avaient jamais prospéré, mais ils s'étaient cramponnés jusqu'au bout.

Nick, lui, ne pensait pas que la maison ait abrité plus de trois ou quatre générations de Whitehead. Natasha préférait la version de Mrs. Bickerstaff. Cela lui permettait de ranger son histoire dans le domaine de la fiction.

Mais en se levant pour monter se coucher, Natasha se souvint du cauchemar qu'elle avait fait : une chose informe montait lentement l'escalier, pénétrait dans la chambre d'ami... La porte de cette pièce n'était pas du côté sud du manteau de la cheminée et n'ouvrait pas sur le long palier, comme à présent : elle se trouvait au nord et donnait sur... ce qui lui servait désormais de bureau, le petit salon du XVIIIᵉ siècle, avec l'escalier en chêne qui desservait les chambres à coucher au premier étage !

Le vendredi matin, déchirée entre l'envie très forte de continuer à écrire l'histoire de Sarah et le sentiment profond qu'elle devrait s'arrêter pendand le week-end, Natasha examina le contenu du congélateur et décida qu'elle pouvait se débrouiller avec ce qui restait. Si Nick n'était pas du même avis, elle lui dirait de faire les courses lui-même, ou de manger au restaurant. De toute façon, il trouverait probablement une excuse pour s'absenter.

Elle décida de ne plus y penser, passa les doigts dans ses cheveux et essaya de réfléchir à ce qui était encore susceptible de manquer. Des cigarettes ! Il n'y en avait presque plus, mais elle avait la possiblité d'en acheter à la poste lorsqu'elle irait payer les journaux de la semaine. Elle avait aussi envie de sucreries. Écrire était une occupation sédentaire qui n'en brûlait peut-être pas moins des calories, songea-t-elle.

Elle fit une petite liste de commissions, dont le pain, qu'elle achèterait au village, et sortit à midi. Par ce jour gris et froid, le temps était à la neige. Mais, au lieu d'avoir peur que le village ne soit coupé de tout, Natasha pensait simplement à la chance qu'elle avait de vivre dans un monde où existaient des chasse-neige, des automobiles et tout le confort moderne. Au début du XVIIIᵉ siècle, l'existence des gens dépendait étroitement du climat, et la vie était sans doute très différente de ce qu'elle était à présent. Les tempêtes et la sécheresse pouvaient anéantir les récoltes ; les périodes de neige et de gel prolongé pouvaient tuer, directement ou non. A cette époque, seuls les plus résistants survivaient ; et si la vie était dure pour les fermiers, elle devait l'être plus encore pour les ouvriers agricoles qui composaient la majorité des habitants de Denton.

Aujourd'hui, le ciel plombé atténuait les couleurs du village pimpant, à l'exception des décorations de Noël devant le pub et à la devanture de la poste. La vision des petites maisons coquettes et bien entretenues qui bordaient la pelouse communale demeurait pourtant rassurante. Elles allaient forcément, songea Natasha, avec le chauffage central, les congélateurs bien remplis et les tapis épais — Nick aurait sans doute ajouté « une Saab ou une BMW dans le garage ». C'était très différent de la première impression qu'avait dû avoir Sarah, au XVIIIᵉ siècle, à la vue des chaumières basses blotties autour de l'église, du chemin boueux descendant le ruisseau saumâtre et le gué, et des groupes de villageois qui les regardaient passer avec curiosité.

En se remémorant la description de Sarah, Natasha sentait presque l'odeur des cochons dans leurs enclos ; elle entendait les cris des enfants qui jouaient dans un champ voisin. Pendant un instant, ce monde disparu effaça le présent ; elle eut un vertige et dut s'arrêter. Puis le présent s'imposa de nouveau : la surface inégale de Dagger Lane céda la place au revêtement lisse et gris de la route ; la pelouse communale était bien délimitée, et le ruisseau coulait entre deux rives profondes creusées par l'homme. Mais si les façades des maisons reprenaient leur aspect innocent, Natasha s'en approchait d'un pas hésitant, comme si ce qu'elle voyait risquait à tout moment de disparaître.

Devant la poste, un caniche nain attaché à un banc tremblait de la tête aux pieds, malgré son manteau. Il se mit à pousser de petits cris plaintifs et à regarder d'un air suppliant Natasha qui, ne tenant plus sur ses jambes, s'était assise près de lui et se sentait incapable de lui prodiguer la moindre sympathie. Je travaille trop, se dit-elle en serrant les dents pour tenter d'arrêter un tremblement intérieur ; et cette histoire m'obsède, c'est le problème. Mais lorsqu'elle écrivait, tout était réel. Comme si on avait projeté un film à l'intérieur de son cerveau ; elle voyait la maison à colombages de tante Margaret dans Goodramgate ; le jardin potager de Sarah ; la ferme de Richard Stalwell ; les vestes brodées et la perruque du vieux

Mr. Kirkham; et Sarah, menue mais décidée. Jusque-là ces images étaient demeurées dans sa tête; elle devait prendre garde à ne pas les laisser s'échapper, sauf sur le papier, leur seule destination acceptable.

La porte de la poste s'ouvrit avec un bruit de ferraille. Une femme sortit. Gênée, Natasha se leva. Il ne faisait pas un temps à s'asseoir dehors. La femme lui adressa un vague sourire, avant de se baisser pour libérer le petit chien en lui parlant comme à un bébé. Natasha prit une profonde inspiration, entra dans la poste qui faisait aussi office d'épicerie, et effectua ses achats le plus vite possible. Lorsqu'elle ressortit, le chemin jusqu'à Holly Tree Cottage lui parut terriblement long. Elle se sentait très faible, et glacée à l'intérieur; elle avait besoin de manger quelque chose. Elle tourna à gauche et parcourut les quelques mètres qui la séparaient du *Half Moon*.

Il y avait un grand nombre de voitures garées devant, et le personnel était trop occupé à servir pour engager la conversation. Natasha commanda un cognac au bar en se disant que cela la remonterait peut-être, puis elle chercha un coin tranquille. Elle venait d'en repérer un quand elle se heurta au propriétaire des lieux. Ce dernier lui souffla à voix basse que les Morrison avaient fini par avoir le chien, le lévrier irlandais qui massacrait leurs moutons.

— Ah oui, dit-elle, sans bien saisir le sens de ses paroles.

Elle ne reprit ses esprits qu'après s'être assise dans son petit coin et avoir avalé plusieurs gorgées d'alcool. Elle alluma une cigarette avec des doigts tremblants et des larmes dans les yeux, tant la mort du lévrier lui semblait injuste. Craig Morrison lui apparut tout à coup comme une brute sanguinaire à l'esprit borné, incapable d'avoir deux sous de bon sens. Elle se dégoûtait d'avoir pu le trouver attirant et d'avoir répondu à ses avances. Salaud, murmura-t-elle, certaine qu'il avait décidé, dès le début, de tuer McCoy.

Elle avait un creux à l'estomac, mais la vue des hommes d'affaires et des femmes qui attaquaient leur déjeuner de Noël lui donna mal au cœur. Ils l'observaient aussi, avec des regards furtifs, intrigués par cette femme seule à l'air peu soignée qui buvait de l'alcool.

Nathasha ramassa son sac en plastique avec le sentiment d'être une clocharde; elle vida son verre, et, les jambes en coton, se fraya un chemin vers la sortie. L'air froid la saisit. Elle serra son manteau autour d'elle, baissa la tête et traversa rapidement la pelouse, pressée soudain de rentrer pour être seule et avoir le temps de réfléchir avant le retour de Nick. Elle était dans Dagger Lane, à mi-chemin de chez elle, lorsque, levant les yeux, elle aperçut Toby Bickerstaff, planté près de la haie. Il lui tournait à moitié le dos et elle avait instinctivement ralenti avant de comprendre, d'après la position du vieil homme, ce qu'il était en train de faire : il se soulageait.

Peur et dégoût mêlés la firent s'arrêter net. Depuis la visite de Craig Morrison, elle ne l'avait pas revu, et tomber sur lui comme ça, en train de pisser sur la haie, en plein jour, avait quelque chose d'horrible. Les faits lui revinrent en mémoire : le meurtre, la violence sexuelle, les organes génitaux tranchés. Et tout tournait autour de ce qu'elle ne voulait pas voir : le pénis ratatiné d'un vieil homme.

Elle restait là, crispée et indécise, saisie d'une folle envie de partir en courant mais craignant qu'il ne la voie. Si elle ne bougeait pas, il ne se rendrait peut-être pas compte de sa présence ; il continuerait son chemin et elle pourrait se faufiler discrètement chez elle.

Mais comme il avait terminé, se secouait et se rajustait, le vieil homme jeta un coup d'œil par-dessus son épaule. Rencontrant le regard terrifié de Natasha, il se retourna, sourit sans honte, enfonça ses mains dans ses poches et attendit qu'elle le rejoigne.

En comprenant qu'il l'attendait, la peur s'empara de nouveau de la jeune femme. Et Toby souriait comme une gargouille. Mais que voulait-il ? Qu'allait-il faire ? Où diable était passée cette fameuse réserve, se demanda-t-elle, cette peur des étrangers qui l'incitait à se renfermer sur lui-même sans desserrer les dents ? Elle avait deux solutions : rebrousser chemin et retourner rapidement dans le village, ou montrer un air désapprobateur en continuant sa route. A son âge, se convainquit-elle, le pire qu'il puisse faire était de lui lancer quelques obscénités. S'il tentait de la violer, elle pourrait se sauver. Elle courait certainement plus vite qu'un vieil homme.

Palpant les clefs de la maison au fond de sa poche, Natasha força ses membres raidis à se mouvoir.

— Désolé, m'dame, déclara-t-il d'un ton servile comme elle approchait. Ça m'a pris d'un coup...

Le temps qu'elle le rejoigne, il ne la quitta pas des yeux puis, à la grande consternation de Natasha, il lui emboîta le pas, bien décidé, semblait-il, à lui parler, quoiqu'elle marchât vite et arborât un air glacial. Son haleine sentait la bière, et ses vêtements le ranci.

— Le fils Morrison, commença-t-il d'une voix rauque, a descendu le grand chien, le lévrier irlandais...

— Je sais, répondit-elle sèchement, mais il avait l'air si heureux et elle était si surprise qu'il n'ait rien d'autre à dire qu'elle ralentit en arrivant près du portail et regarda le vieil homme.

— Il était revenu tourner autour de ses moutons. Il l'a pris en flagrant délit...

Il se tut pour donner libre cours à un rire bruyant et essouf-flé, puis il ajouta :

— Pour sûr que c'est une bonne nouvelle, j' suis ben content, j' peux vous l' dire.

— Ah ?

Quel vieux dégoûtant, pensa Natasha, en comprenant l'anti-pathie que Mrs. Bickerstaff éprouvait pour lui.

— Qu'est-ce qui vous rend si content, dans cette histoire ?

Le ton coupant de Natasha n'entama pas la bonne humeur du vieux Toby, mais il regarda furtivement autour de lui avant de répondre à mi-voix :

— Vous voyez, m'dame, j'avais peur que ce soit l'autr' bête — vous savez, la chose noire, comme une ombre...

Il se rapprocha de la jeune femme.

— Je croyais que c'était après moi qu'elle en avait.

Natasha eut un mouvement de recul.

Elle se rappelait qu'elle avait répondu quelque ineptie, sur un ton probablement condescendant, et qu'ensuite Toby s'était éloigné d'un pas traînant en direction de sa caravane. Elle ne doutait pas que la confession du vieil homme fût sin-cère, mais il avait réussi à l'effrayer une fois de plus. Les angoisses qu'il avait avouées venaient probablement d'un sen-timent de culpabilité, songea-t-elle en pensant à ses actes criminels ; la culpabilité pouvait produire d'étranges effets sur le psychisme.

Elle se demanda si elle en parlerait à Nick. Elle pouvait le mettre au courant de ce qui s'était passé et de la fin tragique de McCoy. Mais si Toby Bickerstaff avait dit vrai, si le chien avait bien été abattu alors qu'il s'en prenait aux moutons, ce qu'elle avait soutenu jusque-là ne tenait plus. Si McCoy était vraiment le tueur des brebis, que devenait le chien abandonné ? Existait-il réellement ou l'avait-elle imaginé ? Nick n'avait rien vu, lui. Seulement, il dormait à moitié au moment où Natasha avait heurté cette forme noire compacte.

Car elle avait bien heurté quelque chose, elle en était absolument certaine, de même que Toby Bickerstaff et Mrs. McCoy étaient convaincus d'avoir vu un animal étrange. Sommes-nous tous fous, se demanda-t-elle, ou victimes d'illusions ? Peut-être un chien errant rôdait-il bien dans les parages, et la peur et l'imagination des personnes qui avaient aperçu l'animal à des moments différents sous une mauvaise lumière avaient-elles rendu son aspect encore plus effrayant ? Mais Natasha ne pouvait s'ôter de l'esprit le récit de Charles Cramp sur *Padfoot*, ni oublier la femme qu'elle avait vue dans la grange et à la lisière du bois.

Comment une telle chose était possible ? Elle ne voulait pas y penser mais, d'une manière ou d'une autre, cette femme utilisait Natasha pour raconter son histoire. Elle ne connaissait encore que les faits les plus marquants de sa jeunesse, les circonstances de sa rencontre avec Richard Stalwell. Mais Sarah l'entraînait vers quelque chose de plus important, et l'envie qu'avait Natasha de savoir ce qui allait se passer était momentanément plus forte que les questions angoissantes du comment et du pourquoi.

Tandis que le besoin d'écrire conduisait ses pas dans son bureau, Natasha commençait à trouver l'idée que la vie pouvait se poursuivre au-delà de la tombe, moins ridicule et moins terrifiante que l'impression de devenir fou. Et c'était un tel soulagement d'écrire, d'entrer dans un univers qui gardait à distance ce qu'il y avait de douloureux dans le monde réel !

26

Le silence tendu qui s'était installé entre eux se rompit ce soir-là.

Nick avait eu une semaine particulièrement éprouvante, marquée par une alternance de crises d'angoisse et d'états d'excitation, avec des nuits trop courtes. Essayer de venir à bout de la paperasserie avant la fin du trimestre, prodiguer des encouragements de dernière minute à certains étudiants, quand d'autres se conduisaient comme s'ils étaient déjà en vacances et semblaient animés d'un besoin irrépressible de violer tous les règlements, n'avait pas été facile. Cet après-midi-là, en sortant de son bureau, il était tombé dans une embuscade, préparée par un groupe d'étudiantes qui pouffaient de rire, des boules de gui dans les mains — mais, Dieu merci, Jane Bardy ne se trouvait pas parmi elles. Même Flora lui avait donné la bise lorsqu'elle lui avait remis une liasse de papiers à signer et souhaité un joyeux Noël.

Résistant à l'envie de boire plusieurs whiskies d'affilée, Nick s'était contenté d'une seule bière en compagnie de Giles, dans leur pub favori, et avait confirmé leur arrangement habituel pour les fêtes de fin d'année. Ils dîneraient le lendemain de Noël chez Nick, et passeraient le réveillon du nouvel an chez Giles. C'était ainsi depuis des années, et ils n'avaient jamais laissé leurs problèmes personnels interrompre leur rituel ; cette année pourtant, Giles hésitait, et, alors même que Nick s'ingéniait à le rassurer, il s'interrogeait sur le sens de cette célébration annuelle.

Il était presque sept heures lorsque Nick s'arrêta devant la maison. La seule lumière venait du bureau. Il descendit de la voiture et un chat de la grange vint se frotter contre lui ; un autre, assis sur le muret du jardin, miaulait. En ouvrant la grille, il remarqua que leurs plats étaient vides. D'habitude, Natasha les nourrissait à la tombée de la nuit ; bien qu'ils fussent capables de trouver seuls leur nourriture, ils n'aimaient pas qu'on les oublie. Agacé, Nick parcourut l'allée à grands pas, alluma la lumière du porche puis, dans le vestibule obscur, trébucha sur la chatte de la maison. Des miaulements indignés ponctuèrent les jurons de Nick tandis qu'il se dirigeait vers la cuisine.

La pièce était plongée dans le noir, le feu presque éteint et, à en croire l'absence d'odeur alléchante, aucun dîner n'était prêt.

Nick jeta sa serviette sur la chaise la plus proche, alluma toutes les lumières, empoigna le seau à charbon. Dans le couloir, il tomba sur sa femme.

— Mais bon Dieu, Natasha, à quoi joues-tu ? Tu pourrais au moins alimenter le feu !

Elle était toujours au même endroit lorsqu'il rentra à grandes enjambées et se pencha sur le fourneau en fonte avec des bûches, du bois d'allumage et de petits morceaux de charbon. Il aurait pu la frapper tant il était en colère, mais se taisait de crainte de dire des choses blessantes. C'est à peine si elle lui avait adressé la parole depuis une semaine, et elle n'avait même pas paru remarquer ses allées et venues. Il avait l'impression de rentrer dans une prison.

Il s'occupait de nourrir le feu en refusant obstinément de la regarder. Il n'en était pas moins conscient de chacun de ses gestes sans suite — l'ouverture et la fermeture du réfrigérateur, les soupirs, le branchement de la bouilloire, de nouveau la porte du réfrigérateur, la mise en route de l'aérateur. Elle commit l'erreur de s'excuser.

— Je suis désolée, j'ai été si... occupée tout l'après-midi...

— A quoi, grands dieux ?

Il perçut un hoquet, le froissement d'un paquet de cigarettes qu'on ouvre.

— Eh ben, je... euh... ces lettres à écrire... et... les cartes de vœux.

Elle eut un petit rire nerveux.

— Je n'imaginais pas que nous connaissions autant de gens. J'ai pensé que, si je ne les postais pas toutes demain, elles n'arriveraient pas à temps pour Noël.

— Noël !

Il cracha le mot plus qu'il ne le prononça, se retourna, lança à sa femme un regard furieux, puis se détourna. Voir sa mine de papier mâché le rendait encore plus furieux.

— Quelle farce ! S'il n'y avait pas les garçons, j'irais à l'hôtel. Au moins, il y aurait quelque chose à manger !

— Oh...

Les flammes crépitaient, léchaient les brindilles sèches et les vieux morceaux de bois créosotés. Fasciné, Nick porta sur le feu toute son attention.

— Je suis vraiment désolée..., déclara Natasha d'une voix faible.

— Oh, pour l'amour du ciel, cesse de t'excuser ! s'exclama-t-il méchamment en se relevant pour lui faire face. Non, tu n'es pas désolée — pourquoi le serais-tu ? Tu m'as clairement exprimé que tu te moques pas mal de moi, et tout cela le confirme !

Il étendit brusquement le bras pour désigner tout ce qui manquait : la nourriture, la chaleur, une maison accueillante. Natasha recula en tressaillant comme s'il avait voulu la frapper. Cela le rendit encore plus furieux. Il n'avait jamais frappé une femme de sa vie et il n'avait pas l'intention de commencer ; mais il voulait la blesser, aussi durement qu'elle l'avait blessé lui-même.

— Eh bien, reprit-il avec froideur en se détournant, si tu n'as aucune envie de me parler et encore moins de m'avoir dans ton lit, je ferais aussi bien d'aller voir ailleurs...

Alors, dans un sanglot, elle s'écria :

— Oui, c'est ça, va la retrouver ! Et si elle est si accommodante, tu n'as qu'à rester chez elle.

Elle le bouscula en se précipitant vers la porte et, les épaules secouées par de violents sanglots, monta l'escalier à vive allure.

Secoué par la détresse de sa femme, et le fait qu'elle savait tout, Nick fut un moment sans pouvoir penser à rien. Il se tenait debout, les poings serrés, aussi furieux contre lui que contre Natasha, atterré par les conséquences inévitables d'une telle situation. Il ne voulait pas partir et pourtant il avait manœuvré inconsciemment de manière à y être presque obligé. A moins de faire machine arrière, de s'excuser. Mais non, cela, il n'en était pas question.

Les sons étouffés qui parvenaient du premier étage devinrent soudain plus distincts. Natasha apparut sur le palier, un sac de voyage à la main, et elle dévala l'escalier, en tirant derrière elle une traîne de vêtements qui appartenaient à Nick. Tremblant de tout son corps, les traits déformés par la rage et la douleur, elle lui jeta le sac à la figure, et le poussa vers la porte sous un flot d'insultes et de vitupérations angoissées. *Salaud* fut le seul mot qu'il enregistra.

Il laissa tomber le sac, la saisit par les épaules et la secoua rudement.

— Arrête ! cria-t-il. Ne me traite pas de salaud, tu entends ? Jamais !

Le choc la fit taire. Lorsqu'il la lâcha, elle s'affaissa contre le mur et, avec d'immenses yeux de bête aux abois, elle le regarda ramasser le sac, prendre sa serviette et ouvrir la porte. Il n'avait même pas eu le temps de retirer son manteau !

— Je n'aurais jamais pensé, dit-il plus tard avec une ironie amère, qu'elle pourrait oublier de nourrir ses précieux chats.

S'inquiétant plus pour lui que pour les chats, Sally demanda :

— C'est vraiment ce que tu veux, Nick ? Parce que, sinon, il vaut mieux que tu rentres.

A vrai dire, Nick ne savait pas exactement ce qu'il voulait et il n'était pas en état de prendre des décisions. Il avait les idées embrouillées et, s'il pouvait expliquer à Sally ce qui avait provoqué sa dispute avec Natasha, il était incapable de comprendre le fond du problème et ne voulait même pas répondre à ses questions. Une fois leur dîner terminé — il était déjà plus de dix heures, Nick s'assit à côté du feu, épuisé, incapable de penser et tombant de sommeil.

Ils allèrent se coucher, mais ne firent pas l'amour. Nick avait cru qu'il sombrerait dans l'oubli dès que sa tête reposerait sur l'oreiller ; mais, comme le désir sexuel, le sommeil le fuit. Sally était couchée en chien de fusil derrière lui, un bras autour de sa poitrine, la joue contre son dos ; ce fut réconfortant au début, mais au bout d'un moment il ressentit le besoin de changer de position. Il se libéra doucement et attendit que Sally se retourne pour se mettre sur le dos. Il ne parvint pas pour autant à se détendre ; le chagrin pesait dans sa poitrine comme un poids mort, l'empêchant de dormir. Assailli par des images de Natasha et une multitude de souvenirs, il n'arrivait pas à voir les erreurs qui avaient abouti à ce gâchis. Il ne cessait de se dire que cela n'aurait pas dû se terminer ainsi, dans un accès de rage aveugle, et lui qui allait se consoler dans les bras d'une autre.

Natasha, gémit-il en son for intérieur, nous avions tout pour être heureux. Qu'est-ce qui nous a séparés ?

Pour cause de rénovation, le musée de Ghylldale serait fermé pendant plusieurs semaines à partir du nouvel an ; mais juste avant Noël, les week-ends étaient très chargés. Le personnel et quelques bénévoles étaient habillés en costumes d'époque pour faire visiter le musée et la ferme des enfants, ou servir des punchs chauds et des tartelettes de Noël dans la grande salle du manoir datant de Jacques Ier. En tant que conservateur et coordinatrice, Sally devait être prête bien avant l'ouverture, à dix heures.

— Occupe-toi de ce tu as à faire, Sally, je vais préparer le petit déjeuner, proposa Nick. Puis je te laisserai la voie libre. Il faut que je réfléchisse sérieusement et je n'ai pas beaucoup de temps.

— Oui, dit-elle avec un soupir. J'aurais aimé que nous ayons le temps de parler, mais...

Il la serra brièvement dans ses bras.

— Nous n'avons pas le temps, tu n'as pas le temps et, de toute façon, tu en as déjà fait assez pour moi. Je ne le mérite pas.

D'un geste maternel, elle lissa les cheveux ébouriffés de Nick et lui embrassa la joue.

— Tu dis des bêtises. C'était réciproque, tu le sais bien.

Après le petit déjeuner, Sally, armée d'un trousseau de clefs, disparut en direction du musée pendant que Nick faisait son sac et s'assurait qu'il laissait tout en ordre. Même si elle lui avait dit qu'il pouvait rester aussi longtemps qu'il le désirait, il ne voulait pas que Sally regrette sa générosité. Elle était adorable, compréhensive, mais malgré le plaisir qu'ils avaient trouvé dans les bras l'un de l'autre, il n'était pas amoureux d'elle, et elle n'était pas amoureuse de lui. Au mieux, elle était un havre temporaire ; au pire, il abusait de sa gentillesse.

Il y avait aussi des problèmes pratiques à régler rapidement. Mardi prochain, il devait aller chercher les garçons à l'école. S'il ne pouvait pas les amener à Denton, où iraient-ils ? Pas ici. Il n'y avait pas assez de place, et Nick ne se voyait pas expliquer la nature de sa relation avec Sally à des garçons de douze ans.

Que devait-il faire ? Que pouvait-il faire ? se demandait-il tandis qu'il quittait la maison et traversait la route en direction de sa voiture. Quelques moutons se relevèrent pesamment et se dispersèrent à son approche, puis reprirent leur place lorsqu'il s'engagea sur la route de Whitby. La lumière était éblouissante, l'air pur vivifiant, et une épaisse couche de givre, d'une blancheur immaculée, recouvrait la lande. Malgré le froid, il roula vitre baissée, et quand le petit port apparut devant lui, il s'arrêta pour fumer une cigarette et jouir de la vue.

La mer du Nord était, ce jour-là, d'un gris-bleu presque joyeux et, parce que Nick pensait à eux, il trouva que c'était la couleur précise des yeux de ses enfants. Un gris-bleu *presque* joyeux. Un peu voilé, peut-être ? Cela n'aurait rien d'étonnant, pour des petits gars ballottés entre leur mère et leur père, et soumis au règlement sévère d'un pensionnat de garçons. Ils méritaient mieux que ça. Qu'allait-il faire avec eux ? Rentrer chez lui, taper du poing sur la table, invoquer ses droits ? Non, il ne pouvait pas imposer à ses fils une atmosphère aussi détestable, surtout à Noël, quand ils se faisaient une joie d'avoir quelques jours de liberté et de détente, après un trimestre fatigant. Nick excluait également d'inventer une excuse quelconque pour les renvoyer chez leur mère. Non seulement Bernice en ferait toute une histoire, mais il tenait absolument à voir ses fils, à passer du temps avec eux ; et il aurait aimé s'amuser un peu lui aussi. Les garçons grandissaient vite, et Nick n'avait été que trop privé de leur enfance.

Il songea à aller dans une agence de voyages pour réserver une semaine aux sports d'hiver, mais il se rappela qu'au mois de février ils partaient en classe de neige dans les Alpes italiennes. Et, en s'y prenant si tard, il n'était pas du tout certain de trouver quelque chose. Un séjour à Londres, peut-être ? Oui, c'était une bonne idée. Ils feraient le tour des attractions touristiques, visiteraient la tour de Londres, le donjon, *HMS Belfast* — un croiseur de la Seconde Guerre mondiale —, iraient voir une comédie musicale, toutes choses dont raffolaient les garçons de leur âge.

Cela occuperait trois jours. Mais après ? Il pensa à Giles. Lui avait assez de place pour les loger tous les trois, mais Nick refusa d'envisager cette solution, si séduisante fût-elle. Giles avait du travail, il le lui avait dit la veille. Ce ne serait pas chic de lui imposer une charge supplémentaire. D'ailleurs, le plus important était de trouver une solution pour le long terme.

Nick jeta son mégot par terre et l'écrasa sous son talon. Il se rassit au volant, remonta la vitre et poussa le chauffage à fond ; si le froid vif lui avait remis les idées en place, il l'avait aussi glacé jusqu'aux os.

A Whitby, il faisait nettement plus doux. Nick se gara près de l'arrière-port, traversa la ville, prit un café viennois dans un bistrot qu'il connaissait, puis alla jusqu'au littoral. La mer était basse et sous la falaise, à l'ouest, la fermeté du sable incitait à la marche, comme en témoignait le nombre relativement important de gens qui promenaient leur chien. La mer qui, depuis le sommet des landes, avait une couleur mal définie était ici presque turquoise ; au lieu du flot tumultueux auquel il s'était attendu, les vagues venaient mourir en douceur sur la grève dans un murmure apaisant. Même en été, la mer était rarement aussi calme, songea-t-il.

L'odeur de l'iode et des algues était néanmoins perceptible, et contribuait à la qualité vivifiante de l'air pour laquelle cette partie de la côte ouest était célèbre. Nick avança d'un bon pas en respirant profondément, et laissa la ville et les promeneurs derrière lui. Très vite, il se sentit moins malheureux. il avait eu raison de venir ici. Aux pires moments de sa vie, cet endroit l'avait toujours réconforté. L'air, la mer, les falaises, les cris moqueurs des mouettes, tout contribuait à chasser ses pensées moroses, à lui faire sentir qu'en dépit des épreuves la vie valait la peine d'être vécue.

En ce lieu, il pouvait être heureux, seul ; il n'avait jamais éprouvé le besoin de partager ce bonheur avec quiconque. D'ailleurs, la présence d'une autre personne lui aurait sans doute gâché son plaisir, en lui rappelant qu'il n'était pas seul au monde, que d'autres comptaient sur lui, quand ce qu'il recherchait avant tout, dans ces moments-là, c'était l'illusion de la liberté.

La liberté ! Que ce soit une illusion ne la rendait pas moins nécessaire. Enfant, lorsqu'il cherchait à échapper à ses frères et sœurs plus jeunes, il croyait que la vérité existait vraiment et qu'il la découvrirait en cet endroit précis...

Il s'était senti libre comme l'air pendant environ une heure, puis la mer avait commencé à monter très rapidement et il s'était retrouvé coincé contre les rochers. A l'endroit où la falaise avance dans la mer et où, à marée haute, se produisaient de terribles remous, le jeune Nicholas avait failli être emporté ; il l'aurait été si son père — son beau-père — ne l'avait fermement agrippé pour le porter en lieu sûr. Une étreinte et une bourrade lui avaient assuré qu'il était de retour au sein de sa famille, sain et sauf. Mais cette aventure ne l'avait pas assagi. Il était reparti plusieurs fois. Seulement, de ce jour, il avait fait attention à ne plus se laisser surprendre. Pendant ces vacances, il était devenu le spécialiste des heures des marées. Nick se rendait compte qu'il n'avait pas dû être un enfant facile.

Il était étrange de penser — et cela lui donnait encore un pincement au cœur — qu'il avait été conçu ici, au bord de la mer. Il ignorait ce détail lorsqu'il était jeune. De son père, il ne savait qu'une chose : il s'était tué à moto. La mère de Nick avait toujours été très vague. Alors il avait imaginé que ses parents étaient mariés, et que sa mère, à l'époque où elle avait rencontré et épousé Stanley Rhodes, était une jeune veuve. Mais elle n'avait que dix-neuf ans, le jour de son second mariage, et Nicholas avait déjà plus d'un an. Comme Stan avait adopté le petit garçon, la vérité était restée longtemps cachée. Elle n'avait triomphé qu'après la naissance des

278

jumeaux, quand la mère de Nick, atteinte d'un cancer, se savait condamnée à court terme.

Se trouver face à l'éternité semblait avoir dissous la honte et la gêne qui lui avaient lié la langue pendant tant d'années ; Nick était forcé d'admettre qu'il était heureux que la fiction ait résisté jusqu'au début de sa vie d'adulte. Il se rappelait encore le choc qu'il avait eu en apprenant que sa mère lui avait menti, que tout le monde avait menti. Il se rappelait encore le goût amer de la trahison. La vérité avait entamé sa fierté et son arrogance, ce qui n'avait pas été une mauvaise chose ; mais, plus jeune, il n'aurait pu le supporter.

C'était une petite histoire triste, somme toute assez banale, songea-t-il avec amertume. Juste après la guerre, quand la plupart des gens manquaient terriblement d'argent, la mère de Nick, Gloria, était une jolie fille. Elle avait été invitée par les parents d'une amie à venir en vacances à Whitby ; là, les deux adolescentes avaient rencontré deux jeunes gens qui campaient sur les falaises, deux garçons séduisants qui aimaient s'amuser et tenaient absolument à passer un bon moment avant de rejoindre les forces armées. Ils étaient en permission, et s'appelaient Nick et Eddie. C'est à peu près tout ce que les deux filles savaient sur eux. Nick habitait à Londres, il avait une moto ; Gloria se rappelait que ses parents étaient divorcés, parce que dans sa propre famille le mot divorce n'était jamais prononcé. Mais elle n'avait jamais su quel était le nom de famille ni l'adresse de Nick. Dans son innocence, elle était tombée amoureuse au premier regard ; dans le cas de Nick, l'aventure était probablement plus prosaïque. Les parents de Gloria lui assurèrent que le jeune homme avait abusé d'elle et tentèrent de la convaincre de faire adopter l'enfant. Elle refusa, et les mit dans l'embarras en décidant de le garder.

Ce fut un soulagement pour tout le monde, lui avait confessé sa mère, lorsqu'elle fit la connaissance de Stan. Stan l'adorait et le bébé n'était pas un obstacle pour lui. En revanche, il en était un pour ses parents ; mais Stan se passa de leur consentement et en retour Gloria lui donna son amour. Nick ne pouvait en douter ; malgré le petit Nick, sa mère et Stan avaient été heureux ensemble. En regardant en arrière, Nick comprit qu'il avait trop souvent sous-estimé son beau-père, simple et généreux, et trop souvent été bêtement envieux de ses frères et sœurs. Il était plus vieux, bien sûr, et destiné à être toujours le plus intelligent ; mais ce genre d'intelligence était une arme à double tranchant. A cette époque, il aurait donné beaucoup pour être comme eux. C'étaient de beaux enfants, bien soignés, capables chacun à sa façon de se fondre dans la masse. Au moment où de telles choses avaient leur importance, Nick n'y était jamais arrivé.

Il avait toujours trouvé que ses frères et sœurs manquaient d'intelligence et d'audace. Pourtant, tous avaient réussi dans leur domaine propre. Nick y voyait un bon point en faveur de l'éducation qu'ils avaient reçue. C'était dommage, pensa-t-il, que le passé soit si douloureux, lui donne tant de regrets. Dommage aussi qu'il se soit coupé si irrévocablement de ses frères et sœurs, qu'il sache si peu de choses sur eux, en dehors des trop rares lettres qui le tenaient informé des derniers événements, mais laissaient de côté les pensées et les sentiments ; elles n'apportaient pas de réponses aux questions qu'il se posait.

Si seulement...

Cette expression, la plus mélancolique qui soit, amena un petit sourire moqueur sur ses lèvres. Si seulement sa mère avait pu être un peu plus franche ; si seulement on lui avait dit immédiatement la vérité, au lieu de le laisser construire un monde imaginaire, dans lequel son père naturel était une sorte de Superman, qui (s'il avait vécu) aurait toujours tout compris, serait venu à bout de toutes les difficultés et aurait gagné suffisamment d'argent pour que l'achat de vêtements et d'équipement de sport ne soit jamais un problème ! Et, dans cette histoire romanesque, Nick n'avait accordé aucune chance à Stan. Ce dernier avait pourtant travaillé dur toute sa vie, traité Nick comme son propre fils, et montré le plus souvent une patience remarquable face aux provocations du jeune garçon. Ses punitions étaient justes ; l'ennui, c'est qu'elles restaient sans effet sur un enfant qui aurait eu besoin d'être raisonné par quelqu'un capable de le comprendre et de lui montrer ses erreurs.

Nick était sûr d'être un incompris et, par conséquent, il n'avait jamais pris la peine d'expliquer pourquoi il se comportait comme il le faisait. Il acceptait ses punitions sans se plaindre, et se consolait en pensant que la vie serait beaucoup plus belle si son père vivait encore. Quelle cruelle ironie d'apprendre que son père n'était pas mort, qu'il avait simplement séduit une jolie fille en vacances, et pris du plaisir avant de disparaître en emportant quelques bons souvenirs, en l'abandonnant avec un enfant.

Impulsif, arrogant, irresponsable, on pouvait lui appliquer toutes ces épithètes. Mais son père n'en avait pas l'exclusivité, songea Nick. C'était vrai des jeunes en général. Lui aussi s'était parfois montré impulsif, arrogant et irresponsable. Il l'avait souvent regretté. Les chances gâchées, le mensonge générateur de malentendus, et le sentiment de culpabilité qui avait suivi la confession de sa mère mourante, sans qu'il ait les moyens de réparer ses torts envers ceux qu'il avait blessés, constituaient le nœud de sa mélancolie.

Il n'avait jamais pu se confier à Bernice. Après la mort de sa mère, il était tombé dans une dépression dont il n'avait encore pu expliquer à personne les causes profondes. Pas même à ses frères et sœurs, réunis brièvement, le temps de l'enterrement. Il aurait aimé le faire, mais n'en avait pas eu le loisir. Ses frères et sœurs étaient trop habitués à son attitude distante pour deviner qu'il ressentait un réel besoin de parler ; et Stanley, qui aurait certainement compris ses tourments, était mort depuis plusieurs années déjà.

En se penchant sur son passé, Nick se demanda si cela avait été le début de la fin en ce qui concernait son histoire avec Bernice. A partir de là, leur relation avait en effet commencé à se détériorer. Bernice, qui avait encore ses parents et n'était pas moins gâtée que ses propres enfants, ne comprenait pas le chagrin de Nick, « surtout qu'il n'avait jamais semblé très proche de sa mère », comme elle le lui répétait souvent. Bernice était impatiente et dédaigneuse ; chaque fois qu'il était sur le point de s'épancher, elle prenait son air de martyre et lui suggérait de trouver quelque chose à faire pour se changer les idées. Alors il se taisait, s'efforçait de ne plus penser, se traitait d'idiot, se disait qu'on ne pouvait pas revenir en arrière et qu'il devait apprendre à vivre avec ce secret.

Il s'employa à ne plus y penser et chercha une fois de plus un remède dans le travail ; mais il était loin d'être heureux, et les choses allaient de mal en pis avec Bernice. Ils faisaient rarement l'amour et, étant donné qu'elle ne lui épargnait pas les remarques caustiques, Nick, à la longue, ne la désira plus. Comme la sexualité avait toujours été importante pour lui, elle l'accusa de la tromper. Ce n'était pas le cas. Il était seul, renfermé sur lui-même avec le fardeau du passé.

C'est à cette époque, songea Nick en atteignant le bout rocheux de la plage, que Natasha était entrée dans sa vie.

Au souvenir de toutes les occasions perdues, son regard, fixé sur les vagues étonnamment calmes en cette saison et d'un bleu fascinant, se brouilla. La mer était étale. Ce serait bientôt la marée montante et le flot approcherait à une rapidité étonnante. Nick essuya les larmes qui lui montaient aux yeux en les mettant sur le compte du froid piquant. Il se moucha, respira profondément, fit demi-tour et monta les marches de la nouvelle digue.

C'était une innovation à laquelle il applaudissait. Il était possible, à présent, de faire sans danger le tour du cap et d'explorer les mares entre les rochers en ayant sous la main une retraite sûre ; on pouvait parcourir plusieurs centaines de mètres et admirer le spectacle magnifique des falaises au loin, au pied desquelles était niché le ravissant village de Sandsend.

Nick pensait que la digue le conduirait jusqu'à la petite plage suivante, mais comme il contournait un autre promontoire il découvrit que la digue n'allait pas plus loin. La falaise était là, avec les rochers dessous, et devant une étendue de sable. Un vague chemin grimpait vers le sommet et devait rejoindre la route caillouteuse de Sandsend. S'il était resté le garçon aventureux qu'il était trente ans plus tôt, Nick aurait probablement escaladé les rochers. Mais, en prenant de l'âge, il était devenu un peu plus prudent face au danger. Il s'arrêta, embrassa une dernière fois du regard le spectacle qui s'offrait à lui ; puis, avec un bref sourire, il prit une décision et s'en retourna par où il était venu.

27

Revenu à Ghylldale avec l'intention de laisser un mot à Sally, Nick l'aperçut dans l'embrasure de la porte d'entrée du musée. Son attention fut d'abord attirée par le costume — la coiffe et le tablier blancs, et la grande cape en velours marron à capuche. Il ne reconnut la jeune femme que lorsqu'elle se tourna pour parler à quelqu'un, à l'intérieur, et qu'il vit ses cheveux blonds sur ses épaules.

En le voyant descendre de voiture, Sally lui adressa un large sourire accompagné d'un geste de la main ; il sourit à son tour, plus timidement lorsqu'il traversa la rue pour aller la saluer. Ils se retrouvèrent devant chez elle.

— Ça te change complètement ! s'exclama-t-il dans un rire en la détaillant de la tête aux pieds. Je ne t'avais pas reconnue. Ça se passe bien ?

— Oui. Nous avons eu énormément de visiteurs ce matin : la boutique et le café sont pris d'assaut, tout le monde est content. Et toi ?

— Ça peut aller.

Il répondit par un sourire au regard pénétrant de la jeune femme.

— Non, je t'assure. En fait...

Elle le prit par le bras et le fit entrer.

— Viens, allons boire un café, dit-elle. Une pause me fera

du bien, et comme il commence à y avoir moins de monde, je peux me l'accorder.

Ils burent leur café dans le petit salon de Sally, assis sur la banquette placée sous la fenêtre ensoleillée. De temps en temps, la jeune femme jetait un coup d'œil au-dehors pour surveiller ce qui se passait, mais elle montrait par des hochements de tête et des murmures approbateurs qu'elle écoutait Nick avec attention et jugeait raisonnable le plan qu'il avait arrêté.

— Mais tu crois que tu peux faire confiance à Natasha pour jouer le jeu ?

Il eut un petit rire triste et secoua la tête.

— Non. Mais je dois penser d'abord aux garçons. Pour le moment, c'est eux qui comptent le plus pour moi.

Nick vida sa tasse de café et se leva.

— Bon, il vaut mieux que j'y aille.

Sally resta un moment sans bouger, les yeux levés vers lui, et son air grave contrastait curieusement avec sa coiffe en dentelle. Nick ne put s'empêcher de sourire.

— Ne t'inquiète pas, tout ira bien.

Sans répondre, Sally se rendit à la cuisine. Comme Nick la rejoignait, elle le conduisit jusqu'à l'appentis pour lui montrer l'endroit où elle cachait ses clefs.

— Je serai absente à Noël, dit-elle, mais si tu ne sais pas où aller...

Ému par sa générosité, Nick la serra contre lui.

— Merci, murmura-t-il contre sa joue, je m'en souviendrai. Je te tiendrai au courant.

— Ta femme a juste besoin d'une bonne fessée, affirma Sally d'un ton bourru lorsque Nick la lâcha. Tu peux le lui dire de ma part.

Il eut un petit rire nerveux.

— Je le ferai peut-être.

— Va maintenant, Nick, déclara-t-elle en lui tapotant l'épaule. Mais fais attention à toi, et n'oublie pas : tu peux venir quand tu veux.

— Merci.

Il l'embrassa chaleureusement et se tourna vers la porte.

— Joyeux Noël, Sally.

— J'espère que le tien se passera mieux que tu ne le penses, répliqua-t-elle.

Les bulletins météo locaux annonçaient de mauvaises conditions de circulation dans la vallée d'York, et, en quittant les landes, Nick tomba en effet sur des nappes de brouillard, plus épaisses, à proximité de Malton et sur l'A 64, très chargée comme tous les week-ends. On n'y voyait pas à plus de cent mètres. Nick ralentit en conséquence, mais sur cette route à deux voies certaines voitures cherchaient encore à doubler, sans se soucier de ce qui pouvait venir en face. Nick fut heureux de bifurquer en direction de Sheriff Whenby, bien que le brouillard fût plus dense en pleine campagne, et que le givre dans les haies indiquât une température au-dessous de zéro. Le trajet jusqu'à Denton-on-the-Forest lui parut durer une éternité.

La voiture de Natasha était dans la grange, mais la porte de la véranda était fermée à clef. Prenant une profonde respiration pour garder son calme, Nick chercha ses clefs, ouvrit les deux portes et entra dans une maison totalement silencieuse.

Un peu inquiet, il resta un moment immobile, prêtant l'oreille. Puis il ouvrit la porte du salon, qui était vide. Aucun bruit ne venait du bureau. La cuisine était déserte, mais le fourneau chauffait encore légèrement.

Nick monta les marches quatre à quatre et, arrivé sur le palier, croisa la chatte qui longeait furtivement les murs. Natasha, dans son lit, dormait encore.

Le soulagement rendit Nick plus dur. Comme elle levait la tête, réveillée en sursaut, il dit :

— Habille-toi, j'ai à te parler.

Elle se laissa retomber sur les oreillers en tirant la couette jusqu'à son menton.

— Moi, je n'ai aucune envie de parler avec toi.

Nick n'était pas d'humeur à se laisser rembarrer. Il tira les rideaux et ramassa un paquet de vêtements sur la chaise.

— Tu n'as pas besoin de parler. Je veux que tu m'écoutes, c'est tout. Mais pas ici, en bas, lorsque tu seras habillée.

Il arracha la couette d'un coup sec et jeta les vêtements sur le lit.

— Et dépêche-toi, je n'ai pas que ça à faire.

Au rez-de-chaussée, il récupéra le courrier dans la véranda et un paquet sur la table du vestibule. Il regarda rapidement les enveloppes. Le cachet de la poste et l'écriture lui permirent d'identifier plusieurs de ses amis. Il y avait aussi une épaisse lettre que sa sœur avait envoyée par avion d'Australie. Nick avait pensé à elle le matin même. Un léger sourire se forma sur ses lèvres. Bien, se dit-il, je verrai ça un peu plus tard.

Dans la cuisine, comme il se penchait pour remettre du bois dans le fourneau, il remarqua que l'un des deux fauteuils était garni de coussins et qu'un livre de poche était posé par terre à côté, avec un emballage de Kit-Kat en guise de marque-page. Cette découverte l'intrigua. Pourquoi sa femme ne lisait-elle pas au lit ? Il se demanda également pourquoi elle dormait encore quand il était rentré. Il entendit l'eau couler au premier. Natasha prenait une douche. Au moins, elle s'était levée et faisait un effort.

Nick jeta un coup d'œil à sa montre ; il était presque deux heures. Il mourait de faim. Il inspecta le réfrigérateur. Celui-ci ne contenait guère que des œufs, du fromage, l'inévitable collection de sauces et de cornichons ; des tomates à la triste mine et de la laitue réduite à l'état de bouillie dans un sac en plastique. Dégoûté, Nick jeta la salade à la poubelle, et se demanda ce que Natasha avait bien pu fabriquer toute la semaine précédente. Une chose était sûre : elle n'avait pas fait les courses.

Il se prépara un sandwich au fromage et aux pickles, qu'il fit passer avec une canette de bière. Ensuite, il ouvrit quelques cartes de Noël ; mais son état d'esprit était tel qu'il pensait davantage à leur prix qu'au plaisir de les recevoir.

Natasha arriva enfin, les cheveux rendus électriques par le séchoir. Elle ne portait pas les vêtements que Nick lui avait jetés, mais un beau fuseau vert et un riant pull-over rouge et vert. En dépit d'un maquillage soigné, elle avait l'air fatigué et le teint pâle. N'accordant à Nick qu'un coup d'œil, elle se fit du café et alluma une cigarette.

— Tu es de passage ou tu comptes rester plus longtemps ?

— Je reste, répondit-il. C'est ma maison, Natasha, au cas où tu l'aurais oublié.

— Non. Je pensais que toi tu l'avais oublié.

Elle marqua une pause avant d'ajouter :

— Et ta petite amie ? Elle n'a pas voulu de toi pour Noël ? C'est surprenant. Je pensais qu'elle aurait sauté de joie.

Nick se leva.

— Pour mettre les points sur les « i », elle s'appelle Sally, elle est historienne et je l'ai connue il y a très longtemps. Je ne suis pas amoureux d'elle, et elle n'est pas non plus amoureuse de moi. C'est juste une amie.

— Mais tu as couché avec elle ! s'écria-t-elle sans pouvoir déguiser son écœurement.

Nick accusa le coup, puis il haussa les épaules et alluma une cigarette.

— Qu'est-ce qui te fait croire ça ? Ta mauvaise conscience ?

— Ma mauvaise conscience ? cria Natasha. Je ne découche pas, moi ! Je ne couche pas avec d'autres hommes sous le prétexte d'effectuer des recherches !

— J'ai vu le Dr Wills, répliqua Nick froidement. Elle a soixante ans au moins, et Sally est une ancienne collègue. Quant à mes recherches, je ne t'ai pas menti : je peux te montrer mes notes, si tu veux.

— Je me fiche de tes bon Dieu de notes ! D'ailleurs, ça prouve quoi ? Que tu as travaillé autant que tu l'as baisée !

La vulgarité avec laquelle elle exprimait sa répulsion fit exploser Nick.

— Mais qu'est-ce que ça peut te faire que j'aie ou pas couché avec une autre femme, puisque tu ne veux pas de moi dans ton lit ? Tu ne veux même pas de moi dans ta vie, on dirait ! Oui, j'ai couché avec Sally et, si tu veux le savoir, ce n'était pas par amour, ni même par plaisir, mais simplement parce qu'elle était là. J'avais besoin de quelqu'un ; et elle, elle était là !

Natasha lui tourna le dos. Il vit qu'elle tremblait, mais il ne put réprimer sa colère.

— J'avais besoin de toi — j'ai toujours eu besoin de toi... mais toi, tu n'as rien voulu savoir ! Si je suis coupable, tu l'es autant que moi !

Il sortit à grands pas de la cuisine et claqua la porte derrière lui.

Restée seule, Natasha lâcha un chapelet d'obscénités. La rage et un fort sentiment de culpabilité bouillonnaient en elle. Poussée par le besoin irrésistible de casser quelque chose, de se venger du mal que Nick lui faisait, elle saisit la tasse pleine de café et la jeta à toute volée contre la porte de la cuisine. La tasse se brisa en mille morceaux et le contenu gicla autour, aspergeant les murs, le plafond, la fenêtre, le sol ; mais cela soulagea un peu la jeune femme et lui donna une raison supplémentaire de fondre en larmes.

Elle s'assit et sanglota dans un mouchoir en papier froissé jusqu'à ce que Colette sorte de sous la table et saute sur ses genoux. La chatte frotta sa tête blanc et roux contre le menton de Natasha et, à force, le mélange de larmes et de poils de chat devint si désagréable que ses pleurs se tarirent. Apaisée par la boule chaude et ronronnante, Natasha essaya de raisonner, mais ne parvint pas à surmonter sa colère et son ressentiment. C'était bien de Nick, de tout mettre sur son dos à elle ! Quelle que soit sa part de responsabilité, ce n'était pas elle qui l'avait forcé à la tromper. Personne n'aurait pu le retenir, le soir où il devait soi-disant aller à Newcastle. Il ne tenait plus en place tellement il était pressé de partir.

Elle se demanda ce qu'elle devait faire et où tout cela allait mener. Elle avait l'impression d'être perdue au milieu d'un brouillard plus dense que celui qui se levait dehors. Et le soir tombait. Rongée par des craintes et des angoisses sans rapport avec Nick ni leur vie conjugale dans l'impasse, elle se leva et alluma. A la vue des taches de café et des morceaux de tasse éparpillés, elle faillit se remettre à pleurer. Ravalant ses larmes, elle entreprit de nettoyer.

Lorsque Nick redescendit, elle essuyait le plafond, juchée sur une chaise. Il évalua d'un coup d'œil les dégâts, soupira et lui prit l'éponge des mains.

— Descends, je peux le faire sans monter sur la chaise.

Sans protester, elle le laissa s'occuper du plafond, et lava les murs et les boiseries. Quelques minutes plus tard, ils avaient presque terminé.

— Je ne sais pas ce que tu comptes faire, Natasha, mais je crois que tu seras d'accord avec moi : on ne peut pas continuer ainsi. Je pense aux garçons, bien sûr, et au fait que c'est bientôt Noël.

— Oui, nous ne devons pas oublier que c'est Noël, dit-elle d'un ton sarcastique.

— En effet.

Il recula, examina le plafond aux poutres apparentes, et déclara :

— Les garçons ne sont pas responsables de la situation actuelle. Ce ne serait pas juste de leur gâcher leurs vacances. Je suis sûr que tu partages mon avis.

Comme elle ne répondait pas, il ajouta sèchement :

— Tu es d'accord, n'est-ce pas ?

— Oui, oui, naturellement.

Elle se sentait totalement vide, et était prête à approuver n'importe quoi.

— Alors, voici ce que je te propose : nous attendons la fin des vacances pour prendre des décisions et, jusque-là, nous faisons notre possible pour mener en apparence une vie normale. En d'autres termes, nous fêtons Noël en nous montrant courtois l'un envers l'autre, et tu m'accompagnes lors des promenades habituelles que je fais avec les enfants.

« Sauf à Londres, poursuivit-il en allumant une cigarette. J'ai décidé d'y passer le week-end prochain avec eux. A moins que tu n'aies envie de venir, j'ai pensé que c'était un bon moyen de te débarrasser de nous pendant quelques jours. Je les ramènerai dimanche soir, et ils retourneront chez Bernice mardi après-midi — le 24 décembre, au cas où tu l'aurais oublié. Giles et Fay dîneront ici le 26. Ensuite, conclut-il d'un ton glacial, nous pourrons prendre le temps de réfléchir à ce que nous voulons faire.

Natasha eut un petit air ironique.

— Tu as pensé à tout, n'est-ce pas ? Tout est parfaitement organisé, comme d'habitude. Il ne t'est même pas venu à l'esprit que j'aurais pu prendre des dispositions, de mon côté ?

Elle se tut pour accentuer son effet ; puis, sans réfléchir, elle lança d'un ton venimeux :

— Figure-toi que j'ai décidé de quitter cette foutue maison pour retourner vers ce que j'appelle la civilisation !

— Je vois, dit Nick, secoué et soudain moins sûr de lui. Et quand as-tu l'intention de partir ?

— Eh bien, rien ne me ferait plus plaisir que de partir sur-le-champ, mais je ne suis pas encore tout à fait prête.

Elle rinça l'éponge et versa de l'eau dans l'évier en prenant son temps tandis que Nick, mal à l'aise, arpentait la pièce.

— Il me reste certaines choses à régler. Mais lorsque je m'en irai, insista-t-elle, j'aimerais avoir ma part de ce gouffre financier.

Sur ce, elle rangea le seau dans le placard et se tourna vers la porte.

— Mais jusque-là, tu feras ce que je te demande ?

Elle s'immobilisa.

— Oui. Je ferai de mon mieux pour le bien de tes enfants. Est-ce que je ne l'ai pas toujours fait ?

— Si.

— Je suis prête à sauver les apparences pendant les fêtes, mais pas question que je dorme avec toi. Débrouille-toi pour trouver une solution !

— J'y ai déjà pensé, dit-il amèrement. Comme je suis le plus matinal, je dormirai sur le canapé. Pendant les vacances, les garçons se lèvent souvent tard. Je pense qu'ils ne le remarqueront pas.

— Tout est arrangé, dans ce cas. Je peux m'en aller maintenant ?

— Oui.

Durant les jours qui suivirent, Nick exerça sur Natasha une pression constante. Par le passé, il aurait veillé à ce qu'elle ne se fatigue pas trop, après une longue période de travail intensif ; mais comme passer son temps à ruminer des torts imaginaires ne semblait pas lui avoir réussi, il décida que ça ne lui ferait pas de mal d'être obligée de s'activer, même s'il devait supporter sa mauvaise humeur. Il ne la laissa donc pas en paix tout en essayant d'ignorer ses remarques acerbes, ses allusions constantes à sa « petite amie », à Noël et à sa volonté de s'en aller. Et, le mardi matin, ils avaient fait le plein de provisions, acheté et décoré l'arbre de Noël, acheté et enveloppé les cadeaux.

A midi, lorsque Nick partit chercher ses enfants, il était soulagé que tout soit enfin prêt pour les accueillir, mais épuisé, aussi bien physiquement que moralement. Et inquiet. Ne pas être sûr à cent pour cent que Natasha respecterait la trêve qu'ils avaient conclue pour la période où les garçons seraient chez eux était, parmi les problèmes qui se posaient à lui, celui qui le souciait le plus. Si sa femme reprenait les hostilités, il serait obligé d'emmener ses enfants ailleurs, chez Sally probablement. Son meilleur atout était l'amour-propre de Natasha, et il ne s'était pas privé d'en jouer en laissant entendre quelle jubilation ce serait pour Bernice d'apprendre que Nick et Natasha se séparaient, surtout avant Noël.

L'attitude que choisiraient d'adopter les garçons était une autre source d'inquiétude pour Nick. Adam n'était pas toujours facile avec Natasha, et s'il poussait le bouchon trop loin elle risquait d'éclater.

En fin de compte, ce fut lui qui se mit en colère, moins de cinq minutes après avoir dit bonjour aux enfants. Une fois les valises et les sacs chargés dans le coffre, Adam s'était octroyé d'office la place à côté du conducteur, ce qui déclencha des protestations inhabituellement véhémentes de la part de son frère. Pour régler le différend, Nick dut élever la voix. Cet incident illustrait bien ce qui se dessinait depuis quelque temps. Adrian qui, jusque-là, avait été heureux de jouer les éternels seconds voulait à présent être considéré comme une personne à part entière.

Le fossé qui s'était creusé entre son frère et lui fut encore plus évident à leur arrivée à Holly Tree Cottage. A son habitude, Adam salua Natasha d'un air détaché ; Adrian, lui — au lieu d'imiter son frère puis de courir explorer la maison ou d'aller regarder la télévision dans le salon — s'attarda dans la cuisine et se fit servir du thé et du gâteau au chocolat.

Nick, qui observa un moment Natasha et Adrian, vit le regard et le sourire de sa femme devenir de plus en plus chaleureux, et nota l'air détendu avec lequel le garçon la considérait. L'ironie de la situation lui fit mal. Il trouva terriblement injuste que Natasha, après tant d'efforts infructueux dans le passé, soit sur le point de venir à bout de leur ressentiment. Et c'était cruel. Surtout pour Adrian. Au moment où il commençait à avoir confiance en Natasha, celle-ci allait sortir de leur vie pour toujours.

A la grande surprise de Nick, durant les quelques jours qui suivirent, Natasha joua sans une fausse note le rôle qu'il lui avait assigné. Elle prépara aux garçons leurs plats et leurs gâteaux préférés et servit quelques nouvelles recettes qui obtinrent un large succès. Le mercredi après-midi, elle les invita même à faire les achats de Noël avec elle, et le lendemain elle les accompagna au musée des Chemins de fer. Il apparut rapidement qu'Adam, loin de garder une attitude distante, rivalisait avec son frère pour se montrer sous son meilleur jour. Mais Natasha avait beau sourire et faire comme si rien n'avait changé, Nick ressentait douloureusement l'ironie de la situation et n'oubliait jamais qu'ils vivaient juste un intermède entre une décision irrévocable et le moment de sa réalisation.

Si devant les jumeaux Natasha jouait son rôle à la perfection, lorsqu'ils se retrouvaient tous les deux seuls, après qu'Adam et Adrian avaient été envoyés au lit, son sourire disparaissait et son regard révélait une lassitude semblable à celle que Nick éprouvait. Il s'aperçut le jeudi soir que faire semblant était plus fatigant qu'il ne l'avait imaginé. Surtout quand on se sentait malheureux comme les pierres.

Bien qu'il parvînt à dormir six ou sept heures d'affilée sur le canapé du salon, son sommeil était agité et ses rêves lui laissaient une impression pénible. Il n'avait pas le sentiment de se reposer ; mais il était content de se lever et d'avoir quelque chose à faire. Il continuait à courir le matin, rentrait, regardait les nouvelles à la télévision en prenant une tasse de café, puis réveillait le reste de la maisonnée. Comme il l'avait supposé, les garçons ne remarquèrent pas qu'il dormait en bas.

— Mais papa, dit Adrian d'une voix peinée le vendredi matin, pourquoi Natasha ne vient-elle pas avec nous à Londres ?

La réponse à cette question avait été préparée avant l'arrivée des garçons.

— Elle a beaucoup de travail, déclara Nick avec force. Elle a besoin de calme ; trois jours toute seule, ce sera parfait pour elle.

— Mais c'est Noël ! répliqua Adam. Elle ne peut pas se reposer un peu ?

Nick ne put s'empêcher de sourire. L'été précédent, ce

même garçon n'avait pas caché sa joie à la perspective de passer des vacances sur une péniche avec son père, son frère et Giles. Il n'avait pas voulu que Natasha soit de la partie et ne s'était pas gêné pour le faire savoir. Maintenant, il désirait qu'elle vienne avec eux et n'acceptait pas davantage qu'il puisse en être autrement.

— Écoute, dit Nick, tout le monde n'a pas un mois de vacances pour Noël. Même moi, je dois travailler pendant les vacances. Et ta mère n'a que six jours pour Noël et le nouvel an.

— Mais Natasha n'a pas d'horaires fixes, insista Adam. Pourquoi ne vient-elle pas avec nous à Londres ?

— Parce qu'elle sait la quantité de travail qui l'attend et qu'elle ne veut pas se retrouver le couteau sous la gorge... Cela s'appelle l'autodiscipline, ajouta Nick d'un ton grave, et c'est une chose que tu devrais apprendre.

Comme Adam s'en allait, vexé, son frère sourit sans malice.

— Il est bizarre, n'est-ce pas, papa ? Il n'aimait pas Natasha, et maintenant il la trouve super.

Nick sourit.

— Grâce à toi.

Ce compliment inattendu fit rougir Adrian jusqu'à la racine de ses cheveux roux bouclés.

— Moi ? Mais je n'ai rien dit...

— Ce n'est pas nécessaire, expliqua Nick. Tu as juste décidé de penser et d'agir par toi-même. Et je suis sûr, ajouta-t-il en pressant l'épaule de son fils, que grâce à toi Adam s'est rendu compte qu'il se conduisait d'une manière assez stupide.

— Mais elle est sympa, non ? Et il y allait un peu fort. Ça devenait ennuyeux, à la fin...

— Tu as raison, approuva Nick en riant. En tout cas, merci... Je suis fier de toi.

Rouge de confusion, Adrian sourit et partit rejoindre son frère au premier pour chercher ses affaires. Il semblait avoir grandi de deux centimètres, songea Nick.

Dans le salon, Natasha ajoutait les cartes de vœux arrivées dans la matinée à côté de celles qu'elle avait disposées sur les rebords des fenêtres. D'autres décoraient en festons le manteau de la cheminée. Nick trouva la pièce accueillante. L'arbre de Noël placé dans un coin auparavant vide était orné de boules rouges. La grande jatte remplie de pommes de pin et de brindilles recouvertes de givre artificiel ornait le foyer. Des branches de houx provenant de la haie étaient accrochées au-dessus des tableaux et des lambrequins. Même à cette heure de la journée, sans feu dans l'âtre, c'était un endroit où il faisait bon vivre ; Nick regretta de devoir partir.

— Tu t'en sortiras toute seule ?

Il y eut un silence, puis elle répondit avec une note d'agacement dans la voix.

— Il n'y a pas de raison !

Nick eut l'impression qu'ils avaient déjà eu cette conversation.

— Non, en effet. Tu sais, les garçons sont désolés que tu ne viennes pas avec nous à Londres.

Après une hésitation, il se lança :

— Tu ne veux pas venir ?

Elle le regarda et secoua lentement la tête avec un petit sourire triste.

— Non, je te remercie. Ces derniers jours ont été... comment dire... agréables, par certains côtés, mais épuisants. J'aimerais me reposer un peu et avoir le temps de réfléchir.

Aussi soulagé que déçu, Nick lui rendit son sourire.

— Oui, je sais ce que tu veux dire. Bon, eh bien, je crois que nous devrions y aller...

— Je vais sortir la voiture.

— Tu veux prendre la Rover ?

— Non, je préfère conduire la mienne.

Natasha laissa sa Peugeot au parking de la gare et accompagna les garçons et Nick jusqu'au train.

— Amusez-vous bien, dit-elle.

En embrassant Adrian puis Adam, elle se rendit compte à quel point ils étaient grands déjà ; leurs épaules carrées arrivaient à la même hauteur que les siennes. C'était la première fois qu'elle se risquait à les embrasser, la première fois que ce geste semblait avoir des chances d'être bien accueilli. Les enfants rougirent mais, à en juger par leur sourire, plus de plaisir que de contrariété. Ils vont me manquer, ces deux affreux jojos, songea-t-elle, émue malgré elle. Mais ce n'était plus d'affreux jojos. Même Adam...

Nick la serra dans ses bras avec une ardeur inattendue qui

lui coupa le souffle et annihila ses pensées. Plus rien n'existait, hormis la chaleur merveilleuse du corps de Nick, sa force et...

— Tu vas me manquer, lui murmura-t-il à l'oreille.

— Oui, je...

— Papa, dépêche-toi, nous allons rater le train !

— Fais attention à toi, dit-il en la lâchant.

— Toi aussi, murmura-t-elle avec un sourire, les yeux brouillés par les larmes.

Les portes claquaient tout le long du train. Nick rejoignit les garçons qui semblaient anxieux et les fit monter dans une voiture. Ils saluèrent de la main Natasha ; le chef de train claqua la portière et ils disparurent. Les wagons s'ébranlèrent et prirent bruyamment de la vitesse tandis que la jeune femme continuait d'agiter la main, aussi malheureuse que s'ils partaient pour toujours.

Ce n'était pas si faux, songea-t-elle lorsqu'elle se réinstalla dans sa voiture. Tamponnant ses yeux larmoyants avec des mouchoirs en papier trouvés dans la boîte à gants, elle pensa à la séparation prochaine et sut que, des deux épreuves qui l'attendaient, ce n'était pas la moindre. Une semaine auparavant, tout quitter lui paraissait le seul moyen d'échapper à une situation devenue intolérable ; mais, bien qu'elle en eût voulu à Nick de la tyranniser, force lui était de reconnaître qu'il avait eu raison de réclamer une trêve.

Contre toute attente, ces quelques jours lui avaient apporté plus de joies qu'elle n'en avait ressenti depuis longtemps. Et elle n'avait pas eu besoin de se forcer pour montrer aux garçons un visage souriant, comme Nick l'en avait pour ainsi dire sommée. Pour la première fois, leur présence avait été plus agréable qu'éprouvante, et avait facilité ses rapports avec Nick. Sans les garçons, elle ne lui aurait pas adressé la parole ; l'aveu qu'il avait fait l'avait trop blessée dans son amour-propre. Et l'accusation qu'il avait portée contre elle, comme quoi tout était sa faute, l'avait grandement déstabilisée.

— Peut-être que s'il n'avait rien dit...

Non, ils n'auraient pas pu continuer ainsi. Se taire plus longtemps était devenu impossible. Elle déplorait simplement que les choses en soient arrivées là à cet instant précis. Lorsqu'elle pensait aux garçons, elle se sentait malhonnête, se considérait comme un vulgaire escroc, et constater que Nick paraissait sincèrement désolé de partir ne lui procurait qu'un maigre réconfort.

Là encore, quelle ironie ! songeait-elle. Nick devait bien se rendre compte que ça ne marchait plus entre eux. Qu'ils en souffrent chacun de leur côté n'y changeait rien. Les différences étaient trop importantes. Lui n'était plus jeune et malléable, et elle-même avait cessé de croire qu'il deviendrait un jour l'homme qu'elle désirait qu'il soit. Nick était Nick : il n'aimait pas expliquer la raison de ses actes et se moquait apparemment d'être compris ou pas. Il ne devinait pas non plus à quel point elle se sentait isolée à Denton, et que cette solitude lui avait remis en mémoire ses jeunes années où elle ne rêvait que d'une chose : s'échapper.

L'isolement avait aussi un effet secondaire gênant. Lorsqu'elle allait en ville, à présent, Natasha ne supportait plus la cohue dans les rues et les boutiques. Dans les supermarchés, le contact de la foule suscitait en elle un sentiment de panique. Elle avait une envie irrésistible de s'enfuir et de se retrouver à l'air libre, pour échapper aux lumières trop vives, au brouhaha et à la chaleur oppressante. Malheureusement, elle allait être obligée de s'arrêter au supermarché si elle voulait des plats tout préparés pour le week-end. Cuisiner pour les garçons lui avait fait plaisir, mais avec le travail qui l'attendait elle n'avait pas l'intention de perdre du temps à se préparer à manger.

Son frénétique désir de continuer à écrire l'histoire de Sarah éveilla en elle un brusque sentiment de culpabilité. Nick ne se doutait pas à quel point l'explication qu'ils avaient donnée aux garçons pour excuser la défection de Natasha était proche de la vérité.

Le parking du supermarché était saturé, comme c'était prévisible le vendredi précédant Noël et, à l'intérieur, c'était une indescriptible bousculade. Des multitudes de bras tendus saisissaient ce qui se trouvait sur les rayonnages et remplissaient les Caddie comme s'il s'agissait de soutenir un siège de plusieurs mois. Au-dessus des têtes, les lumières fluorescentes étaient éblouissantes et les haut-parleurs ne cessaient de diffuser en sourdine des chants de Noël, tandis qu'au niveau du sol jambes et chevilles subissaient les chocs répétés des montures en acier. Natasha atteignit le rayon des surgelés en se faisant violence. Incapable de réfléchir, elle prit un assortiment de plats cuisinés anglais, italiens et indiens, s'arrêta ensuite devant la boulangerie et le traiteur. Là, elle céda à l'affolement et acheta une truite fumée, du saumon écossais, une grosse portion de pâté des Ardennes et des tranches de jambon d'York. Elle ne pourrait jamais tout manger. Ça ne fait rien, se dit-elle en rejoignant les longues files d'attente devant les caisses, ainsi, les garçons ne manqueront de rien lundi.

Ses mains tremblaient tellement au moment de signer le reçu de sa carte bancaire que sa signature ressemblait à une très mauvaise imitation. Le caissier l'examina, la compara avec celle qui figurait sur la carte, dévisagea Natasha par-dessus ses lunettes, puis, avec un soupir, l'accepta. Soulagée, elle poussa son Caddie dehors et chargea la Peugeot en aspirant l'air comme une alcoolique privée de boisson. Pendant un moment, la perspective d'être de nouveau enfermée lui parut insupportable ; feignant d'attendre quelqu'un, elle alluma une cigarette et la fuma, appuyée contre le coffre. Une fois passée la sensation nauséeuse d'effroi, elle put monter dans la voiture et partir.

Comme elle traversait le village et s'engageait dans Dagger Lane, elle décida de se reposer une dizaine de minutes avant de décharger la voiture.

Au moment où elle entrait dans la maison, le téléphone sonnait. C'était Fay. Elle avait décidé d'organiser une petite fête chez elle le dimanche à midi et ce projet l'enchantait. Nick et Natasha voulaient-ils être des leurs ? Ils pouvaient amener les garçons. Quelques-uns de ses amis viendraient aussi avec leurs enfants. Ce serait très décontracté, avec un buffet, beaucoup de choses à boire — mais, bien sûr, des boissons peu alcoolisées pour ceux qui conduisaient — et il y aurait des jeux délicieusement démodés.

— Je... je ne pense pas que ce soit possible, déclara Natasha d'une voix hésitante. Je veux dire — les garçons ne sont pas là. Nick les a emmenés à Londres pour le week-end et j'arrive à l'instant — je suis éreintée, Fay, je meurs d'envie de boire un café et de manger quelque chose. Je peux te rappeler dans une demi-heure ?

Lorsqu'elle rappela, ses tentatives pour prendre un ton enjoué échouèrent lamentablement. Fay lui demanda presque tout de suite ce qui n'allait pas. Natasha n'avait pas donné signe de vie depuis des semaines. Est-ce qu'elle avait dit quelque chose qui ne lui avait pas plu ? Si c'était ça, insista Fay, elles pouvaient se voir pour en parler, car cela la tracassait.

Natasha écoutait, la tête dans ses mains, sans savoir quoi répondre. Fay était adorable, Natasha l'aimait beaucoup ; elle ne pouvait pas se débarrasser d'elle avec de fausses excuses.

— Mais non, Fay, c'est ma faute, pas la tienne. Je voulais être seule, ne voir personne. Pour être franche, j'ai traversé une période difficile. Je n'étais pas d'une compagnie très agréable.

Elle se tut, et les questions de Fay remplirent le silence.

— Eh bien, tu dois savoir que ça ne va pas très fort entre Nick et moi — en tout cas, Giles est forcément au courant... Mais bon, je ne peux pas parler de tout ça au téléphone... Non, Fay, je ne veux pas retourner à York, pas maintenant. Toi, tu peux passer ce soir ou venir déjeuner demain, si tu veux... ?

Mais Giles avait pris des billets pour un concert le soir même, et le samedi Fay devrait préparer la réception du dimanche. Elle tenta une nouvelle fois de persuader Natasha de venir à sa fête, mais celle-ci voulait avancer dans son travail avant le retour de Nick et des garçons, prévu aux alentours de seize heures.

— Non, Fay, ne m'en veux pas, mais je ne sais pas à quelle heure ils rentrent ; et puis, avec tous ces gens chez toi, tu n'auras pas un instant pour réfléchir !

Elle rit pour paraître insouciante alors qu'elle avait du mal à ne pas éclater en sanglots. Elle avait tellement envie de se confier à quelqu'un — quelqu'un qui ait le temps d'écouter, qui soit digne de confiance, ne porte pas des jugements catégoriques, auprès de qui elle pourrait donner libre cours à son chagrin et tout raconter : la femme dans la grange, l'histoire qu'elle écrivait, l'impossibilité de faire l'amour avec Nick, et la liaison qu'il avait avec cette Sally. Elle aurait aimé demander à Fay si elle la connaissait. Au lieu de quoi elle inspira et, d'un ton dégagé, rappela à son amie qu'ils se verraient tous les quatre le lendemain de Noël.

— Tu es sûre ? Ça ne sera pas trop lourd pour toi ?

— Mais non, absolument pas. Et je te promets que nous ne vous assommerons pas avec nos problèmes. Et pendant que Nick et Giles seront occupés à boire leur whisky, tu m'aideras à la cuisine et nous pourrons parler.

Fay sembla satisfaite de cet arrangement et Natasha raccrocha avec une sorte de soulagement douloureux. Si la voix de Fay lui avait fait sentir à quel point elle avait besoin d'un confident, elle n'était pas certaine de vouloir tout dire. Ce serait si simple de ne raconter que ce qui l'arrangeait, de rendre Nick responsable de ce qui arrivait. Elle pourrait dire, par exemple, qu'il la trompait, qu'il l'avait reconnu, et qu'il envisageait une séparation. En présentant les choses de cette façon, Natasha ferait figure de victime innocente, qui pouvait légitimement compter sur la sympathie et le soutien de tous. Mais la réalité était tellement plus complexe ; il y avait tant de choses qu'elle-même ne comprenait pas ! Et elle n'était vraiment pas certaine de mériter la sympathie de quiconque.

28

En fin d'après-midi, Natasha remplit le panier avec des bûches, alimenta le fourneau et s'assura que le seau à charbon et les deux seaux en plastique étaient pleins à ras bord de charbon. Du jardin, on voyait les arbres et la grange se découper sur le ciel bleu marine, piqueté d'étoiles. On aurait dit un superbe décor de théâtre. Mais Natasha était impatiente d'être à l'intérieur, tous rideaux tirés, et elle n'avait pas l'intention de remettre les pieds dehors avant le lendemain matin.

Après avoir nourri les chats de la grange et ramassé Colette qui protesta avec véhémence, elle verrouilla les portes, vérifia que chaque fenêtre de la maison était bien fermée et apporta sa machine à écrire dans la cuisine. Elle arrangea la table, disposa des coussins dans le fauteuil afin de pouvoir se détendre et, au besoin, s'assoupir lorsque ses yeux se fermeraient. Elle ne voulait pas monter dans sa chambre avant de tomber de sommeil, d'être sûre et certaine de s'endormir dès qu'elle poserait la tête sur l'oreiller, de dormir sans rêve, et de ne pas avoir peur d'être seule.

Elle accomplissait désormais ces divers préparatifs de façon machinale, en refusant de se demander pourquoi, à la nuit tombante, elle éprouvait une telle angoisse, et le besoin de se réfugier dans la cuisine. Sans doute était-ce à cause des nombreuses lampes que comptait la pièce, et de la chaleur du fourneau ; mais c'était aussi la partie la plus récente de la maison.

Lorsqu'elle se fut installée, Natasha prit la première feuille d'une nouvelle rame de papier et l'inséra dans la machine à écrire. Elle travailla deux heures d'affilée, puis se fit une tasse de café et continua encore une heure. Juste après sept heures, comme elle commençait à avoir faim, elle mit un plat cuisiné indien à réchauffer dans le four. Une demi-heure plus tard, elle s'arrêta de taper et dîna en regardant à la télévision un documentaire sur la faune et la flore de l'Arctique. Ne trouvant rien de passionnant au spectacle d'un ours polaire lui aussi en train de manger, elle éteignit et se remit à travailler.

Un peu après onze heures, comme sa fatigue se manifestait par des fautes de frappe de plus en plus nombreuses, elle décida de s'arrêter pour relire ce qu'elle venait de taper.

Elle feuilleta rapidement le début et arriva à la première visite de Sarah à Holly Tree House. Apparemment, tout s'était passé pour le mieux, bien que la jeune fille eût tôt fait de remarquer la pauvreté du jardin potager, la façade quelconque de la maison et les défauts d'Agnès, la sœur de Richard. Sarah la décrivait comme *une femme d'une vingtaine d'années, à l'air revêche*, qui semblait s'occuper des charges domestiques moins par goût ou par fierté que par nécessité. Si la maison était propre et la nourriture assez saine, le repas, estimait Sarah, aurait gagné à être servi par une servante maussade plutôt que par la maîtresse de maison.

Agnès tenait le ménage de son frère depuis le décès de leur mère, survenu quelques années plus tôt, et selon la coutume il en serait ainsi jusqu'à ce qu'elle se marie. Comme les femmes qui restaient célibataires avaient tendance à devenir des aides subsidiaires, plus haut placées que l'épouse du chef de famille, il était naturel que Sarah se fît du souci. Elle n'était pas du tout certaine de réussir à se faire une amie d'Agnès, et craignait que la moindre de ses suggestions visant à améliorer la tenue de la maison ne soit interprétée comme une critique.

Cependant, le tour de la propriété de Richard dissipa mon inquiétude. La chance lui avait souri, un travail acharné et beaucoup de discernement avaient fait le reste. Et comme il avait encore toute la vie devant lui, il était légitime de penser qu'il ne s'arrêterait pas en si bon chemin.

Je partageais l'opinion favorable de mon père sur Richard Stalwell. Bien disposés à son égard, nous retournâmes chez lui pour nous reposer un peu et nous rafraîchir avant de seller et de partir pour York (via Brickhill et Towthorpe), où nous devions passer la nuit chez nos parents, les Piper.

On amena les chevaux devant la porte et, tout en prenant congé d'Agnès, j'embrassai du regard la maison, bien assise au sommet de la colline et tournée vers l'église. Elle était située en retrait du chemin, et on y accédait en traversant un enclos où broutaient les moutons. Il faudrait un mur, me dis-je, ou du moins une haie fournie pour cacher l'écurie et la porcherie ; et un jardin à la française avec une terrasse pourrait rendre plus attrayant l'abord de la maison.

Voyant que j'avais l'esprit ailleurs, Agnès se tourna vers mon père, et celui-ci l'invita à faire quelques pas en sa compagnie sur le versant de la colline qui descendait en pente douce. Richard s'approcha de moi avec un regard amusé. Je me demandai une fois de plus ce que j'avais de si drôle et me promis de lui poser la question un jour. Cette pensée rendit mes adieux plus guindés que prévu. Au moment où je répondais au salut de Richard par une révérence un peu raide, il porta ma main à ses lèvres et l'embrassa avec ardeur. Ce geste me prit tellement au dépourvu que je restai interdite, puis perdis l'équilibre et manquai de tomber.

Par chance, ma jument se trouvait entre nous et les deux autres, car en se portant à mon secours Richard riait, et moi j'étais furieuse.

— Pardonnez-moi, je...

— Pourquoi riez-vous ? C'est cruel !

— Mais non, Sarah, je vous assure...

— Je sais ce que je dis. Vous vous moquez sans arrêt de moi, affirmai-je entre mes dents, vaguement consciente qu'il m'avait appelée par mon prénom. Qu'est-ce qui vous amuse tant chez moi ? Suis-je un laideron ou une gamine, pour que vous me tourmentiez ainsi ?

Ma colère était si grande que je tapai du pied. Richard, obligé de retenir la jument qui se dérobait, avait du mal à répondre, mais il secouait énergiquement la tête et opposait des démentis farouches à mes accusations.

La jument donna un coup de tête pour tenter d'échapper à la main qui la retenait prisonnière, et j'en fis autant lorsque Richard me dévisagea.

— Vous regarder me rend heureux, dit-il avec une force contenue. Près de vous, je me sens le cœur léger, c'est aussi simple que ça.

Je scrutai ses yeux sombres.

— Pourquoi vous croirais-je ? demandai-je avec mauvaise humeur en ramassant mes jupes pour lui tourner le dos.

— Parce que je dis la vérité, déclara-t-il en posant sa main sur mon bras. Sarah, regardez-moi.

Je m'exécutai de mauvaise grâce, comme si j'obéissais à un ordre. Alors, soutenant ma tête de sa main libre, il se pencha vers moi et m'embrassa sur la bouche.

— Il faut me croire, murmura-t-il tout contre mes lèvres, je veux que vous soyez ma femme.

Étourdie par ses paroles et son baiser, je demeurai figée sur place, rivant mon regard sur lui.

— J'ai parlé à votre père...

Il se tut, me considéra d'un air à la fois anxieux et contrit.

— Nous sommes convenus que j'irai vous rendre visite demain, ajouta-t-il avec un sourire confus. J'espère que vous accepterez de me recevoir ?

J'inclinai lentement la tête. Il caressa ma joue et sourit en chuchotant un remerciement, puis nous rejoignîmes les autres.

Quelques minutes plus tard, comme il nous saluait de la main, je remarquai que ses yeux avaient retrouvé leur pétillement malicieux ; mais cette fois je n'en pris pas ombrage.

Nous voyageâmes un long moment en silence sur le qui-vive — descendant à l'approche des cuvettes ombragées où pouvaient se tenir en embuscade des voleurs de grand chemin, et évitant les chiens qui aboyaient ainsi que les enfants maigrichons dans la traversée des fermes et des villages. Tout comme mon père, j'étais perdue dans mes pensées, remuée par le tour nouveau qu'avait pris ma relation avec Richard. Je n'arrivais pas à y croire.

Me regarder le rendait-il vraiment heureux ? J'aurais aimé avoir un miroir sur moi pour voir ce qui lui plaisait tant.

Mais cela me remplissait de joie de penser que près de moi il se sentait le cœur léger et qu'il avait voulu m'en donner la preuve par un baiser. J'avais les lèvres et les joues en feu à ce souvenir ; et j'avais hâte de renouveler l'expérience, pour savourer le goût de sa bouche sur la mienne (dont j'avais été en partie privée par l'émotion), et pour sentir la chaleur de ses bras puissants autour de moi.

Il voulait m'épouser ! Rien que d'y penser, mon cœur bondissait dans ma poitrine. Je me demandais aussi à quel moment il avait parlé à mon père, et ce que l'un et l'autre avaient bien pu se dire. Mon père n'avait pas dû soulever d'objection. Alors, pourquoi ce silence ? Au bout d'un moment, je lui communiquai quelques-unes de mes impressions concernant la journée, mais les accidents de la route nous obligeaient à nous interrompre souvent. Nous ne discutâmes réellement qu'après être arrivés sains et saufs chez les Piper ; et encore attendîmes-nous d'être seuls.

— Richard Stalwell m'a demandé ta main, ma chérie. Qu'en dis-tu ?

Ne sachant trop que répondre, je me réfugiai derrière un silence pudique en rougissant. Mais mon père me connaissait bien. Il me souleva le menton et scruta mes yeux. Je vis qu'il souriait.

— Il t'a donc fait sa demande ?

Confuse, je hochai la tête et le sourire de mon père s'élargit.

— Alors ?

— Je ne sais pas. Je ne m'y attendais pas du tout, répondis-je en levant les épaules dans un geste d'impuissance. Il m'a dit qu'il t'avait mis au courant.

— Oui, la dernière fois que nous nous sommes rencontrés.

— Pourquoi ne m'en as-tu point parlé, père ?

— Il désirait que tu voies d'abord la maison et la ferme, afin que tu saches ce qu'il avait à t'offrir. Nous avons décidé qu'il te rendrait ensuite visite ici, pour te demander en personne si tu voulais bien l'épouser.

Mon père éclata de rire.

— Je lui ai dit que c'était à toi de décider. Alors, quelle réponse lui feras-tu ?

Une grande joie tiède coula dans mes veines, mais en même temps j'avais un peu peur.

— Il me plaît, déclarai-je avec lenteur, et si nous étions mariés je pourrais sans doute l'aider. Seulement, je suis triste de devoir vivre si loin de Hammerford... Et puis, sa sœur est si rébarbative...

— Oui, il lui faudrait un mari pour l'adoucir, affirma mon père. Un foyer et des enfants. Richard doit lui chercher un prétendant, car je doute fort qu'elle en trouve un toute seule. Je lui en toucherai deux mots. En attendant, ma chérie, il faudra que tu la supportes : elle est chez elle après tout.

Nous parlâmes encore un peu ; ensuite mon père alla prévenir tante Margaret de la visite attendue dans la matinée. La nouvelle la mit dans tous ses états et elle se dépêcha de se rendre à la cuisine pour discuter du menu du déjeuner.

Le lendemain matin, elle s'intéressa surtout à mon apparence. Elle s'occupa d'abord de mes cheveux, après quoi elle laça mon corset en le serrant si fort que je ne pouvais presque plus respirer. Mes seins menus, haut placés, pointaient du décolleté comme deux étranges petites sphères. Je les dissimulai sous mon fichu tandis que tante Margaret faisait bouffer les manches et la jupe, puis reculait afin de m'envelopper d'un regard satisfait. Elle était contente, dit-elle, que j'aie oublié ma robe bleu et crème à York, car elle me seyait à ravir, et était tout indiquée pour l'occasion. A vrai dire, je l'avais laissée volontairement chez elle, en pensant que je n'aurais jamais l'occasion de la mettre chez nous ; les gens de la campagne ne s'habillaient pas comme mes cousins de la ville.

Elle fit bouffer les mèches sur mes tempes tout en appliquant une touche de rouge sur mes lèvres et sur mes joues. Dès qu'elle eut le dos tourné, je frottai pour en ôter le plus gros. Cela me donna un teint animé qu'on pouvait attribuer à une impatience fébrile.

J'avais, il est vrai, bien du mal à tenir en place ; mon estomac comprimé par le corset se soulevait, et lorsque nous descendîmes dans le petit salon mes jambes avaient du mal à me porter.

Je pris un ouvrage, et tante Margaret me laissa seule car

elle avait beaucoup à faire ; après m'être piqué plusieurs fois le doigt, je renonçai à coudre et contemplai par la fenêtre le jardin potager.

Lorsque Richard arriva, ce fut mon père qui l'introduisit. Je me levai d'un bond et fis une révérence, sans comprendre ce que mon père disait. Il pressa chaleureusement l'épaule de Richard, et m'adressa un clin d'œil appuyé avant de tourner les talons et de nous laisser. Je me mordis les doigts pour réprimer une brusque envie de rire. Richard aussi souriait, et je vis qu'en s'approchant de moi il retrouvait ses couleurs.

Comme il passait de l'ombre à la lumière, je remarquai qu'il portait un manteau non pas noir, mais bleu foncé, qui lui allait à ravir. Je fus soudain très heureuse que tante Margaret m'ait faite belle et m'ait obligée à mettre ma plus jolie robe. J'étais tellement impatiente de lire ce qu'il y avait dans son regard que j'oubliai de garder une attitude modeste et levai le menton. Il semblait aussi curieux que moi, car il ne me quittait pas des yeux.

Nous restâmes ainsi, l'un en face de l'autre, à nous sourire en silence ; et nous nous observâmes jusqu'à ce qu'un changement subtil, dans le regard de Richard posé sur moi, me fasse rougir et baisser les yeux.

Il tendit le bras, me prit une main puis l'autre, et les porta à ses lèvres. La chaleur de son corps passa dans le mien, et quelque chose dans ses yeux m'embrasa de désir et d'amour. Je ne pouvais ni parler ni respirer.

— Oui ou non ? murmura-t-il d'une voix rauque, tandis que son souffle caressait mes doigts. Chère Sarah, quelle est votre réponse ?

Je crois que je hochai la tête, et je dis peut-être aussi « oui », tout bas ; mais au même instant mes membres me trahirent. Comme une faible femme prise de vapeurs, je m'affaissai sur la banquette située sous la fenêtre. J'avais dû pâlir, car Richard me dévisagea avec anxiété en s'agenouillant près de moi.

— Pardonnez-moi, murmurai-je, les mains pressées sur mon ventre, mais je crains que tante Margaret n'ait trop serré...

— Dois-je l'appeler ? demanda-t-il, déjà à moitié levé.

— Non, non, ça va passer. C'est l'émotion et mon corset — deux choses auxquelles je ne suis pas habituée, je l'avoue.

Je bafouillais et, tout en cherchant à reprendre ma respiration, je me demandais avec inquiétude si je n'avais pas été trop franche. Mais comme Richard saisissait une de mes mains et s'asseyait à côté de moi, il exprima son soulagement en souriant, puis en riant doucement.

— Est-ce votre façon de vous venger ? J'ai eu très peur que vous ne soyez malade, par ma faute !

Je secouai la tête et ris à mon tour.

Il me pressa la main et déclara avec un regard malicieux :

— Si nous étions déjà mariés, je vous proposerais de le desserrer...

— Hélas, nous ne le sommes pas, répondis-je gaiement, en m'asseyant bien droit et en pensant à mon fichu qui n'était plus à sa place. Me voici donc contrainte de souffrir, j'en ai peur.

— Pas trop, ni trop longtemps, je l'espère..., dit-il doucement.

La main sur ma taille, il se pencha un peu plus. Comme je me tournais vers lui, ses lèvres se posèrent sur les miennes ; je reçus le baiser doux et tendre dont rêvent toutes les jeunes filles. Je soupirai d'aise ; alors il m'embrassa de nouveau, et cette fois, faisant fi de la bienséance et de la rigidité de mon corset, je passai les bras autour de son cou et me laissai soulever jusqu'à ce que nous nous tinssions serrés l'un contre l'autre dans la plus tendre des étreintes.

Je ne sais combien de temps nous restâmes ainsi, je me rappelle seulement que les lèvres de Richard étaient ardentes et les miennes consentantes ; lorsque nous nous séparâmes, nous étions tous les deux émus et quelque peu étourdis.

Ce n'était pas d'une lueur amusée que pétillaient ses yeux bleus lorsqu'il murmura :

— Ma chère Sarah, je pense que nous devrions bien nous entendre...

Une fois l'affaire décidée, j'aurais aimé me marier le plus vite possible, et très simplement ; mais il y avait beaucoup d'éléments à prendre en considération. La moisson allait bientôt absorber mon père et Richard. Ni l'un ni l'autre ne seraient libres avant la fin du mois de septembre. En octobre, ce serait l'anniversaire de la mort de Caroline et de leur malheureux enfant. Novembre était souvent brumeux et pluvieux, alors que décembre passait pour être froid et sec.

De l'avis général, la meilleure date était celle de mon seizième anniversaire, au début de décembre. Mais mon cœur se serrait à la pensée de commencer ma vie conjugale en hiver, en étant obligée de puiser dans l'armoire à provisions remplie par une autre à l'approche des fêtes de Noël. Je dois rendre justice à tante Margaret : elle comprit mes réticences. Elle me suggéra, comme j'en avais eu moi-même l'idée, de travailler plus dur à l'automne et d'emporter mes réserves avec moi.

Une chose me réconforta : Richard me promit que je serais la seule maîtresse de Holly Tree House.

— J'ai parlé à Agnès, me déclara-t-il. Nous avons décidé qu'après mon mariage elle irait s'installer chez mon autre sœur, Hester, qui habite en haut de la colline, de l'autre côté du village. Hester et son mari ont trois enfants, et ils en attendent un autre. L'aide d'Agnès leur sera précieuse.

— Oh, mais il ne faut pas qu'elle s'en aille à cause de moi ! protestai-je, craignant des ennuis.

— Sarah, vous n'avez jamais eu à subir l'autorité d'une autre femme. Je ne vais pas vous y contraindre maintenant. De plus, ajouta-t-il plus doucement, il est grand temps qu'Agnès se marie, je me suis trop longtemps appuyé sur elle. Dès que nous serons installés, je ferai en sorte de lui trouver un mari.

Il paraissait confiant, comme si tout avait été arrangé à l'amiable, avec l'approbation d'Agnès ; pourtant je n'étais pas complètement rassurée. En septembre je retournai avec mon père à Denton pour la fête de la moisson. Agnès, plus taciturne que jamais, faisait la paire avec Tom Whitehead, son beau-frère qui, me sembla-t-il, regardait le bien de Richard avec des yeux envieux. Hormis les domestiques de la ferme qui souriaient et se montraient pleins de déférence, parmi les parents de Richard seule Hester parut sincèrement heureuse de nous accueillir. C'était une grosse femme négligée, mais avenante et chaleureuse. Elle s'était mariée par amour, m'apprit Richard plus tard, malgré l'avis défavorable de son frère et les souhaits de leur mère, car excepté l'ambition Tom Whitehead avait peu de chose pour lui. Mais, ajouta Richard, il se débrouillait assez bien avec les terres qu'il louait, et Hester n'avait pas l'air de se plaindre.

J'étais heureuse que quelqu'un dans la famille Stalwell se réjouît du mariage prochain de Richard, et je fus très déçue lorsque je compris que Hester, en raison de sa grossesse, ne pourrait probablement pas faire le voyage jusqu'à Hammerford.

Nos parents étaient au moins deux fois plus nombreux que ceux de Richard — les Stalwell et les Ellerby. Tom Whitehead et Agnès se faisaient très discrets. Je fis attention à eux une ou deux fois, et me demandai pourquoi ils me mettaient si mal à l'aise. Il y avait entre eux le genre de ressemblance qu'on trouve entre mari et femme. C'était troublant, mais je ne souhaitais pas approfondir ce mystère le jour de mes noces.

Tout se passa bien et je versai seulement quelques larmes, juste avant de quitter la maison, au bras de mon père. Nous nous embrassâmes, puis il me souhaita tout le bonheur du monde avec dans la voix un son rauque suspect. Malgré ses protestations antérieures, je savais que j'allais beaucoup lui manquer. C'est pour cela que je pleurai. Mais il essuya mes larmes, me dit que j'étais magnifique dans ma robe de velours rose, et que Richard Stalwell avait beaucoup de chance.

Nous gagnâmes l'église à pied au milieu de la foule des villageois, sortis en grand nombre pour m'adresser leurs vœux de bonheur. Il faisait froid, mais le soleil brillait. Il me sembla que mon mariage n'aurait pu avoir lieu sous de meilleurs auspices. Richard m'attendait debout, à côté de son témoin, et le pasteur arborait un air très solennel. Cette procession jusqu'aux marches du chœur me parut durer une éternité. En revanche, la cérémonie prit fin si rapidement que j'avais peine à me croire mariée. L'anneau nuptial était à mon doigt pourtant et, sur l'ordre du pasteur, je soulevai mon voile en dentelle afin que Richard puisse déposer un baiser sur mes lèvres...

Je quittai l'église comme si je flottais sur un océan de

félicité, grisée par les souhaits de bonheur qu'avaient spontanément formulés les personnes présentes — à l'exception, il est vrai, de Tom Whitehead et d'Agnès. En les entendant m'adresser leurs félicitations du bout des lèvres, je sentis mon sang se glacer dans mes veines. Je n'avais aucune envie de m'attarder en leur compagnie. Heureusement, ce ne fut pas nécessaire, car chacun cherchait à attirer mon attention et celle de Richard ; et, dans la bonne humeur exubérante du repas de noces, on n'avait pas le temps de s'attendrir. Trop tôt, me sembla-t-il, ce fut l'heure de la séparation. Richard avait loué un équipage pour nous conduire à Denton, et le voyage, via York, prendrait plusieurs heures ; le court après-midi de décembre ne nous laissait pas beaucoup de temps.

Malgré ma tristesse de devoir quitter la maison dans laquelle j'avais grandi, j'avais tellement hâte de commencer ma nouvelle vie que j'agitai joyeusement la main en guise d'adieu. Je fus heureuse de me trouver seule avec Richard, mon séduisant mari. Je ne me lassai pas d'admirer ses cheveux noirs, ses belles dents blanches et son manteau de brocart, du même bleu que l'eau de son regard. Nous nous tenions par la main, les yeux dans les yeux, riant et bavardant ; et, dans les coins isolés de la route, nous nous embrassions et nous blottissions l'un contre l'autre — mais moins souvent que nous ne l'aurions voulu, car la route était accidentée et la voiture dépourvue de ressorts. Bien avant d'atteindre notre destination, j'avais mal au coccyx. Lorsque nous arrivâmes, la nuit était déjà tombée et nous étions très fatigués.

Heureusement, les domestiques avaient suivi à la lettre les instructions de leur maître ; un bon feu ronflait dans la cheminée, un repas et une bouteille de vin rouge nous attendaient. Notre cocher fut conduit dans le quartier des hommes, au-dessus des écuries, où le couvert et le logis lui seraient assurés. Un serviteur d'un certain âge et un garçon d'une douzaine d'années transportèrent nos bagages dans la maison. Père et fils, m'expliqua Richard ; et la mère du jeune garçon était la cuisinière. Ils habitaient dans le village. Aucun domestique ne dormait dans la maison, ajouta mon mari, mais si je voulais une jeune fille près de moi pour me coiffer et m'aider à m'habiller, rien ne serait plus facile à arranger.

N'ayant jamais eu de servante affectée uniquement à mon service — Mercy avait été plus une mère pour moi —, je trouvai l'idée attrayante. Mais cela me rappela Caroline, que j'avais réussi à oublier, et toutes mes peurs enfantines me revinrent. Est-ce que Richard m'aimait vraiment ? Comment pouvais-je soutenir la comparaison avec sa première femme ? Nous étions seuls dans la maison de Richard pour notre nuit de noces et je ne savais quelle attitude adopter. Je n'ignorais pas ce qui était censé se passer (je n'étais pas fille de fermier pour rien), et Mercy avait fait suffisamment d'allusions sur le plaisir que l'accouplement peut donner, après la première fois... Mais ne risquais-je pas de tout gâcher par un geste maladroit ? Et maigre comme j'étais, avec une si petite poitrine, Richard ne me trouverait peut-être pas à son goût, sans mes habits.

Quelque chose de cette inquiétude qui se glissait en moi dut se lire sur mon visage, car Richard me tendit une coupe de vin chaud et suggéra que nous nous servions de pâté en croûte et de civet de lapin.

— Après un voyage aussi exténuant, dit-il gentiment, j'ai pensé que nous pourrions nous dispenser des formalités. Il n'est pas nécessaire de déguster de nombreux plats pendant des heures alors que nous sommes trop fatigués pour avoir faim.

Je lui jetai un coup d'œil reconnaissant et vis qu'il me souriait, une assiette en étain à la main.

— Je te sers ? Juste un morceau ?

Comme je hochai la tête, il coupa une petite tranche de jambon et de pâté, puis alla jusqu'à la cheminée pour prendre avec la louche du ragoût dans la marmite. L'odeur était délicieuse, et soudain je me sentis affamée, pleine de gratitude, et un peu plus en confiance.

Dans la vaste chambre à coucher, à l'étage supérieur, un petit feu suffisait à rendre le froid supportable. Derrière un paravent placé dans un coin, devaient se trouver vase à eau, serviettes de toilette et pot de chambre ; sous la fenêtre, il y avait mes malles et mes sacs de voyage. Comme j'essayais de me rappeler où j'avais rangé mes brosses à cheveux et mes affaires pour la nuit, Richard mit doucement les mains sur mes épaules.

— Demain, murmura-t-il en posant ses lèvres sur mon cou, tu pourras tout déballer et attribuer une place à chaque objet. Ce soir, nous nous débrouillerons.

Sur ce, il commença à délacer mon corset.

Ses mains et ses lèvres étaient chaudes, mais mon corps était parcouru d'un frisson chaque fois qu'il effleurait ma peau ; malgré l'envie que j'avais de me retourner et de presser ma bouche contre la sienne, je me forçai à rester immobile, et bientôt je me retrouvai sans corset, ni pièce d'estomac, ni jupe. Avec un léger rire, il avoua que mes jupons étaient trop compliqués pour lui ; je les défis moi-même en les laissant tomber à mes pieds jusqu'à ce que je n'aie rien d'autre sur moi que ma chemise. Tremblant comme une feuille, je me tournai vers lui et il me serra dans ses bras. Honteuse, j'enfouis mon visage dans sa chemise en souhaitant qu'il mouche les chandelles.

Il n'en fit rien. Il me caressa le dos et pressa mon corps contre le sien, murmurant des mots doux pour me rassurer et cherchant mes épingles à cheveux, qu'il retira une à une. Lorsque ma chevelure retomba sur mes épaules, je l'entendis soupirer. Il enfouit ses mains dans mes cheveux et les fit glisser tout du long en chuchotant qu'ils étaient aussi doux que de la soie, et qu'il n'en avait jamais vu d'aussi beaux.

Ce compliment, qui venait du fond du cœur, me toucha, je pense, plus qu'aucun autre. J'éprouvais pour Richard une attirance physique si forte que je voulais à tout prix qu'il me trouve désirable. Seule la crainte de n'avoir pas assez à lui offrir me rendait timide. Un moment plus tard, quand il colla sa bouche contre la mienne et écarta mes lèvres avec sa langue, la tête me tourna et je me sentis défaillir. Je serais tombée s'il ne m'avait pas retenue.

Pleins d'un désir qui nous ôtait nos forces, nous nous laissâmes choir sur le lit ; d'un brusque mouvement du pied, Richard se débarrassa de ses bottes et tira les couvertures. Je me glissai entre les draps glacés tandis qu'il enlevait ses hauts-de-chausses ; puis il me rejoignit, enleva sa chemise, et me serra très fort contre lui. Il tremblait autant que moi, de froid et d'émotion, et peut-être aussi de nervosité. Nous

nous donnions des baisers, riant des tremblements qui secouaient nos corps, soupirant plus doucement et plus longuement au fur et à mesure que nous nous réchauffions, que nos baisers devenaient plus longs et nos caresses plus intimes. Il caressa mes seins et l'endroit entre mes jambes que je touchais parfois en me tourmentant ensuite d'avoir des pensées impures ; mais les caresses de Richard avaient une intensité différente, et lorsqu'il glissa un doigt en moi je suffoquai, moins de peur que de plaisir. De nouveau, Richard chercha à me rassurer par des mots doux, et il m'embrassa doucement en me disant de me détendre. Quoique beaucoup plus courte que je ne l'imaginais, ce fut une expérience douloureuse. Je me demandai pourquoi j'aurais aimé recommencer alors que j'avais eu si mal. J'étais irritée et tendue, et pourtant prête à dévorer Richard de baisers, à le noyer sous mes caresses. Étant plus vieux, plus sage et plus expérimenté, il m'étreignit à son tour et m'expliqua en riant que, si je voulais qu'il recommence, je devais patienter un peu.

Puis une idée sembla lui traverser l'esprit. Il recula pour mieux voir mon visage et mes yeux. Je me demandai ce que j'avais fait ou dit pour qu'il me regarde avec tant de perplexité. Puis, très lentement, sa bouche s'arrondit en un sourire.

— Tu veux qu'on recommence, c'est ça ? Tu veux que je te fasse encore l'amour ?

Je réussis à hocher la tête en me mordant les lèvres. Sur ce, il éclata de rire, me prit dans ses bras et me fit rouler par-dessus lui.

— Embrasse-moi, ajouta-t-il, et dis à ton mari que tu l'aimes.

— Mais je t'aime, dis-je.

L'air soudain sérieux, il me caressa la joue et son doigt suivit la courbe de mes lèvres.

— Chère Sarah, je commence à croire que c'est vrai...

La fois suivante, comme Richard me l'avait promis, j'éprouvai une légère irritation mais pas de réelle douleur. J'aimais ce qu'il me faisait, j'aimais le sentir à l'intérieur de moi, et j'aimais le plaisir que cela lui donnait, ce brusque moment d'extase avant qu'il ne retombe, repu et sans forces, dans mes bras.

Les jours suivants, nous cherchâmes toutes les occasions d'être seuls ensemble. Nous nous retirions de bonne heure et nous nous levions tard. L'hiver était une merveilleuse excuse pour ça ! Nous montions l'escalier à pas de loup, juste après le dîner, pendant que les servantes débarrassaient la table et que les hommes étaient encore dans la cour.

Je pense que c'est vers la fin de la première semaine que je découvris la magie de l'orgasme. Je ne sais ce qui le rendit possible, peut-être mon corps qui s'ouvrait sous les caresses, un changement de position ou tout simplement le fait d'oublier de penser à lui. Quoi qu'il en soit, une vague m'entraîna soudain toujours plus loin dans l'inconnu. J'avais l'impression de voler, de mourir, puis de renaître. Ce jour-là, je devins une femme, et ce fut aussi ce jour-là, je pense, que Richard tomba amoureux de moi.

Notre entente était parfaite, et pas seulement au lit. Richard pouvait me parler de la ferme, de ses projets et de ses soucis, je réussissais presque toujours à le conseiller utilement. Ce que j'ignorais, je le découvrais en posant des questions, en lisant, en allant voir des gens et en écrivant pour lui des lettres à toutes les personnes qui étaient susceptibles d'avoir les réponses.

Nous n'étions pas ambitieux sur le plan social, mais nous rendions visite à nos voisins les plus importants, les Clive à Sheriff Whenby, les Paull à North Gilling, et les Forsyth à Paxton, principalement en raison de leurs relations avec d'autres propriétaires terriens et des idées intéressantes qui jaillissaient au cours des discussions entre ces hommes. La société des femmes me plaisait moins, mais je la supportais pour la cause du progrès. Nous rendions également visite à nos voisins plus modestes, mais c'était souvent frustrant, car beaucoup d'entre eux étaient trop prudents ou n'avaient pas le capital suffisant pour expérimenter les idées nouvelles.

Je me dépêche d'ajouter que celles-ci n'étaient pas toutes bonnes ; un grand nombre d'expériences se soldèrent par des échecs et l'une d'elles nous coûta beaucoup d'argent, une somme importante que nous ne pouvions nous permettre de perdre. Mais cela nous servit de leçon, et père nous fit un autre prêt jusqu'à ce que nous retombions sur nos pieds.

Nous n'allions pas à Hammerford autant que je l'aurais souhaité, mais nous nous arrangions en général pour voir mon père les jours de marché. Nous le retrouvions aussi assez souvent chez les Piper pour déjeuner et, parfois, il venait nous rendre visite et passait la nuit chez nous. Mais il prenait de l'âge et, après la mort de tante Margaret, il me parut vieilli et voyagea moins volontiers.

Je m'inquiétais pour lui, et je me morfondais de ne pas avoir d'enfant. Je commençais à redouter d'être destinée, comme ma mère, à avoir une grossesse tardive, et peut-être comme elle aussi à mourir en couches. Bien que nous abordions rarement ce sujet, je savais que Richard en souffrait, car il aurait aimé avoir un fils qui prendrait sa suite et hériterait de ses terres.

Je crois que cela l'attristait d'autant plus que sa sœur Hester était très féconde, et mettait au monde un enfant chaque année. Mais plus le temps s'écoulait, plus elle prenait du poids, au point qu'il lui était devenu pénible de rester debout. Elle se reposait presque entièrement sur Agnès et les servantes.

Sa maison ressemblait chaque jour davantage à une porcherie. Je le constatais lors de mes rares visites, et il était difficile de faire un pas sans avoir un enfant dans les jambes. Il me paraissait étrange qu'Agnès ne s'en souciât pas. Elle était plus renfrognée que jamais, surtout avec moi, mais elle ne cherchait pas à vivre ailleurs que chez sa sœur et Tom Whitehead.

Richard avait essayé de l'intéresser à divers prétendants, mais elle leur reprochait toujours un défaut quelconque. Elle devait avoir une trentaine d'années lorsqu'elle déclara qu'elle trouverait son mari toute seule ou mourrait vieille fille.

J'avais commencé à me demander si elle était encore jeune fille ou si l'étrange relation qu'elle entretenait avec son beau-frère ne cachait pas une intimité insoupçonnée de tous.

315

On ne les voyait jamais se parler, mais ils étaient toujours d'accord.

Pourtant, s'ils étaient amants (soupçon dont je n'osais parler à personne, surtout pas à Richard), comment Hester pouvait-elle ne pas être au courant, et comment Agnès faisait-elle pour ne pas tomber enceinte ? Qu'il y ait deux femmes stériles dans la même famille me paraissait impossible.

Puis Hester resta plus d'une année sans devenir grosse. C'était presque un miracle, en tout cas une bonne raison de remercier Dieu, car elle avait déjà dix enfants vivants ; l'aîné avait quinze ans ; le dernier était encore un bébé. Richard me fit en privé quelques remarques crues sur Tom Whitehead, mais la pensée ne nous effleura pas que Hester pouvait être malade.

Du fait de son embonpoint, il fallait un certain temps avant que ses grossesses deviennent visibles ; mais, bien qu'elle paraisse attendre un nouvel enfant, elle me jura qu'elle n'était pas enceinte. Ensuite, elle se mit à perdre du poids et à se plaindre d'élancements dans le ventre et le dos. En même temps qu'elle maigrissait, les douleurs empirèrent. On fit venir des docteurs, mais ils furent impuissants à guérir son mal. Hester se mourait et elle le savait.

Elle me supplia de la laisser venir chez moi, à Holly Tree House, pour être au calme, loin des cris des enfants, loin de son mari et de sa sœur...

Ce fut une année de deuils. Après le décès de Hester, le père de Sarah s'éteignit à Hammerford et, peu après, oncle Piper, le mari de tante Margaret, rendit son dernier soupir à York. Sarah avait soigné et veillé Hester pendant des mois, et tout le temps que dura sa longue et douloureuse agonie. Elle avait l'impression d'être passée directement du chevet d'un malade à un autre, bien que, dans le cas de son père, sa maladie eût été de courte durée et sa fin merveilleusement paisible. Elle eut énormément de chagrin, mais c'est à l'enterrement de l'oncle Piper qu'elle pleura le plus. C'était comme si une digue s'était rompue au-dedans d'elle et, dans ce petit cimetière de York, les émotions qu'elle n'avait pu exprimer à la mort de Hester et de son père se réveillèrent brusquement.

Richard la ramena chez eux et elle fut malade pendant plusieurs mois, affectée d'une terrible lassitude que le printemps ne parvint pas à guérir et qui se prolongea tout l'été, particulièrement chaud cette année-là. Tom Whitehead et Agnès venaient souvent prendre de ses nouvelles, mais elle ne supportait pas la vue de son beau-frère, et refusait la présence de sa belle-sœur près d'elle. Richard trouvait l'attitude de sa femme déraisonnable. Liée par le secret de la confession, elle ne pouvait lui révéler ce que lui avait confié Hester sur son lit de mort. Agnès était, paraît-il, la maîtresse de Tom depuis des années, probablement depuis son arrivée chez eux. Cet homme froid et impassible qui avait pris son plaisir conjugal assez souvent pour mettre sa femme régulièrement enceinte était ensorcelé par Agnès, qui le satisfaisait plus que Hester.

Ce terrible aveu, entrecoupé de sanglots, affecta profondément Sarah. Si cela ne la surprenait pas outre mesure, car Agnès et Tom lui avaient toujours semblé étrangement complices, la complaisance et la faiblesse d'Hester l'écœuraient. Elle ne comprenait pas comment Hester avait pu accepter une situation pareille. La crainte de Tom et du scandale qui ne manquerait pas d'éclater lui paraissait une piètre excuse. En même temps, elle avait du mal à y croire. Elle demanda à sa belle-sœur comment il se faisait qu'Agnès n'ait jamais eu d'enfant si elle était la maîtresse de Tom. Elle regretta de ne pas avoir gardé ses doutes pour elle, car Hester se lança alors dans le récit détaillé de leurs perversions sexuelles. « Tu peux me croire, déclara-t-elle, je les ai pris sur le fait plus d'une fois ! » Sarah était révoltée. Mais, une fois le choc passé, elle réfléchit que, si elle révélait la vérité à Richard, celui-ci tuerait Tom Whitehead et serait pendu, ce qui la rendrait veuve.

Il prenait parfois à Sarah l'envie de tuer Tom Whitehead de ses propres mains. Quand elle pensait à son excellente réputation — on le disait vertueux et travailleur —, son sang bouillait dans ses veines ! Et il était bedeau, par-dessus le marché ! Il avait été élu à cette fonction par les villageois, alors que Richard avait été choisi directement par le pasteur, ce qui donnait des assemblées paroissiales houleuses.

Quant à Agnès, qui avait trahi sa propre sœur, Sarah la haïssait et la méprisait ; comme elle avait du mal à dissimuler ses sentiments, elle évitait la compagnie de sa belle-sœur chaque fois que c'était possible. Heureusement, celle-ci était très occupée et, avec le temps, elle vint de moins en moins souvent à Holly Tree House.

Sarah éprouvait une sorte de pitié mêlée d'affection pour la plupart des enfants Whitehead, et elle essaya de les considérer avant tout comme les neveux de Richard. Les deux filles aînées étaient venues à Holly Tree House pour aider Sarah à soigner leur mère et, après sa mort, elles avaient demandé si elles pouvaient rester. Sarah s'était félicitée de les avoir avec elle quand elle tomba malade, à son tour ; et, une fois rétablie, elle les avait trouvées transformées. Alice, la plus âgée, avait toujours été douce et docile, mais avec un air de chien battu. Quant à Bess, c'était une jeune fille renfermée et souillon. Moins d'un an plus tard, au contact de Sarah, elles prenaient plaisir à faire consciencieusement leur travail et à soigner leur apparence, leurs yeux brillaient et elles ne manquaient pas d'humour.

Entre la naissance des deux sœurs, il y avait eu celle de leur frère John, maintenant âgé de treize ans. Il avait l'habitude d'aider Richard et, après la mort d'Hester, lui aussi vint habiter avec eux. C'était un beau garçon, très calme, qui ressemblait à son oncle sur de nombreux plans. Sarah l'avait toujours apprécié. Avec John et ses deux sœurs, ils formaient une vraie famille ; et lorsque Richard pria Sarah de prendre le garçon à part et de lui apprendre ses lettres, Sarah se demanda s'il n'avait pas une idée derrière la tête.

Quoique mariés depuis dix ans, elle n'avait que vingt-cinq ans, mais elle commença à se dire que son mari avait abandonné tout espoir de devenir père, et qu'il songeait à faire du jeune John son héritier.

29

Natasha s'absorba quelque temps dans la lecture de son manuscrit. Captivée par le récit, elle gardait néanmoins un esprit critique et, se faisant l'avocat du diable, analysait le texte en formulant toutes sortes de remarques et de questions.

Il y avait des parallèles étranges entre Sarah Stalwell et Natasha Crayke, faisait observer cette voix intérieure. Toutes deux étaient jeunes et manquaient de confiance en elles au moment où elles avaient rencontré et aimé leur futur mari. Les différences d'âge étaient identiques. Dans les deux cas, l'homme avait déjà été marié une fois, et il existait une forte attirance sexuelle. Quant au lieu où se situait l'action, il n'était pas seulement comparable : c'était le même — la même maison, le même village — à une époque différente. Et il existait encore des Whitehead.

La voix critique demandait : *Est-ce que tu ne serais pas impliquée dans cette histoire ? Est-ce que ce ne sont pas tes problèmes avec Nick qui remontent à la surface ? Es-tu certaine que ce récit n'est pas le pur produit de ton subconscient, et que la femme en robe bleue n'était pas pure hallucination ?*

Mais je ne devais pas être moi-même, pour imaginer cette scène près du bois.

On dit que toutes les femmes ont des fantasmes de viol, sous une forme ou une autre.

Ce n'était pas un fantasme.

Tu es sûre ?

Pas tout à fait.

Natasha aurait aimé imposer silence à cette voix intérieure, mais celle-ci refusait obstinément de lui obéir et les questions qu'elle posait forcèrent la jeune femme à examiner plus attentivement certains aspects de l'histoire. Y avait-il une similitude sur le plan sexuel entre Sarah et elle-même ? Sarah Stalwell semblait avoir pris plaisir à faire l'amour, et cela, pendant de nombreuses années. Elle ne se plaignit qu'en 1721 et 1722, les années terribles où la maladie et la mort la frappèrent durement, de ce que sa relation avec Richard avait changé.

Après ce que Sarah avait enduré, il n'était pas étonnant qu'elle fût tombée malade, songea Natasha ; et elle s'était dévouée si longtemps aux malades et aux mourants que Richard avait forcément dû se sentir négligé.

La dépression de Sarah dura plusieurs mois. Elle ne commença à aller mieux et à s'intéresser de nouveau à ce qui se passait autour d'elle qu'à la fin d'août. Le comportement de Richard l'avait tout de suite inquiétée ; il avait perdu sa joie de vivre et contracté la fâcheuse manie de transformer la moindre contrariété en catastrophe. La moisson avait été bonne, mais elle aurait pu être meilleure s'il n'avait pas plu le dernier jour ; et si Jack avait été plus consciencieux, au lieu de tourner autour d'une jeune fille du village, on n'aurait pas été obligé de faire la moitié du chemin jusqu'à Brickhill pour rattraper le bétail qui s'était échappé...

Les sujets de plainte semblaient sans fin. Puis, entre les moissons et la Saint-Michel, lorsque ce fut le moment d'ouvrir les clôtures pour permettre au bétail d'aller où bon lui semblait, Richard eut du mal à maîtriser sa colère. Les anciennes lois avaient du bon, déclara-t-il, mais ce n'était pas juste que la plupart des bêtes viennent brouter sur ses terres à lui parce qu'elles étaient mieux entretenues et produisaient de meilleurs pâturages que les autres. Il le répétait chaque année à Sarah, mais cette fois il avait eu à ce sujet avec Tom Whitehead une violente dispute qui avait failli mal tourner.

Comme Richard était propriétaire foncier, ses terrains étaient pour la plupart entourés d'une haie, et c'était sur eux qu'il avait expérimenté la rotation des cultures. Blé, navets, orge et trèfle alternaient chaque année sur ses terres et rendaiten si bien qu'il aurait aimé étendre ce système à certains champs qu'il louait. Mais, comme beaucoup d'autres dans la région, ces champs n'étaient protégés que par des clôtures légères qui devaient être abaissées entre la période de la moisson et la Saint-Michel. Il en avait assez, dit-il à Sarah, que les bêtes des autres profitent de ses belles luzernes et de ses navets soigneusement binés. Plus tôt dans l'année, il avait consacré du temps et de l'argent à améliorer la production d'un des champs qu'il avait en location ; la récolte de foin avait été bonne et promettait d'être encore meilleure l'été suivant. Il ne voulait pas que les cochons viennent fouiller le sol ni que les moutons mangent tout, et il était prêt à offrir une compensation contre le maintien des clôtures autour de ses terres.

Mais Tom Whitehead ne voulut rien savoir. Il exigea qu'on abatte les barrières et reçut le soutien d'une demi-douzaine de villageois parmi les plus vindicatifs. Richard ayant refusé d'obtempérer, ses barrières furent enlevées dans la nuit et, au matin, cochons, moutons et vaches festoyaient sur ses riches prairies.

Richard, impuissant, étouffait de rage. Ce qui le révoltait le plus, c'est qu'il avait toujours traité Tom Whitehead avec équité, et que sans l'acharnement de ce dernier les autres fermiers se seraient laissé convaincre. Sarah se trouva confortée dans la mauvaise opinion qu'elle avait de son beau-frère, et elle ne tenta pas d'atténuer le sentiment de profonde injustice qu'éprouvait Richard. Cela servit au moins à une chose : Richard vit enfin son beau-frère sous son véritable jour et la colère le tira de son apathie. De son côté, Sarah considéra qu'elle avait voué assez de temps à sa tristesse et à la mémoire des disparus, et qu'elle devait reprendre sa place auprès de Richard, à la ferme et dans son lit.

Son mari montra tant de gratitude qu'elle comprit combien il l'aimait encore et avait besoin d'elle, combien son soutien quotidien lui avait manqué. Pour la première fois depuis des mois, ils partagèrent chaque nuit le même lit, et avec les jours qui raccourcissaient passèrent plus de temps seuls ensemble, rallumant une passion qui rappela à Sarah leur premier hiver. Rien ne fut dit sur la naissance d'un enfant, mais un espoir renouvelé les faisait se rejoindre sans cesse. Sarah se mit à prier avec une ferveur nouvelle pour que cette fois Richard ne fût pas déçu.

L'automne fut doux et beau, et l'abondance des fruits permit de faire du vin et des conserves en quantité. Avec l'aide d'Alice et de Bess, Sarah travailla dur afin que rien ne fût perdu, pas une pomme, pas une baie. Elles cueillirent, pressèrent et cuisirent à petit feu, firent du sirop d'églantine et du vin de prune, du cidre et de la bière. Et lorsque la cueillette fut terminée et que vinrent les premières gelées, ils tuèrent un cochon, suspendirent les jambons dans la cheminée pour les fumer, salèrent le lard, firent des boudins avec le sang et des saucisses avec les tripes. Préparer la venue de l'hiver les occupa pendant des semaines, mais le travail se fit dans une atmosphère joyeuse et conviviale qui leur rendit la tâche plus légère. Économe de nature, Sarah savoura les résultats de leur labeur : les placards à provisions pleins à craquer, la bonne chère à table, et une rangée de visages brillants, à la lueur du feu.

Sous le toit de Sarah, les enfants d'Hester étaient devenus adorables. Ils avaient appris à sourire, à développer leurs aptitudes, et à l'exemple de leur jeune tante ils étaient toujours propres et soignés. Sarah avait enseigné la couture aux deux filles et elle les aidait à se confectionner des vêtements ; elle leur montra comment cultiver les plantes aromatiques et les utiliser pour la préparation des aliments ; et, tous les soirs, après le dîner, pendant une heure, elle donna aux trois enfants des leçons de lecture et d'écriture.

A la fin de la journée, elle était fatiguée mais heureuse. C'était le moment qu'elle préférait, celui où Richard et elle pouvaient se retirer dans leur chambre et profiter de quelques heures d'intimité. Ils refaisaient connaissance, échangeaient les confidences qui viennent d'une longue fréquentation. En dépit de ses tempes grisonnantes, Richard n'était pas très différent de l'homme que Sarah avait épousé dix ans plus tôt. Il demeurait à la fois svelte et fort ; et elle prenait autant de plaisir qu'au début à le regarder et à respirer son odeur. Sarah devinait que Richard ressentait la même chose à son égard. Mais elle n'était plus la jeune fille gracile qu'il avait prise pour femme. Au cours des dernières années, sa silhouette s'était épanouie et était devenue plus plaisante à l'œil ; et, avec l'expérience, elle savait en tirer le meilleur parti possible pour séduire et satisfaire un homme.

Cette période entre le mois de septembre et Noël fut pour Sarah l'une des plus heureuses de sa vie. Il ne leur manquait qu'un enfant pour que leur bonheur soit parfait.

Après les fêtes, l'hiver se fit rude. Richard continuait d'aller au marché, environ deux fois par mois ; mais contrairement à l'hiver précédent où il passait la nuit à York, il tenait à rentrer le soir même. Comme le thermomètre ne cessait de descendre et que le temps était incertain, Sarah le suppliait d'être prudent et de ne pas s'attarder en ville. La nuit, les routes n'étaient pas sûres, car l'hiver avec son lot de misère et de désespoir pouvait pousser des hommes, par ailleurs dénués de méchanceté, à des actes de violence. Mais Richard voyageait armé d'un pistolet, et s'inquiétait plutôt du mauvais temps.

Lorsqu'il se mit en route avec le jeune John à l'aube de ce matin de janvier, le ciel était clair, les champs et les clôtures recouverts de festons de givre. Il donna un rapide baiser à Sarah, lui promit de rapporter tout ce dont elle avait besoin et lui assura qu'ils seraient de retour à la tombée de la nuit.

Au milieu de l'après-midi, le ciel commença à s'assombrir. Des nuages grossissaient à vue d'œil au nord-ouest ; le soleil brillait encore au sud, mais il disparut très vite. Puis le vent se leva dans un bruit de tonnerre en secouant les fenêtres et, tout à coup, il se mit à neiger à gros flocons épais qui tombaient rapidement, comme une invasion de mites, et s'agglutinaient sur le sol gelé.

En quelques minutes, tout fut recouvert de neige, et le ciel ressembla à une épaisse masse blanche, secouée de tourbillons. J'eus alors la certitude que Richard et son neveu étaient déjà sur le chemin du retour, et retenus prisonniers par cette affreuse tempête de neige. Mais je ne quittais pas la fenêtre en essayant de me convaincre que je me trompais. Richard avait dû s'attarder et, à l'apparition des nuages, il avait certainement décidé de demeurer en ville. Ou bien il était parti assez tôt et avait trouvé un abri dans un village, à Strensall ou Brickhill...

Mais tandis que nous transportions des bûches à l'intérieur afin de nourrir le feu, dans le jour qui tombait et la tempête qui faisait rage, mon cœur devenait aussi lourd que du plomb. Le vieux Jacob était resté avec nous et j'avais les filles, mais aucun de nous ne réussit à dormir. La tempête s'apaisa vers le matin, puis cessa. Les premières lueurs de l'aube, réfléchies par cette masse blanche, apparurent de bonne heure, mais l'obscurité régnait dans la maison. Au nord, les carreaux étaient obstrués et, au sud nous ne voyions pas plus loin que la cour. Je montai en courant dans la chambre, au premier, et regardai dehors. Le chemin avait disparu, et du village je n'apercevais que les arbres, une ou deux cheminées ainsi que la masse carrée de la tour de l'église. De l'autre côté de la cour, seules la grange et l'étable n'étaient pas recouvertes par les congères.

Alors, une vague de peur me submergea. Mais que faire ? Richard, Richard, Richard, voilà tout ce que j'étais capable de dire. Je voulais ameuter le village, lancer les hommes à sa recherche ; mais nous ne pouvions pas sortir de la maison. Le vieux Jacob tenta de me raisonner ; il me déclara que le maître devait s'être réfugié dans une ferme ou une des nombreuses auberges de York. Il me l'avait répété toute la nuit ; malgré cela, je me rongeais d'inquiétude.

Il nous fallut enfoncer dans la neige qui arrivait à mi-porte pour traverser la cour. Les deux hommes qui dormaient au-dessus de l'écurie nous lancèrent des pelles. Déblayer le chemin jusqu'à l'étable pour pouvoir entrer et nourrir les bêtes nous prit presque la matinée.

Des fenêtres supérieures, le spectacle d'une activité identique un peu partout dans le village contribua autant que le travail physique à modérer mon angoisse. Occupée à pelleter la neige, je chargeai les filles de préparer le déjeuner. Nous avions besoin de conserver nos forces pour continuer.

Jack, le fils du vieux Jacob, vint à grand-peine du village pour voir si tout allait bien. Je lui expliquai que Richard et le jeune Tom Whitehead n'étaient pas rentrés de York et que je craignais pour leur vie ; mais il savait aussi bien que moi qu'il était impossible de tenter quoi que ce soit. Et tandis que nous parlions, la neige recommença à tomber. J'en aurais pleuré.

Trois jours s'écoulèrent avant qu'on puisse sortir sans

craindre qu'il se remît à neiger et que les hommes osent s'éloigner du village à pied. Tom Whitehead et Matt, son fils — jeune homme aussi hargneux que son père —, se mirent en route pour Brickhill avec Jack et un autre de nos ouvriers agricoles. Ils continuèrent jusqu'à Strensall et revinrent le lendemain. De Richard et du jeune John, on n'avait aucune nouvelle.

Le lendemain, alors qu'au dire de chacun ils avaient dû rester à York, un jeune berger arriva en chancelant dans notre cour. Il les avait trouvés en cherchant ses moutons, juste de l'autre côté de la crête, à un peu plus d'un mille de Brickhill et à moins de deux milles de chez nous ; leurs corps étaient dans un trou, à quelques mètres du chemin. Les chevaux avaient disparu.

Depuis le début, je savais au fond de moi qu'ils avaient été pris dans la tempête ; mais en entendant le berger ma raison m'abandonna. Je refusai de croire que Richard était mort. Je refusai de le croire tant qu'ils n'eurent pas ramené les corps sur des claies. Mais lorsque je vis mon mari, mon fort, mon beau, mon honnête Richard, recroquevillé comme un enfant mort-né, j'eus le cœur broyé.

Je maudis Dieu. Je Le maudis longtemps et tout haut, et ceux qui m'entouraient reculèrent d'horreur. Je Le défiai de me faire mourir sur-le-champ. Sans mon mari, sans mon bien-aimé, je ne voulais plus vivre.

Dieu, notre Père à tous, aurait dû me prendre alors, et m'épargner la suite. Mais je maudis Dieu et me détournai de Lui, et depuis ce jour je suis loin de Lui. Et si, comme certains théologiens l'ont proclamé, l'enfer est l'absence de Dieu...

Tremblant soudain de froid, Natasha repoussa la machine à écrire et marcha jusqu'à la cheminée. Il était cinq heures passées et elle était brisée de fatigue. Incapable de réfléchir, elle ne désirait qu'une chose : dormir.

Elle prit Colette sous son bras, et monta se coucher...

A son réveil, elle eut l'impression qu'il lui manquait quelque chose — comme si Sarah Stalwell, qui occupait ses pensées, avait été obligée de partir avant la fin de leur conversation. Les paroles et le contexte lui échappaient, mais Natasha ressentait une profonde tristesse ; il lui semblait qu'une tendre amie venait de lui confier quelque tragédie personnelle sans qu'elle puisse lui apporter ni réconfort ni soulagement.

Puis cela lui revint. Richard était mort ! Et Sarah, folle de douleur, ne voulait plus vivre. A vingt-sept ans, sa vie était finie ; elle était seule, sans enfants, au milieu d'une communauté qui ne l'avait jamais véritablement adoptée. Richard avait été tout pour elle : son ami, son associé, son mari, son amant ; c'était un homme remarquable, le fermier le plus clairvoyant à des kilomètres à la ronde. Il ne faisait pas partie de l'aristocratie, ni même de la petite noblesse. C'était simplement un petit propriétaire foncier qui utilisait tous les moyens à sa disposition pour améliorer le rendement de ses terres. Il avait pour lui l'intelligence et la prévoyance ; le capital et les encouragements venaient pour une grande part de Sarah ; mais ils avaient travaillé en partageant le même idéal. Richard était aimé par certains, envié par d'autres. Si on le respectait, c'était surtout à cause de sa minutie et de sa gentillesse. Ses idées, dans une société très traditionnelle, étaient considérées d'un œil méfiant et, comme il fallait énormément de temps pour prouver quelque chose en matière agricole, les villageois ne commencèrent à remarquer l'intérêt de ses méthodes qu'au moment de sa mort.

Sarah leur était aussi étrangère que le jour de son arrivée. Elle était jeune et équitable, ne favorisant personne, et on ne pouvait pas la duper. Les femmes la respectaient mais ne l'aimaient pas, en prétextant qu'elle n'était pas des leurs. On racontait que c'était elle qui avait l'argent, que Richard Stalwell était son esclave et ne pouvait rien lui refuser.

D'autres calomnies circulaient, des histoires brodées à partir de faits réels isolés de leur contexte, et qui eurent pour effet d'élargir encore le fossé entre les villageois et Sarah. Ceux qui ne la connaissaient pas étaient prêts à croire qu'elle avait chassé Agnès Stalwell de chez elle, arraché trois des enfants Whitehead à leur foyer et les avait montés contre leur père. Et maintenant, par sa faute, l'un de ces enfants était mort. Seuls ceux qui travaillaient à Holly Tree House démentaient ces bruits, mais c'était pour la plupart des hommes, et on disait que Sarah les avait ensorcelés comme Richard Stalwell.

Lorsque la jeune femme, éperdue de douleur devant le cadavre de Richard, avait maudit Dieu, la nouvelle s'était répandue dans le village telle une traînée de poudre. Agnès Stalwell raconta partout que sa belle-sœur était une sorcière et que le diable se cachait depuis longtemps derrière son beau visage et ses cheveux d'or. Elle déclara qu'Alice et Bes Whitehead ne devraient pas rester dans cette grande maison avec une femme aussi malfaisante et le cadavre de son mari. Dieu seul savait de quelles dépravations ces filles pouvaient être témoins. Et, alors qu'on attendait un réchauffement de la température afin de pouvoir creuser les tombes, Agnès persuada Tom et deux de ses amis d'aller délivrer Alice et Bess de Holly Tree House.

Ce doit être le troisième jour qu'ils vinrent me prendre les filles. Le soleil était à peine levé lorsqu'ils tambourinèrent contre la porte. Alice, que Dieu la bénisse, alla ouvrir en leur demandant de ne pas faire de bruit, car la maîtresse était malade et avait passé une mauvaise nuit.

Ils la traînèrent dehors si brutalement qu'elle poussa des cris. Bess, avertie, se défendit bec et ongles. Je descendis pour lui porter secours, mais il était trop tard. Je ne pouvais rien faire. Le jeune Jack et son père, le vieux Jacob, étaient accourus de la cour de la ferme ; mais les autres étaient armés de bâtons.

Je leur demandai pourquoi ils voulaient me retirer les filles. Tom Whitehead me dressa la liste de mes méfaits avec un regard si haineux que je reculai. Ce fut une erreur. J'aurais dû lui tenir tête et lui lancer quelques vérités bien senties en présence de ses compères.

Peut-être auraient-ils été moins pressés de remettre les filles à la garde de leur père. Mais j'étais dans un état de grande faiblesse, et je n'avais pas encore repris mes esprits. Je dus leur donner l'impression que je reconnaissais la justesse des accusations portées contre moi, que Tom Whitehead avait sur moi l'avantage de sa bonne foi et de sa droiture, et que j'étais vaincue.

Vaincue, je l'étais en effet, et plus encore que je ne le

paraissais. Je ne pouvais lutter contre eux ; je n'avais rien pour me défendre, pas même l'arme traditionnelle des femmes : les mots. Je les laissai donc emmener la douce Alice et la courageuse Bess, gardant dans mon cœur le souvenir de leur affection et leur promesse de revenir.

Le vieux Jacob essaya de me réconforter, de me reconduire à mon lit ; mais j'allai d'un pas traînant, l'air hagard, dans le petit salon glacé et je m'assis près de la bière de Richard. Je parlai à son corps sans vie, préparé par la veuve Megginson, comme s'il pouvait m'entendre. J'étais contente que la neige empêchât l'enterrement. Je ne voulais pas qu'ils le descendent dans la terre glacée. Tant qu'il était avec moi, je conservais l'illusion qu'il dormait.

Deux jours plus tard, Bess s'échappa de chez elle et vint me voir, le teint blanc et les traits tirés, le visage couvert d'ecchymoses. J'avais de la peine pour elle, mais je dus lui demander de s'en aller. Si elle restait avec moi, ils diraient que je la retenais par quelque maléfice et elle souffrirait plus encore. Elle pleura, mais finit par partir.

Lorsque le pasteur revint, je lui racontai ce qui se passait. C'était un brave homme. La première fois, il m'avait laissée me répandre en injures et divaguer sans manifester la réprobation horrifiée que mes blasphèmes auraient pu lui imposer. Comme je paraissais plus calme, il tenta de m'offrir des paroles de consolation, mais rien ne pouvait atténuer ma peine, et je ne voulais pas entendre parler de Dieu ni des sacrifices accomplis par Jésus-Christ, Notre Sauveur. J'étais figée dans ma douleur. Si je m'inquiétais, ce n'était pas pour le salut de mon âme, mais pour le bien-être, ici-bas, des enfants de Tom Whitehead.

Pour la première fois, je racontai la confession que Hester avait faite sur son lit de mort. Richard parti, je n'avais plus personne à protéger, et je voulais que le révérend Clive sache que des accusations seraient portées contre moi et pourquoi.

Il ne parut pas étonné par ce que je lui appris. Peut-être était-il déjà au courant, à moins que des années passées à s'occuper d'âmes ignorantes ne l'eussent rendu insensible. Je ne sais pas. Il ferait ce qu'il pourrait, me dit-il. Il me demanda aussi si je voulais que le corps de Richard soit conduit dans l'église, où il faisait plus froid que dans la maison. Je refusai.

Trois de mes cousins, parmi les Piper, étaient encore vivants, mais je ne leur envoyai pas de lettre. Je ne les avais pas vus depuis des années et pensais qu'ils n'éprouveraient pas le besoin de venir se recueillir sur la tombe de Richard, même s'ils avaient la possibilité de se déplacer, car les routes, avec la neige puis la boue, restaient difficilement praticables.

Le dégel fut brutal. Le ruisseau, en crue, emporta une chaumière précaire, en bas du chemin, et, pendant un jour et une nuit, la rue du village fut transformée en rivière. La décrue intervint tout aussi brusquement. Les eaux du ruisseau retrouvèrent leur niveau normal, et les porteurs de bière vinrent chercher chez moi la dépouille de Richard et, chez les Whitehead, le corps du jeune John.

De ce double service funèbre, je me rappelle seulement que l'église était pleine, et je me revois debout au bord de l'unique tombe, en face de Tom et d'Agnès, le cœur rempli de haine et de douleur. Restant veuve et la ferme étant inaliénable, je me demandai qui hériterait quand je ne serai plus là. Cela ne m'aurait pas ennuyée que ce fût John, qui était un Stalwell, coulé dans le même moule que Richard, sans ressemblance aucune avec son père Tom. Mais j'étais indignée à l'idée que la somme de nos efforts pourrait revenir aux hypocrites qui me faisaient face de l'autre côté de cette tombe béante.

Le vieux Jacob, qui avait bien servi notre famille, me saisit par le bras pour me reconduire, geste qui ne manquait pas de courage, car la plupart des autres, dès que l'enterrement eut prit fin, se rangèrent derrière Tom et Agnès, qui se força pour me proposer son aide. Je me détournai avec dégoût, me mettant ainsi dans mon tort devant témoins. Le vieux Jacob et son fils Jack me ramenèrent à la maison à travers la boue, sous un ciel lugubre.

Près de la grille, je fis une pause pour regarder Dagger Lane, en direction de la crête où mon cher Richard et son neveu avaient péri dans la tempête. Cette vue me briserait le cœur chaque fois que je tournerais le visage vers le sud, autant que m'anéantiraient ces lancinantes questions : Pourquoi ? Pourquoi eux ?

Comme je me retournais pour suivre les deux hommes dans la maison, je crus apercevoir un chien noir, tapi dans l'ombre, qui me fixait de ses grands yeux. Mais quand je regardai derrière moi, il n'y était plus.

Depuis la mort de sa femme, le vieux Jacob, assisté des deux filles, avait pris en charge une grande partie des travaux ménagers. Se retrouvant seul, il continuait à faire tout son possible pour m'aider, en adoptant à mon égard une attitude paternelle, mais il ne dormait pas dans la maison. Ce soir-là, il me prépara un repas auquel je n'avais pas l'intention de toucher et m'annonça à regret qu'il devait partir. Cela m'était égal. Après des propos vifs échangés à voix basse entre le père et le fils, Jack revint, et insista pour rester en me disant qu'il ne fallait pas que je sois seule.

C'est ainsi que le jeune Jack, qui travaillait chez nous depuis son enfance, devint mon domestique et mon garde du corps, m'apportant du vin quand j'en demandais et faisant de son mieux pour assurer la bonne marche de la ferme.

Je crois me souvenir que, dans la période qui suivit le décès de Richard, je ne mangeais presque rien, mais dans la journée je buvais de la bière, et le soir du vin, pour réussir à dormir.

Les semaines passèrent et l'hiver céda doucement la place au printemps. Le travail à la ferme et dans les champs s'accomplissait tant bien que mal. Je restais inactive et ne donnais aucun ordre, laissant Jack s'occuper de tout. Il faisait de son mieux, mais il n'avait ni la compétence ni l'autorité de Richard, et les hommes refusaient de lui obéir. Ils vinrent me demander ce qu'ils devaient faire pour les labours et ce qu'il fallait planter dans tel et tel champ. C'était le dernier de mes soucis, mais je dus les accompagner dehors et feindre de prendre des décisions ; et, après être sortie plusieurs fois à contrecœur, cela devint une habitude. Je remplaçai peu à peu Richard, tandis que Jack et son père s'occupaient des tâches courantes. Nous arrivions à nous débrouiller.

Mais, avec l'arrivée du printemps et la vie qui jaillissait de la terre, chauffée par le soleil, mon mari me manquait plus que jamais. Dans mon lit, désespérément vide, mon désir pour Richard, l'amour que nous avions partagé et l'enfant que nous n'avions pas eu étaient de perpétuels tourments. Ne pouvant trouver le sommeil, je buvais le vin de prune que nous avions confectionné ensemble, et comme je ne dormais toujours pas je me promenais, tout étourdie, dans Dagger Lane et à travers champs. Je parlais aux vaches, au clair de lune, et je couchais dans l'herbe pour étreindre la terre que Richard avait aimée.

Tant d'amour et d'espérance avait nourri cette terre ! Bonne, riche, fertile, elle continuerait de produire aussi longtemps qu'on l'entretiendrait. Richard parti, cela ne signifiait plus rien pour moi. J'avais vu les hommes de loi, le testament était homologué. La ferme était à moi pour le restant de mes jours. Mais que se passerait-il à ma mort ? Cette question me harcelait. A l'idée que tout reviendrait au fils aîné de Tom Whitehead, si semblable à son père, je frémissais d'horreur.

Au cours de mes promenades solitaires, rien ne soulageait ma colère et mon désespoir, ne me redonnait le goût de vivre. Le monde était pour moi un endroit impie ; mon existence n'avait plus de sens. Mais une nuit, comme je m'allongeais dans l'herbe humide pour chercher le visage de Richard dans les étoiles, il s'étendit près de moi, caressa mes cheveux, embrassa mes lèvres et répondit avec passion lorsque je me tournai vers lui.

Je compris après, à ma grande surprise, que ce n'était pas Richard, mais le jeune Jack qui s'était institué mon protecteur. A cette époque, il devait avoir vingt-deux ou vingt-trois ans. Il était loin d'être aussi beau que Richard, mais leur taille et leur carrure étaient assez semblables. Dans le noir, je m'y étais laissé prendre. A moins que ce ne fût à cause du vin. Quoi qu'il en soit, je me donnai à lui de toute mon âme et, pendant un moment, j'éprouvai un plaisir si intense que j'en oubliai ma peine.

Il m'aimait, me dit-il, et ne supportait pas de me voir si malheureuse. Son amour comptait peu pour moi, hélas (c'était Richard que j'aimais, Richard que je désirais), mais le jeune corps viril de Jack parvenait à me satisfaire. Dans les semaines qui suivirent, si je buvais du vin et fermais les yeux, je réussissais à croire que c'était Richard que je tenais enlacé, Richard qui me faisait pleurer de plaisir.

Je dus apprendre certaines choses à Jack, bien sûr ; ce que je voulais et quand. Mais il se montra un élève doué, si amoureux qu'il ne supportait pas de me laisser longtemps seule. Pendant quelque temps, ce fut excitant, puis cela devint assommant. Être l'amant de la maîtresse lui monta à la tête. Il se laissa aller à des familiarités en présence des autres, et à donner des ordres à son père comme s'il était le maître chez moi.

Le vieux Jacob menaça de s'en aller. Il m'était devenu indispensable et Jack avait commencé à perdre de son charme ; alors je décidai de remettre mon jeune amant à sa place. Je me donnai à un autre.

Ce fut à cette époque, je crois, que les gens ne se contentèrent plus de médire de moi comme ils le faisaient depuis des mois : ils se mirent à parler d'un vieux mythe, une créature du diable qui était censée hanter la région, un chien fantôme qu'ils appelaient Reynard...

Natasha eut un mouvement de recul et regarda fixement la page. Une sourde inquiétude jeta le trouble dans ses pensées. Ne sachant où Sarah voulait la conduire, elle resta là, sans bouger, à contempler les derniers mots qu'elle avait tapés. Au bout d'un moment, la nuit qui tombait tôt en ce jour le plus court de l'année l'empêcha de les distinguer, mais ils restèrent gravés en lettres majuscules dans son cerveau.

Soudain, Natasha se leva d'un bond. Elle alluma les lumières, tira les rideaux, se précipita dehors avec sa collection de récipients pour le bois et le charbon, et accomplit le même rituel que les autres jours. Colette était dehors depuis que Natasha était descendue, à midi. Elle la fit rentrer, nourrit les autres chats, s'assura que les fenêtres étaient bien fermées et la porte verrouillée.

C'est seulement lorsque tout fut prêt qu'elle se demanda pourquoi elle se sentait si menacée. Enfant, elle n'avait jamais eu particulièrement peur du noir. Mais elle craignait moins l'obscurité que ce qui pouvait se trouver à l'extérieur — une ombre compacte, plus noire que la nuit : le *Padfoot* de Charlie Cramp, le chien fantôme de Sarah...

30

Le hululement irrégulier et prolongé d'un hibou ne fit que rendre plus palpable la menace qui semblait planer autour de Natasha depuis la fin de l'après-midi. Colette paraissait anxieuse, elle aussi ; elle arpentait la cuisine, sautait sur le rebord de la fenêtre qui donnait sur la cour, et grattait le bas de la porte en reniflant.

Natasha se dit que Colette avait du mal à rester en place à cause du hibou ; elle devait avoir envie de lui faire la chasse. La petite chatte adorait être dehors, le soir, et elle ne rentrait souvent qu'à minuit ; mais aujourd'hui sa liberté de mouvement avait été sévèrement restreinte. Ainsi réfléchissait Natasha pour donner une explication rationnelle à la nervosité de l'animal. La jeune femme était seule et se sentait donc vulnérable ; elle était fatiguée, surmenée sur le plan intellectuel et, surtout, le passage où elle en était de son roman aurait instillé de l'angoisse dans les os du sceptique le plus endurci. Si cette histoire n'était qu'un produit de son subconscient, elle avait intérêt à consulter un psychiatre ; mais si Sarah Stalwell racontait réellement l'histoire de sa vie par-delà la tombe, alors Natasha avait raison de s'enfermer à double tour et de rester sur ses gardes, à la nuit tombée.

Au printemps et au début de l'été 1723, alors que Sarah Stalwell cherchait à oublier Richard dans les bras d'autres hommes, le bruit courut dans le village que *Reynard* était revenu rôder dans les parages. Les vieilles femmes, serrées autour du feu, racontaient sa dernière apparition comme si c'était hier : à la Toussaint, toute la congrégation de Brickhill avait vu le chien de Satan disparaître à travers le mur de l'église orienté au sud. Pour certains, il retournait dans son repaire, le vieux château ; pour d'autres, c'était le compagnon du diable, envoyé sur terre pour rapporter des âmes. Appelé par les sorciers et les sorcières, il pouvait changer de taille et de forme à volonté.

Sarah entendit ces histoires et se moqua de ceux qui les colportaient. Elle tourna le dos aux villageoises qui se signaient pour se protéger du mauvais œil, et haussait les épaules quand les jeunes enfants se sauvaient à son approche. Fortifiée par le vin et les attentions de son dernier amant en titre, Sarah se moquait de tout, et avant tout d'elle-même.

Jack lui rapportait les bruits qui couraient sur son compte, et elle riait lorsqu'il la suppliait de se repentir et de ménager son âme immortelle. Elle jugeait ridicules de telles prières, surtout depuis qu'il l'implorait de lui accorder des faveurs qui n'avaient rien à voir avec l'immortalité de l'âme. De temps à autre, pour le calmer, elle se donnait à lui, de la même façon qu'elle aurait jeté des restes aux bêtes. Il la traitait de chienne, terme qu'elle trouvait étrangement pertinent car elle avait bien l'impression d'être une chienne en chaleur, avec une flopée de chiens rampant devant sa porte.

Elle n'avait, semble-t-il, qu'à poser son regard sur un homme pour que ce dernier ait aussitôt envie d'elle ; l'âge, le physique et la situation de famille ne constituaient jamais des barrières. Peu d'entre eux étaient aussi plaisants à l'œil que Jack, et il n'y en avait aucun d'aussi tendre ; pas un seul ne l'aimait autant que lui. Chez les autres, ce n'était qu'un désir bestial. Mais leur rudesse et leur grossièreté, même parfois leur brutalité, excitaient Sarah. Elle voulait être avilie et ne ressentait ni honte ni regret ; elle se plaisait ensuite à repousser ces hommes impatients de recommencer.

A la fin du mois de mai, le vieux Jacob était parti depuis belle lurette. Il n'avait pu supporter la honte de voir sa maîtresse se conduire comme une putain. Jack, lui, resta, en désespoir de cause, parce que sa famille l'avait renié et qu'il n'avait aucun endroit où aller. Il nourrissait les animaux domestiques, préparait les repas et ceux des deux derniers ouvriers agricoles, tandis que Sarah parcourait les champs et se donnait dans les écuries, ou restait à boire dans son petit salon.

Le révérend Clive vint à Holly Tree House pour essayer de la mettre en garde. La fornication était un péché mortel, lui rappela-t-il d'un ton las, et si elle ne se souciait pas de son salut, elle devrait avoir à cœur de ne pas faire souffrir les autres. On jasait sur son inconduite notoire et les gens risquaient d'être scandalisés (il réussit à lui faire comprendre qu'il parlait des nobles de la région), ce qui ne manquerait pas d'avoir pour elle de fâcheuses conséquences.

Pendant l'entretien, Sarah garda les yeux baissés. Les forces du vieil homme déclinaient et elle ne voulait pas l'inquiéter. Il cherchait seulement à la protéger. Ce n'était pas sa faute à lui si elle ne voulait pas être protégée.

Vers la fin du mois de juin, qui avait été si froid et humide que la récolte risquait d'être insuffisante, le mécontentement s'accrut. Le pasteur rendit de nouveau visite à Sarah. Il semblait plus triste et plus las que jamais. Il avait reçu, dit-il, une délégation conduite par Tom Whitehead. A moins que Sarah Stalwell n'acceptât de vendre ses biens et de quitter la région, les plaintes seraient envoyées à l'évêque. Elle serait accusée de fornication et, reconnue coupable, elle risquait l'excommunication. Certains, ajouta le pasteur d'une voix hésitante, suggéraient également qu'elle soit accusée de sorcellerie, mais le révérend Clive pensait avoir réussi à les en dissuader.

Ces accusations venaient sans aucun doute d'Agnès. Je n'avais pas peur du tribunal ecclésiastique, mais j'étais révoltée à l'idée que Tom Whitehead et Agnès Stalwell m'accusent de fornication, après tout ce qu'eux-mêmes avaient fait. Et qu'ils se servent de cette menace pour me forcer à vendre la ferme me mit dans une rage folle dont le pasteur dut s'effrayer. Il me versa du vin et me le fit boire, ce qui me calma et le rassura quelque peu. Dès qu'il fut parti, je cherchai un moyen de me venger.

Répondre à leurs accusations en portant contre eux

d'autres accusations ne servirait à rien ; il était trop tard et, en dehors du pasteur, personne ne me croirait. Les enfants de Tom étaient trop terrorisés pour dire la vérité. Je réfléchis la moitié de la nuit, sans résultat ; mais le matin, comme je regardais mon miroir pour la première fois depuis des semaines, je trouvai la solution.

Agnès me croyait possédée du démon ; eh bien, elle allait en avoir le cœur net. J'avais depuis longtemps constaté qu'il me suffisait de regarder les hommes d'une manière particulière en pensant à certaines choses pour qu'ils aient envie de moi. Mon principal problème était que j'avais presque tout le temps envie de faire l'amour et que, par conséquent, je devais veiller à ne pas poser les yeux sur n'importe qui. Mais je n'avais jamais désiré Tom Whitehead ni ses fils, bien que j'eusse couché avec la plupart des hommes de Denton et de Brickhill — sans compter les deux fils Clive de Sheriff Whenby, et Kit Forsyth qui habitait au manoir de Paxton.

Je décidai alors que j'aurais Tom Whitehead et le jeune Matthew — un garçon revêche et grossier, tout le portrait de son père —, et que je les aurais l'un et l'autre devant témoins.

Le mieux serait que ça se passe dans les champs, ou dans Dagger Lane, à la vue de tous, et à l'époque des moissons, quand les hommes et les femmes robustes travaillaient dehors.

Le seul inconvénient de ce plan était que je ne pouvais l'appliquer immédiatement. Selon toute vraisemblance, la moisson ne se ferait pas avant un mois. Je courais donc le risque que les accusations lancées contre moi parviennent à l'évêque avant que je puisse avoir un motif de plainte contre Tom Whitehead. Car je n'avais nullement l'intention de m'en aller ou de vendre la ferme, sachant que c'était le souhait le plus cher d'Agnès et de Tom. S'ils la voulaient, ils devraient d'abord me tuer.

Fidèle à son plan, Sarah attendit ; mais dans l'intervalle Tom Whitehead réussit à contourner les doutes et les lenteurs du pasteur de Denton en s'assurant le concours d'un autre membre de la famille Clive, une personne plus influente, au cœur plus sec. La redoutable lady Clive était la femme du neveu du pasteur, sir James ; et, bien que son mari et Richard Stalwell aient partagé le même intérêt pour les nouvelles techniques agricoles, elle n'avait jamais aimé Sarah. Elle avait toujours pensé qu'elle regardait trop les hommes ; aussi, quoique choquée, ne fut-elle pas surprise. Elle soumit l'affaire à l'évêque, qui pouvait, s'il le souhaitait, ignorer les gens du commun, mais non une protectrice aussi distinguée. A la fin du mois d'août, juste au début de la moisson, Sarah reçut de nouveau la visite du révérend Clive, qui l'informa qu'elle passerait bientôt en jugement devant l'archidiacre, à York. Il était temps pour elle d'agir.

Tom Whitehead était un homme costaud, plus grand et plus charpenté que ne l'était Richard. Il était également plus vieux : il devait avoir quarante-cinq ans. C'était de loin l'homme le plus fourbe que j'aie jamais connu. Et il me détestait. Je ne pouvais être absolument sûre qu'il se laisse prendre à mon stratagème. Je me demandai si je ne devais pas d'abord m'attaquer à son fils, Matt, que sa jeunesse rendait plus vulnérable ; mais si j'arrivais à mes fins, je pouvais encore échouer avec le père. Après réflexion, il me parut préférable de concentrer mes efforts sur le plus coriace des deux.

J'attendis quelques jours que les hommes commencent à moissonner aux abords du village, et le matin où je fus certaine qu'il y aurait beaucoup de monde je décidai de passer à l'action. Lorsque le soleil voilé fut à son zénith, je dis à Jack de me suivre et de me servir de témoin. Au moment où je descendais avec nonchalance le chemin, les femmes arrivaient en portant à leur mari de quoi manger et boire. A ma vue, la plupart ralentirent, d'autres tournèrent la tête en pressant le pas. Une femme, retenue par une autre, me cria des insultes, et quelques instants plus tard une pierre m'atteignit au milieu du dos. Je me retournai et les dévisageai avec un regard noir, puis j'entrai dans le champ. Les femmes passèrent le reste de leur colère sur le pauvre Jack, qui n'en continua pas moins de me suivre.

Mon cœur cognait douloureusement tant j'avais peur d'échouer. Ma vue se brouilla. C'est à peine si j'entendais les sifflements et les sarcasmes derrière moi. Je cherchais des yeux Tom Whitehead, et ce moment me parut une éternité. Ne le voyant nulle part, je m'adressai à l'un des hommes qui se trouvait là.

— Où est Tom Whitehead ?

Dans le regard posé sur moi, il était difficile de savoir ce qui l'emportait, de la colère ou du désir. C'était un de ceux avec qui j'avais couché plusieurs fois, et il m'aurait imploré si sa femme, dans le groupe derrière, ne lui avait crié des menaces.

Sa bouche mauvaise se tordit en un rictus et il me montra l'autre bout du champ. Je tournai la tête et, le long des meules de blé, j'aperçus la solide silhouette de Tom Whitehead. Il venait vers moi.

Aussitôt, je retrouvai ma lucidité et mon calme. Je le mesurai du regard et jetai un coup d'œil en arrière pour voir si j'apercevais Agnès. Elle n'était pas là. Tant mieux. Ce serait plus facile si je ne l'avais pas dans mon dos. Laissant ma haine de côté, je plissai les yeux et dévisageai Tom Whitehead, qui approchait prudemment. Il me craint, pensai-je. Je me sentis alors si sûre de mon pouvoir que je faillis éclater de rire.

— Qu'est-ce que tu fiches ici ? demanda-t-il d'un ton agressif. Tu es sur mes terres. Qu'est-ce que tu veux ?

Je plongeai mon regard dans ses yeux gris, durs comme du silex, et souris en pensant à sa force physique et à son talent pour abuser des femmes. Ce n'était pas le moment de me révolter. Je n'avais qu'à songer au pouvoir que j'aurais sur lui une fois qu'il serait à moi. Agnès pourrait toujours aller se plaindre !

— C'est toi que je veux, Tom, murmurai-je. Toi et pas un autre.

Une lutte intérieure transparut dans son regard. Il s'obligea à détourner la tête. Il regarda le bout du champ, et ensuite le groupe de femmes, aussi silencieuses à présent que pour la représentation d'un mystère.

— Eh bien, moi, j'ai pas envie de toi, déclara-t-il, mais sa voix se cassa, et lorsque j'effleurai son avant-bras il sursauta comme s'il avait été piqué par un taon.

— Fous-moi le camp d'ici si tu ne veux pas que je te chasse moi-même !

Sans cesser de lui sourire, je ne bougeai pas. Cela le mit tellement en colère qu'il commit l'erreur de porter la main sur moi. Il me tira sans ménagement vers la barrière en passant devant le groupe silencieux qui n'en perdait pas une.

Pour frapper les imaginations, je me débattis comme un beau diable, et tandis qu'il m'entraînait de force je poussai même un ou deux cris. Ma résistance le rendit fou furieux. Et lorsque je lui mordis le bras au sang, il me gifla avec tant de violence que je tombai par terre. Je restai un moment étourdie, puis comme je retrouvais mes esprits, je me forçai à sourire et remontai un peu plus haut ma jupe qui m'arrivait déjà au-dessus des genoux.

Il était penché au-dessus de moi, le visage livide, les traits déformés.

— De quoi as-tu peur ? le défiai-je à voix basse. Tu as perdu ta virilité ?

Avec un rugissement de taureau furibond, il ouvrit en hâte le devant de ses hauts-de-chausses et se laissa tomber sur moi devant tout le village. Les hommes lui crièrent des encouragements tandis que les femmes restaient pétrifiées comme des statues, ne sachant trop si j'avais ce que je méritais ou ce que j'avais voulu. Et moi, tout en feignant de me débattre et de souffrir le martyre, je donnai à Tom Whitehead exactement ce qu'il aimait. Comme les autres, il en voudrait encore et me supplierait de lui en redonner.

Malheureusement, cela en excita plus d'un. Et tandis que les femmes emmenaient de force leurs maris, après que Tom Whitehead se fut relevé, j'en eus deux de plus à contenter. Lorsqu'ils eurent fini, j'étais couverte de meurtrissures. Moins à cause de ce qu'ils m'avaient fait subir que des pierres du chemin. Mon dos, profondément entaillé, saignait ; mon corselet était déchiré à l'endroit où ils avaient tiré pour découvrir mes seins.

Jack vomissait dans le fossé, le visage rougi et gonflé par les pleurs. Je me remis lentement debout, et j'allai l'aider. Il avait essayé, le pauvre, de venir à mon secours ; mais les autres l'avaient maintenu à terre, et frappé à coups de pied et de poing. Il ne comprenait pas mon air triomphal, ni pourquoi je riais sous cape, malgré mes blessures. Je lui expliquai que je tenais ma revanche. J'avais montré à tous le vrai visage de Tom Whitehead. Il ne pourrait plus témoigner contre moi.

Au début du mois de septembre, l'affaire fut portée devant le tribunal de l'archidiacre à York. Sarah y assistait, revêtue de ses plus beaux habits, et elle affichait l'air fier et outragé d'une femme qui a eu beaucoup à souffrir de ses voisins envieux. Les plaintes avaient été examinées, mais la déposition de Tom Whitehead, en qualité de bedeau de la paroisse de St. Oswald et principal plaignant, perdit beaucoup de sa crédibilité face à la contre-attaque de Sarah.

Elle était accusée de se prostituer, d'offenser ses voisins en commettant de façon régulière le péché de la chair avec des célibataires, et de détourner les maris de leurs femmes légitimes. Comme elle ne niait pas les accusations portées contre elle, elle aurait dû être condamnée à une semonce, une amende et une confession publique ; dans la plupart des cas, cette obligation de faire acte d'allégeance à la religion d'État aurait été suffisante. Mais Sarah était décidée à se battre. Elle opposa au jugement du tribunal ses propres accusations : Tom Whitehead, le principal plaignant, l'avait, affirma-t-elle, brutalisée et violée devant de nombreux témoins.

Si elle devait confesser publiquement ses péchés, déclara Sarah à l'assistance méduseé, il devait en aller de même pour lui. Si elle devait payer une amende, celle de Tom Whitehead devait être beaucoup plus élevée, car elle avait souffert par sa faute de graves préjudices.

— Et je me permets de dire à Monseigneur que les hommes que j'ai connus, loin de se plaindre de mes services, ont tendance à en redemander.

Des rires étouffés coururent dans l'assistance, mais le juge ecclésiastique n'eut pas l'air de trouver ça si drôle. Après m'avoir adressé une sévère réprimande et avoir consulté ses éminents collègues, il reporta le jugement à une séance ultérieure.

J'étais satisfaite. L'affaire, sans conclusion immédiate, pourrait durer indéfiniment. J'avais réussi à contrecarrer les projets de Tom Whitehead et de sa protectrice, lady Clive.

Je me demandai si elle se montrerait aussi pressée de le soutenir, une autre fois.

Tom Whitehead, qui n'avait pas réussi à faire aboutir sa plainte, détestait Sarah plus que jamais ; mais il ne pouvait plus se passer d'elle. Il abusait d'elle, et demandait à son fils d'empêcher Jack d'entrer dans la chambre pendant qu'il prenait son plaisir. En récompense de ce service, lorsque Matt y allait à son tour, il retenait Jack en bas et se moquait de son impuissance.

Une nuit, un groupe de saisonniers de Brickhill que Sarah avait employés pour les moissons arriva à Holly Tree House. Dès que la porte fut ouverte, ils s'engouffrèrent à l'intérieur en manifestant clairement leurs intentions. Ils étaient saouls, mais pas impuissants. Trois d'entre eux violèrent Sarah, tandis qu'un quatrième, plus porté sur les hommes, sodomisait Jack.

Sarah fut plus choquée qu'elle ne l'aurait cru possible. Jack qu'elle avait si mal traité, dont elle avait fait si peu de cas, était devenu important pour elle. Le voir violer comme une jeune fille innocente lui fut insupportable. Pour la première fois, elle comprit que le mal entraînait le mal et, pour tenter de dominer ses mauvais instincts, elle réduisit sa consommation de vin. Elle s'efforça de la remplacer par de la bière, boisson moins alcoolisée ; mais elle dormait mal et, à la fin, pendant ses longues insomnies, elle commença à avoir des angoisses. Elle avait l'impression qu'on l'observait.

Elle pensa d'abord que cela devait avoir un rapport avec Agnès, qui l'avait un jour insultée, menacée et même agressée dans le village. Sarah avait réussi à lui échapper ; mais, la nuit, elle imaginait qu'Agnès l'épiait dans le noir, le visage renfrogné et l'air malveillant, attendant une occasion de la frapper...

Puis Jack disparut. Depuis la nuit où les ouvriers agricoles de Brickhill étaient venus, il errait comme une âme en peine. Rien n'avait pu lui rendre un peu de gaieté. Son abattement était si profond qu'il ne rejoignait plus Sarah dans son lit ; et, lorsque la jeune femme allait vers lui, il s'accrochait à elle comme un enfant et pleurait.

Il avait dû partir en pleine nuit : la maison était vide quand Sarah se leva, aux premières lueurs du jour. Elle le chercha dehors et dans les dépendances, envoya un des hommes chez le vieux Jacob : Jack n'était nulle part. Un terrible pressentiment, pareil à celui qui l'avait saisie pendant la tempête de neige, s'empara de Sarah. Sans plus attendre, elle partit à cheval pour Brickhill après avoir ordonné à ses deux ouvriers de fouiller les champs et les bois.

On ne l'avait pas vu à Brickhill. Songeant qu'il avait pu y passer avant l'aube, elle continua jusqu'à Strensall. Là non plus, personne ne savait rien. Avec un sentiment de vide nauséeux, Sarah fit demi-tour en espérant contre tout espoir que Jack serait à la ferme.

Sur le chemin du retour, elle remarqua que les pommes mûrissaient dans les vergers et que des prunes étaient accrochées en grosses grappes pourpres ; et au milieu des haies, il y avait des mûriers sauvages, avec des fruits noirs juteux qui ne demandaient qu'à être cueillis. Le spectacle de tous ces fruits la mit encore plus mal à l'aise : elle n'avait fait aucune provision pour l'hiver et, n'ayant personne pour l'aider dans cette tâche, ce serait probablement une période de vaches maigres. Elle pensa à l'automne précédent, saison d'abondance s'il en fut, pleine d'espoirs et d'une joyeuse activité ; elle en aurait pleuré.

Il était presque midi lorsqu'elle arriva chez elle. Les ouvriers se prélassaient au soleil en mangeant du pain et du fromage arrosés de bière. C'en était trop. Ils étaient négligés et oisifs, et c'était elle qui les avait laissés devenir ainsi ; de plus, ils s'étaient visiblement contentés de jeter un coup d'œil par-ci par-là, sans se donner beaucoup de mal. Ils n'aimaient pas Jack, car ce dernier les avait traités de haut quand il était le favori. Sarah leur cria de se lever et d'aller travailler ; puis, furieuse contre elle-même, elle entra dans la maison et pleura toutes les larmes de son corps.

Lorsqu'elle se fut un peu calmée, elle songea que ce serait bientôt la Saint-Michel. Elle se débarrasserait de ces deux paresseux et, à la foire d'embauche, choisirait la demi-douzaine d'hommes dont elle avait besoin pour mener convenablement la ferme, ainsi que deux filles robustes pour tenir la maison. Cette année, elle avait honteusement négligé l'une et l'autre, et elle devrait puiser dans ses économies pour se nourrir pendant l'hiver en attendant de reprendre les choses en main au printemps.

Cette décision prise, elle se sentit mieux et plus forte. Elle mangea un peu, puis elle repartit à la recherche de Jack. Du fond de sa conscience, une petite voix lui soufflait qu'il s'était tué. Elle fouilla les haies et longea le ruisseau, dont les eaux étaient encore gonflées après les abondantes pluies de l'été. Elle ne trouva rien dans cette direction ; ce n'était pas surprenant, car il aurait fallu une grande détermination pour se noyer dans moins de quarante centimètres d'eau. Elle parcourut ainsi plusieurs kilomètres en appelant Jack et en questionnant les hommes qui nettoyaient les fossés, les femmes et les enfants qui cueillaient des fruits. Personne n'avait vu le pauvre Jack.

Pour s'en retourner chez elle, elle coupa à travers champs en prenant comme repère le bois du Bout du Monde. Elle réalisa que c'était le seul endroit où elle n'avait pas cherché, l'endroit par où elle aurait peut-être dû commencer ; mais il était trop tard, la nuit tombait vite en cette saison. Déjà, on y voyait mal. Tandis qu'elle longeait le bois, elle regardait parmi les arbres et avait plus que jamais le sentiment d'être épiée.

J'éprouvai un vif soulagement en arrivant dans Dagger Lane.

Je fis une pause pour reprendre ma respiration, et cherchai anxieusement des empreintes autour de moi avant de monter la côte pour rentrer chez moi. A cet instant, j'aperçus un mouvement parmi les ombres : une forme noire se découpait sur les troncs sombres des arbres.

Un grand frisson me courut entre les épaules. Pétrifiée par la terreur, je pensai que cette bête menaçante en face de moi était peut-être un loup, un sanglier, ou quelque animal sauvage originaire d'un pays étranger qui avait pu s'échapper. Elle avait la taille d'un énorme chien, mais ne bougeait pas comme un chien — plutôt comme quelque chose qui n'aurait pas eu l'habitude de marcher sur quatre pattes, et se déplaçait en boitillant et titubant affreusement. Puis l'animal souleva sa grosse tête, plongea son regard dans le mien... et on aurait dit qu'il voyait jusqu'au tréfonds de mon âme.

31

Lorsque Nick rentra avec les garçons, le dimanche, tard dans la soirée, il eut un choc à la vue de Natasha. Le maquillage n'arrivait pas à masquer ses joues creusées, ni les cernes sous ses yeux trop brillants. Et le sourire accroché à ses lèvres n'empêcha pas Nick de remarquer qu'elle fumait comme un pompier, et que ses doigts tremblaient légèrement.

Elle avait l'air malade ; phtisique est le mot qui lui vint à l'esprit, car il évoquait une chair consumée, quelque sacrifice physique à un esprit dévorant. Cela l'effraya. Dans la cuisine, tandis que Natasha mettait la dernière main au repas qu'elle avait préparé tout en écoutant les garçons, en riant avec eux et en se montrant impressionnée aux bons moments, Nick se demanda comment elle avait pu maigrir autant en seulement deux jours et demi. Il se rappela alors qu'elle avait déjà une mine de papier mâché, une semaine plus tôt. Il avait mis ça sur le compte de la fatigue et des tensions entre eux. Aujourd'hui, pourtant, elle n'avait pas l'air triste ni déprimée ; mais très nerveuse, tendue à l'extrême.

Il n'était pas encore dix heures lorsque Nick envoya les garçons au lit. Ils protestèrent. Ils n'avaient même pas raconté à Natasha la moitié de ce qu'ils avaient fait à Londres ! Et demain, elle serait trop occupée pour les écouter ! Elle leur promit de ne pas travailler, et ils se décidèrent à monter.

Nick se versa un grand verre de whisky et s'assit dans son

fauteuil, près de la cheminée. C'était une nuit froide et silencieuse. Le feu crépitait ; les guirlandes de Noël scintillaient, et les cadeaux enveloppés par Natasha étaient disposés sous le sapin. Après s'être assise comme Nick le lui avait demandé, Natasha avait fini par s'étendre sur le canapé et regardait la télévision, un verre de vin dans une main, une cigarette dans l'autre. Ce tableau rappela à Nick un spot télévisé vantant quelque produit de luxe pour Noël : il avait la perfection visuelle que recherchaient les publicitaires.

Mais, comme les spots publicitaires, il était irréel. En grattant le vernis, on ne trouverait qu'un décor de carton-pâte. La semaine précédente, l'illusion était presque parfaite et Nick s'y était laissé prendre. Il avait dû se faire violence pour aller à Londres. Natasha lui avait manqué pendant tout le week-end et il avait attendu avec impatience le moment de rentrer.

Sidéré par les derniers changements, il ne savait trop quoi dire : ils s'étaient tellement éloignés l'un de l'autre qu'il lui était impossible de parler sans détour. Alors, il engagea la conversation par une question neutre, de celles qu'aurait pu poser un étranger :

— Tu as passé un bon week-end ?

— Plutôt calme, dans l'ensemble.

Elle se tut pour écouter ce qui se disait à la télévision : un journaliste flagorneur interrogeait un célèbre acteur de cinéma vieillissant sur son autobiographie, largement couverte depuis quelque temps par les divers médias. Nick, qui avait déjà entendu l'interview, ne s'y intéressait pas du tout.

Il attendit que Natasha lui donne d'autres détails mais, comme elle gardait obstinément le silence, il lui demanda ce qu'elle avait fait pendant son absence.

— Ce que j'ai fait ?

Elle haussa les épaules et fit une grimace, sans le regarder.

— Je ne sais pas. La routine, je suppose. Rien de très passionnant.

Il la regarda fixement, mais Natasha montrait ostensiblement qu'elle était beaucoup plus intéressée par ce qui se passait sur l'écran.

Sentant sa frustration se transformer en mauvaise humeur, Nick fit une dernière tentative.

— Alors, comment se fait-il, demanda-t-il d'une voix lente

et distincte, qu'en ayant passé un week-end aussi morne et ennuyeux tu aies l'air... speedée...

Avant de le dire, l'idée qu'elle prenait peut-être une drogue — prescrite ou illégale — ne lui avait pas traversé l'esprit ; mais, comme ce dernier mot demeurait en suspens entre eux, il pensa qu'il exprimait parfaitement l'impression qu'elle lui donnait. Une fraction de seconde trop tard, il regretta de ne pas avoir montré un peu plus de tact.

Natasha se retourna, bouche bée.

— Qu'est-ce que tu insinues ? Que je me drogue...

— Je suis désolé. Ce n'est pas ce que je voulais dire, je...

— Alors, pourquoi est-ce que tu l'as dit ? Qu'est-ce que tu entends au juste par « speedée » ? Est-ce que tu veux suggérer que je...

— Je ne suggère rien du tout.

Elle se leva.

— Écoute, Natasha, reprit-il en se redressant à son tour, je suis désolé, je n'aurais pas dû employer ce mot-là. J'aurais dû dire que tu as mauvaise mine et que je te trouve très tendue. J'essayais seulement de te demander ce que tu as.

— Ce que j'ai ? C'est toi qui me demandes ça, alors qu'il y a une semaine tu es rentré à la maison pour m'annoncer que tu avais une maîtresse et que nous devrions nous séparer — mais sauver les apparences pendant les vacances pour le bien de tes fils ! Vraiment, Nick, tu ne manques pas de culot !

« J'ai tenu mes engagements. Ça n'a pas été facile. J'ai le droit d'être pâle et fatiguée. Je te signale que je ne prends rien, pas même des cachets d'aspirine — et, au cas où tu te poserais des questions, c'est la première fois du week-end que je bois de l'alcool.

Elle finit son verre et le lui tendit.

— Sur ce, je vais me coucher. Bonne nuit !

Le lendemain matin, au petit déjeuner, elle était silencieuse et paraissait avoir mal dormi. Nick, qui avait passé la nuit à se tourner et se retourner sur le canapé, ne se sentait pas en meilleure forme, et l'effort qu'il lui fallut faire pour parler normalement et prendre un air désinvolte en présence des garçons lui coûta beaucoup plus que la semaine précédente.

Il y avait des choses à acheter pour le déjeuner du 24 décembre et le dîner du lendemain. Désireux de quitter la maison, Nick fit les courses pendant que les garçons regardaient des dessins animés à la télévision, et que Mrs. Bickerstaff montait faire les chambres.

Après le déjeuner, Nick insista pour emmener les garçons en promenade, le temps que Mrs. Bickerstaff nettoie le salon. Le soleil baissait déjà au sud-ouest, mais il pensa que marcher d'un bon pas dans l'air frais ferait du bien à tous. Natasha hésitait à se joindre à eux.

— J'aimerais bien me promener un peu, mais pas dans Dagger Lane. Ce doit être boueux et les garçons vont revenir tout sales.

— Je ne vois pas comment le chemin pourrait être boueux, répliqua-t-il. Le thermomètre n'a pas beaucoup décollé de zéro, la semaine dernière. Allez, viens, mets ton manteau.

— Mais pourquoi dans Dagger Lane ? C'est toujours là que nous allons. Les garçons doivent en avoir par-dessus la tête. Emmenons-les plutôt à Sheriff Whenby pour voir le château.

— Je ne veux pas prendre la voiture, Natasha, et c'est trop loin pour y aller à pied et revenir avant la nuit. D'ailleurs, ils ont déjà vu le château.

— Ils connaissent aussi la petite route.

— J'en ai assez, murmura-t-il entre ses dents. Si on ne se décide pas maintenant, il sera trop tard. Moi, j'y vais.

Ayant mis des vestes chaudes et des bottes, ils étaient déjà dans la cour quand Natasha s'élança à leur suite.

— Attendez-moi, je vous accompagne.

Nick se retourna et lui décocha un sourire mi-content, mi-exaspéré. Occupée à remonter la fermeture Éclair récalcitrante de sa veste vert foncé, elle feignit de ne pas le remarquer. D'une humeur radieuse, les garçons couraient devant. Ils se baissaient brusquement, puis fonçaient tête baissée dans les haies et repartaient, leur chevelure rousse se détachant sur le paysage décoloré, couvert de givre. La caravane qu'ils dépassèrent ne montrait aucun signe de son occupant, et comme Nick en faisait la remarque, il repensa tout à coup au lévrier irlandais. Il n'avait pas revu Mrs. McCoy depuis le jour où il était passé chez elle pour l'informer des menaces de Morrison, et il se demanda comment elle avait réagi à la mort de son chien. McCoy était le coupable, sans le moindre doute, et il n'avait eu que ce qu'il méritait ; mais une interrogation subsistait dans sa tête concernant le lien entre cet événement et... et quoi ? se demanda-t-il, *Reynard ? Padfoot ?* Pourquoi le chien était-il devenu un tueur de moutons du jour au lendemain ?

Quant au vieux Toby, qui avait cru bon, quelques jours plus tard, de lui raconter la mort de McCoy dans ses moindres détails, Nick trouvait étrange le soulagement qu'il avait manifesté à cette occasion. D'après Natasha le vieil homme avait craint que l'ombre noire ne voulût s'en prendre à sa personne et il le lui avait avoué sous l'effet de l'alcool. Comment une idée pareille avait-elle germé dans son esprit ? C'était peut-être une résurgence des légendes qu'il avait entendues enfant, comme la postière de Brickhill. Cela pouvait expliquer l'expression vaguement triomphante du vieil homme, ce premier matin, quand il l'avait mis au défi, lui, le professeur d'histoire, de nommer quelque chose qui échappait à la logique.

Et s'il avait été marqué, enfant, par cette histoire de chien fantôme et avait cru le voir se matérialiser sous ses yeux... et si, à cause de choses répréhensibles qu'il aurait faites autrefois, sa mauvaise conscience le travaillait... ?

A cet instant, Nick aperçut la silhouette à la démarche vacillante qui sortait du bois.

— Ah ! le voici, ce rusé de Toby. Qu'est-ce qu'il a attrapé ? Tu arrives à voir, d'ici ? Il a quelque chose, c'est sûr...

Scrutant d'un air inquiet la brume bleutée de la fin d'après-midi, Natasha hésita.

— Je ne sais pas. Des faisans, peut-être. En tout cas, je ne tiens pas à le rencontrer. Appelle les garçons et rentrons.

— On ne peut pas faire ça, il nous a déjà vus. Et si ce sont bien des faisans, ajouta Nick avec un sourire, ça vaut la peine de lui dire bonjour. Il préférera les vendre plutôt que les manger. C'est une aubaine, à cette époque de l'année.

— Nous n'avons pas besoin de faisans, rétorqua Natasha en pinçant les lèvres. Je sais que tu considères ce type comme une espèce en voie de disparition, ajouta-t-elle avec dégoût, mais moi il me fait horreur. Je préfère rentrer, je n'ai aucune envie de le voir.

— Oh ! pour l'amour de Dieu, ne sois pas si rabat-joie !

s'exclama Nick. Tout ça parce que tu l'as surpris en train de pisser dans notre haie...

— Parfaitement, répliqua-t-elle d'un ton sec. Et je t'interdis de me faire la leçon, Nick Rhodes. Si tu étais une femme, au lieu... au lieu d'être un homme, tout simplement, tu comprendrais ce que j'ai ressenti à surprendre un homme en train de pisser au beau milieu du chemin. J'ai eu peur, c'est aussi simple que ça.

— Mais...

Il hésita, partagé entre le désir de suivre Natasha et le souci de modérer l'enthousiasme insouciant d'Adam et Adrian, qui risquaient d'aller jusqu'à Brickhill s'il ne les arrêtait pas avant.

Il finit par se décider à descendre la côte, et appela les garçons, qui avaient ralenti à la vue de Toby et de ses faisans. Nick remarqua avec soulagement que le vieil homme avait cassé son fusil. Il montrait son butin aux garçons curieux. Le mâle au plumage scintillant, rouge et or, qu'il leva en l'air forma une troisième tache de couleur. Nick regretta de ne pas avoir pris son appareil photo. Les couleurs vives, les visages frais et identiques des jumeaux contrastant avec celui du vieil homme ravagé de rides auraient fait une magnifique photo.

Cette pensée lui donna à réfléchir. Une telle image renfermait tous les ingrédients du sentimentalisme. Tandis qu'il se dirigeait vers le petit groupe, Nick se demanda s'il n'avait pas tendance à idéaliser Toby Bickerstaff, en ne le jugeant pas comme un égal, mais comme une relique du passé, une espèce en voie de disparition, pour reprendre l'expression de Natasha, et qui, comme telle, méritait le respect plus qu'il n'en inspirait généralement. Nick réalisa soudain qu'il se glorifiait d'être la seule personne dans le village à reconnaître la valeur du vieil homme et sa place traditionnelle dans la communauté locale ; et, pour la première fois, il s'interrogea sur le bien-fondé de cette position.

Le départ précipité de Natasha l'ennuyait, mais sa réaction ne le surprenait pas outre mesure. A vrai dire, il lui était plutôt reconnaissant, car les paroles très dures qu'elle avait eues l'aidaient à préciser certaines questions qui le tracassaient depuis quelque temps. Nick aimait à répéter qu'il avait de l'affection pour le vieux garçon. A présent, il ne savait plus si c'était Toby Bickerstaff qu'il aimait, ou l'idée qu'il s'en faisait. Il avait toujours considéré Toby comme un original inoffensif ; mais depuis cette promenade dans le bois avec le Dr Wills il s'interrogeait sur le passé du vieil homme. Il se demandait notamment pourquoi Toby menait cette vie solitaire, délaissé par tous, et si cet isolement était la marque d'un caractère excentrique ou la conséquence d'une exclusion sociale.

Le seul moyen de le savoir serait de poser la question autour de lui ; mais force lui était de reconnaître qu'il n'avait pas beaucoup progressé dans le passé. Nick avait découvert depuis longtemps que les gens du coin, s'ils aimaient parler entre eux, ne se confiaient pas facilement aux étrangers.

— Papa, papa... tu as vu ces faisans ?

— Bonjour, Toby. Le froid revient, on dirait.

— Ouais, ça m'en a tout l'air. Mais moi j'ai eu d' la veine.

Découvrant une rangée inégale de dents gâtées, Toby sourit et leva son trophée : quatre faisans dont un mâle.

Adam donna un petit coup de coude à son père.

— Il veut les vendre, papa.

Nick éclata de rire.

— Oui, bien sûr. Mais on a déjà tout ce qu'il nous faut.

— C'est des belles bêtes, bien grasses. Faisandées, ça s'ra un régal.

— Il faut les faire faisander, papa, pour que la viande soit plus tendre, expliqua Adrian.

— Eh bien, je vois que nous avons un expert, ici ! dit Nick en riant. Mais, dans ce cas, nous ne pourrons pas les manger demain — ils ne seront pas prêts.

Adam fit la grimace en caressant le plumage brillant du faisan.

— Ça ne fait rien, déclara Adrian, vous pourrez au moins nous dire quel goût ils avaient.

— On dirait que vous avez trouvé deux bons représentants, Toby ! Bon, eh bien, donnez-moi le faisan et une des poules. Vous en voulez combien ?

— Pour vous, c'est cinq livres, Doc, répondit Toby rapidement, et Nick comprit que le vieil homme avait eu l'intention de passer chez eux.

Il fouilla dans ses poches, en retira un billet de cinq livres et le lui tendit. Les garçons prirent chacun un oiseau (Adam

351

le plus beau, comme de bien entendu) et, tout joyeux, ils remontèrent la côte. Nick quitta Toby en s'excusant.

— Je ferais mieux de rester derrière eux pour surveiller mon dîner. Je tiens à les manger entiers.

— Y sont bien gentils, vos p'tits gars.

— Oui, ils sont gentils.

Il sourit, puis, gêné, ajouta :

— Bon, alors, si je ne vous revois pas, passez un bon Noël.

Le vieil homme grimaça.

— C'est plus ce que c'était. Joyeux Noël à vous et aux vôtres, Doc. Et dites à vot' dame d' poivrer les plumes, ça éloigne les mouches.

— Je n'y manquerai pas.

Il leva la main et s'éloigna à grands pas pour rattraper les garçons, partagé entre sa sympathie et ses soupçons naissants. Ce vieux garçon l'aimait manifestement et semblait apprécier leurs petits bouts de conversation. Nick eut le sentiment de trahir quelque chose.

32

Natasha avait l'impression de se déplacer avec d'infinies précautions à l'intérieur d'une bulle qui flottait à proximité de la vie normale. Lorsque Nick lui adressait la parole, elle répondait de façon défensive, car elle se sentait très vulnérable. Elle craignait, s'il s'approchait trop, que la bulle ne crève et qu'elle-même disparaisse avec.

L'histoire de Sarah occupait ses pensées. Natasha attendait sa conclusion avec une impatience fébrile qui l'empêchait de s'intéresser à autre chose. Le dénouement était d'une importance capitale, non seulement pour le destin de Sarah Stalwell, qui avait vécu au XVIIIe siècle, mais pour les événements présents. Comment Nick pourrait-il comprendre ça ? Elle devait le tenir à distance tant qu'elle n'aurait pas mis un point final. Ils discuteraient ensuite.

Lorsque les jumeaux montèrent se coucher en pariant sur le contenu des paquets qu'ils ouvriraient le lendemain matin, Natasha eut la désagréable sensation que le temps s'écoulait trop vite. Ils allaient fêter Noël avec un jour d'avance, car les garçons devaient rentrer chez leur mère le 24 décembre dans l'après-midi. Pendant que Nick les ramènerait à York, Natasha aurait tout au plus une heure et demie pour travailler. Ce n'était pas assez pour avancer de façon notable. Et comme, dans la soirée, elle n'aurait pas la possibilité d'utiliser sa machine à écrire, la seule façon de terminer serait d'emporter un crayon et un bloc-notes pour écrire au lit. Elle se sentait exténuée, mais portée par une intense activité mentale qui ne lui laissait aucun répit.

— Je te sers quelque chose à boire ?

La question la fit sursauter.

— Non, non, merci.

L'alcool lui donnerait envie de dormir, il valait mieux qu'elle s'en passe.

— Je pensais au vieux Toby et à sa réaction lorsqu'il a appris que c'était McCoy qui avait tué les brebis, déclara Nick d'un ton détaché.

Natasha considéra son mari avec lassitude. Il ne la regardait pas, mais avait cet air pensif qu'il prenait quand il cherchait à résoudre un problème.

— Le fait qu'il était soulagé ? demanda-t-elle.

— Je cherche surtout à comprendre pourquoi il a eu peur que cette chose veuille s'en prendre à lui. C'est bizarre comme idée, non ?

Elle attendit que Nick poursuive, en se demandant s'il valait mieux mettre un terme à cette conversation par une remarque un peu brusque ou attendre la suite pour savoir ce qu'il avait en tête. Elle opta pour la neutralité.

— Il n'a pas toujours les idées très claires, répondit-elle.

— Je ne sais pas. Mais j'observe que Toby parle de deux créatures distinctes : McCoy qui a tué les moutons, et la bête étrange qu'il a vue au début du mois de novembre. Le jour où il me l'a décrite, j'ai cru qu'il ignorait ce dont il s'agissait et qu'il me demandait de l'éclairer. Mais tout à l'heure (et je ne comprends pas pourquoi je n'ai pas fait le rapprochement plus tôt), j'ai eu l'impression qu'il savait pertinemment ce qu'il avait vu, et me défiait de lui dire ce que c'était... Comme s'il me déclarait : « *Vous qui êtes si malin, mettez donc un nom là-dessus !* »

Ne sachant pas très bien où il voulait en venir, Natasha l'interrogea :

— Et qu'est-ce que tu en conclus ?

— Toby est né ici, n'est-ce pas ? Il a toujours vécu dans le coin. Comme la postière de Brickhill. Je ne crois pas te l'avoir dit, mais quand nous avons visité l'église, l'autre jour, la chère vieille dame qui garde les clefs m'a raconté qu'elle connaissait bien l'histoire du chien fantôme censé hanter la région. Elle lui a donné un nom.

— Un nom ?

— Oui. D'après elle, on l'appelait *Reynard*.

Natasha pensa, après coup, qu'elle se serait peut-être évanouie si elle n'avait été assise. Elle leva avec difficulté la main à son front : il était brûlant, sa main glacée. Lorsque le malaise passa et que la circulation de son sang redevint normale, elle eut des picotements dans les bras et les jambes. Elle frictionna ses membres tandis que Nick poursuivait, les yeux fixés sur le feu.

— Pourquoi pense-t-il que cette chose pourrait lui en vouloir ? Je l'ignore... Mais je commence à me poser des questions sur son passé, ajouta-t-il, l'air songeur. Que pourrait-il avoir fait pour que *Reynard* lui apparaisse comme une sorte de châtiment mérité ?

Natasha pensa tout de suite, dans une débauche de détails sanglants qu'alimentaient les paroles de Craig Morrison et ses propres fantasmes, au meurtre commis par Toby.

Les rapprochements qu'établissait Nick lui paraissaient aussi effrayants que les informations qu'elle ne pouvait révéler. Elle ne parvint pas à réprimer un frisson.

— On peut tout imaginer, dit-elle d'un ton froid. Il a eu le temps de faire un tas de choses.

— Bien sûr.

Pendant un moment, Nick s'absorba dans ses réflexions. Puis, comme il sortait de son immobilité pour se verser un autre verre, il reprit :

— Le Dr Wills pense que c'est peut-être un acte criminel.

— Le Dr Wills ?

— Oui, tu sais, Betty Wills, la spécialiste des contes et légendes populaires qui est venue ici la semaine dernière.

— Ah oui, Betty Wills.

Pendant un moment, Natasha se demanda ce que venait faire cette femme dans leur conversation.

— Que sait-elle sur Toby Bickerstaff ?

— Rien. Mais elle a tenu absolument à traverser le bois. Nous sommes arrivés à une clairière — je ne sais pas si tu es déjà allée jusque-là : c'est tout au bout, sur la droite. Et, tout à coup, elle est devenue très bizarre ; elle a dit que des violences avaient eu lieu à cet endroit.

Natasha, qui s'apprêtait à allumer une cigarette, suspendit son geste. Un tremblement nerveux agitait ses mains.

— Quel cinéma ! s'écria-t-elle sur un ton aussi désapprobateur que possible. Elle cherchait peut-être à se faire passer pour une médium.

— Elle ne faisait pas semblant, murmura Nick qui se tourna pour regarder Natasha. Si tu avais été là, tu aurais vu à quel point elle était bouleversée.

— Qu'a-t-elle dit ?

Il se détourna en passant les doigts dans ses cheveux.

— Peu de chose, en fait. Simplement que des actes de violence avaient été commis dans cette clairière, qu'elle voyait beaucoup de sang et que cela avait un rapport avec la personne qui empruntait le sentier que nous avions suivi. J'ai tout de suite pensé à Toby — à ma connaissance, personne d'autre ne sillonne régulièrement ce bois. Je lui ai dit que c'était un braconnier et qu'il tuait du gibier. Elle a répliqué que la violence dont elle parlait s'était exercée à l'encontre d'un être humain.

— Un meurtre ?

Le mot sortit dans un souffle.

Comme il hochait la tête, un grand froid envahit Natasha ; la cigarette qu'elle tenait glissa de ses doigts, mais elle ne réussit pas à coordonner ses mouvements pour la ramasser. En se penchant pour la retirer du tapis, Nick vit que sa femme était livide. Il lui toucha les mains, elles étaient glacées ; aussitôt, il fut à genoux, près de Natasha.

— Ce n'est rien, ça va passer, affirma-t-elle d'une voix faible, mais il voyait bien qu'elle n'allait pas bien.

Il la fit s'allonger sur le canapé, lui prit le pouls, passa la main sur son front froid et moite, les yeux assombris par l'inquiétude. Ces marques de tendresse inattendues firent monter aux yeux de Natasha des larmes qui se mirent à ruisseler le long de ses joues, indépendamment de sa volonté, car elle ne se sentait même pas la force de pleurer.

— Oh, ma chérie, murmura-t-il en la serrant contre lui. Je suis désolé. Je n'avais pas l'intention de t'effrayer. Je voulais juste...

Il se tut et la berça doucement dans ses bras. Épuisée, elle le laissa faire. Cette soudaine intimité la remua jusqu'au tréfonds. La chaleur et la force de Nick, l'odeur légèrement parfumée de son corps, qui lui avaient été si chers par le passé, accélérèrent son rythme cardiaque comme si elle avait couru un cent mètres.

C'était la première fois depuis très longtemps qu'ils se touchaient — se touchaient vraiment. L'attirance qu'ils avaient toujours eue l'un pour l'autre se réveilla soudain, libérant une grande charge d'énergie sexuelle qui électrisa la peau de Natasha. Nick éprouva la même chose. Cela se devinait à la façon dont il la tenait, aux battements précipités de son cœur et à son souffle court. Seule l'inquiétude le retenait ; elle le savait et s'impatientait. La faiblesse qui l'avait saisie était passée, oubliée, comme toutes les choses stupides et douloureuses qui avaient conspiré à les séparer. Elle avait très envie de lui. C'était si bon d'être dans ses bras, de le sentir si aimant. Elle voulait qu'il la prenne tout de suite, avant que quelque chose ne vienne les séparer. Comme il effleurait de ses lèvres la joue de Natasha, elle lui tourna la tête pour l'embrasser avec passion.

— Natasha..., murmura-t-il dans un soupir en reculant pour la regarder.

Elle vit dans ses yeux qu'il hésitait. Mais, lorsqu'il colla ses lèvres contre celles de Natasha, ses scrupules s'évanouirent. Ce fut un baiser ardent, qui donna le vertige à la jeune femme et libéra un chatoiement d'étoiles au moment où il inséra sa langue entre ses lèvres bombées et glissa sa main sur ses seins nus. Il déboutonna son chemisier, elle mit les mains sous son pull-over ; puis, tandis qu'elle retirait sa culotte, il défit sa ceinture. Ils ne prirent pas le temps de se déshabiller complètement. Quelques instants plus tard, il la pénétrait, lui faisant aussi mal qu'il lui donnait du plaisir, mais c'était un plaisir si intense qu'elle jouit presque aussitôt, puis de nouveau, lorsqu'il jouit à son tour, en gémissant et haletant.

Dans les secondes qui suivirent, avec les lumières qui papillotaient derrière ses paupières et l'impression d'avoir les chairs à vif, le temps parut s'arrêter. Puis, tandis que Nick gisait, le visage contre son cou, sa poitrine se soulevant comme celle d'un coureur de fond, elle descendit brutalement des hauteurs où l'avait portée sa rage d'amour. Un poids gêna sa respiration, un afflux de regrets de toutes sortes lui noua la gorge et, presque aussitôt, elle éclata en sanglots.

Nick la serra dans ses bras et l'embrassa en essayant de la réconforter et de la rassurer par des paroles et des gestes tendres. L'intensité de leur rapport sexuel, le goût amer que lui laissait la récente trahison de Nick, et la peur qui lui collait au ventre depuis des semaines, tout cela lui tirait des larmes et la faisait s'accrocher à son mari comme une enfant. Elle mit plusieurs minutes avant de réussir à se calmer et, même alors, elle ne put supporter qu'il l'abandonne. Alors, il la prit dans ses bras et la monta dans le lit.

Comme s'il devinait ce qu'elle voulait, Nick resta avec elle et l'aida à se déshabiller. Bien qu'il ne dît rien en découvrant combien elle avait maigri, elle vit que cela lui faisait un coup. Elle éprouva, au contraire, un réel plaisir à le regarder retirer son pull-over, sa chemise et son pantalon. Elle désirait tant qu'il vienne dans le lit, colle son corps contre le sien et lui fasse de nouveau l'amour qu'en le voyant enfiler son peignoir elle fut cruellement déçue.

— Je reviens tout de suite, déclara-t-il. Je veux juste vérifier que les garçons dorment.

A la lueur de la lampe de chevet, le regard de Nick était doux mais interrogateur. Natasha comprit avec un serrement de cœur qu'il voulait parler et qu'elle allait devoir trouver des réponses plausibles. Aussitôt sur la défensive, elle remonta la couette jusque sous son menton.

Il revint quelques instants plus tard et s'assit près d'elle, au bord du lit. Comme il se penchait pour poser un baiser sur son front, elle glissa la main à l'intérieur de son peignoir et caressa son cou et ses épaules. Elle voulait l'attirer vers elle ; mais il recula légèrement, lui prit la main, la porta à la bouche et y pressa ses lèvres avec une intensité qui la surprit.

Au bout d'un moment, il dit avec un petit sourire :

— Tu sais, je commençais à penser... eh bien, que c'était vraiment fini entre nous.

D'une main légère, il caressa la joue de Natasha, et ce fut à son tour de percevoir les doutes et les regrets de Nick.

— Je suis désolée, murmura-t-elle en redoutant les inévitables questions.

Comme elle l'avait craint, elle ne put s'y soustraire. Nick lui fit part de son inquiétude, lui demanda ce qui n'allait pas et ce que diable elle lui cachait. En l'écoutant, Natasha se surprit à regretter ce qui venait de se passer entre eux. Ce moment d'extase physique et émotionnelle aurait dû être suivi par d'autres. Les mots étaient inutiles ; ils embrouillaient tout, prêtaient à de nouveaux malentendus. Elle ne voulait pas discuter de ses problèmes de santé, ni de la détérioration de leur relation ; quant à l'histoire qu'elle était en train d'écrire, il était exclu qu'elle lui en parle avant de l'avoir terminée. Dans l'intervalle, toute explication était impossible.

Étendu à côté de sa femme, Nick n'arrivait pas à s'endormir. Il regrettait de ne pas avoir posé plus de questions, de ne pas avoir insisté davantage pour découvrir ce qui rongeait Natasha. Il regrettait par-dessus tout cette flambée de passion qu'il avait longtemps souhaitée en croyant qu'elle résoudrait leurs problèmes.

Au bout d'une demi-heure, il avait dû déchanter.

Qu'est-ce qui rendait le mélange d'amour et de désir si intense, et en même temps si imprévisible ? C'était comme un explosif surpuissant, capable de faire sauter des montagnes et de détruire en même temps ceux qui le manipulent.

Il aurait mieux valu ne pas connaître ce faux espoir, songea-t-il. Il avait appris à s'accommoder d'une existence morne, et sa brève aventure avec Sally lui avait permis de verser un baume sur les blessures de son ego. S'il s'était senti coupable au début, à présent il était reconnaissant à Sally de lui avoir témoigné de l'affection sans demander de contrepartie. Comparée à Natasha, Sally était une femme gentille et simple, et il déplora presque de ne pas être plutôt tombé amoureux d'elle.

A Ghylldale, peut-être à cause de l'éloignement, tout lui avait paru très simple ; pourquoi endurer un enfer quotidien quand il existait un remède efficace : rompre ? Sans les garçons et Noël, cette décision aurait déjà été suivie d'effet, et il se serait épargné ce nouveau chagrin.

Son soupir ressembla à un grognement. Il se tourna tout doucement sur le dos, et plongea son regard dans les ténèbres, conscient du corps de Natasha contre lui, chaud et abandonné au sommeil. Mais comment pouvait-elle dormir ? Il ressentait son sommeil comme un camouflet. Cela l'exaspéra au point qu'il dut prendre sur lui pour ne pas la secouer jusqu'à ce qu'elle lui dise enfin la vérité. Il ne supportait plus ses mensonges et ses faux-fuyants, émaillés de quelques rares réponses franches. « Je suis fatiguée, n'avait-elle cessé de répéter. On en reparlera demain matin... Je ne sais pas... Je n'arrive pas à réfléchir, je suis fatiguée... Serre-moi dans tes bras, c'est tout ce que je veux.... »

Il avait fini par se plier à son désir. Il l'avait tenue contre lui et, malgré les questions qui le tourmentaient, l'avait laissée tranquille. Il se rappela qu'elle avait l'air en mauvaise santé et s'aperçut — une fois de plus — que son inquiétude à propos de son état physique et mental était un souci quotidien. Mais de quelle façon pouvait-il l'aider si elle refusait obstinément de parler de ses problèmes ? Quelque chose n'allait pas, c'était manifeste ; il mesurait les effets du mal, mais son origine lui échappait. Et savoir qu'il était impossible d'aider quelqu'un réfractaire à toute aide constituait la pire des frustrations.

La colère l'envahit alors, car en refusant son assistance, en repoussant sa sollicitude, Natasha ne faisait aucun effort pour sauver ce qu'il avait considéré comme une union heureuse.

33

Il avait fini par s'endormir, mais sa nuit fut courte. A son réveil, peu après sept heures, il faisait encore noir. Natasha, pelotonnée en boule sous la couette, lui tournait le dos.

Il resta un moment étendu, sans bouger, et pensa à ces lumineux matins d'été où, réveillé de bonne heure, il se tournait avec précaution vers elle, juste pour le plaisir de la regarder dormir. Il se rappelait son visage innocent et lisse, ses longs cils noirs pareils à des ailes de papillon. Parfois, surtout lorsqu'ils avaient fait l'amour la veille, son désir pour elle resurgissait, si impérieux qu'il la réveillait pour la joie de lui refaire l'amour. Elle disait qu'elle aimait ça.

C'était quand les choses allaient bien entre eux, en ces jours lointains où il suffisait qu'il la regarde d'une certaine manière pour qu'elle vienne dans ses bras.

Semblables souvenirs lui faisaient mal et exacerbaient son sentiment de frustration. Étendu dans l'obscurité de ce matin frisquet, Nick savait qu'il ferait mieux de penser à autre chose. Il devrait se lever et s'atteler à des tâches qui l'absorberaient : alimenter le feu, courir, s'inquiéter de son travail de recherche ou des mémoires des étudiants qui l'attendaient dans son bureau — n'importe quoi pour ne pas penser au passé.

Puis il se rappela que c'était le 24 décembre : ils allaient fêter Noël avec Adam et Adrian, ouvrir les cadeaux, faire un bon repas... et, dans l'après-midi, il devrait ramener ses fils chez leur mère.

Il bascula ses jambes en dehors du lit, ramassa son peignoir, la pile de vêtements sur la chaise, et se rendit sans bruit dans la salle de bains. L'eau était à peine chaude. Il se dépêcha de prendre sa douche, passa le rasoir électrique sur sa barbe naissante, s'habilla en hâte et descendit.

En s'aidant d'un livre de cuisine de Natasha, Nick farcit le poulet. Après l'avoir beurré et avoir posé des tranches de bacon sur le dessus, il le plaça dans le four à la température requise. Il trouva le plum-pudding, le mit de côté ; puis il prépara les légumes : carottes, choux de Bruxelles, brocolis, et s'occupa des pommes de terre en espérant en avoir épluché un nombre suffisant. A dix heures, il entendit le craquement du plancher au-dessus, et des voix dans la salle de bains. Les garçons étaient debout.

L'un voulait des sandwiches au bacon ; l'autre, des œufs brouillés. Nick leur demanda de prendre plutôt des céréales et des toasts.

— Natasha reste au lit. Elle ne se sent pas très bien. Quand vous aurez fini de manger, est-ce que l'un de vous veut bien lui monter une tasse de café et lui demander ce qu'elle aimerait pour son petit déjeuner ?

— Je te parie tout ce que tu veux qu'elle, elle pourra avoir des sandwiches au bacon...

— Ne sois pas si mesquin, Adam, dit son frère. C'est Noël, tu as oublié ?

— Justement. Je pensais qu'à Noël on pouvait avoir ce qu'on aime.

Nick l'aurait étranglé. Il ordonna à Adam de quitter la table, et le garçon sortit en trombe de la cuisine, sa lèvre inférieure agitée d'un léger tremblement.

Adrian rompit le silence.

— Tu sais, papa, je crois qu'Adam est malheureux, au fond. On n'est jamais avec toi pour Noël, je veux dire le 25, demain ; et tu sais...

En voyant le garçon chercher à excuser l'attitude de son frère, Nick sentit toute l'injustice de la situation. Il abandonna son déjeuner, se leva, pressa l'épaule d'Adrian et monta parler à Adam.

Quelques minutes plus tard, il alla voir Natasha, qui lisait dans son lit. Elle avait l'air gaie, mais très affaiblie. Ses yeux noirs paraissaient immenses dans son visage amaigri.

— Désolé, dit-il d'un ton gêné, un petit problème à régler, j'espère qu'on ne t'a pas réveillée.

— Non, non. Je ne dormais plus depuis un moment. Je me lève dans une minute.

— Non, reste au lit jusqu'à ce que le repas soit prêt. Je me débrouille très bien, ne t'inquiète pas. J'ai pensé que nous pourrions apporter les cadeaux ici, ajouta-t-il avec un sourire. Les garçons sont impatients de les ouvrir.

— Oui, c'est une excellente idée. Je me sentais un peu coupable de retarder les choses.

Bien qu'elle parût contrite, Nick eut la nette impression qu'elle avait oublié quel jour on était.

Tout se passa bien. Adam se dérida ; les deux garçons furent enchantés de leurs cadeaux et, grâce aux conseils de Natasha, Nick réussit à servir un excellent déjeuner. Après cela, il se sentit autorisé à faire une sieste sur le canapé. Il se réveilla deux heures plus tard avec des sueurs froides et un horrible mal de tête.

Assis en tailleur sur le tapis, Adam le regarda avec une expression légèrement sardonique.

— Je ne veux pas te presser, mais il va falloir y aller.

— Oui, oui, je sais, juste une minute...

Il but la tasse de thé léger que l'un des enfants lui avait préparée et, dix minutes plus tard, il inspectait leur chambre pour voir s'ils n'avaient rien oublié. Il découvrit une paire de chaussettes sous un lit, une bande dessinée sous l'autre. A part ça, la pièce était à peu près en ordre, les lits faits, les deux valises fermées. Leur coûteuse pension leur apprenait au moins quelque chose, songea-t-il d'abord ; puis sa gorge se serra lorsqu'il réalisa qu'il ne les reverrait pas avant un certain temps et qu'il lui était impossible de savoir dans quelles circonstances, étant donné les bouleversements qui menaçaient sa vie. Il porta leurs bagages sur le palier puis alla dans la salle de bains pour se passer de l'eau sur le visage.

Natasha apparut au moment où il commençait à descendre les valises. Elle avait les traits tirés, et, en dépit de son épaisse robe de chambre, paraissait transie.

— Tu devrais rester au lit...

— Non, ça va. Je veux descendre leur dire au revoir...

Nick la regarda et soupira.

— Il faut que tu ailles voir un médecin, après Noël. J'aurais dû insister pour que tu y ailles ce matin.

— Je suis fatiguée, c'est tout.

— Tu es jeune, il n'y a aucune raison que tu sois fatiguée. Pas à ce point, du moins.

— Il va me prescrire du fer, répondit-elle avec humeur, je peux en acheter moi-même.

Ravalant une réplique cinglante, Nick déclara qu'il valait mieux laisser le médecin en juger.

Il la pressa de ne pas s'attarder en bas, prit les clefs de la voiture, et traversa la cour sombre et glacée. Les portes de la grange étaient ouvertes, comme toujours. Il chercha le commutateur à l'intérieur. Une odeur fétide, contrastant avec l'air frais de l'extérieur, l'arrêta une seconde. Damnés chats, pensa-t-il ; mais, dans les ombres projetées par deux ampoules de 60 watts, il ne les vit pas. Étrange, se dit-il encore, car c'était l'heure où ils attendaient leur pitance. Nick renifla de nouveau et se demanda si c'était vraiment une odeur de félin ; un relent d'urinoir le fit penser qu'un vagabond ivre avait pu trouver un refuge dans la grange pour la nuit et qu'il s'était soulagé contre le mur.

Écœuré, Nick grimpa dans la voiture et recula. Inutile d'essayer de fermer les portes maintenant ; les glissières seraient gelées. D'ailleurs, le mal était fait.

Il gara la voiture près de la porte du jardin et ouvrit le coffre. Puis, avec l'aide de ses fils, il chargea valises et paquets ; après les embrassades, les remerciements et les « Joyeux Noël », Natasha les salua de la main depuis la véranda. Ne voulant pas l'inquiéter, Nick ne lui parla pas de l'odeur dans la grange.

Les gravillonneuses avaient fait leur travail, mais Nick n'en roulait pas moins prudemment le long des petites routes gelées ; conscient qu'il était tendu et que les jumeaux restaient silencieux, Nick leur demanda s'ils aimeraient écouter de la musique. Avec un bel ensemble, ils réclamèrent Radio 1, ce qui permit à leur père d'élever ses protestations habituelles, et aux jumeaux de lui reprocher d'être ringard. C'était une vieille recette, mais elle était efficace ; et, à vrai dire, Nick aimait assez la sélection des chansons pop diffusée par la station. La plupart étaient déjà assez anciennes, et il put les chanter avec eux, ce qui leur arracha des gémissements.

Ils se retrouvèrent à York sans avoir vu le temps passer. La circulation, quoique plus fluide qu'un week-end normal, demeurait dense pour une veille de Noël, à cinq heures et demie de l'après-midi. Nick dépassa Walmgate Bar et sa barbacane, puis suivit la voie à sens unique en direction de Fulford et de son précédent foyer, où les garçons vivaient toujours avec leur mère.

La rue se terminait par une série de marches conduisant à la rivière. Les voitures rangées des deux côtés ne facilitaient pas le stationnement. Nick s'arrêta aussi près que possible de la maison et, laissant les jumeaux décharger les paquets, il sortit la première valise. Lorsqu'il revint avec la seconde, Bernice se tenait debout dans le vestibule, et serrait ses fils dans ses bras comme des enfants prodigues.

Nick ne put échapper aux piqûres de la jalousie et du ressentiment qui, pour être familières, n'en étaient pas moins douloureuses. Bernice était leur mère, et ils avaient besoin d'elle, mais avait-elle autant besoin d'eux ? Elle les avait mis en pension en prétextant sa carrière ; mais le nombre de fois que Nick avait pris les jumeaux à la dernière minute parce que Bernice partait en vacances avec un « ami » l'incitait à se demander si leur présence ne l'encombrait pas plus qu'autre chose.

Aurait-il fait mieux à sa place ? Il n'en était pas sûr ; de plus, c'était lui qui les avait quittés.

Elle l'invita à entrer, surtout parce qu'elle désirait qu'il monte les valises au premier.

— Je t'en prie, Nick, prends garde au papier peint. Je viens juste de faire refaire la cage d'escalier et cela m'a coûté une petite fortune !

Il se mordit la langue, pendant qu'Adam, devant lui avec une brassée de paquets, murmurait : « Oh, maman ! » en se tournant vers son père pour lui adresser un regard de sympathie.

— Elle ne sait pas combien elles pèsent lourd, dit-il comme ils arrivaient au premier palier.

— Non, bien sûr, répondit Nick les dents serrées, en s'armant de courage pour affronter la volée de marches suivante.

La chambre des garçons était vaste : elle occupait presque tout le second étage. Ils avaient leur propre salle de bains et beaucoup d'espace pour ranger leurs innombrables affaires. En quelques années, Bernice avait accompli d'importants changements dans la maison, et leur intérieur, confortable et chaleureux, aurait pu figurer dans l'une de ces luxueuses revues d'intérieur sur papier glacé. Bernice aussi avait changé. Elle avait remplacé les doux cotons indiens et la soie par des tailleurs ajustés et des chemisiers amidonnés ; et ses cheveux, autrefois longs, étaient désormais plus courts que ceux de Natasha, ce qui durcissait un peu trop ses traits.

— Tu veux boire quelque chose ?

L'invitation était plus polie qu'amicale, mais Nick s'était habitué au fait qu'ils étaient devenus l'un pour l'autre des étrangers. Il sourit aussi courtoisement qu'elle et expliqua qu'il conduisait, que sa voiture était garée en double file et qu'il devait rentrer. Il embrassa les garçons, ébouriffa encore davantage leurs cheveux et se sauva. C'était plus facile ainsi.

Lorsqu'il fit au revoir de la main depuis la voiture, un sourire accroché à ses lèvres, il se sentit vide, et regretta de n'avoir pu accepter de boire quelque chose. Au bout de la rue, il pensa que dorénavant il n'avait plus d'excuses pour tergiverser ; des décisions énergiques, et forcément douloureuses, s'imposaient. Il savait que ce ne serait pas facile, et aurait aimé demander conseil à un ami.

Il pensa à Giles, qui habitait à quelques centaines de mètres de là, mais il n'était pas sûr que ce soit une bonne idée. Non, il ferait mieux de rentrer. Comme il hésitait, une silhouette traversa devant lui, les bras chargés de sacs en plastique. C'était Giles !

— Taxi, monsieur ? cria-t-il.

D'abord interloqué, Giles, en reconnaissant la voiture et son conducteur, éclata de rire.

— Je pensais que les boutiques avaient fermé depuis des heures, dit Nick comme Giles laissait tomber ses paquets sur la banquette arrière.

— Non, ça ne fait pas si longtemps. Je me suis juste arrêté dans un pub pour me reposer un peu et prendre un verre.

Nick rit.

— Bon, eh bien attache ta ceinture, je te ramène chez toi.

Ils parlèrent de choses et d'autres, mais la permanente bonne humeur de Giles se révéla contagieuse. Lorsque les deux amis se séparèrent, Nick se sentait beaucoup mieux. Sans entrer dans les détails, il avait évoqué la fatigue de Natasha, mais en assurant qu'elle se réjouissait de les recevoir le 26 quand bien même ce serait lui qui ferait la cuisine.

Il était huit heures moins le quart lorsqu'il déposa Giles. Vingt minutes plus tard, en obliquant vers Denton, il réalisa soudain que c'était la veille de Noël. Ses soucis ne lui parurent que plus écrasants. Un an plus tôt, à cette même date, ils étaient heureux en dépit du chaos qui régnait dans leur maison. Après avoir ramené les garçons chez eux, ils avaient pris un pot au *Half Moon* et, plus tard, Nick avait persuadé Natasha de l'accompagner à la messe de minuit. Il aurait aimé y aller aussi, ce soir, mais ce vœu avait peu de chances d'être exaucé.

Passer une heure au *Half Moon* était tout aussi peu évident. Enviant les gens dont les voitures s'alignaient de chaque côté de la pelouse communale, Nick tourna à regret dans Dagger Lane. Le moteur de la Rover ronronnait tandis que le véhicule montait la légère côte vers la maison. Les branches et l'herbe couvertes de givre scintillaient comme des décorations de Noël dans la lumière des phares ; cela rendit Nick encore plus triste. Au même instant, il vit devant lui, à l'entrée de la cour, ce qu'il prit pour une voiture arrêtée, les phares allumés. Curieux de savoir qui pouvait être leur visiteur, il se mit en codes, freina et rétrograda machinalement.

La lumière des phares vacilla, et la forme derrière remua. Nick comprit alors que ce n'était pas une voiture, mais quelque chose de noir et d'informe qui se dirigeait vers lui. Comme une peur affreuse se glissait dans ses os, le moteur de la Rover cala. Pris de panique, Nick chercha la clef à tâtons et appuya sur la pédale d'embrayage, les yeux rivés sur la masse compacte qui continuait d'avancer. Elle grossissait au fur et à mesure qu'elle se rapprochait, et elle remplit bientôt toute la fenêtre de la voiture.

Puis ce fut un visage que Nick se trouva à contempler, ou du moins ce qu'une partie de son cerveau identifia comme un visage dont les traits épais et déformés se mouvaient sans cohésion apparente ; seuls les yeux, immenses, vifs, rouges, donnaient une cohérence au tout. On devinait des mâchoires, une bouche, un air féroce ; cette vision dépassait en horreur le travail des imaginations les plus morbides.

La voiture se remit soudain en marche et, toujours en seconde, bondit en avant tandis que le moteur rugissait. Nick sortit de sa torpeur. Il réussit à tourner tant que bien que mal, dans un crissement épouvantable des pneus et des freins. Il bloqua fiévreusement les portières et éteignit les feux ; faisant appel à ce qui lui restait de courage, il se retourna pour regarder derrière. Hormis la haie et un morceau du chemin, les murs de la maison et le jardin, il ne distinguait rien. L'obscurité l'entourait, mais rien n'était aussi noir que ce qu'il avait vu quelques secondes plus tôt.

Natasha avait entendu sa bruyante arrivée. Elle alluma la lumière du porche et sortit de la cuisine. Comme elle traversait la véranda, la main tendue, Nick ouvrit la fenêtre, et avant qu'elle n'atteigne la porte lui cria :

— Rentre et ferme tout à clef !

Le ton était si impérieux qu'elle obéit aussitôt.

Il s'écoula presque cinq minutes avant que Nick ne se résolve à débloquer les portières et à descendre de la voiture, puis à traverser la cour et à entrer avec ses clefs. Il reverrouilla la porte derrière lui, et alla au bout du couloir pour vérifier l'issue de devant, bien qu'ils ne l'aient pas ouverte depuis l'été. Il parcourut chaque pièce du rez-de-chaussée, alluma les lumières et tira les rideaux. Natasha, debout en haut des marches, demanda d'une voix aiguë ce qui se passait.

Il monta la rejoindre. En voyant son expression, elle recula d'un pas.

— Mon Dieu, Nick, qu'y a-t-il ?

Il avala sa salive, lui saisit le poignet, et chercha ses mots. Il avait l'air si effrayant qu'elle se dégagea.

— Je l'ai vu, dit-il enfin d'une voix blanche qui trahissait l'état d'épuisement dans lequel il était.

— Vu quoi ? Pas...

— Je l'ai vu d'aussi près que je te vois... je l'ai vu, répéta-t-il en pénétrant dans son bureau.

Il se laissa tomber dans son fauteuil. Comme Natasha le suivait, interdite, il ajouta :

— *Reynard ! Padfoot !* Quel que soit son fichu nom...

Elle tomba à genoux à côté de lui, et porta une main tremblante à son front, froid et moite de sueur.

— Ça va ?

— Oui, enfin non. Ça ne va pas du tout. Il est venu vers moi. J'ai calé. Il s'est approché et m'a regardé. Je n'avais jamais rien vu de pareil. Crois-moi, le diable, en le voyant, aurait pris ses jambes à son cou !

Elle secoua lentement la tête, puis appuya son visage contre la main de Nick, qui caressa les cheveux de sa femme en trouvant un réconfort au contact de son corps tremblant.

— J'ai ralenti pour voir ce que c'était, et soudain il s'est trouvé tout près de moi.

Il repensa à la façon dont la chose s'était déplacée, très vite et sans effort apparent. C'était comme si Nick lui-même l'avait attirée vers lui.

Il essaya de dépeindre ce qu'il avait vu, mais les mots lui manquaient. Comment interpréter des impressions, quand ces impressions étaient peut-être de simples hallucinations ? Tout ce qu'il se rappelait, tout ce qui pouvait être décrit avec des mots, c'étaient les yeux rouges et humains, profondément enfoncés et brillants.

— Mais pourquoi, murmura Natasha contre son genou. Oh, pour l'amour de Dieu, pourquoi toi ?

La pertinence de cette question échappa à Nick parce qu'elle lui parut trop théorique.

— Qui sait ? dit-il. Mais je l'ai vu, maintenant. C'est à moi qu'il s'est montré — pas à Toby ou à Mrs. McCoy : à moi ! Dieu seul sait pourquoi.

La peur le quittant peu à peu, une pensée rationnelle traversa soudain l'esprit de Nick.

— Le plus étrange...

Il se tut pour chercher ses mots car ceux qui lui venaient à l'esprit lui paraissaient trop communs.

— Si je n'avais pas été pris de panique, je crois qu'il m'aurait fait pitié. Il était si... si... comment dire ? si tourmenté, comme s'il souffrait cruellement...

34

— Ne me dis pas que tu es triste pour ça ! s'écria Natasha en enfonçant ses ongles dans la main de Nick. C'est le diable, tu ne comprends donc pas ? Il crée le mal et s'en nourrit !

A ces paroles, Nick, qui regardait fixement le mur, baissa les yeux comme s'il prenait conscience, pour la première fois, de la présence de Natasha.

— Comment le sais-tu ? demanda-t-il.

Il referma ses doigts sur la nuque de Natasha et la força à le regarder.

— Réponds-moi, Natasha. Tu entends ? Je dois savoir !

Elle hocha la tête avec vigueur. Le froid et le choc l'empêchaient d'articuler correctement.

— Très bien, répondit-elle. Je vais t'expliquer. Mais descendons, il fait plus chaud en bas.

Malgré son manteau Nick tremblait aussi, et un nerf tressautait sous son œil. Il observa Natasha un long moment, puis entra dans la chambre des garçons et retira les couettes.

— Viens, dit-il en enveloppant la jeune femme dans l'une d'elles. Allons ranimer le feu.

Ne pouvant supporter l'idée de le perdre de vue une seconde, Natasha demeura dans la véranda pendant qu'il allait chercher du bois et du charbon. Elle remarqua que Nick accomplissait les gestes qu'elle avait exécutés elle-même tous les soirs où elle était restée seule. Faire du feu pour se protéger des puissances de l'ombre était un instinct primitif et universel.

Nick empila les bûches dans le foyer et s'occupa du feu jusqu'à ce que celui-ci pétille, haut et clair, dans la cheminée. Quelques minutes plus tard, après avoir chargé le fourneau de la cuisine, il revint avec une bonne bouteille de vin rouge et deux verres.

— C'est à prendre comme un médicament, déclara-t-il en remplissant les deux verres. Avale déjà celui-là, puis je t'en donnerai un autre que tu boiras à petites gorgées.

Il souleva légèrement son verre à l'adresse de Natasha et la regarda ingurgiter le vin. Il avait eu raison d'insister, pensa-t-elle. Déjà son sang se réchauffait et des forces lui revenaient. Elle se sentait un peu mieux. Avant qu'il n'arrive, elle était très agitée. A la fois impatiente et anxieuse de mettre un point final à l'histoire de Sarah, elle avait passé la journée dans un état d'agitation fébrile ; et voilà, c'était fait. Elle avait terminé moins d'une heure auparavant. Ah, mon Dieu, la fin ! Elle était en train de lire les vingt dernières pages, écrites très vite à la main, quand elle avait entendu la voiture arriver. Puis, après un moment de silence, le vrombissement furieux du moteur suivi de l'horrible grincement des freins avait déchiré le silence...

Secouée par ce qu'elle avait écrit, et plus encore par le visage décomposé de Nick lorsqu'il avait monté en titubant l'escalier, Natasha prenait plaisir à boire du vin et à se réchauffer devant le feu. Elle était prête à répondre aux questions de Nick. Sarah avait fini de raconter son histoire. Désormais, Natasha pouvait en parler à Nick. Mais il devait comprendre que ce n'était pas simplement un roman historique. Ce récit avait aussi un rapport avec ce qui leur arrivait et la créature hideuse qui rôdait dehors.

Nick remplit de nouveau leurs verres, s'assit à côté de sa femme, lui prit la main, la serra et murmura avec force :

— Je me suis fait beaucoup de souci à ton sujet, tu sais, d'autant que j'étais totalement dans le brouillard. Je n'avais pas la moindre idée de ce qui te tracassait. Je ne le sais toujours pas.

Il but une goutte de vin en la regardant intensément, et ajouta :

— Commence là où tu veux, ma chérie. Le principal est que tu me dises tout. S'il y a des choses bizarres, ce n'est pas grave ; je veux simplement que tu ne me caches rien.

— Je te le promets, déclara-t-elle, mais tu dois être patient. Je vais reprendre du début.

Natasha remonta à l'après-midi où elle avait vu la femme devant la grange, et s'excusa d'avoir accusé Nick. Puis elle avoua qu'elle avait revu cette femme, le lendemain, près du bois. La description du viol fut relativement facile ; en revanche, elle eut du mal à exprimer qu'elle avait vécu dans sa chair cette agression sexuelle, les mains d'homme sur son corps et la pénétration.

— Mais, pour l'amour de Dieu, pourquoi ne m'as-tu rien dit ? s'écria-t-il d'une voix où perçait tant de colère et de dégoût que Natasha hésita à continuer. Tu m'as bien parlé des brebis et de la fureur du jeune Morrison ; pourquoi avoir caché le reste ? Tu agissais de façon si étrange que j'ai pensé...

Il se tut et secoua la tête.

— Et moi qui croyais que c'était à cause de moi...

— Nick, je suis désolée ; mais si tu m'interromps toutes les cinq minutes, je ne pourrai jamais raconter cette histoire. Je ne peux pas te dire pourquoi j'ai réagi ainsi, car je n'en sais rien. Je croyais que j'étais folle, ajouta-t-elle à voix basse.

Il la serra contre lui et lui dit qu'il était désolé. Il sentit qu'ils étaient tous deux tendus à l'extrême. Avec un sourire, il proposa qu'ils s'assoient à une certaine distance l'un de l'autre, ainsi il pourrait faire semblant de conduire une séance de travaux dirigés et garderait ses questions pour la fin. Cette disposition facilita les choses et, au lieu de regarder Nick, Natasha trouva plus commode encore de garder les yeux fixés sur le feu, comme si elle s'adressait à un étranger. Elle laissa néanmoins certaines choses de côté, notamment l'exacerbation de ses pulsions sexuelles, car elle en avait honte. Et parler de son désir pour des hommes que Nick connaissait risquait de le froisser. Pour ménager sa sensibilité, elle se cantonna à l'histoire de Sarah.

Mais Nick fronça les sourcils lorsqu'elle décrivit cet affreux cauchemar qui lui paraissait maintenant encore plus réel qu'un rêve ; à la mention du nom de Sarah Stalwell, il poussa une exclamation.

— Que sais-tu d'elle ? Qu'a-t-elle à voir dans tout ça ?

— Je te l'ai dit. J'avais sans arrêt ces mots dans la tête : *Par la grâce de Dieu. Amen.* Je les ai écrits et c'est devenu le début d'une histoire...

Assis sur le bord du fauteuil, Nick se pencha vers Natasha.

— Mais qui est cette femme ? Tu le sais ?

— Oui, je crois, répondit Natasha, l'air gêné.

Étant donné les opinions qu'elle avait soutenues par le passé, il ne lui était pas aisé d'énoncer sa nouvelle théorie. C'était un revirement complet auquel elle avait du mal à s'habituer.

— Comme tu le sais, je n'ai jamais cru à ce genre de choses ; mais maintenant, je pense que la femme dans la grange et Sarah Stalwell sont une seule et même personne. Il me semble, ajouta-t-elle en prenant une profonde respiration, qu'elle m'a utilisée pour écrire son histoire...

— Tu veux dire comme une médium ? demanda-t-il à voix basse.

Elle hocha la tête, peu satisfaite de cette explication, mais incapable d'en proposer une meilleure.

— Oui, seulement je ne peux pas le prouver. Toute personne sensée dirait que je fais une dépression ou que je cherche à résoudre mes problèmes en me réfugiant dans mon travail. Et elle n'aurait peut-être pas tort.

Nick secoua énergiquement la tête.

— Natasha, ma chérie, c'est peut-être ce que j'aurais pensé, moi aussi ; mais Sarah Stalwell a réellement existé.

Il rit soudain, d'un rire de surprise.

— Parle-moi d'elle, ajouta-t-il en se renfonçant dans son fauteuil.

— Tu es sérieux ? demanda Natasha, stupéfaite. Tu as déjà entendu parler de Sarah Stalwell ? Mais comment ?

— Non, toi, dis-moi. Je ne connais d'elle qu'une ou deux choses, j'aimerais savoir si cela correspond.

Elle prit ses cigarettes.

— Voyons, son nom de jeune fille est Kirkham ; elle est née à Hammerford ; à seize ans, elle a épousé un fermier du nom de Richard Stalwell. Il était veuf et avait quelques années de plus qu'elle. Il est mort jeune, en même temps que son neveu, dans une tempête de neige ; il revenait d'York, quelque part entre Denton et Brickhill. La douleur a conduit Sarah au bord de la folie. Ils n'avaient pas d'enfant.

— En quelle année est-il mort, tu le sais ?

— En 1723, vers la fin du mois de janvier, si je me souviens bien.

Nick poussa un long soupir avant de se lever et de se mettre à arpenter la pièce.

— Oui, c'est exactement ça. Elle a épousé Richard Stalwell, et il est mort au moment où tu le dis. Le pasteur l'a noté dans son journal ; je l'ai lu il y a une quinzaine de jours. Il semblerait qu'on ne l'ait pas enterré tout de suite à cause du gel et de la neige.

— C'est vrai...

Natasha se sentit perdre pied. La concordance des faits entre son histoire et la réalité était à la fois grisante et effrayante ; et, comme elle ébauchait un sourire, un rire hystérique la gagna, qu'elle réprima en se mordant les lèvres.

— Tu te souviens des Whitehead ? demanda-t-elle. Tu te rappelles que Mrs. Bickerstaff a dit qu'ils avaient toujours vécu ici ?

— Oui...

— Tu en doutais.

— Eh bien ?

— C'était la famille du beau-frère de Richard.

Le frisson qui, à cet instant, l'avait pénétré jusqu'à l'âme avait donné un coup de fouet à Nick. Comme il devait poser certaines questions et vérifier ensuite les réponses, il monta au premier chercher un carnet et un stylo. Légèrement étourdi par le vin, il réalisa soudain qu'il était plus de dix heures et demie, et que Natasha et lui n'avaient rien mangé depuis le déjeuner. S'ils n'avalaient pas quelque chose, ils allaient tomber d'épuisement.

Il prépara des sandwiches et du café, rapprocha du feu leur vieux canapé après avoir baissé l'un de ses accoudoirs.

— Voilà, nous allons nous restaurer un peu pendant que je prends quelques notes.

Dans la demi-heure qui suivit, Natasha reprit son récit du début, à la demande de Nick en s'appliquant à éclaircir tous les points importants. Elle semblait aller plutôt mieux, pensa-t-il ; elle reprenait confiance en lui au fur et à mesure qu'elle parlait, et ses yeux, lorsqu'il les rencontrait, avaient une lumière oubliée depuis des mois. Son regard était encore fiévreux, mais la Natasha que Nick connaissait réapparaissait ; il avait envie de l'embrasser, et se surprenait à sourire, pour la seule raison qu'elle se trouvait là, en train de le regarder, et qu'ils étaient ensemble.

En dépit de leur sujet de discussion et de l'aventure terrifiante dont il venait de faire l'expérience, Nick se sentait donc le cœur léger. Jamais il n'aurait pensé pouvoir connaître de nouveau une telle joie.

Il demanda à Natasha si elle voyait un inconvénient à ce qu'il lise son manuscrit ; elle sourit et répondit que cela l'ennuierait beaucoup qu'il ne le lise pas. Comme elle le lui apportait, il lui prit la main et la porta à ses lèvres.

— Tu dois être fatiguée, dit-il d'une voix douce. Tu ne veux pas monter te coucher ?

— Non.

Elle trembla et se pencha vers le feu.

— Je préfère m'allonger sur le canapé pendant que tu lis. Quand tu auras fini, ou quand tu seras fatigué, réveille-moi, on montera ensemble.

Devinant l'angoisse qui la tenait, Nick se rappela le week-end qu'il avait passé à Londres avec les garçons, et ses nuits avec Sally. Il eut honte d'avoir laissé Natasha seule dans cette maison.

— Tu ne devais pas être très rassurée quand j'étais absent.

— Non, avoua-t-elle, en tendant la main pour caresser Colette. Mais le travail m'empêchait de trop y penser.

Avec un petit rire, elle ajouta :

— Je n'allais pas me coucher. Je travaillais toute la nuit dans la cuisine.

— Pourquoi dans la cuisine ?

— C'est la pièce où je me sentais le plus en sécurité.

Il l'attira dans ses bras.

— Nous sommes tous les deux, maintenant, murmura-t-il en effleurant de ses doigts la joue de Natasha. Ensemble, nous trouverons la clef de ce mystère.

— Et puis ?

Cherchant à la rassurer par un sourire, Nick posa son doigt sur les lèvres de Natasha.

— Une chose après l'autre...

Avant de commencer à lire, Nick monta au premier pour inspecter une nouvelle fois les pièces et regarder par chaque fenêtre. Des deux côtés de la maison, tout semblait tranquille. Le tapis de givre donnait un éclairage diffus. Aucune forme noire protubérante, aucun œil rougeoyant comme un morceau de charbon incandescent n'était visible ; mais cela ne voulait pas dire que la chose mystérieuse avait définitivement disparu, ni même qu'elle n'était pas dans les parages, songea Nick.

Il fut pris d'un tremblement. Mais qu'était-ce donc ? Un chien fantôme, une bête mythique, la manifestation d'une âme damnée ? Si incroyable et invraisemblable que cela soit, s'il existait réellement un lien entre *Reynard* et Reynald, Nick avait regardé dans les yeux d'un être qui souffrait depuis huit cents ans sans jamais connaître de répit...

Le sentiment d'horreur qu'il éprouvait se mêlait de pitié. Par quel mystérieux phénomène le cruel seigneur de guerre normand avait-il été voué à la damnation éternelle ? Par l'incantation de quelque prêtre du XIIᵉ siècle ? Sûrement pas. Par une interférence divine dans les lois de la nature et de la mortalité ? N'était-ce pas aberrant d'en venir à se poser de telles questions ? Seulement voilà, Nick l'avait vu ; et ce simple fait qui remettait en question les concepts du possible et de l'impossible changeait tout.

Debout près de la fenêtre, il réfléchissait aux questions de l'éternité et de la damnation. Comme il contemplait les lumières du village, disséminées entre les arbres, il entendit la cloche de l'église qui invitait les fidèles à la messe de minuit. C'était la nuit sainte, la dernière demi-heure avant Noël ; et pourtant le diable rôdait, il pouvait en témoigner même si, en dehors de Natasha, personne ne le croirait.

La voix de sa femme qui l'appelait l'arracha à sa rêverie. Il lui répondit, tira les rideaux et descendit.

Ils parlèrent un moment puis, avec un sourire quelque peu ironique, se souhaitèrent un joyeux Noël. Alors que Natasha finissait son verre de vin, Nick buvait son café. Il ne voulait pas s'endormir, non seulement pour lire l'histoire de Sarah jusqu'au bout mais pour garder l'esprit clair ; Natasha le méritait.

Les pages dactylographiées étaient dans le désordre mais, par chance, numérotées. Lorsqu'il eut trouvé les trente-six premières, et classé la vingtaine de pages manuscrites, Natasha dormait.

Nick remonta la couette sur ses épaules et mit une autre bûche dans le feu ; la lampe orientée de façon à mieux voir et les pieds calés contre le foyer, il commença sa lecture.

PAR LA GRÂCE DE DIEU. AMEN. Cette première phrase avait une résonance funèbre qui le fit penser à l'ouverture des testaments d'autrefois quoique, à la réflexion, il y eût une légère différence. D'habitude, cela commençait plutôt par *AU NOM DE DIEU.* Intrigué, Nick relut plusieurs fois cette introduction en la comprenant de moins en moins. Il poussa un soupir et alla dans le bureau de Natasha chercher un dictionnaire, qu'il ouvrit au mot « grâce ».

Parmi plusieurs significations, il trouva : *Faveur ; miséricorde ; la faveur ou la miséricorde de Dieu ; (théo. chrét.) aide surnaturelle qui rend l'homme capable d'accomplir la volonté de Dieu et de parvenir au salut...*

Nick écarquilla les yeux.

— Vraiment ? murmura-t-il. Voilà qui devient intéressant...

Retournant au texte de Natasha, il reprit sa lecture.

Au bout d'une heure, Nick, qui était habitué à lire rapidement, avait bien avancé ; comme il s'accordait une pause pour se faire du café et réfléchir quelques minutes, il se rendit compte qu'il s'était totalement laissé absorber par le personnage et la vie de Sarah Stalwell. Il se représentait comme s'il y était la grande salle, chez sa tante, dans Goodramgate, décorée pour la fête des Rois, et il sentait bien la gêne de la jeune fille quand on cherchait à la marier derrière son dos. Quant au jeune et ambitieux Richard Stalwell, Nick lui vouait la même admiration que le père de Sarah. Après tout, Richard était un descendant de la famille qui avait fait construire cette maison.

Il y avait dans le début de cette histoire une innocence et une ingénuité touchantes. Mais cela ne ressemblait en rien à ce que Natasha avait écrit jusque-là. L'expression ne portait pas, loin s'en faut, la marque du XVIIIᵉ siècle, elle était bien trop moderne ; mais on n'y reconnaissait pas non plus la griffe de Natasha. Le récit contenait néanmoins des détails caractéristiques de cette époque que seul un étudiant en histoire pouvait connaître.

Intrigué et impatient d'en savoir plus sur Richard Stalwell et Holly Tree Farm, Nick redressa la pile des feuilles qui s'épaississaient à sa gauche, et prit une nouvelle liasse.

L'homme était un excellent fermier ; il avait amélioré la qualité de son bétail, augmenté le rendement de ses champs, et les taxes ne l'avaient pas conduit à la faillite, comme de nombreux autres à cette époque. Qu'il ait fait un bon mariage et trouvé en la personne de Sarah à la fois une partenaire capable et un capital avait dû représenter l'accomplissement de ses rêves les plus fous ; sans compter que la jeune fille n'était pas seulement amoureuse de lui : leur entente était parfaite sur tous les plans. Après l'épreuve qu'il avait subie avec la mort de Caroline, Richard Stalwell devait avoir eu l'impression que le destin lui souriait enfin, et qu'avec Sarah à son côté l'avenir était plein de promesses.

A travers la lecture des soixante-dix ou quatre-vingts pages qui couvraient la décennie de leur vie conjugale, Nick perçut le désappointement de Richard que ne lui fût pas accordé le bonheur d'avoir un jour des enfants qui auraient hérité de ses biens et poursuivi sa tâche. Et, par une ironie du sort, le seul de ses neveux qu'il aurait pu choisir comme héritier périt avec lui dans cette terrible tempête de neige de 1723.

A deux heures et demie du matin, la mort de Richard frappa Nick aussi durement que s'il était son ayant droit, car cette fin prématurée avait mis un terme au développement de Holly Tree House. La maison ayant subi, depuis lors, peu de transformations, on pouvait légitimement penser qu'après lui aucun de ses propriétaires n'avait eu la ténacité et la prévoyance des Stalwell. En tout cas, aucun Whitehead.

La tristesse que la mort de Richard causait à Nick ressemblait presque à de l'affliction. C'était comme s'il venait de perdre un jeune et talentueux ami. Il comprenait la douleur de Sarah et le pouvoir destructeur de sa détresse.

Il n'en était pas moins choqué par la façon dont la jeune femme avait, du jour au lendemain, oublié toute décence. Il était choqué parce que ça ne lui ressemblait pas, qu'il aimait la Sarah Stalwell du début et avait oublié à la lecture de son histoire qu'il avait déjà eu l'occasion de la juger sévèrement, en apprenant par d'autres sources son inconduite notoire. Tous les hommes qui l'avaient approchée n'avaient pas été des rustres ignares. D'après le portrait qu'elle en faisait, le jeune Jack qui s'occupait de la maison avait l'air assez intelligent ; et elle mentionnait également un ou deux hommes de la petite noblesse locale, qui étaient sans doute instruits, même s'ils n'étaient pas forcément plus délicats. Nick se promit de vérifier les noms et les dates, car si le jeune Jack s'était suicidé il devrait y avoir une note à ce sujet dans le registre paroissial.

Nick lut les dernières pages tapées à la machine, qui dépeignait l'angoisse de Sarah partie à la recherche de Jack, et sa rencontre dans Dagger Lane avec le chien fantôme. Nick avait eu devant les yeux tous les détails qui manquaient à la description de la jeune femme ; il se revit face à cette chose innommable, en train d'essayer désespérément de faire redémarrer la voiture...

Saisi d'un tremblement irrépressible, il s'agenouilla près de la cheminée et, à force de patience, réussit à tirer des bûches qui fumaient une flambée capricieuse. Il rajouta du bois et quelques morceaux de charbon qui firent repartir le feu de plus belle, puis se versa un nouveau verre de vin. Il alluma une cigarette et tenta de se convaincre que sa réaction était celle d'un homme sous le choc. Après tout, on n'était censé avoir une explication rationnelle pour tout que depuis la dernière décennie du XXᵉ siècle.

Pendant un long moment, il regarda Natasha qui dormait paisiblement, le chat roux et blanc pelotonné contre elle. Porté par un élan de tendresse et le souci de la protéger, il l'aurait serrée contre lui, s'il n'avait pensé, juste à cet instant, aux forces en marche et au mal déjà accompli. Mais c'était un autre mystère qu'il ne se sentait pas encore prêt à examiner. Celui qu'il avait sous les yeux lui suffisait pour l'heure amplement.

Il ramassa les derniers feuillets en mémorisant les particularités de l'écriture de Natasha.

Nous nous connaissions, cette créature et moi, et je la reconnus tout de suite : je l'avais déjà vue dans le regard des hommes qui m'avaient violée et revenaient sans cesse pour assouvir leurs instincts bestiaux avec une femme qui ne s'en plaignait pas. La créature les habitait, ne fût-ce que brièvement, comme elle me possédait depuis longtemps.

La connaissant, je ne fus pas aussi effrayée que d'autres auraient pu l'être. Qu'avais-je à perdre ? Je lui appartenais déjà ; elle était venue me rappeler qu'il n'y avait pas d'échappatoire, pas de retour en arrière possible.

Jack, le pauvre Jack, qui essayait de me réconforter par son amour, qui essayait de racheter mon âme quand il était déjà trop tard, était mort. Ils le trouvèrent le lendemain, pendu à un chêne, dans le bois du Bout du Monde. C'était un suicide, mais tous connaissaient les raisons qui l'avaient poussé à cet acte de désespoir, et la personne sans qui rien ne serait arrivé.

Sa sœur, qui autrefois avait été jolie, me cria des insultes, à l'exemple d'Agnès ; et elle me traita de sorcière en s'assurant au préalable que ses enfants étaient hors de vue. Le vieux Jacob, amer et brisé, chercha à convaincre le pasteur que la mort de son fils était un accident, rien de plus. Il souleva assez de doutes dans l'esprit du vieil homme pour que celui-ci s'autorise à l'enterrer dans le cimetière, mais pas avec sa famille.

Sa tombe, dépourvue d'inscription, se trouve dans le coin le plus reculé du cimetière, exposée au nord et non à l'est.

Surpris, Nick marqua un temps d'arrêt. Était-ce le moyen que le vieux pasteur avait trouvé pour apaiser ses doutes ? Une sépulture chrétienne était refusée aux personnes suicidées. En enterrant le garçon loin des fidèles, et en diagonale, contrairement à la coutume, le vieil homme semblait avoir voulu prendre en compte toutes les possibilités. Si c'était vrai, il devait y avoir une note dans le registre paroissial, et peut-être même dans le journal du pasteur. Quant à savoir si Nick aurait de nouveau l'occasion d'y jeter un coup d'œil, c'était une autre histoire.

Nick reporta les yeux sur le manuscrit.

La veille de la Saint-Michel, juste après la tombée de la nuit, une fois que j'eus terminé les travaux de la ferme, je rentrai à la maison et mangeai un peu de pain et de fromage. Mes fainéants d'ouvriers agricoles auxquels j'avais donné leurs gages étaient déjà partis à York pour chercher du travail dans les foires d'embauche, et ils allaient certainement, entre-temps, arroser leur liberté retrouvée. Je devrais m'y rendre moi-même, le lendemain ou le surlendemain, afin de dénicher des travailleurs sérieux pour me seconder. J'avais également besoin de provisions. Je ne pourrais pas passer l'hiver avec ce qui me restait, et je devais aller voir le notaire de Richard pour le consulter au sujet de mon capital.

Je dînais en réfléchissant à ces diverses questions. Comme il ne restait plus de bière dans la maison, j'utilisai le vin du dernier tonneau. Dès que j'aurai embauché d'autres ouvriers agricoles, me dis-je, je consacrerai un peu de temps à refaire de la bière. Pour la première fois depuis longtemps, la nécessité d'avoir de quoi manger et boire pour survivre et nourrir mes domestiques me préoccupait.

Il se peut que je me sois endormie. Une bûche tombant dans l'âtre ou le grincement d'une porte me fit sursauter. Au moment où je me retournai, je me souviens d'avoir pensé : Oh non, par pitié, faites que ce ne soit pas encore Tom Whitehead ! Le travail de la journée m'avait éreintée et, ce soir-là, je ne me sentais pas l'énergie d'endurer ses violences. Il se conduisait en tortionnaire avec moi, proférant des menaces ou me cajolant pour que je lui abandonne la ferme et quitte le village. Je refusais obstinément, lui crachais à la figure et résistais à ses désirs lubriques. Il me prenait alors de force, sur une table ou agenouillée, ou parfois sur mon dos, à même le sol en pierre. Il me laissait pantelante et le cœur plein de haine, ma sensualité éveillée mais rarement satisfaite. Dans ces moments-là, Jack, qui, à cet égard, m'avait été si précieux, me manquait terriblement.

Pourtant ce soir-là, en me retournant, ce n'est pas Tom Whitehead que je vis sur le seuil, mais Agnès Stalwell. Cette grue était plus malfaisante que moi, car elle avait évincé sa propre sœur de ce qui tenait lieu de cœur à Tom Whitehead, et s'était soumise, de plein gré, à ses perversions.

Depuis qu'à cause de moi Tom s'était détourné d'elle, elle me vouait une haine plus féroce que jamais.

L'excitation qui naît d'un dessein diabolique allumait son regard. Je fus tout de suite sur mes gardes. En me levant, le dos tourné vers le feu, je cherchai des yeux un objet capable de me servir d'arme, car j'avais la certitude que j'aurais besoin de me défendre. Sur le foyer, il y avait la bonbonne de vin, et dans l'âtre des bûches à moitié consumées.

Je me forçai à accueillir ma belle-sœur avec le sourire.

— Eh bien, Agnès, dis-je, qu'est-ce qui me vaut ce plaisir ?

En me penchant vers le foyer, je ramassai la bonbonne en verre, comme si je me proposais de lui offrir à boire. Au moment où je me redressais, la sœur de Jack entra sans bruit dans la pièce et alla se placer à côté d'Agnès ; comme je les dévisageais, interloquée, la femme de Dick Howsham apparut à son tour, une petite souillon pleine de fiel qui ne m'avait jamais épargné les quolibets. Elle eut un grand sourire. J'ignorais pourquoi, car durant les six mois écoulés son mari m'avait servi plus souvent qu'auparavant.

En tout, elles étaient une douzaine. Je pourrais les nommer, mais à quoi bon ? Il suffit de dire que la plupart étaient présentes le jour où j'avais piégé Tom Whitehead dans Dagger Lane, à l'époque des moissons ; et je connaissais la taille du pénis de leurs maris respectifs.

C'était dans leur majorité des femmes du commun, incultes, dont je n'aurais jamais recherché la société lorsque Richard était encore de ce monde ; et peu d'entre elles, du vivant de mon mari, auraient osé approcher ma porte, encore moins en franchir le seuil sans y être invitées.

Je leur ordonnai de sortir. Aucune ne bougea. Doll Howsham ricana, et Mary Collitt, la sœur de Jack, me cracha au visage. Ses traits, autrefois beaux, étaient déformés par la haine ; les mains lui démangeaient de me griffer et de me frapper.

Très lentement, j'essuyai le crachat sur mon corset. Agnès souriait. Pour la première fois, j'eus peur, car je perçus chez ces femmes une détermination inébranlable. Je frémis. Que me voulaient-elles ? Me faire mal ? Oui, sans nul doute. J'eus le pressentiment que leur dessein était de m'infliger une humiliation telle que je serais forcée d'abandonner ma maison, tout ce qui autrefois m'était cher, et même de renoncer à vivre. Richard disparu, rien ne comptait plus pour moi, mais ma fierté m'interdisait de céder ; et il n'était pas question que j'abandonne la ferme à Agnès Stalwell.

Mais la peur qui s'insinua en moi me fit perdre mon sang-froid.

— N'abuse pas de ma patience, Agnès, sors de chez moi ! Et emmène tes sœurs avec toi !

Sur ce, je fis un pas en avant, en pensant que si je la mettais dehors les autres la suivraient. Mais, au lieu de reculer, elle m'attrapa le bras et le tordit de toutes ses forces.

— Elle est à qui, cette maison ? siffla-t-elle entre ses dents. Aux Stalwell. Toi, tu n'es qu'une intruse ici.

Alors les douze femmes m'encerclèrent. Et tandis que je me débattais pour libérer mon bras, Doll Howsham tira sur mon corset, Mary Collitt s'en prit à mes cheveux, une autre me fit lâcher la bonbonne, et je me retrouvai en un rien de temps couchée sur les dalles en pierre, mes vêtements déchirés par ces harpies qui jubilaient en me donnant des coups de pied et en lacérant ma peau nue.

Elles me relevèrent brutalement et me poussèrent dans le fauteuil, meurtrie et ensanglantée. Puis Agnès exhiba une paire de ciseaux. Mary Collitt était si impatiente de m'humilier qu'elle en bavait ; elle prit les ciseaux comme une communiante reçoit le calice devant l'autel, puis les tint un moment à bout de bras avant de presser le métal froid contre ses lèvres.

Mes cheveux s'étaient emmêlés dans la lutte, et aux endroits où ils avaient été arrachés par poignées mon cuir chevelu était simultanément glacé et brûlant. A la vue des ciseaux, tout mon courage s'envola, et je ne pus réprimer un sanglot lorsque, serrant les mâchoires, Mary Collitt commença à taillader ce qui restait. Mes cheveux, mes beaux cheveux blonds encensés par Richard, mes cheveux qu'il adorait, dépliait sur son corps comme un écheveau de soie, enroulait autour de ses doigts ou portait à ses lèvres, me furent enlevés avec moins d'égards que la toison aux moutons.

Alors je les maudis. Je les maudis comme la sorcière que

j'étais censée être, jusqu'au moment où Agnès me fourra dans la bouche un morceau de ma chemise roulée en boule.

Dès lors, il n'était plus nécessaire de m'attacher. Il y avait suffisamment de mains pour me tenir, me griffer, me pincer, me tordre les chairs, et, à tour de rôle, me faire sauter et gigoter comme une marionnette.

Je pensais qu'après elles me laisseraient. Leur objectif était sûrement de me mortifier. Elles allaient me pousser dehors toute nue pour m'infliger un déshonneur tel que je serais obligée de quitter le village. J'étais très loin de la vérité. Elles me connaissaient bien ; elles savaient que je m'étais déjà déshonorée et n'en avais cure ; me traîner sur la place publique, tondue, ensanglantée et nue, ne suffirait pas à me faire quitter ma terre et ma maison.

Agnès devait également savoir que si j'étais poussée dehors dans cet état, même si on m'obligeait à ramper et à supplier qu'on me laisse partir à York, j'aurais la loi de mon côté ; je pourrais les citer à comparaître devant les tribunaux, toutes autant qu'elles étaient. Ma position de propriétaire foncier me donnait un pouvoir sur elles et, outre la ferme, j'avais assez d'argent pour les poursuivre en justice et prouver leur culpabilité.

Elles ne pouvaient donc pas me laisser en vie.

J'aurais dû le deviner.

Si l'hystérie collective avait été à l'origine des premières violences, et si leur désir de se venger les avait incitées à m'humilier, il y avait dans les préparatifs de ma mort un détachement qui trahissait un plan élaboré avec soin.

Ces femmes, servantes chez elle, s'y connaissaient en tâches et savaient quel travail c'était lorsqu'un homme ne tuait pas le cochon comme il faut et que le sang, au lieu de gicler dans le pot au-dessous, se répand par terre. Alors elles étendirent une belle couverture en laine arrachée à mon lit et placèrent dessus mes vêtements en lambeaux ; puis, une par une, elles se déshabillèrent, et déposèrent leurs propres vêtements sur le banc. En même temps, pour se donner du courage, elles buvaient mon vin.

Je les vis, je savais ce qu'elles tramaient. J'aurais dû crier, mais ma gorge était obstruée. D'ailleurs, à quoi m'aurait servi de crier ? Personne ne pouvait m'entendre. Je me débattis en vain.

Ce fut une sorte de rituel païen, dans lequel les péchés de la victime doivent être chantés avant que la mise à mort ne commence. Elles s'encourageaient mutuellement.

Agnès, armée d'un couteau de boucher, me porta le premier coup. Je reçus au total une douzaine de blessures à la poitrine et dans le dos ; je ne sais pas laquelle me tua. Au début, je ne fus même pas consciente de mourir ; je perçus seulement un arrêt de la douleur, et j'eus l'impression étrange de ne plus me trouver parmi mes bourreaux, de regarder de loin les coups qui m'étaient portés, tandis que le couteau passait de main en main et que des sanglots s'élevaient.

Ces femmes mauvaises et ignorantes se comportèrent comme si ma mort les affligeait — à l'exception d'Agnès, qui ne pleurait pas. Avec une froide férocité, elle frappa les visages, donna des ordres, fit venir de l'eau du puits, et entreprit de me laver. Ce corps qui avait été le mien reposa bientôt, bras et jambes écartés, dans l'indifférence générale, sur la couverture pleine de sang. Cela me rappela le nombre de fois où j'étais demeurée étendue ainsi auparavant, pendant qu'un homme remettait ses hauts-de-chausses et se fondait dans la nuit.

Sans Agnès, elles n'y seraient pas arrivées. C'était elle la plus intelligente, elle qui donnait les ordres, et savait ce qu'il fallait faire. Elle envoya Mary Collitt dehors pendant que les autres s'habillaient, jetaient l'eau rouge de mon sang, reprenaient leurs esprits et écoutaient ses directives. Quelques-unes montèrent au premier. Deux malles furent remplies de vêtements, de livres et d'objets précieux en argent, toutes choses que ces femmes, trop pauvres pour posséder de l'étain et encore moins de l'argent, voulaient s'approprier. Agnès les houspilla.

— Vous voulez donc être pendues ? cria-t-elle. Si on trouve un seul de ces objets chez vous, on vous soupçonnera. Sarah Stalwell est partie à York, à Hull ou à Londres, personne n'en sait rien, mais on doit constater qu'elle a emporté ses affaires avec elle.

— Nous pourrions les vendre, suggéra Doll Howsham d'une voix geignarde.

— Pour que le camelot dise qu'il les a achetés à une pauvre femme de Denton ? rétorqua Agnès d'un ton méprisant. Tu es stupide, Doll Howsham ! Non, nous remplissons les malles et nous les enterrons là où personne ne pensera à chercher.

Ah bon, où ça ? me demandai-je avec le détachement qui faisait partie de mon nouvel état. J'eus bientôt la réponse. Les hommes, mes ex-galants, mes ex-étalons, entrèrent sans bruit par deux ou trois, et furent contenus dans le couloir, entre la porte de devant et celle de derrière. Quand tous furent là, y compris Tom Whitehead, Mary Collitt les laissa entrer dans la pièce où gisait le corps de Sarah Stalwell, décemment enveloppé et recouvert.

Je remarquai que chacun d'eux portait une bêche.

— Elle est morte, annonça Agnès avec pour la première fois un tremblement de peur dans la voix. Nous l'avons tuée ensemble.

— Et maintenant, poursuivit la voix acerbe de Mary Collitt, vous allez l'enterrer.

Il y eut une rumeur incrédule au milieu de vives protestations. Quelques-uns voulurent sortir de la maison, mais deux des femmes montaient la garde à la porte et, aux cris qu'elles poussèrent, d'autres arrivèrent à la rescousse pour empêcher leur mari de se sauver.

— Vous allez l'enterrer, dit Agnès qui avait retrouvé sa détermination, parce que vous êtes aussi coupables que nous. Si vous ne le faites pas, nous serons tous pendus.

Ces paroles produisirent leur effet et, après une discussion dominée une fois de plus par ma redoutable belle-sœur, les hommes sortirent à la queue leu leu pour commencer leur vilaine besogne, suivis par les femmes qui ne pouvaient plus supporter d'être en présence de leur victime.

Tom Whitehead retint Agnès.

— Agnès, au nom du ciel, qu'est-ce que tu as fait ?

— Qu'est-ce que j'ai fait !

Elle se libéra de la main qui la tenait.

— Je t'ai donné ce que tu convoites depuis toujours : cette maison, cette ferme, la terre des Stalwell. En fidéicommis, bien sûr, dit-elle en partant d'un rire perçant légèrement hystérique. A moins que je ne me marie et que je n'aie des enfants, ajouta-t-elle pour le provoquer, tout reviendra à Matt.

— De toute façon, cela reviendra à Matt...

— Pas de mon vivant, lui promit-elle, tu peux en être sûr !

Il recula, sachant ce dont à présent je ne doutais plus : toute sa vie, il aurait sur les bras Agnès Stalwell, la sœur de sa femme décédée. Il ne pourrait l'épouser, car leur union était incestueuse aux yeux de la loi ; et il ne pourrait la renvoyer car elle était la plus proche parente de Richard. En tant que telle, elle aurait le contrôle de la propriété pour les sept années à venir, jusqu'à ce que ma mort fût officiellement reconnue. S'il voulait la ferme jusqu'à la majorité de son fils aîné, il serait forcé de supporter Agnès ; et elle devrait supporter Tom, même si j'avais détruit la passion qu'il avait autrefois pour elle.

Je tenais ma vengeance, car je savais qu'ils ne prospéreraient pas. Et c'est ce qui arriva. Je pense que ma présence les hanta plus efficacement qu'une apparition.

Dans la cour, les hommes fermèrent le portail, firent sortir les vaches de l'étable, retirèrent la paille et les bouses des deux stalles et commencèrent à creuser. Deux heures plus tard, ils avaient terminé ; le corps dans un trou, les malles dans l'autre. Une fois le surplus de terre soigneusement éparpillé dans le jardin et un champ voisin, la paille et les bouses remises en place, il était difficile de voir que quelque chose avait été dérangé — et cela devint impossible, lorsque les vaches eurent réintégré leurs stalles. Les pauvres bêtes mastiquaient placidement sans se douter qu'elles resteraient là jusqu'à ce que leurs pis trop pleins leur tirent des plaintes qui ameuteraient les voisins.

Comme les conspirateurs rentraient chez eux en silence, il me sembla que je devais m'en aller moi aussi. Richard m'attendait. Il attendait de me montrer le chemin qui menait chez nous...

Éperdue d'amour, je cherchai à me libérer, mais c'était comme si j'étais retenue à terre par un poids démesuré. C'est à cet instant que je le vis, non pas Richard, mais l'animal malfaisant qui me retenait captive. Je le vis, l'instigateur du mal, qui n'existait qu'en fomentant de noirs desseins dans le cœur des hommes ; il me tenait comme il avait tenu les autres et me tiendrait sans jamais me lâcher, dans les siècles à venir.

Je n'étais pas destinée à rencontrer Richard, et pas davantage ceux que j'avais aimés sur terre. Non, je devais attendre de saluer les âmes captives de Tom Whitehead et d'Agnès Stalwell.

Mon corps gît dans une terre non consacrée. Mon âme, morte inabsoute, quémande l'absolution et la délivrance...
Par la grâce de Dieu. Amen.

35

Nick se réveilla peu après huit heures avec un douloureux torticolis. Masser ses muscles lui rappela les vols transatlantiques et les nuits dans des fauteuils d'avion qu'il avait connus dans sa jeunesse. Il avait cet arrière-goût déplaisant que laisse une absorption d'alcool trop importante et la sensation désagréable de se réveiller dans des vêtements froissés et humides de sueur.

Comme il se penchait en avant pour se frotter le cou, il aperçut la bouteille, les verres vides et le manuscrit par terre à côté de la cheminée. L'assassinat de Sarah Stalwell lui revint en mémoire, et aussitôt un grand froid le pénétra jusqu'à l'os ; il leva les yeux. Natasha n'était plus là. Oubliant d'un seul coup son corps endolori, il traversa le vestibule dallé en direction de la cuisine. La jeune femme était en train de faire du café, en robe de chambre.

Le soulagement que Nick éprouva fit venir un sourire tremblant sur ses lèvres. Il l'enlaça, lui embrassa les cheveux et frotta sa joue contre la sienne ; mais elle fit une grimace et s'écarta en disant qu'il piquait.

Assis en face d'elle à la table, il était conscient de la distance qui s'était de nouveau installée entre eux ; après l'intimité de la veille, ils se comportaient comme deux étrangers. Natasha était lointaine et lui-même mal à l'aise. Cela lui rappela les lendemains de fêtes d'étudiants — la gêne qu'il éprouvait le matin lorsqu'il retrouvait une femme en ayant présent à l'esprit tout ce qui avait été dit et fait la veille. Reconnaître de telles choses le jour leur donnait une importance qu'elles ne méritaient pas toujours, et obligeait à les prendre en considération. La réticence qui les empêchait, présentement, de parler était de cette nature. Tant qu'ils passaient sous silence les événements survenus quelques heures plus tôt, il était possible de les ignorer. Dès qu'ils y auraient fait allusion, ils ne le pourraient plus.

Oppressé à l'idée qu'il faudrait forcément en passer par là, Nick repoussa sa chaise en déclarant qu'il montait prendre une douche.

L'eau, délicieusement chaude, soulagea ses muscles douloureux et lui ôta un poids. Tandis que des souvenirs lui revenaient dans une succession rapide, il s'interrogeait, et cherchait à comprendre ce qui leur arrivait ; il se sécha en repassant dans son esprit les petits faits et gestes des derniers mois, en quête d'indices et de détails importants qui avaient pu lui échapper.

En vain. Il devrait relire ses notes, écrire ; il réfléchissait mieux ainsi. Il noua la serviette de bain autour de sa taille, ouvrit le robinet d'eau chaude du lavabo et fit mousser le savon avec le blaireau. Le rasoir dans une main, il s'arrêta en considérant son reflet dans la glace. Qu'avait-il dit le jour où ils étaient allés à Brickhill ? *Juste une petite enquête sur le passé...* Et Natasha, d'un ton cynique, avait répondu : *Qui ne mènera ni à un cadavre, ni à un crime, ni même à un coupable...*

Il cligna les yeux et poussa un long soupir. Son instinct lui criait que l'histoire de Sarah n'était pas une pure fiction, mais la réalité ; un crime avait bien été commis, dont les coupables étaient désignés. Pour le prouver, il fallait trouver le cadavre.

Quel rôle jouait Reynald de Briec dans cette énigme ? Nick n'en avait aucune idée et ne souhaitait pas y réfléchir pour le moment. Il lui suffisait de savoir que le chien fantôme avait été vu à Denton dans les années 1720, et qu'il rôdait de nouveau deux cent soixante-dix ans plus tard.

Il devait absolument parler à Natasha. Sans attendre davantage. Avant que quelque chose de plus grave ne se produise.

— Mais nous ignorons ce qui se passe, lui rappela Natasha en se séchant les cheveux.

Assise face au miroir, le souvenir de Sarah Stalwell implorant l'absolution et la délivrance remuait en elle plus d'angoisses qu'elle ne se sentait en état d'en supporter, ce matin-là.

— Je ne suis pas certaine que nous soyons bien armés pour nous attaquer à ce problème. On ne pourrait pas...

Elle avala sa salive.

— ... on ne pourrait pas mettre la maison en vente et louer quelque chose à York en attendant ?

Qu'elle exprime les inquiétudes qu'il avait lui-même éprouvées un peu plus tôt incita Nick à se montrer gentil avec elle.

— Tu pourrais faire ça ? Faire comme si rien n'était arrivé ?

— Il se peut que j'aie tout inventé, répondit-elle en se tenant sur la défensive. Toute cette histoire se résume peut-être à une série de coïncidences. Tu as toujours affirmé que cette grange datait du début du XIXe siècle.

— Le bâtiment actuel, oui, c'est juste. Mais il a probablement été bâti sur le site d'une construction plus ancienne. Et n'oublie pas : la première fois que tu as vu cette femme, c'était devant la porte de la grange.

Plus elle y réfléchissait, moins Natasha aimait cette idée. Le bâtiment qui leur servait de garage, et qu'ils appelaient la grange, avait sans doute servi d'étable dans le passé. Les stalles en bois qui étaient encore en place au moment où ils avaient acheté la propriété en témoignaient. Si ce qu'elle avait écrit était vrai, les restes de Sarah Stalwell gisaient sous cette terre battue. Natasha se refusait à y croire. L'étable, du temps de Sarah Stalwell, se trouvait certainement ailleurs, sur un site auquel elle n'aurait pas à penser chaque fois qu'elle prendrait sa voiture.

Quoi qu'il en soit, Natasha savait que le salon ne serait plus jamais le même pour elle. La veille, dopée par les décharges d'adrénaline que produisaient toutes sortes d'émotions, elle avait trouvé tout cela passionnant ; mais à présent elle tremblait chaque fois qu'elle pensait aux anciennes dalles, déposées par les maçons et encore empilées contre le mur dehors.

C'était sur ces dalles que Sarah Stalwell avait été assassinée. Juste devant la cheminée.

Natasha s'habilla rapidement en luttant contre un violent désir de s'en aller. Tandis que Nick boutonnait sa chemise et arrangeait son col, elle sortit soudain de la chambre. A travers les fenêtres du palier exposées au sud, le soleil coulait à flots ; elle s'arrêta et, tous les muscles tendus, regarda dehors. Au soleil, le givre commençait à fondre, bien que la porte de la grange fût encore dans l'ombre. Dans un battement de plumes noires et blanches, deux pies se posèrent sur le toit de tuiles et poussèrent une rafale de cris à la vue des chats qui rôdaient dans le jardin. Natasha frissonna.

Un instant plus tard, Nick la rejoignit. Il lui lança un rapide coup d'œil, puis embrassa du regard le tableau qui s'offrait à eux — la cour ensoleillée, les haies d'un brun-roux, et au-delà les champs couverts de givre.

— Oui, je sais, dit-il doucement, ça paraît impossible. Mais, hier soir, je l'ai vu ; et toi, tu ne peux pas oublier ce que tu as écrit...

Nick se tut et se tourna vers elle. Natasha vit ses mâchoires se crisper.

— Il faut que nous parlions, ajouta-t-il. Nous devons prendre des décisions. A mon avis, il est vital de découvrir le fin mot de cette histoire.

— Ah oui ? dit-elle d'une voix anormalement haute. Et on devrait faire quoi, selon toi ?

— Écoute, Natasha, si nous le voulons, ce n'est pas au-dessus de nos forces. Nous devons simplement nous faire confiance, analyser le plus objectivement possible ce qui s'est passé au cours des deux derniers mois. Auparavant, tout allait bien, n'est-ce pas ?

Elle hocha la tête et il poursuivit :

— Il faudrait tout reprendre à partir du moment où les choses ont dérapé. Cela nous donnerait une sorte de fil conducteur.

Il se tut un moment en refermant ses doigts sur ceux de Natasha.

— De cette façon, nous pourrons découvrir ce à quoi nous avons affaire.

— Est-ce que ce n'est pas évident ? répliqua-t-elle en retirant sa main. Nick, tu t'es trouvé nez à nez avec lui, hier soir. Est-ce que cela ne te suffit pas ? Je pense que nous devrions partir, quitter cette maison.

— Et laisser d'autres personnes souffrir à notre place ?

— Mais qu'est-ce qui te permet d'en être sûr ? demanda-t-elle d'une voix encore plus aiguë. Si ça nous arrive à nous, n'est-ce pas parce que nous ne croyions pas à l'existence de telles choses — les apparitions, les objets qui volent à travers les pièces ? Quand Helen racontait qu'elle voyait un être cher au pied de son lit, je pensais qu'elle disait ça pour attirer l'attention, ou qu'il y avait une explication rationnelle à ce phénomène. Mais maintenant, c'est à moi que ça arrive, et je sais qu'il n'y a pas d'explication. C'est très angoissant. Je ne veux pas savoir. Je veux juste quitter cet endroit.

Sans prononcer un mot, il la regarda marcher de long en large sur le palier. Puis, comme elle revenait et s'asseyait sur le rebord de la fenêtre, il secoua la tête et déclara :

— Je comprends ce que tu ressens. Le problème, c'est que personne en huit cents ans n'a su autant de choses que nous. Je ne peux pas ne pas en tenir compte. Je suis incapable de partir d'ici et de tout oublier.

Sourcils froncés, regard brillant, mâchoires contractées : Natasha connaissait bien cette expression de Nick, qu'elle appelait « son air de détective » et qu'il adoptait chaque fois qu'il était déterminé à suivre coûte que coûte une voie ou une ligne de pensée contre l'avis de tous. A présent, quoi qu'elle décide, il resterait. Et si elle partait, il serait à la merci non seulement de ce qui pouvait se passer chez eux, mais de cette fameuse Sally.

Natasha se mordit les lèvres et détourna les yeux. Elle était si en colère qu'elle aurait voulu le frapper. Ne voyait-il pas devant quel dilemme il la plaçait ?

Elle se leva brusquement et alla chercher son paquet de cigarettes dans la chambre. Elle en alluma une et fuma nerveusement pendant un moment, en mettant en balance les risques d'un côté et de l'autre. Enfin, elle revint sur le palier.

— Je reste, dit-elle. Alors qu'est-ce que tu proposes ?

Il lui sourit, soulagé.

— Pour commencer, nous allons prendre un petit déjeuner

très riche en cholestérol, répondit-il d'un air dégagé. Qu'en penses-tu ?

— D'accord, mais à une condition : c'est toi qui le prépares.

Il se mit à rire et la précéda dans l'escalier.

Ils déjeunèrent ; puis, comme elle mettait les assiettes dans l'évier, la conversation tomba sur les obsessions sexuelles de Sarah.

— Cela ressemble plus à un cas de possession, tu ne trouves pas ? demanda Nick.

— Je ne sais pas. Je ne connais pas assez ce genre de phénomènes.

— Personne n'y connaît vraiment grand-chose. Je m'appuie simplement sur ce que j'ai pu lire ici ou là. Le cas de Sarah est assez classique. Non seulement elle a renié Dieu, mais en Le maudissant elle s'est laissé habiter par un être maléfique...

Il se tut et réfléchit un moment.

— Pourquoi pas Reynald de Briec — sous l'apparence de Reynard, le chien... ?

Natasha frémit en se rappelant le détachement avec lequel Sarah poursuivait sa quête du plaisir. Elle s'activa à laver les assiettes en essayant de ne pas penser au dérèglement de ses propres pulsions sexuelles, ni à la mort de son amour pour Nick, qui l'avait conduite à se détacher peu à peu de lui...

— ... Aujourd'hui, on la considérerait sans doute comme une nymphomane, disait Nick, mais sait-on vraiment pourquoi les désirs sexuels s'exacerbent ? Et c'est peut-être plus répandu qu'on ne le pense.

Elle l'entendit allumer une cigarette, et sentit qu'il la regardait. Au bout d'un moment, il ajouta d'un ton mi-sérieux, mi-amusé :

— Toi, tu n'as pas fait cette expérience, n'est-ce pas ? Je veux dire qu'il y a beaucoup de similitudes entre Sarah Stalwell et toi ; mais, contrairement à elle, la sexualité semble t'avoir rebutée...

Natasha rougit. S'ils avaient retrouvé leur complicité passée, ils auraient pu en rire, se dit-elle. Mais, dans les circonstances présentes, elle fut tentée de mentir, de répondre qu'en effet elle avait éprouvé un violent dégoût de la chose sexuelle, et de changer de sujet. Seulement, elle se rappela ses deux grands sujets d'inquiétude, et la volonté de Nick de faire toute la lumière. Si la franchise pouvait permettre de résoudre le mystère auquel ils étaient confrontés, il n'y avait pas à hésiter.

— Pour une grande part, oui, c'est vrai.

Elle bougea la tête pour le regarder, mais il tournait le dos à la fenêtre. Au soleil, la fumée de sa cigarette formait une vapeur bleutée.

— Au début, oui, je n'avais plus envie de faire l'amour ; puis — comme je te l'ai dit hier soir —, des choses étranges se sont produites, et j'ai pensé que je devenais folle. Mais toi aussi, tu l'as pensé, ajouta-t-elle d'un ton accusateur, comment voulais-tu que je te désire dans ces conditions ?

— Oui, évidemment, dit-il d'un air sombre.

Elle hésita en se demandant quelle dose de vérité il était capable de supporter. Giles ? Certainement pas. Craig Morrison non plus.

— Parfois, j'avais très envie de faire l'amour, avoua-t-elle, mais dans des situations si inattendues que je n'ai jamais pensé souffrir de nymphomanie.

Elle fit une pause pour laisser à ses paroles le temps de produire leur effet. Ensuite, elle ajouta avec calme :

— J'ai même eu envie de Charlie Cramp.

— Hein ? De Charlie Cramp ?

Nick n'en revenait pas.

— Je ne peux pas le croire ! s'exclama-t-il en riant.

— C'est pourtant la réalité. Et ce n'était pas du tout amusant. Le plus horrible, c'est qu'il me désirait aussi. Lorsque je croisais son regard, je lisais dans ses yeux qu'il ne pensait qu'à ça.

Devant l'expression de Natasha, Nick cessa de rire.

— Tu parles sérieusement ? Tu as eu envie de lui ? Mon Dieu, mais c'est...

— Dégoûtant ? Oui. Je me dégoûtais moi-même et j'avais peur aussi, car je ne comprenais pas ce qui m'arrivait. Et j'en ai désiré d'autres ainsi — des inconnus pour la plupart, des hommes que je croisais en ville.

— Ils t'excitaient ?

— Quelque chose en eux m'excitait. Je les désirais énormément. En fait, ajouta-t-elle avec la volonté délibérée de le choquer, j'aurais pu faire l'amour, comme ça, en pleine rue. C'était une sensation horrible et très effrayante.

Il tressaillit.

— Mais tu n'étais pas amoureuse ?

— Non. Je les trouvais séduisants, c'est tout.

Les sourcils froncés, Nick leva les yeux. Elle vit qu'il était troublé.

— Pourtant, on ne peut pas dire que Charlie Cramp ressemble beaucoup à Robert Redford...

— Non, pas du tout. En fait, je le trouve répugnant.

Assise à la table, elle prit une cigarette de Nick. Comme il allumait son briquet, elle reprit :

— Quand je repense à cette soirée, c'est ce qui m'étonne le plus. Pourquoi Charlie Cramp et pas Graham Fish, par exemple ? Ce n'est pas mon type mais, dans son genre, il n'est pas laid, et j'aime beaucoup le Pr Benson...

Elle s'interrompit, car Nick repartait à rire, mais cette fois d'un rire communicatif.

— Oui, je sais, c'est ridicule. Mais ce que je me demande, c'est pourquoi Charlie Cramp et pas les deux autres.

— C'est peut-être lié à leur personnalité, à ce qu'ils peuvent suggérer...

— Tu veux dire que, l'air de rien, Charlie Cramp est un vieux cochon ?

Nick haussa les épaules.

— C'est possible, mais ce n'est pas ce que j'avais à l'esprit. Je veux dire qu'ils étaient peut-être sensibles à des forces similaires — ou à ton charme.

Il étudia le dessus de la table, gratta une encoche avec l'ongle, puis leva les yeux.

— Mais ce qui me dépasse, c'est le fossé qui s'est creusé entre nous...

— Diviser pour régner, dit Natasha sans réfléchir.

— Oui, approuva-t-il avec une pause pour méditer cette maxime. Si nous devons nous battre, il faut que nous restions unis.

Il prit la main de Natasha dans la sienne et déclara d'un air grave :

— Natasha, nous ne devons rien nous cacher...

Devant son regard inquisiteur, elle retira sa main d'un geste brusque.

— Non, je ne t'ai pas trompé, si c'est ça que tu veux savoir ! proféra-t-elle entre ses dents. J'aimerais pouvoir te dire que j'ai couché avec tous ceux que j'ai désirés, mais non. L'occasion ne s'est pas présentée !

Il replia les doigts et serra les poings. Lorsqu'il leva les yeux, il avait un regard dur, et il contenait sa colère en pinçant les lèvres.

— J'essaie seulement de reconstituer ce qui s'est passé...

— Dans ce cas, tu ferais mieux de t'interroger sur tes pulsions sexuelles de ces derniers mois ! Tu as reconnu avoir couché avec une autre femme, mais il y a eu aussi cette fille à la fête de Halloween. Et combien d'autres ce soir-là ? Ou bien c'était juste histoire de bander un coup ?

Tremblant d'une rage aussi soudaine qu'incontrôlée, Natasha écarta avec violence la chaise et se pencha par-dessus la table.

— Tu vois, Nick, on trouve ça normal pour un homme. Mais le dictionnaire contient toutes sortes de termes désobligeants pour désigner les femmes qui suivent leurs inclinations, et le moins méchant d'entre eux est *putain* !

Sur ce, elle tourna les talons et se précipita hors de la cuisine avant de se laisser aller à une crise de larmes humiliantes.

Le premier mouvement de colère passé, Nick se força à réfléchir posément. Il repensa à ce que Natasha lui avait raconté et tenta d'imaginer ce qu'elle avait pu ressentir en étant à la merci d'envies sexuelles comparables à ses yeux aux érections soudaines et prolongées dont il avait fait l'expérience à l'adolescence. Bien que parfois embarrassantes, elles étaient très excitantes, surtout lorsqu'il parvenait à les satisfaire. Natasha avait-elle éprouvé la même chose ? Avait-elle répondu au désir d'un homme, plus jeune et moins répugnant que Charlie Cramp, séduit autant que l'avait été le vieil homme par sa beauté et sa sensualité ? Nick avait déjà écarté une fois cette hypothèse, dans la mesure où Natasha connaissait très peu de monde et était en général trop occupée pour faire de nouvelles connaissances ; mais il reconsidéra cette possibilité.

En fait, presque n'importe quel membre du sexe opposé était susceptible d'avoir attiré son attention — pas seulement quelques personnes choisies ayant les mêmes conceptions et les mêmes goûts qu'elle. Cela aurait pu être un homme rencontré dans le train, allant à Londres ou en revenant ; un homme croisé dans un café ou un supermarché.

L'occasion ne s'est jamais présentée, avait-elle dit ; mais il n'avait qu'à réfléchir une seconde pour se rendre compte que les occasions ne manquaient pas, d'autant qu'il était à l'université toute la journée.

Elle avait nié avec véhémence, pourtant. Est-ce qu'il la croyait ? En dépit de la jalousie qui le dévorait, oui, il avait tendance à la croire. Il aurait néanmoins parié n'importe quoi qu'elle avait désiré passionnément un homme, que ce désir eût ou non été satisfait. Mais qui ? Et à quoi ressemblait-il ?

Comme il se posait ces irritantes questions, il pensa à Sally et eut l'honnêteté de se sentir confus. Sally n'était pas un fantasme, elle était réelle ; il avait dormi dans son lit et lui avait fait l'amour. Et le mot amour n'était pas exagéré ; il y avait eu entre eux quelques moments plus forts que la tendresse.

Il avait déjà entendu des hommes prétendre qu'une aventure extraconjugale était sans importance et ne diminuait en rien leurs sentiments pour leur femme. C'était sans doute vrai. Lui-même, malgré son affection pour Sally, n'avait pas l'impression d'aimer moins Natasha. Au contraire. Mais ce que les hommes qui trompent leur femme ne comprennent pas, songea-t-il, ce que lui-même n'avait pas su voir non plus, ce sont les effets que cela produit sur leur partenaire, la douleur qu'ils lui infligent. L'infidélité, qu'elle soit ou non une passade, faisait mal, très mal, et il n'était pas fier d'avoir lancé sa liaison avec Sally à la figure de Natasha, dans l'intention délibérée de la blesser.

Il avait à présent une petite idée de ce qu'on ressentait en pareil cas, et sa virilité en prenait un coup. Bien qu'il soit mal vu de dire qu'une femme vous appartient corps et âme, c'était ce que Nick sentait ; il ne pouvait supporter l'idée que sa femme, la femme qu'il aimait et dont il était encore si amoureux, ait éprouvé une attirance sexuelle pour d'autres hommes. Qu'elle les ait aimés ou non n'y changeait rien.

Il monta sans bruit au premier et ouvrit la porte de leur

chambre. Natasha était étendue sur le lit. Lorsqu'il s'assit sur le bord, elle tourna la tête de l'autre côté pour cacher son visage ravagé par les larmes. Il soupira et lui caressa l'épaule, mortifié de la voir si malheureuse. Sur le parquet, il y avait une boîte de mouchoirs en papier ; il lui en tendit deux pour remplacer la boule humide et froissée qu'elle serrait dans sa main.

— Je suis désolé, dit-il d'une voix pleine de regret. Je ne voulais pas te faire de mal. Je n'ai pas compris...

Sans prendre la peine de terminer sa phrase, il la prit doucement dans ses bras.

— Allez, murmura-t-il, les lèvres contre ses cheveux mouillés et emmêlés, ne pleure plus. Je sais que tu as traversé des moments difficiles. Je ne voulais pas exercer de pression sur toi...

Il respira l'odeur de sa chevelure et de sa peau, et en reconnaissant la note citronnée de son parfum il se sentit aussitôt plein de désir.

— Ma chérie, s'il te plaît...

— Je suis désolée...

— Je sais, murmura-t-il, nous nous sommes dit tous les deux des choses horribles... mais c'est fini, maintenant. Est-ce que nous ne pouvons pas nous pardonner et oublier ?

Il parlait d'une voix basse et apaisante, mais sous ses mains le corps de Natasha, qui luttait pour cesser de sangloter, restait tendu. Il se déplaça pour la tenir plus commodément. Il s'appuya contre les oreillers, la tête de Natasha au creux de son bras, embrassa ses longs cils mouillés et sa joue si douce baignée de larmes. Il l'aimait tant que cela lui faisait mal. En retrouvant son haleine chaude et salée, un désir irrésistible s'empara de son être et effaça toutes ses pensées.

Ils demeurèrent un moment immobiles, se touchant et respirant à peine ; les lèvres de Natasha, légèrement écartées, effleurèrent de nouveau les siennes. Après, plus rien n'exista, hormis l'envie intense et urgente d'être le plus profondément possible en elle. Il prit une large inspiration et s'écarta, juste assez pour rester maître de lui, tandis qu'avec des doigts tremblants il caressait la joue de sa femme et suivait le contour de sa bouche. Il chercha son regard. Sous ces caresses, il vit ses yeux noirs s'agrandir, et lorsqu'il fit glisser sa main sur ses seins menus, puis vers sa taille svelte, ses narines palpitèrent. Sous le pull et le T-shirt, sa peau était chaude et douce ; et elle frémit quand il agrippa sa ceinture et défit la boucle. Comme elle se soulevait pour l'embrasser, il lui fallut toute sa volonté pour ne pas déchirer ses vêtements et la prendre de force.

— Je te désire tant ! dit-il d'une voix voilée, en sachant qu'elle aussi le désirait, mais pas de cette façon. Déshabille-toi. Je ne peux pas le faire comme ça...

Il fut soulagé d'être libéré des contraintes. Il était plus à l'aise, plus maître de lui. Il la supplia néanmoins de ne pas aller trop vite lorsqu'elle le caressa. Il la tira en travers du lit et, en pressant tout son corps contre le sien, il sentit le désir de Natasha monter au niveau du sien. Mais il se maîtrisait encore, et il la caressa avec ses mains et sa bouche, jusqu'à ce qu'elle fût ouverte et palpitante. Elle n'était pas loin de l'orgasme lorsqu'il la pénétra d'un coup, et profondément pour atteindre une longue et bouleversante délivrance.

36

Pour les personnes de haute taille, le *Half Moon*, avec ses
décorations de Noël flamboyantes, équivalait au parcours du
combattant. De longues guirlandes pendaient aux poutres
noircies et, dans les innombrables niches, des pommes de pin
et des bibelots scintillants rivalisaient avec les yeux de verre
des animaux empaillés. Un sapin lourdement chargé occupait
un coin près de la cheminée, et les deux salles regorgeaient
de monde — des hommes pour la plupart, des villageois plutôt que les hommes d'affaires en costume sobre qui formaient
d'habitude le gros de la clientèle, à l'heure du déjeuner.

Avant de se frayer un chemin vers le bar, Nick pressa la
main de Natasha et la laissa dans un endroit relativement tranquille, entre les deux coins principaux de la meilleure salle.
La jeune femme était néanmoins cernée de part et d'autre par
des groupes d'hommes aux grandes mains et aux grosses voix,
des fermiers manifestement, qui commentaient les urines du
bétail engraissé pour Noël. Alors qu'elle essayait d'éviter leurs
regard en se concentrant sur les détails compliqués de la pas-
sementerie, plusieurs d'entre eux la dévisagèrent avec un sourire. Comme elle touchait distraitement la chaîne en or que
Nick venait de lui offrir pour Noël, elle se revit en train de
faire l'amour avec lui. Après la scène qu'elle avait faite un peu
avant, elle s'attendait plutôt qu'il se mette en colère ou
observe un silence fâché. Se pouvait-il qu'il tienne vraiment à

elle ? Qu'il ait peur de la perdre ? Que cette Sally ne compte pas pour lui ?

Elle se dressa sur la pointe des pieds, pour chercher à apercevoir Nick au bar, derrière la marée des têtes. Elle distingua ses épais cheveux noirs et ses larges épaules, et se dit qu'en faisant l'amour avec elle il avait cherché à la reconquérir. Elle n'y était pas insensible — mais il subsistait en elle un noyau dur qui refusait de céder. Une fois encore, quelque chose d'important avait été esquivé, et elle s'était compromise à cause de ça. Et pourtant, sans ce...

Le contact d'une main sur sa hanche faillit lui arracher un cri. Se retournant, elle se trouva les yeux dans les yeux avec Craig Morrison.

— Alors, comment ça va ? On s'embrasse pour Noël, j'espère ?

— Mais non, je suis...

Il l'embrassa quand même, un baiser amical sur les lèvres et une caresse fugitive sur ses fesses moulées dans le fuseau.

— Désolé, je n'ai pas pu résister, dit Craig, et il rit devant l'air offusqué de Natasha.

Il regarda en l'air et ajouta :

— C'est que vous êtes mignonne à croquer, chérie, et en plus juste sous le gui !

Elle jura, leva la tête, vit les boules vertes avec leurs baies rouges, pareilles à des perles, et s'éloigna rapidement de ce vieux symbole d'invite sexuelle. Le visage en feu, elle éclata de rire.

— Je me demandais pourquoi ils me faisaient tous de si grands sourires ! s'exclama-t-elle.

— Vous auriez dû vous demander pourquoi il n'y avait personne à cet endroit, répondit-il gaiement en levant son verre à son adresse. En tout cas, joyeux Noël. Ça me fait plaisir de vous voir. Qu'est-ce que vous devenez ?

Se remémorant vaguement tout ce qui s'était passé depuis leur dernière conversation dans la cuisine, elle secoua la tête et dit sans conviction :

— Rien de spécial.

Après une courte pause, elle ajouta :

— J'ai surtout travaillé. J'ai terminé un roman.

— Ah oui ?

Il la crédita d'un sourire vorace avant d'ajouter :

— Ça m'a tout l'air d'une bonne nouvelle. J'espère que vous allez suivre mon conseil, maintenant.

— Pardon ?

— Vous savez bien : sortir de chez vous, découvrir la vraie vie, vous amuser un peu pendant que vous êtes encore jeune.

Il sourit de nouveau, et ses yeux lapis-lazuli ne laissèrent planer aucun doute sur le sens de ses paroles.

— Si vous voulez souffler un peu, vous savez où me trouver...

Elle se mordit les lèvres pour réprimer une réponse cinglante.

— Et vous, qu'est-ce qui vous amène ici ? demanda-t-elle en allumant une cigarette. Je pensais que votre pub était le *Drovers* ?

Il éclata de rire.

— Oui, mais mon vieux a conclu une trêve pour Noël et il m'a invité à dîner.

Il tourna la tête et lui indiqua un groupe dans le coin derrière eux. La forte ressemblance qui existait entre trois des hommes assis incitait à penser que tous étaient des Morrison ; le plus âgé — plus petit et plus maigre que les autres — avait également le visage plus dur.

Comme il jetait un regard furieux dans leur direction, Natasha porta ses yeux ailleurs.

— Dans ce cas, Craig, si vous ne voulez pas avoir encore des ennuis, vous ne devriez pas laisser votre père croire que vous me faites des avances.

Avec un froncement de sourcils narquois, il répondit :

— Qu'est-ce que vous savez de tout ça ?

Comme elle se tournait pour chercher Nick, elle découvrit que ce dernier était tout près d'eux et qu'il posait un regard interrogateur sur son compagnon. Natasha lui prit son verre des mains avec un sourire, le mit en garde contre le gui et lui présenta Craig Morrison.

Les deux hommes se saluèrent de la tête et constatèrent qu'ils s'étaient croisés à maintes reprises dans Dagger Lane ; mais ils ne se serrèrent pas la main, et le sourire de Nick ne se retrouvait pas dans son regard, remarqua Natasha. Craig, quant à lui, faisait des commentaires sur les gens rassemblés dans le pub, sa bière à la main et l'air très à l'aise.

— Comment va le vieux Toby ? Ça fait un bout de temps que je ne l'ai pas vu.

— La dernière fois que j'ai parlé avec lui, il allait bien, répondit Nick. Il battait comme d'habitude la campagne avec son fusil. Je ne sais pas comment il tient le coup, par ce froid.

— C'est un dur à cuire. Vous savez ce qu'on dit — c'est toujours les meilleurs qui partent les premiers. Si on en croit ce dicton, il devrait rester parmi nous encore longtemps.

Nick plissa le front et Natasha vit la question qui se formait sur ses lèvres ; mais avant qu'il ait pu la poser, Craig Morrison annonça qu'il devait les laisser. Un moment plus tard, il avait rejoint le petit groupe dans le coin et un des siens prenait les commandes pour la tournée suivante.

— Qu'est-ce qu'il a voulu dire ?

Natasha respira profondément.

— Je crois le savoir, mais je préférerais attendre que nous soyons rentrés pour t'en parler.

Nick se rembrunit un peu plus.

— Est-ce que notre ami ne serait pas un fauteur de troubles, par hasard ? demanda-t-il. Ou est-ce un préjugé stupide de ma part, à cause de ce que j'ai vu du bar ?

Ses yeux rivés sur Natasha la firent rougir.

— C'est ma faute. J'aurais dû voir que je me trouvais juste sous le gui.

Elle lui lança un long regard oblique, et se força à sourire.

— En tout cas, je te remercie de ne pas en faire une histoire.

Il leva les sourcils pour marquer sa surprise.

— Pourquoi, j'aurais des raisons ?

— Non, bien sûr...

Mais, malgré ses efforts pour la cacher, la jalousie de Nick était manifeste et Natasha savait qu'il s'en était fallu de très peu qu'elle ne fût justifiée. Pressée de changer de sujet, elle déclara :

— Tu n'as pas tort, tu sais, quand tu dis que c'est un fauteur de troubles. Mrs. Bickerstaff m'en a appris de belles sur son compte...

Plus tard, en quittant le pub, ils marchèrent bras dessus bras dessous en direction de Sheriff Whenby, savourant l'air froid et sec, et le semblant de chaleur qui émanait du soleil.

Natasha qui, dans le pub, avait rapporté à Nick les propos de Mrs. Bickerstaff entreprit de lui raconter dans une version édulcorée la seconde visite de Craig Morrison chez eux, en insistant sur le fait qu'elle ne s'y attendait pas, et que le jeune homme était passé un jour où elle était obsédée par son travail. Nick la connaissait assez pour savoir comment elle pouvait se comporter en pareil cas. Il écoutait patiemment son récit. Il avait réglé son pas sur celui de sa femme, et tournait de temps à autre la tête pour la regarder, si calme qu'elle répugnait à entrer dans le vif du sujet. Elle remit Mrs. Bickerstaff sur le tapis, rappela ses quelques rares remarques sur Toby, et son attitude défensive chaque fois que Nick avait voulu lui arracher des informations sur le vieil homme.

— Dans un sens, je la comprends. Je sais qu'elle est un peu bizarre et que tu ne l'aimes pas beaucoup ; mais si quelqu'un de ta famille avait été condamné pour meurtre, je crois que tu n'aimerais pas en parler non plus...

— Hein ? s'exclama Nick en s'arrêtant net.

Natasha se tourna vers lui, et fut obligée de répéter enfin ce que Craig Morrison lui avait appris l'après-midi où il était venu. Elle tenta de présenter les choses en les atténuant, mais le choc n'en fut pas moins violent pour Nick.

— Mon Dieu ! murmura-t-il en se détournant.

— Oui, on a du mal à imaginer que quelqu'un puisse en arriver à pareille extrémité dans un accès de fureur...

Elle soupira et le prit par le bras.

— Tu comprends maintenant pourquoi j'ai eu peur quand je suis tombée sur Toby dans Dagger Lane, l'autre jour.

Nick semblait incapable de parler ou d'esquisser le moindre mouvement, et à le voir si immobile elle se demanda s'il avait bien entendu ses paroles. Il regarda le château en ruine sur la colline, de l'autre côté de l'étroite vallée, et se tourna ensuite vers le sud pour chercher la route menant à Brickhill, reconnaissable à sa double rangée d'arbres.

— Je me suis toujours demandé pourquoi il y avait deux châteaux, si près l'un de l'autre.

Cette remarque, qui avait si peu de rapport avec son récit, déconcerta Natasha.

— Combien de kilomètres les séparent ? Quatre ? Cinq ? Tu sais à quoi je viens de penser ? Le château de Reynald de Briec — le premier construit à Brickhill — devait être tellement associé au mal que personne ne voulait plus y habiter. Alors, il a été abandonné, et on en a construit un second sur la colline la plus proche. Celui-ci, déclara-t-il en montrant du doigt les ruines qui s'élevaient au-dessus des toits rouges du village.

— Et l'église ? Elle a bien été construite sur le même site ?

— Il devait y avoir une église du temps de Briec — en bois, probablement, comme le château... enfin, je n'en suis pas sûr. Mais je pense qu'elle a été reconstruite en pierre avec l'idée que la consécration de l'autel serait un antidote aux puissances du mal.

Natasha frissonna au souvenir du grotesque sculpté dans l'embrasure de la porte de l'église, la tête de chien courant qui montrait les dents et ressemblait tant à un rottweiler.

— Eh bien, dit-elle timidement, si ta théorie sur Briec est juste, la consécration de l'église ne semble pas avoir été très efficace.

Nick haussa les épaules.

— Il est difficile d'en juger, répondit-il. Sans cette église, cela aurait peut-être été pire.

Il resta encore un moment cloué sur place, perdu dans ses pensées. Puis il se retourna et reprit sa femme par le bras.

— Allez, viens, rentrons.

Ils parcoururent une certaine distance avant que Natasha ne se décide à revenir sur Toby et l'acte qu'il avait accompli. Nick secoua la tête et soupira.

— Je ne sais pas, déclara-t-il d'un ton découragé. Enfin, c'est sans doute vrai. Ça correspond à ce que le Dr Wills m'a affirmé. Ce qui me chiffonne, c'est qu'il hante littéralement cet horrible endroit. On dit que les assassins retournent toujours sur le lieu de leur crime, mais là c'est vraiment macabre.

Natasha ne trouva rien à répondre. Ils avancèrent en silence, la beauté de l'après-midi anéantie. En tournant dans Dagger Lane, Nick reprit la parole :

— Je l'aimais vraiment beaucoup, ce vieux bonhomme...

Après les chocs successifs des dernières vingt-quatre heures, Natasha s'attendait à passer une très mauvaise nuit ; elle dormit au contraire remarquablement bien. En sentant le corps de Nick à côté d'elle, elle réalisa qu'il lui avait terriblement manqué et que sa présence la réconfortait. Seule, elle aurait probablement été incapable de passer une nouvelle nuit dans cette maison. Avec Nick, c'était différent. Même si les idées qu'il avait exposées la veille avaient de quoi l'inquiéter, Natasha en reconnaissait la logique ; mais elle aurait aimé partager son optimisme.

À l'abri dans le lit chaud, il lui était facile de se convaincre qu'elle s'inquiétait plus que de raison ; mais, à la pensée de se lever et de descendre, une angoisse lui nouait la gorge. Tant qu'elle avait été absorbée par l'histoire de Sarah Stalwell, elle n'avait eu ni le temps ni la liberté d'esprit nécessaires pour réfléchir. Mais depuis le face-à-face de Nick avec la bête, le 24 décembre, elle avait le sentiment que les événements se précipitaient, et que quelque chose allait arriver sous peu. Le plus horrible était de ne pas savoir ce que ce serait.

Quoi qu'il en soit, Giles et Fay étaient attendus vers midi, et il y avait beaucoup à faire. C'était plutôt une bonne chose, car même si elle se sentait sous pression et aurait aimé disposer d'un peu de temps pour elle, l'idée d'attendre dans l'oisiveté lui était insupportable.

Laissant Nick dormir, elle s'arma de courage et descendit. Tout paraissait normal, constata-t-elle avec soulagement. Colette s'étirait devant le fourneau et les pièces du rez-de-chaussée étaient dans le même état qu'au moment où ils étaient montés se coucher. La grange se dressait comme toujours au fond de la cour, à cette différence près que Nick avait fermé les portes et que les voitures étaient restées dehors. Natasha s'en réjouit.

C'était de nouveau une matinée froide et silencieuse. La campagne était recouverte de givre et le soleil perçait à travers la brume. Dans une heure, le brouillard serait dissipé et il ferait beau. Natasha se sentit mieux tout à coup et eut envie de se promener au grand air. Elle ferait vite les courses, préparerait le déjeuner, puis sortirait une demi-heure avant l'arrivée de Giles et de Fay.

Elle entra dans l'office. La vue des faisans provoqua en elle un léger malaise. Elle n'en voulait pas, au début, mais c'était stupide, car ils étaient certainement délicieux. Se reprochant d'être trop émotive, elle monta réveiller Nick ; une fois habillé, il se chargerait de les plumer.

Juste avant onze heures, comme les préparatifs du déjeuner étaient bien avancés, Natasha enfila un pull-over supplémentaire et une paire de bottes.

— Je ne serai pas longue, dit-elle à Nick en prenant son manteau. A mon retour, je prendrai une douche et je me changerai.

— Très bien, dit-il, et il sortit avec elle pour remplir le seau à charbon. Pendant ce temps, je vais m'occuper du feu et mettre la table.

Il embrassa Natasha sur le bout du nez.

— Bonne promenade.

— Merci.

Elle rit et se pencha pour caresser l'un des chats, puis traversa la cour à grands pas et descendit le chemin.

Juste une petite promenade, songea-t-elle, pour se sentir bien dans son corps et admirer la campagne, recouverte d'un tapis de givre qui donnait l'illusion d'un Noël blanc : les chênes avec leur parure de cristal, le houx pailleté de gelée blanche et le soleil, bas sur l'horizon, voilé par la brume. Il faisait plus froid qu'elle ne l'avait supposé, beaucoup plus froid que la veille. Dans un champ au-dessous de Holly Tree House se tenait un troupeau de vaches mélancoliques, aussi immobiles, dans la buée qui sortait de leurs naseaux, que si le gel les avait collées au paysage. Elle eut pitié de ces pauvres bêtes, et, pensant aux vaches qui ruminaient bien au chaud dans les étables, elle se demanda si le fermier qui les laissait dehors par un froid pareil avait toute sa tête.

Devant elle, sur le chemin de pierre, un rouge-gorge solitaire disparut sous la haie en sautillant. Un instant plus tard, deux faisans prirent leur envol à grands battements d'ailes dans les chaumes blancs. Ils lui rappelèrent les deux autres, tout plumés, qui attendaient d'aller dans le four, et, se sentant coupable, elle fut tentée de devenir végétarienne.

Deux ou trois taches rouges dans la haie attirèrent son attention. Ces gratte-cul qui avaient survécu par miracle lui évoquèrent le sirop d'églantine que fabriquait Sarah ; elle la vit descendre le chemin à la recherche de Jack. Jack, le pauvre Jack qui était resté avec sa jeune maîtresse presque jusqu'à la fin, avait pris fait et cause pour elle, puis le cœur brisé, anéanti, s'était pendu à une branche d'un chêne, dans le bois du Bout du Monde...

Le bois du Bout du Monde où Toby Bickerstaff encore jeune avait surpris sa femme en train de faire l'amour avec son amant. Ou violée par un homme ? Craig Morrison ne l'avait pas précisé ; mais Nick, la veille, avait posé la question. Si Toby avait tué et castré un violeur, son crime aurait pu être assimilé à une forme de justice primitive, et aurait paru moins horrible. Pas juste, non, mais plus compréhensible. Qu'était-il arrivé à la femme ? Elle n'était pas du pays, avait dit Craig, elle était partie. Elle-même n'aurait pas agi autrement, songea Natasha, si son homme avait été condamné à perpétuité. Un ou deux ans plus tôt, Toby aurait probablement été pendu pour ce meurtre ; en l'occurrence, il avait fait quinze ans de prison, et lorsqu'il était sorti il était seul et sans doute méconnaissable.

En réfléchissant aux violences et aux tragédies dont cette route avait été témoin, Natasha frissonna sous son épais manteau. Au souvenir de Sarah Stalwell qui s'était trouvée nez à nez avec la bête, elle ralentit instinctivement ; puis elle songea à Toby dans sa caravane au délabrement pathétique, et eut la conviction soudaine que, d'une certaine manière, il n'était pas moins que le jeune Jack une victime. Marcher seule sur cette route l'effrayait, mais elle avait honte d'avoir craint Toby. Sa caravane n'était qu'à une cinquantaine de mètres ; elle se dit que ça lui ferait du bien de frapper à sa porte, et de lui demander si tout allait bien et s'il avait besoin de quelque chose.

Sans s'accorder le temps de changer d'avis, elle pressa le pas, bien décidée à compenser sa lâcheté passée par cette bonne action. Mais, comme elle s'efforçait de contenir son appréhension, d'autres angoisses vinrent se greffer dessus. Elle se surprit à penser au chien fantôme : si elle n'avait pas écrit l'histoire de Sarah, que lui aurait fait cette bête ? Et que voulait-elle à Nick, qui l'avait vue de si près ?

Un affolement indicible l'incita à s'arrêter net. Elle s'apprêtait à tourner les talons pour courir jusque chez elle quand son regard tomba sur une Land Rover garée devant le champ de Toby. Un véhicule tout cabossé qui lui était familier et qu'elle reconnut brusquement : c'était la voiture de Craig Morrison.

Que faisait-il là ?

La haie empêchait de bien voir la caravane. Elle hésita puis avança à pas lents et vit Craig qui refermait la barrière derrière lui. Il se tourna et l'aperçut ; vingt mètres les séparaient, mais le regard du jeune homme la cloua d'abord sur place. Ensuite, elle fit un mouvement en avant, et il l'imita, tout en levant une main pour l'arrêter.

— Mon Dieu, qu'y a-t-il ? Que s'est-il passé ?

— C'est Toby, répondit-il d'une voix entrecoupée, et il la saisit par le bras. Il est mort... sans doute depuis plusieurs jours.

— Mais c'est impossible... Je veux dire, je l'ai vu, nous l'avons vu...

Elle chercha à dépasser Craig, mais il la retint. Son visage blanc, dévoré par une barbe naissante, était tout proche de celui de Natasha.

— Il est mort, je vous dis. Son corps est gelé sur le seuil de la caravane. Vous ne pouvez rien faire...

— Est-ce qu'il est..., demanda Natasha avec difficulté, est-ce qu'il a été... attaqué ?

Les yeux bleu foncé la dévisagèrent sans comprendre.

— Attaqué ? répéta-t-il. Non...

Natasha vacilla sur ses jambes et il la soutint, en pressant sa joue rêche contre celle de la jeune femme. Par la suite, elle pensa que ce bref réconfort avait dû lui procurer autant de plaisir qu'à elle. Comme elle se reprenait et s'écartait de lui, il lui dit de rester là le temps qu'il aille chercher la Land Rover.

Il recula la voiture et peina pour faire demi-tour tant la route était étroite. En se hissant à l'intérieur, Natasha remarqua les balles de foin empilées derrière les sièges.

— J'allais nourrir les moutons, déclara-t-il en manière d'explication. Ils attendront...

Nick sortit de la maison au moment où Craig s'arrêtait dans

411

la cour. Debout près du portail, ils expliquèrent ce qui s'était passé jusqu'à ce que Natasha prît soudain conscience qu'elle tremblait de froid. Elle se dépêcha de rentrer.

— ... Je ne sais pas. Il a dû avoir une crise cardiaque, racontait Craig à Nick tandis que les deux hommes la suivaient dans la maison. Mon Dieu ! Quand je pense que pas plus tard qu'hier j'ai dit...

— Ne vous inquiétez pas pour ça. Asseyez-vous. Vous supportez l'alcool ? Moi, je vais boire une goutte de whisky.

Natasha vit que Nick était bouleversé. Ils échangèrent un regard, et elle sut à quoi il pensait ; à la nuit tombée, le 24 décembre, une bête mystérieuse rôdait dans Dagger Lane. Elle s'était dressée devant Nick et, malgré l'abri que lui offrait la voiture, il s'était senti défaillir. Qu'avait-elle donc fait au vieux Toby ?

Reculant devant le pouvoir de son imagination, Natasha alluma une cigarette, et en tira de longues bouffées.

Nick se tourna vers Craig.

— Je sais que cela peut passer pour une curiosité morbide, affirma-t-il, mais avant de téléphoner à la police j'aimerais aller jeter un coup d'œil, juste pour être sûr...

— Il est tout ce qu'il y a de plus mort, si c'est ce que vous voulez savoir, déclara Craig.

N'obtenant pas de réponse, il haussa les épaules et vida son verre.

Nick prit son manteau.

— Il vaut mieux que tu restes ici, dit-il doucement à Natasha en lui pressant l'épaule. Je ne serai pas long.

— Les cadavres d'animaux, ça me gêne pas, déclara Craig tandis qu'ils redescendaient la petite route dans sa voiture, mais un homme mort c'est pas pareil. Je n'avais jamais vu de cadavre, ça m'a fait un coup.

— C'est normal. Vous ne vous y attendiez pas.

Nick, qui était au chevet de sa mère au moment de sa mort et qui avait contemplé le cadavre de son beau-père avant qu'on ne l'enterre, savait précisément à quoi ressemblent les morts. En repensant au choc qu'il avait lui-même éprouvé à l'apparition de la bête mystérieuse, il s'attendait à découvrir une expression d'horreur sur le visage de Toby, et un de ses bras levés pour se défendre contre une attaque. Nick était convaincu que le vieil homme avait eu la même expérience que lui, et que la vision terrifiante de cet animal monstrueux l'avait littéralement fait mourir de peur.

En poussant la barrière, il vit tout de suite le corps, allongé légèrement sur le côté, les jambes pendant à l'extérieur du marchepied, le vieux pantalon fatigué, couvert d'une épaisse couche de gelée. Un bras était coincé dans l'étroite ouverture, l'autre crispé sur sa poitrine. Attentif à ne rien toucher, Nick s'avança doucement pour examiner le visage du vieil homme, ce qui n'était pas très facile car sa tête était rejetée en arrière. Sa barbe et sa veste étaient incrustées de gelée blanche, et ce sinistre détail indiquait de façon irréfutable qu'il était mort. Autant que Nick pût en juger, il n'y avait pas trace d'agression physique. Le vieil homme ressemblait à bien d'autres personnes surprises par la mort : ses traits étaient inexpressifs et figés, ses yeux révulsés.

La lueur rusée qui brillait d'ordinaire dans son regard n'était plus qu'un souvenir.

Dès qu'ils furent rentrés, Nick téléphona au commissariat de police le plus proche. Quelques minutes après, il raccrocha et se tourna vers Craig et Natasha.

— Ils seront bientôt ici.

En effet, moins d'un quart d'heure plus tard, deux hommes en uniforme arrivèrent et garèrent leur voiture le long de la grange.

— Ça ne vous dérange pas qu'on laisse la voiture ici, monsieur ? Je n'ai pas trop envie de m'aventurer sur cette route.

Les formalités d'usage accomplies, Nick et Craig allaient repartir en compagnie des policiers quand une autre voiture s'arrêta dans la cour. C'était Giles et Fay, stupéfaits et quelque peu effarouchés par la présence de la police.

Natasha les fit entrer. A peine avait-elle commencé à les mettre au courant qu'un détective arriva, suivi par le médecin légiste et un ambulancier, qui tous demandèrent la route à suivre pour atteindre la caravane. Puis Nick revint avec Craig. Il leur raconta que les policiers avaient fouillé la demeure de Toby et que le premier objet sur lequel ils avaient mis la main était son fusil.

— Ils m'ont demandé : « Savez-vous si ceci appartient à Mr. Bickerstaff ? » J'ai dit que oui, alors il ont voulu savoir s'il avait un permis. J'ai répondu que je n'en avais pas la moindre idée. Ils ont marmonné quelque chose entre leurs dents, comme quoi le vieux n'aurait jamais dû avoir un fusil, etc.

— C'est la police tout craché, intervint Craig Morrison. Ils avaient l'air de se ficher pas mal du pauvre vieux, raide mort sur le pas de la porte !

Le regard que lui lança Nick incita le jeune homme à prendre congé. Natasha et Fay allèrent dans la cuisine. Fay frémissait de curiosité et, dès qu'elle fut seule avec son amie, elle lui demanda si c'était ce garçon qui lui avait fait des avances, quelques semaines plus tôt. Natasha lui expliqua brièvement que Craig Morrison ne figurait plus sur sa liste des attractions locales. La sonnerie du téléphone l'interrompit. Cette fois, c'était Mrs. Bickerstaff ; elle s'excusa pour la gêne occasionnée, mais désirait connaître tous les détails que la police — qui sortait de chez elle — n'avait pas jugé bon de lui donner.

Natasha resta une demi-heure au téléphone. Lorsqu'elle raccrocha, Nick déclara :

— Je parie qu'elle se demande avec inquiétude qui va payer l'enterrement.

— Oui, c'est bizarre...

— Tu lui as dit, j'espère, qu'on ne laisse jamais personne pourrir au-dessus du sol ?

Elle ne trouva pas ça drôle.

— Oh, Nick, ce sont les plus proches parents de Toby et ils n'ont pas un sou !

— Mon œil ! En tout cas, je suis prêt à parier que, lorsqu'ils fouilleront la caravane, ils trouveront largement de quoi payer les obsèques. Toby recevait une pension chaque semaine, et qu'est-ce qu'il avait comme dépenses ? Il ne payait pas de loyer, pas d'impôts, presque pas de combustible, et le bois lui procurait une grande part de sa nourriture. Il n'aimait pas dépenser.

— Sauf au pub !

Quoique le dîner eût perdu beaucoup de son attrait par rapport à l'événement dramatique de la journée, Natasha était bien décidée à ce que le repas qu'elle avait préparé soit cuit et mangé. Un peu plus tard, une fois les faisans mis dans le

four, les quatre amis se remontaient en grignotant des noi-
settes, des chips et du saumon fumé.

— Il y aura forcément une autopsie, dit Nick. Peut-être
même une enquête, mais ils concluront sans doute à une mort
naturelle. Je n'ai rien remarqué qui puisse indiquer le
contraire.

— Je ne vois pas ce que ça pourrait être d'autre, remarqua
Giles.

Avec un sourire piteux, Nick lui répondit :

— C'est que, vois-tu, tu ne sais pas tout...

Raconter l'histoire à Giles et à Fay prit l'après-midi.
Lorsqu'ils se mirent à table, la nuit était presque tombée, et,
au souvenir de Toby avec ses faisans, ils portèrent un toast
un peu larmoyant à la mémoire du vieil homme. Ils lui par-
donnèrent son passé, qu'ils connaissaient seulement par ouï-
dire, et lui souhaitèrent la paix dans l'au-delà. Si deux d'entre
eux entretenaient quelques doutes à ce sujet, ils laissèrent
l'alcool les dissiper et ne les exprimèrent pas.

Discuter avec Giles et Fay des événements des semaines
précédentes diminua les angoisses de Natasha et de Nick, et
leur permit de prendre du recul. Cela devint une histoire de
revenants à laquelle le poids de l'authenticité donnait plus de
piquant, et qui tint Giles et Fay en haleine jusqu'au moment
où ils demandèrent à leurs hôtes ce qu'ils comptaient faire à
présent.

— Eh bien, pour commencer, répondit Nick qui se renfonça dans son fauteuil en réalisant des ronds de fumée avec
son cigare, dès demain je vais essayer de contacter Joe Rathmell, pour lui demander s'il veut bien nous aider à effectuer
des fouilles archéologiques...

37

— Nick, tu ne parles pas sérieusement ? Tu voudrais creuser le sol de la grange pour chercher un cadavre ?

— Des os, Giles, c'est tout ce qui doit rester à présent. Et encore, si on trouve quelque chose !

— Mais tu as vraiment l'air de croire que tu trouveras quelque chose !

— Je pense que la probabilité n'est pas nulle, corrigea Nick. Si nous voulons en avoir le cœur net, nous devons creuser. S'il n'y a rien, eh bien, il ne se sera agi que d'une inexplicable coïncidence. Après tout, il s'en produit tous les jours...

Il haussa les épaules et essaya de faire comme si la question n'avait pas beaucoup d'importance ; mais Giles était coriace.

— Et si tu déniches un squelette ?

— Dans ce cas, nous donnerons un enterrement chrétien à cette pauvre femme. Je demanderai au pasteur de dire des prières pour le repos de son âme. C'est le moins qu'on puisse faire.

Fay trembla et tendit le bras pour saisir la main de Natasha.

— Tu es sûr de savoir ce que tu fais ? demanda-t-elle à Nick. Tout ça ne me dit rien. Et Natasha ? Tu ne crois pas qu'elle a suffisamment été éprouvée comme ça ?

— Quelle autre solution avons-nous ?

— Aller à la police ! répondit-elle avec véhémence. Les laisser faire le sale boulot. Vendre et vous installer ailleurs.

— La police, parlons-en ! déclara Nick en remplissant son verre. J'entends déjà leurs commentaires : *Vous voulez dire que vous allez effectuer des fouilles dans votre grange parce que vous pensez qu'on y a enterré une femme ? Qu'est-ce qui vous fait penser ça, monsieur ?*

Il rit et Fay, gênée, rougit.

— Un meurtre commis il y a plus de deux cent cinquante ans ne les intéressera pas !

— Si tu trouves ce que tu cherches, répliqua-t-elle d'un ton sec, tu devras bien les en informer !

— Oui, je sais.

— Et ils te poseront certaines questions embarrassantes.

Elle marqua une pause avant d'ajouter :

— Vous pourriez vendre la maison et retourner à York...

Nick regarda son verre en secouant lentement la tête.

— Non, nous ne pouvons pas faire ça, Fay. Si c'était une simple apparition, cela me tenterait. Mais c'est plus compliqué. Il y a dans toute cette affaire quelque chose de très étrange, et je sens que nous approchons du cœur du mystère. Je ne veux pas abandonner maintenant.

— Pourquoi ? Parce que tu penses être seul capable de résoudre cette énigme ?

Elle se tut un instant, puis reprit :

— C'est de l'orgueil, Nick. Méfie-toi, tu risques de t'en mordre les doigts.

Il la regarda en fronçant les sourcils sans comprendre pourquoi elle s'en prenait ainsi à lui.

— Tu oublies, dit-il, le rôle que Natasha joue dans tout ça. Sans l'histoire qu'elle a écrite, Sarah Stalwell ne serait qu'un nom dans le journal du révérend Clive !

Dans le silence tendu qui s'installa, Giles éclata de rire.

— Et qui sait d'où vient l'inspiration des écrivains ? s'exclama-t-il. Kipling a juré ses grands dieux que lorsqu'il était inspiré il écrivait comme s'il était possédé !

— C'est vrai ? demanda Fay.

— Bien sûr, tu ne le savais pas ?

Heureux qu'on change de sujet, Giles se lança dans un exposé sur Kipling et les sources de son inspiration. Il conclut en déclarant que l'écrivain avait attribué à son démon familier son *Livre de la jungle* et beaucoup d'autres histoires.

— Ce n'est donc pas un phénomène inhabituel ? interrogea Nick. Le fait que Natasha ait écrit la biographie d'une femme décédée dont elle ignorait l'existence serait une chose courante ?

— Je n'ai pas dit ça, répliqua Giles. Elle a écrit l'histoire d'une femme qui vivait au XVIIIe siècle, mais jusqu'à présent ça ne va pas plus loin — même si la concordance des noms est, je l'avoue, pour le moins étrange. Comme elle le dit elle-même, son inspiration a pu se nourrir de différentes informations : la femme qu'elle a vue dans la grange, le chien mystérieux dont chacun parle, votre maison...

— Avec cette particularité, l'interrompit Natasha, que je ne savais pas ce que j'écrivais. Mes doigts tapaient tout seuls...

— Eh bien, c'est peut-être ce que Kipling appelait « être possédé » ; on ne peut pas savoir.

— Et nous ne saurons pas non plus quelle est la part de la fiction et quelle est celle de la vérité tant que nous n'aurons pas creusé le sol de la grange ! dit Nick sur un ton ironique.

Le lendemain matin, au petit déjeuner, Giles, Fay et Natasha étaient tentés de considérer l'enthousiasme de Nick pour un projet aussi macabre comme une fanfaronnade inspirée par l'alcool. Mais lorsqu'il commença à faire la liste des coups de fil qu'il avait l'intention de passer, tous trois comprirent qu'il ne plaisantait pas. Tandis que Giles essayait, sans beaucoup de conviction, de dissuader Nick de poursuivre son projet, Fay prenait Natasha à part et la pressait de venir habiter quelques jours chez elle.

— Si Nick est décidé à effectuer ces fouilles, à mon avis, tu ne devrais pas rester ici. J'ai terminé la chambre d'ami, tu peux t'y installer et y demeurer aussi longtemps que tu le voudras.

Natasha la remercia de son offre et lui assura qu'elle s'en souviendrait.

— Pour le moment, ajouta-t-elle gentiment, je pense que je vais rester ici.

Après le départ de Giles et de Fay, Nick disparut dans son bureau en expliquant qu'il allait tâter le terrain. Il téléphona à Joe Rathmell, un de ses confrères au département d'archéologie, et, sans entrer dans les détails, chercha à savoir si celui-ci pourrait l'aider et le conseiller à propos d'un projet urgent.

Joe ne lui laissa pas grand espoir. Il était, dit-il, surchargé de travail ; mais Nick refusa d'abandonner au premier obstacle.

— Joe, j'ai besoin que tu m'aides. Je sais ce que je cherche. Je ne veux pas tout gâcher en m'y prenant mal. Si tu es trop occupé pour me consacrer un peu de temps, pourrais-tu m'envoyer deux étudiants de troisième année capables de nous montrer comment procéder ?

Il y eut un long silence. Puis son collègue lui demanda sur un ton las de lui expliquer précisément de quoi il s'agissait. Nick perçut dans sa voix une pointe d'intérêt ; il toucha du bois et décida de jouer le tout pour le tout.

— J'ai de bonnes raisons de croire, dit-il, qu'une femme a été enterrée dans ma grange, au XVIIIe siècle.

Par la suite, Nick songea que c'était une chance que Joe Rathmell l'aime bien et le respecte ; sans cela, il se serait sans doute débarrassé de lui en pensant avoir affaire à l'un de ces historiens qui ne reculent devant rien pour prouver ce qu'ils avancent. Nick n'avait pu faire autrement que de mentionner certains événements troublants, et il avait exagéré l'importance du journal du révérend Clive. L'histoire de Natasha aurait eu peu de poids aux yeux de Joe Rathmell ; en revanche, ce dernier parut touché par le désir sincère que manifestait Nick de transférer le squelette, s'il le découvrait, en terre consacrée. Le fait que les fouilles seraient à couvert avait également joué en sa faveur. A la fin, Joe avait déclaré qu'il allait essayer de trouver deux étudiants et qu'il rappellerait Nick un peu plus tard. Prenant ces paroles comme une assurance, Nick regarda les autres noms inscrits dans son carnet. « Dr Wills » le fit penser à Sally Armitage, et il eut un pincement au cœur à l'idée qu'il avait pu l'oublier.

Il composa son numéro. La sonnerie retentit un moment. Il pensait que la jeune femme était peut-être encore en vacances quand elle répondit, d'une voix légèrement essoufflée. Elle arrivait tout juste chez elle.

— Oui, je suis rentrée hier soir, dit-elle.

Il trouva qu'elle avait l'air mécontente, surtout lorsqu'elle lui rappela qu'elle était restée sans nouvelles de lui pendant plus de dix jours et qu'elle s'était demandé comment ça se passait à Denton.

Nick s'excusa et tenta de lui exposer les problèmes auxquels il avait dû faire face. Il était allé à Londres avec les garçons et, au retour, Natasha lui avait paru en très mauvaise forme.

— Je ne comprenais pas ce qu'elle avait, mais j'ai été frappé par sa maigreur...

Il s'interrompit en se rendant compte trop tard que Sally pouvait difficilement partager son inquiétude au sujet de sa femme.

— Bref, c'est seulement la veille de Noël que j'ai compris ce qui se passait, parce que ce soir-là j'ai vu...

Mais la chose qu'il avait vue dans Dagger Lane était difficilke à décrire, et rien que d'y penser il en avait froid dans le dos...

— ... C'était une telle angoisse ! Je sais que c'est à peine croyable, mais elle s'est approchée de la voiture et m'a regardé fixement à travers la vitre...

« Non, répondit-il un instant plus tard, ça n'avait pas vraiment de consistance, on aurait dit plutôt une masse de brouillard très dense qui se déplaçait...

Puis il raconta à Sally la mort de Toby, se déclara convaincu que le vieil homme avait vu la même chose que lui et que le choc l'avait tué.

— Alors, nous sommes tous les deux un peu nerveux, tu peux l'imaginer — surtout depuis...

Il réalisa qu'il n'avait pas encore parlé à Sally de l'histoire que Natasha avait écrite. En l'entendant mentionner le nom de Sarah Stalwell, Sally fut sidérée.

— Tu es sûr qu'elle n'a pas lu tes notes ?

— Absolument sûr. Et puis, il y a presque deux cents pages et elle les a écrites en un mois. En soi, c'est déjà un tour de force. Mais si l'on pense qu'elle vient de terminer *Terre noire* et qu'elle a mis deux ans et demi pour le rédiger, c'est carrément stupéfiant.

— Et comment tu la trouves... cette histoire, je veux dire ?

— Excellente, répondit-il sans hésiter. Les détails sont justes. Le style est nouveau. Je ne suis peut-être pas très bon juge en la matière, mais je trouve ce roman très prenant. J'ai passé toute la nuit à le lire.

Sally était très impressionnée. Mais lorsque Nick évoqua sa décision d'effectuer des fouilles dans la grange, elle parut aussi effrayée que Fay.

— C'est le seul moyen de prouver quelque chose, affirma-t-il. Je crois vraiment qu'il faut en passer par là.

— Tu as peut-être raison, Nick ; n'empêche que tu devrais être prudent...

— Ne t'inquiète pas, je ferai attention. Mais, vois-tu, j'ai l'impression...

Il hésita un moment. Pouvait-il confier à Sally ce qu'il n'aurait jamais pu avouer à Natasha : que le souvenir seul de ce qui s'était passé la veille de Noël lui donnait des frissons d'angoisse ; et que chaque nuit il avait la sensation qu'ils étaient cernés et que le temps s'accélérait ?

En définitive, il préféra garder ses angoisses pour lui.

— Je ne sais pas, dit-il, j'ai juste l'impression que le temps joue un rôle important. Je crois qu'il faut faire vite.

Sally parut comprendre et lui témoigna une sympathie qui le gêna. Avec une assurance qu'il était très loin d'éprouver, il affirma que tout se passerait bien et qu'il la tiendrait au courant ; il aimerait la voir pour parler avec elle, et projetait d'aller à Ghylldale dès que les choses s'arrangeraient un peu.

Sally se montra évasive. Il n'était pas vraiment utile qu'il passe la voir, déclara-t-elle, et s'il essayait de se raccommoder avec Natasha ce n'était pas très sage. Elle aimerait connaître la fin des événements, mais un coup de fil suffirait ; il n'avait pas besoin de se déplacer. Ce fut prononcé sur un ton léger, mais il devina qu'elle était triste et en eut de la peine. Comment expliquer au téléphone ce qu'il ressentait ? A regret, il secoua la tête et raccrocha.

Après un temps de réflexion, Nick décida que les choses ne pouvaient se terminer ainsi au téléphone. Dès qu'il le pourrait, il irait voir Sally et lui dirait au revoir avec élégance.

Revenant à ses préoccupations du moment, il téléphona à son ami Haydn Parker avec l'espoir que celui-ci pourrait le conseiller utilement. Un répondeur lui apprit que Parker était absent. Frustré, il laissa un message et arriva au dernier nom sur sa liste : le Dr Wills. D'elle, il attendait moins un avis que l'assurance qu'il n'était pas totalement fou.

Elle le surprit en répondant presque aussitôt. Cela lui donna l'impression étrange qu'elle attendait son coup de téléphone, d'autant qu'elle ne parut pas vraiment surprise de ce qu'il lui apprit. Ils discutèrent quelque temps, et les commentaires du

Dr Wills confirmèrent un grand nombre de conclusions auxquelles Nick était arrivé lui-même. Ils tombèrent d'accord qu'il fallait faire quelque chose à propos de Reynard et, de préférence, le plus tôt possible ; mais leur avis divergeait en ce qui concernait la méthode. Elle préconisait de recourir à un médium expérimenté (elle pouvait lui en recommander un), et passa plusieurs minutes à essayer de le convaincre. Mais Nick n'avait ni son expérience du spiritisme ni sa croyance en cette science occulte. Avant de s'engager dans cette voie, il désirait consulter Haydn Parker. Si ce dernier ne pouvait l'aider, il demanderait le secours d'un prêtre catholique au pensionnat de ses fils.

Plus tard dans la journée, Joe Rathmell rappela pour dire que deux bons étudiants de troisième année iraient prêter main forte à Nick pour les fouilles. Seulement ils n'étaient libres que le mardi suivant, presque une semaine plus tard. Quoique déçu d'avoir à patienter jusque-là, Nick se consola en pensant à toutes les choses qu'il avait à faire et remercia sincèrement Joe.

Le dimanche, il eut enfin un appel de Haydn Parker. Ils plaisantèrent une ou deux minutes, mais dès qu'il comprit la nature du problème auquel Nick était confronté Haydn mit fin à la conversation en disant qu'il préférait en parler de vive voix.

Ils étaient convenus que Haydn passerait le lendemain matin. L'annonce de cette visite mit tout de suite Natasha mal à l'aise. A chacune de leurs précédentes rencontres, elle avait repoussé les avances amicales de Haydn, essentiellement par défiance à l'égard de sa vocation. Nick lui avait toujours dit qu'elle se trompait sur son compte. Haydn n'était ni l'évangéliste de type jovial ni le méchant despote que redoutait Natasha. Elle était gênée que Haydn puisse se sentir visé personnellement par sa froideur ; elle craignait aussi qu'il ne prenne pas leur problème au sérieux.

Ses inquiétudes se révélèrent sans fondement. Il arriva habillé d'un jean et d'une veste, ses cheveux blond-roux ébouriffés par le vent, paraissant beaucoup plus jeune que ses trente-cinq ans. En fait, se dit Natasha, il avait moins l'allure d'un prêtre que d'un étudiant en fin d'études, et cela calma en partie son appréhension. S'il avait porté l'habit clérical, elle n'aurait pas pu lui dire un mot.

Il s'assit à la table de la cuisine et écouta avec calme et attention le récit, souvent incohérent, qu'ils lui firent. C'était un autre bon point pour lui. Natasha commença, malgré elle, à l'apprécier.

— Eh bien, dit-il après qu'ils eurent énoncé tous les faits, alimentés de nombreuses suppositions, je dois avouer que je n'ai encore jamais eu à résoudre un tel problème.

Versant de la crème dans son café, il ajouta d'une voix douce :

— Mon expérience se limite aux jeux dangereux de quelques étudiants qui utilisent, par exemple, des *Oui-ja* pour entrer en communication avec les esprits. Ils se font peur tout seuls en se laissant entraîner par leur imagination débordante ; ou bien, dans certains cas, ils réussissent vraiment à provoquer des phénomènes assez désagréables.

Il s'exprimait sur un ton neutre qui rassurait Natasha. Elle se sentait beaucoup moins nerveuse maintenant qu'ils lui avaient exposé leur problème, et elle comprit soudain quel réconfort un étudiant nageant en pleine confusion pouvait trouver auprès de lui. Il y avait chez Haydn tant de simplicité et de bienveillance qu'elle s'étonna de ne pas s'en être aperçue plus tôt.

Ses préjugés lui firent pousser un soupir de regret, puis elle reporta son attention sur ce qui se disait. Haydn Parker évoquait le phénomène des apparitions, la présence d'esprits tourmentés dans certaines maisons. Selon lui, la venue des gens à l'église s'expliquait par la peur : ils tentaient ainsi de déloger ces esprits. Parker en parlait de manière si rationnelle, comme si ces choses-là arrivaient tous les jours et s'arrangeaient toujours, qu'il réussit à rendre presque anodin ce qui s'était passé à Holly Tree Cottage.

— Vous voulez dire que les fantômes existent vraiment ? demanda Natasha. Ils ne sont pas le fruit d'esprits surmenés ?

— Non, ils existent.

Elle le considéra avec un certain étonnement et un vif soulagement.

— Que faites-vous dans ces cas-là ?

— Eh bien, répondit-il avec prudence, nous n'intervenons

que si on nous le demande précisément. En général, c'est parce que les gens concernés trouvent angoissante la présence de ces esprits chez eux.

Natasha devinait la répugnance de Haydn à entrer dans les détails. Elle insista.

— Et comment vous y prenez-vous pour chasser les esprits ?

Il se gratta l'oreille et lui sourit.

— La plupart du temps, répondit-il gentiment, ils ont simplement besoin qu'on les laisse s'en aller. Le réconfort, l'absolution et la permission de partir suffisent. En ce qui concerne votre Sarah Stalwell, s'il se confirme qu'elle a été assassinée et enterrée ici, c'est certainement ce dont elle a besoin.

— Et pour Reynald de Briec ? intervint Nick.

— Ah oui...

Fronçant les sourcils, Haydn Parker étudia sa tasse vide avant de la reposer avec délicatesse sur la soucoupe. Natasha, qui l'observait, remarqua que ses traits s'étaient durcis. Elle en eut la confirmation lorsqu'il releva les yeux et déclara :

— J'aimerais vous poser une question. J'espère que vous ne vous en formaliserez pas. Si vous voulez que je vous aide, vous devez répondre en toute franchise... Est-ce que l'un de vous deux — ou quelqu'un parmi vos connaissances — donne dans l'occultisme ?

Stupéfaite, Natasha secoua la tête pendant que Nick niait catégoriquement.

— Vous n'avez pas entendu parler de sorcières dans la région, de profanations de tombes ou de choses comme ça ?

— La sorcellerie ? répéta Natasha, incrédule. A notre époque ?

— Oui, cela existe toujours, répondit Haydn d'un ton laconique. En fait, ces dernières années, depuis l'abolition des lois sur la sorcellerie, on n'a jamais aussi souvent recouru aux services de l'Église !

C'était à peine croyable ; pourtant, Haydn Parker avait l'air si sérieux qu'ils étaient forcés de le croire. Plongée dans un abîme de perplexité, Natasha entendit Nick demander ce qu'ils devaient faire.

— Il faut d'abord régler le problème des fouilles. Pendant ce temps, je consulterai un collègue sur l'autre question. Il se

424

peut que cela soulève quelques difficultés, car les apparitions ne sont pas confinées dans un seul lieu. Il est difficile de dire à un esprit de quitter un endroit où il n'est pas vraiment !

— Oui, murmura Nick. On ne peut rien faire d'autre ?

— Prier, Nick. Et tu peux compter sur moi pour t'aider de mon mieux. Il serait plus correct que je parle au prêtre de ta paroisse. Je suppose que tu ne l'as pas encore vu ?

— Non, pas encore. Je dois avouer que nous le connaissons mal. (Nick sourit et haussa les épaules.) Il a l'air très bien, seulement...

L'aumônier éclata de rire.

— Je sais, je sais, tu n'as pas besoin de m'expliquer !

Il avait retrouvé son ton chaleureux et sa bonne humeur, songea Natasha. Rassemblant son manuscrit et les photocopies des notes prises par Nick, il annonça qu'il les lirait et les leur rendrait le plus tôt possible, peut-être jeudi, quand il les aiderait pour les fouilles.

— Tu crois vraiment qu'il va venir jeudi ? demanda Natasha lorsque Haydn fut parti. Il doit avoir mieux à faire.

— C'est un homme très doué, répondit Nick d'une manière énigmatique.

Avec un rire, il ajouta :

— Tu devrais le voir sur un terrain de rugby, c'est un excellent défenseur.

— Il joue à l'arrière ?

— Dans la dernière ligne de défense...

38

Le jour suivant, veille du jour de l'an, tout le monde semblait s'être donné le mot pour téléphoner. Le Dr Wills fut la
première. Elle voulait savoir où ils en étaient. Juste après, les
jumeaux appelèrent pour leur souhaiter une bonne année. Ils
allaient passer quelques jours avec leur mère chez leurs
grands-parents, à Manchester, et pensaient qu'il ne serait pas
facile de téléphoner de là-bas.

C'était bien vu, pensa Nick avec un sourire, mais il fut touché par leur initiative. Il adressa à tous deux ses meilleurs
vœux, leur rappela d'un ton enjoué les résolutions qu'ils
avaient prises pour la nouvelle année, et émit le souhait qu'ils
pourraient assister tous les trois à un match de rugby avant
le début du nouveau trimestre. Cette perspective les enchanta.
Nick leur dit au revoir et se remit à travailler à son bureau.

Moins d'une demi-heure plus tard, le téléphone sonnait de
nouveau : Oliver Duffield désirait parler à Natasha. Nick
appela sa femme du premier étage. Elle répondit qu'elle prenait la communication dans la cuisine.

Quelques minutes plus tard, un tintement grêle apprit à
Nick que la conversation était terminée. Il se demanda sur
quoi elle avait porté. Sous le prétexte de se dégourdir les jambes, Nick descendit s'en enquérir.

— Oh, rien d'important. Il voulait juste savoir quand je
pourrais aller à Londres. J'ai annulé notre dernier rendez-

vous, si tu t'en souviens. Je lui ai dit que c'était un peu difficile en ce moment, et que je le rappellerais la semaine prochaine.

— Pourquoi veut-il te voir ?

— Pour discuter de leurs projets concernant *La Leçon d'anglais*, et me présenter à une ou deux personnes qui travaillent à Oasis Books. Je n'y suis pas allée depuis une éternité, comme tu le sais...

— Tu devrais y aller, dit-il, légèrement soucieux au sujet de ses relations avec son éditeur. C'est un honneur d'être invitée...

— Je n'irai nulle part tant que nos problèmes ne seront pas résolus, déclara fermement Natasha. D'accord ?

Nick n'insista pas.

— Très bien, murmura-t-il en se dirigeant vers l'escalier.

Il était à mi-étage quand la sonnerie du téléphone retentit de nouveau.

— C'est pour moi, lui cria Natasha.

Soulagé, Nick tenta de se remettre au travail, mais il semblait condamné à être sans cesse interrompu. Sitôt que Natasha eut raccroché, elle monta lui porter un message.

— C'était Mrs. Bickerstaff. L'autopsie a été faite. Elle est allée chercher le certificat de décès. Infarctus du myocarde. Toby est mort d'une violente crise cardiaque.

— Ça ne dit pas ce qui l'a provoquée, marmonna Nick en se tournant pour regarder sa femme. Ils font une enquête ?

— Non, ils ont rendu le corps et Mrs. Bickerstaff essaie de fixer l'enterrement pour vendredi. Service religieux, ajouta Natasha avec une moue ironique, puis crématorium...

— C'est le bouquet !

— Oui. C'est toujours la même histoire, n'est-ce pas ? On ne doit pas dire du mal des morts. Alors, comme Toby n'est plus là, ils lui pardonnent tout.

— Quelle bande d'hypocrites ! s'exclama Nick d'une voix lasse. S'ils avaient été plus attentionnés de son vivant, ça me gênerait moins...

Avec un soupir, il se remit à son travail.

Ce soir-là, ils allèrent chez Giles ; mais, bien que la soirée fût aussi réussie que les années précédentes, ni l'un ni l'autre n'avait la tête à s'amuser. Ils avaient du mal à se réjouir de l'an neuf qui arrivait quand tant de menaces étaient suspendues au-dessus de leur tête.

Haydn Parker, qui téléphona le lendemain dans l'après-midi, accentua sans le vouloir ce pressentiment d'une menace imminente. Il avait lu les notes de Nick et le manuscrit de Natasha, et pensait que ce serait une bonne chose de parler de nouveau avec eux, mais séparément cette fois, et plus en détail.

Il arriva peu après seize heures. Tandis que Natasha s'éclipsait, Nick le fit entrer dans le salon. Les décorations de Noël n'avaient pas été retirées et un feu ronflait dans la cheminée ; mais en regardant autour de lui la première chose que mentionna Haydn fut le meurtre de Sarah Stalwell. Nick et Natasha avaient-ils fait l'expérience de phénomènes inhabituels dans cette pièce ou dans le reste de la maison ?

Nick constata avec plaisir que Haydn prenait leur problème au sérieux ; il semblait n'avoir aucun doute sur l'authenticité de l'histoire écrite par Natasha, et cela mit Nick plus à l'aise pour répondre. Il secoua la tête et dit qu'à sa connaissance rien de particulier ne s'était produit dans la maison, hormis le rêve de Natasha, juste avant qu'elle ne commence à rédiger l'histoire de Sarah. Haydn en prit note, puis fit de nouveau allusion à la difficulté de cerner quelque chose qui, apparemment, n'était pas limité à un lieu ou à une heure spécifique. Il avait besoin d'éclaircir certains points, expliqua-t-il, en particulier les circonstances dans lesquelles le chien fantôme avait été vu pour la première fois. Nick expliqua que le vieux Toby était la première personne à l'avoir aperçu.

— C'était le 31 octobre, au crépuscule. Un peu plus tard ce même jour, il est apparu à Natasha, lorsque nous sommes rentrés de la fête de Halloween.

— Celle qui a eu lieu au collège ?

— Oui.

Nick eut l'impression que le visage de Haydn prenait un air sévère ; mais le jeune prêtre déclara seulement :

— Je veux que tu me racontes avec précision ce qui est

arrivé ce soir-là — en particulier tout ce qui a pu te paraître un tant soit peu inhabituel ou dérangeant.

Comme Nick hésitait, il ajouta :

— Si tu préfères, tu peux considérer ce que tu vas me dire comme une confession. Je ne suis pas ici pour te juger, mais pour t'aider...

Nick, gêné, demeurait réticent ; mais il finit par se décider et, au fur et à mesure qu'il parlait, sa confidence devenait plus facile. Il décrivit l'atmosphère particulière de cette nuit-là, le fait qu'il s'était retrouvé le point de mire d'un groupe d'étudiantes. Pour masquer sa confusion à propos de ce qui s'était passé avec Jane Bardy, il prit un ton désinvolte et attribua son comportement à l'excès d'alcool.

— D'après toi, c'est l'alcool qui est responsable ?

— Je suppose, oui ; l'alcool, l'atmosphère... plus l'adulation dont j'étais l'objet, bien sûr, ajouta-t-il avec une ironie désabusée. Quoique...

Il s'interrompit, repensa à la soirée.

— Je me souviens d'une sensation étrange, reprit-il. Avant de quitter la maison — juste après avoir revêtu mon déguisement, pour être précis —, je ne me suis pas reconnu en me regardant dans le miroir. Je dois avouer que cela m'a paru troublant — non tant de ressembler à un autre que de me sentir différent, comme si mon vrai moi était absent et que cet étranger fût totalement libre...

Haydn fronça les sourcils.

— Je vois. Et cette impression a duré jusqu'à quand ?

— Difficile à dire. En arrivant ici, nous nous sommes disputés, Natasha et moi. Le lendemain j'avais une épouvantable gueule de bois. Et, le moins qu'on puisse dire, c'est que je n'étais pas fier de moi, ajouta-t-il avec un sourire ironique.

— Et la fille ?

Le sourire de Nick disparut.

— Ah oui, la fille ! Eh bien, elle a continué à me courir après pendant quelque temps. Cela me rendait mal à l'aise, mais j'ai fini par la décourager.

— Tu n'as pas eu de relation sexuelle avec elle ?

— Grands dieux, non, absolument pas !

Haydn changea de position et prit quelques notes, puis il se mit à interroger Nick sur ses rapports avec Natasha.

Étaient-ils restés satisfaisants ou s'étaient-ils détériorés d'une manière ou d'une autre ? Nick avait du mal à lui répondre, d'autant qu'il avait toujours considéré Haydn davantage comme un ami que comme un conseiller spirituel. Il détestait être obligé d'admettre que sa femme l'avait rejeté physiquement. Il s'y résolut uniquement parce que cet aspect de leur relation était en train de redevenir satisfaisant. Mais l'aveu de sa brève liaison avec Sally, qui lui donnait le sentiment d'avoir trahi Natasha et de s'être trahi lui-même, se révéla très douloureux.

Haydn n'exprima ni compassion ni reproches. Il se contenta de demander si Nick avait discuté avec Natasha des raisons qui les avaient conduits à s'éloigner l'un de l'autre ; et comme Nick secouait la tête il l'engagea vivement à le faire.

— C'est absolument nécessaire, non seulement pour sauver votre mariage, mais pour surmonter les difficultés actuelles. A mon avis, vous avez été divisés par des forces extérieures et par les points faibles de votre relation. Il existe entre vous une sorte de *scission* dont je ne connais pas la cause, une trop grande retenue peut-être. Cela vous empêche de vous engager totalement. Tu comprends ?

— Oui, il y a quelque chose de cet ordre-là, soupira Nick.

Il secoua la tête en se rappelant l'intimité qu'ils avaient retrouvée récemment, alors que subsistait entre eux un sentiment d'étrangeté. C'était comme s'ils essayaient de communiquer à travers une vitre très épaisse.

— Tu le sens aussi, n'est-ce pas ? insista Haydn. De ton côté, il se peut que manifester un fort esprit d'indépendance te paraisse une marque de virilité...

— Non, je ne crois pas, affirma Nick très vite.

Cependant, comme il levait les yeux, il vit le petit sourire de Haydn et comprit soudain qu'il ne pouvait pas se permettre de rester sur la défensive ou d'être de mauvaise foi.

— C'est possible, concéda-t-il.

— L'ennui, avec la fierté, c'est que nous sommes tous tentés d'y voir une manifestation de force, et même une dureté digne d'admiration. En réalité, la fierté est une grande faiblesse. Elle obscurcit notre vision de nous-mêmes et de ceux qui nous entourent ; elle se met en travers de notre route et élève des barrières derrière lesquelles se cache notre vrai moi ; elle produit non pas l'unité, mais son contraire.

Nick réfléchit un moment.

— Est-ce que tu veux dire, hasarda-t-il enfin, qu'avec Natasha je manque de franchise et de perspicacité ?

Haydn sourit.

— Pas du tout. Je te demande de réfléchir au rôle que tu tiens dans votre relation.

Tandis que Nick digérait ces paroles, Haydn se montra soudain plus incisif.

— Quand tu as parlé de Sally, tu t'es trouvé beaucoup d'excuses. En réalité, tu reprochais à Natasha de refuser de coucher avec toi. Mais combien de fois as-tu essayé de parler avec elle de ce problème ? Une ? Deux ? J'ai l'impression que tu as abandonné sans avoir vraiment essayé. Cela ne te ressemble pas.

Après un silence, il ajouta :

— Ne serait-ce pas parce qu'il était plus facile, dans ce cas précis, de te cacher derrière ta fierté outragée que de risquer d'entendre des réponses désagréables ?

Agacé, Nick voulut répliquer, mais Haydn l'arrêta.

— Je n'ai pas besoin de connaître tes raisons. Mais toi, Nick, demande-toi ce qui te soucie le plus dans ta relation avec Natasha ? Quand tu auras trouvé la réponse — et je sais que tu la trouveras —, soumets-la à Dieu, et dans tes prières demande que ce fardeau te soit enlevé.

« En discuter avec Natasha peut également t'aider, conclut-il d'une voix plus douce. Les femmes n'ont pas besoin de nous pour être fortes et invincibles. En fait, je suis sûr qu'elles nous aiment plus facilement lorsqu'elles connaissent nos faiblesses... »

De nouveau seule avec Haydn, Natasha était nerveuse. Cet après-midi-là, il était habillé d'une manière plus conventionnelle pour un aumônier anglican : une chemise noire et un col blanc empesé sous un simple costume noir remplaçaient le jean et le vieux pull-over. Bien qu'il se fût excusé de cette tenue en expliquant qu'il sortait d'une réunion cléricale à la cathédrale d'York, Natasha ne tarda pas à penser que son choix vestimentaire devait être délibéré.

— Je souhaite que vous me disiez d'où vous vient votre antipathie pour les prêtres, déclara-t-il d'un air grave.

Tandis qu'elle cherchait une réponse innocente à une question si directe, Natasha eut conscience qu'elle le fixait avec des yeux ronds. C'était comme s'il lui avait dit : « Je voudrais que vous m'expliquiez ce que vous avez contre moi... » Elle était consternée que ses sentiments soient aussi manifestes.

— Ce n'est pas contre vous..., commença-t-elle.

Elle espérait s'en sortir en restant évasive, mais Haydn ne l'entendait pas de cette oreille. Il ne la lâcha pas avant qu'elle ne commence à avouer la vérité. Son comportement lui rappela celui des journalistes, qui vont droit au but, n'abandonnent jamais et ne bronchent pas devant les insultes. Ayant été journaliste elle-même, elle trouva l'image familière et naturelle, et s'y accrocha, de préférence à celle plus dérangeante qui était devant elle.

Enfin, elle fut capable de parler avec une certaine sincérité de son enfance et du prêtre qui avait réussi à instiller en elle des sentiments de culpabilité, de peur et de haine. Mais, tout en parlant, elle se sentit aiguillée vers ce qu'elle appelait son mode de conteuse. Elle perçut le détachement subtil qui accompagnait ce passage et lui permettait de dire sa vérité à elle sans trop s'impliquer sur le plan émotionnel. Un peu comme si elle parlait de quelqu'un d'autre.

— Le père O'Gorman était un prêtre irlandais de la vieille école, un homme habitué aux paroisses isolées où il pouvait régner en maître car les gens y étaient moins instruits et n'avaient pas l'habitude de défier l'autorité. Dans notre région, à l'est de l'Angleterre, les familles catholiques étaient peu nombreuses et éloignées les unes des autres ; aussi leur était-il difficile de se liguer contre lui — mais sans doute n'en ont-elles même jamais eu l'intention...

« Ce prêtre était un véritable tyran, poursuivit-elle. Mais il avait des convictions et le soutien de l'Église. Et il se croyait investi d'une mission : ramener dans le troupeau les familles qui ne pratiquaient plus. Dès son arrivée, il s'est attelé à cette tâche.

Elle fit une pause pour allumer une cigarette, consciente des changements intervenus depuis l'époque où, fillette de dix ans terrorisée, elle levait les yeux vers l'imposante silhouette noire en se demandant pourquoi sa mère le nommait « Père » et paraissait si nerveuse quand elle le priait de s'asseoir ; et pourquoi son père, malgré son sourire, tremblait de colère.

— Je ne sais pas comment il l'a appris, mais il a découvert que ma mère, Celia, faisait partie des brebis égarées et que ses filles n'avaient jamais été baptisées. Alors, il est venu nous voir.

— Et votre père ? Il était catholique lui aussi ?

— Non, pas du tout ! Mon père se vantait d'être athée. Il était médecin. C'était un homme très intelligent, qui parlait bien. Dans sa jeunesse, dit-elle en essayant de se rappeler les photos de lui, pleines de vie et de rires, plutôt que son allure décrépite des derniers temps, mon père était pilote d'avion éclaireur. Il conduisait les escadrons de bombardiers jusqu'à leurs cibles, au-dessus de l'Allemagne. Il s'est engagé à dix-huit ans, en 1943, et a survécu par miracle...

Ou plutôt, songea-t-elle avec tristesse, il a choisi de mourir lentement, en sombrant dans l'alcool qui a fini par le tuer trente ans plus tard.

— ... après la guerre, il a entrepris des études de médecine. Peut-être en réaction contre toutes les horreurs qu'il avait vécues à la guerre...

Elle entendit un soupir et leva les yeux ; mais Haydn Parker secoua simplement la tête et détourna les yeux. Après un moment, il demanda :

— Il s'est marié tard ?

— Oui, il avait près de quarante ans quand il a rencontré ma mère. Elle avait quinze ans de moins que lui.

— Alors, c'est un peu comme vous avec Nick, remarqua Haydn. Un homme intelligent, qui s'exprime bien, et une femme beaucoup plus jeune...

Elle réagit vivement à l'allusion qu'elle crut percevoir.

— J'ai une licence, rétorqua-t-elle, et je suis capable d'aligner plusieurs mots à la suite.

— Est-ce que votre mère était intelligente, elle aussi ?

— Eh bien, elle n'a pas pu faire d'études supérieures, mais elle avait un diplôme d'infirmière et elle était loin d'être sotte !

— Quel genre de personne était-ce ? Parlez-moi d'elle.

433

Natasha soupira et écrasa son mégot en se demandant quel rapport tout cela pouvait bien avoir avec le problème qui les occupait. Néanmoins, au souvenir du père O'Gorman, elle répondit :

— Elle était très influençable. Elle a été une bonne mère et a toujours cru agir pour le mieux ; mais elle se laissait facilement intimider par les hommes. Elle avait une si piètre opinion d'elle-même qu'elle s'en remettait aux jugements des autres. Elle avait besoin de s'appuyer sur quelqu'un, quelqu'un qui lui dise ce qu'elle devait faire et penser. Malheureusement, ma sœur lui ressemble beaucoup.

— Et c'est une attitude que vous n'approuvez pas ?

— A notre époque ? Vous plaisantez !

Haydn sourit et étendit les mains.

— Votre mère était catholique mais non pratiquante, n'est-ce pas ? Pour quelle raison ?

— Eh bien, je suppose que mon père avait dû la convaincre que ça ne rimait à rien. Je crois me rappeler que, lorsque le père O'Gorman est venu nous voir, il l'a mis à la porte en lui disant de ne pas se représenter chez nous.

— Il est revenu quand même ?

— Oui. Seulement, il s'est débrouillé pour passer quand mon père visitait ses malades et que ma sœur et moi étions à l'école. Mais nous nous en sommes vite aperçus, parce qu'après chacune de ses visites ma mère était dans tous ses états. Il y avait des discussions à n'en plus finir, des disputes, et mon père qui buvait trop s'est mis à boire encore plus.

Natasha savait que les nerfs de sa mère avaient dû être mis à rude épreuve, à cette époque, surtout avec la dernière maladie de son mari. Néanmoins, elle avait encore du mal à lui pardonner sa crédulité et son aveuglement qui avaient permis au prêtre de s'imposer. Les tensions et dissensions qui en avaient découlé au sein de leur famille avaient précipité la fin de son père.

Natasha comprit soudain qu'elle tremblait et avait perdu sa sérénité. Elle alluma une autre cigarette et tenta de reprendre de la distance ; mais ce n'était pas facile.

— C'était un homme haïssable, déclara-t-elle à propos du prêtre. Il n'a pas voulu nous laisser tranquilles, même quand mon père était mourant. Je le tiens pour responsable de sa mort. Il a semé la discorde entre nous et s'est ingénié à nous diviser. Ce n'était pas un homme de Dieu, mais du diable.

Elle fut frappée par l'à-propos de ces mots qu'elle s'entendit prononcer. Sous le masque du bien, le père O'Gorman représentait le mal ; il générait la peur et non la confiance, écrasait les sensibilités par son abus de pouvoir.

— A la mort de mon père, il s'est empressé de prendre la relève et il a tout bouleversé.

A ce souvenir, elle ne put contenir ses larmes.

— Mon père mort et enterré, c'était comme s'il ne comptait plus, comme s'il n'avait jamais existé. Nous étions censées oublier toutes les idées qu'il avait défendues de son vivant. Helen était encore jeune, elle n'a pas émis d'objection ; mais moi j'avais douze ans, presque treize, et je voulais lui parler de lui, lui dire qu'il avait beaucoup d'humour, lui faire connaître ses opinions et...

Elle s'interrompit pour sécher ses larmes, renifla en se remémorant la maigre silhouette légèrement voûtée, penchée au-dessus de la roue de sa voiture quand il l'emmenait faire ses visites avec lui, pendant les vacances.

Il parlait rarement de sa jeunesse ; mais lorsqu'ils passaient devant un terrain d'aviation abandonné, devant un cimetière où étaient enterrés des pilotes, il évoquait des amis...

— Il était triste parfois, et la guerre l'avait rendu amer. Il buvait trop, je le sais bien. Mais c'était mon père et je l'aimais. J'en ai voulu à ma mère pendant des années, parce qu'elle refusait de comprendre ce que je ressentais. Elle nous a fait dire des messes pour le salut de son âme et nous a obligées à prier à genoux chaque soir pour que Dieu pardonne à notre père ses péchés.

Natasha secoua la tête, prit une profonde inspiration et poursuivit :

— Je criais contre elle. J'avais des crises de rage. Je lui disais que je ne voulais pas prier pour mon père ; je voulais seulement qu'il revienne. Et aussi que j'aurais préféré la voir mourir elle, pour que nous n'ayons pas à supporter toute cette dévotion hypocrite.

« Mais je n'avais aucune chance de la gagner à ma cause, parce que j'étais mauvaise, bien sûr ; sinon, comment aurais-je pu lui parler ainsi ? Avoir de telles pensées ? Elle me disait que Dieu me punirait. Le père O'Gorman s'y est mis à son tour. Il s'est servi de la parole biblique pour briser ma volonté. Il m'a même laissé entendre que mes prières auraient plus de poids puisque je n'étais pas croyante, et que ma conversion serait d'autant plus précieuse parce que j'étais une grande pécheresse.

« J'ai commencé à le croire. Je ne pouvais admettre que mon père avait été mauvais : il m'était toujours apparu comme un homme profondément bon ; mais j'ai commencé à me sentir coupable de tous les péchés du monde, et j'ai eu peur, en ne cédant pas, d'être condamnée à brûler dans les flammes de l'enfer pour l'éternité...

Elle leva les yeux d'un air suppliant et chercha un démenti de la part de Haydn Parker ; mais il avait la tête penchée et s'abritait les yeux de la main. Il semblait regarder le feu et ne pas être conscient de la détresse de Natasha.

Se sentant abandonnée par son apparente indifférence, elle se demanda s'il la croyait et se détourna pour prendre un autre mouchoir en papier. Mais un instant plus tard, comme elle s'essuyait les yeux et se mouchait, elle l'entendit dire gentiment :

— Ma chère Natasha, je suis vraiment désolé...

La compassion de Haydn, discrète mais sincère, déclencha chez Natasha un tel sentiment de gratitude que des larmes lui montèrent de nouveau aux yeux. Désireuse de les arrêter, elle se pencha pour s'occuper du feu. Comme elle plaçait avec délicatesse une bûche dans le foyer, Haydn lui demanda :

— Vous en voulez toujours à votre mère ?

Il n'était pas facile de répondre à cette question. Elle s'assit sur ses talons en pensant à *Terre noire*, à Helen et aux émotions contradictoires qui l'avaient secouée au cours des derniers mois. Elle secoua lentement la tête.

— Je ne sais pas, dit-elle.

Quelques semaines plus tôt, elle était persuadée qu'en écrivant *Terre noire* elle avait mis un terme à des années de tensions psychologiques et de rancœur, qu'elle avait réussi, grâce à la rédaction de ce roman, à accepter les défauts de sa mère. Et voilà que la simple évocation de ses souvenirs d'enfance semblait avoir fait remonter à la surface son ressentiment. Elle se sentait plus désorientée que jamais.

— Je voudrais bien ne pas la condamner, ajouta-t-elle, mais je n'y arrive pas. Je sais qu'elle a été victime de son éducation et d'un homme à la très forte personnalité. Ce ne sont pas ses actes que je n'accepte pas ou ne peux lui pardonner, mais leurs conséquences : la douleur et la détresse que mon père et moi avons subies à cause d'elle. Avant l'arrivée du père O'Gorman, mes parents ne s'étaient jamais chamaillés — enfin, pas que je me souvienne ; après, cela a été des disputes continuelles. Mon père semblait considérer la lubie de sa femme comme une sorte de trahison — cela paraissait être à ses yeux aussi grave que si elle l'avait trompé...

Le mot lui était venu facilement, mais son arrière-goût amer lui brûla la gorge comme s'il avait été trempé dans l'acide.

— Est-ce qu'elle l'a trompé ? demanda Haydn Parker.

Le ton détaché sur lequel il posa sa question la choqua.

— Mais non, bien sûr !

— Vous en êtes certaine ?

— Oui. Comment imaginer une chose pareille !

— Est-ce tellement inconcevable ?

— Eh bien... mais c'était un prêtre... il y a le vœu de chasteté... et puis il était vieux !

— Peut-être pas aussi vieux qu'il vous le paraissait, fit remarquer Haydn. Et c'était un homme, ne l'oubliez pas.

Comme elle le regardait fixement, choquée, il ajouta d'une voix douce :

— Est-ce vraiment inconcevable, Natasha ? Malheureusement, il n'y a pas que dans les romans et dans la presse à scandales que les prêtres ont des aventures avec des femmes mariées. Eux aussi sont en proie aux tentations de la chair. C'est un grand péché, un abus de l'amour et du pouvoir que Dieu leur a donnés, mais cela arrive, je regrette de le dire, et depuis des siècles.

« Et les prêtres qui succombent à la tentation, poursuivit-il, ne sont pas tous des hommes jeunes et beaux à la personnalité attachante. Beaucoup sont des individus méprisables, proches de la retraite...

Le souffle coupé, elle détourna la tête.

— Ne pensez pas que j'en prenne mon parti ni que je minimise ce problème, dit Haydn fermement. Je veux juste vous aider à admettre que ce genre de chose n'est pas impossible.

Si vous pensez au fond de vous que le père O'Gorman et votre mère ont eu des relations adultères et que vous souhaitiez en parler, je reviendrai demain. Mais maintenant, conclut-il en rangeant son carnet, je vais demander à Nick de vous préparer une boisson chaude.

Après le départ de Haydn, Natasha garda le silence. Assommée, elle considérait par petits fragments le panorama formé par ses souvenirs en attendant de pouvoir le laisser se dérouler d'un bout à l'autre devant ses yeux sans être anéantie par ce qu'il montrait.

C'était un paysage aride, cela du moins était clair ; et la plupart des protagonistes étaient morts, partis ailleurs ou si isolés qu'ils ne représentaient plus un danger. Mais l'étendue du gâchis et des préjudices, les cicatrices douloureuses des anciens conflits la remplissaient encore de rage et d'une tristesse amère. Les discussions et les disputes, cet esprit de rébellion de l'adolescence, lié au désir d'être elle-même, n'avaient été que les manifestations d'un vague soupçon, ancré au plus profond d'elle-même, que par la suite elle avait trouvé trop révoltant pour s'y arrêter.

Pourtant, elle avait toujours eu plus ou moins conscience qu'il se passait quelque chose. Elle avait eu l'intuition que l'amour, la fidélité et le soutien que sa mère devait à son père étaient déviés de leur cours naturel vers un homme qui n'aurait pas dû avoir de telles prétentions sur elle. La colère, la jalousie et le sentiment d'être trahie que Natasha en avait conçu s'étaient exprimés comme un appel à l'aide, un besoin de réconfort et de compréhension qui, faute d'être entendus, avaient alimenté des crises de larmes, des accès de rage et une volonté d'autodestruction. En réclamant l'attention maternelle, Natasha n'avait réussi qu'à aliéner davantage sa mère et à durcir un régime déjà très sévère. Vint alors le silence du désespoir.

Des années de soumission qui suivirent, la jeune femme gardait le souvenir d'une vie sans chaleur, d'une grande solitude, de la suffisance d'Helen à se sentir la préférée et des tentatives ponctuelles de sa mère pour ramener sa fille aînée au sein de l'Église — toutes infructueuses car, quel que fût le désir de

Natasha de se rapprocher de Dieu, elle ne pouvait s'y résoudre tant que le père O'Gorman était là.

Vers quinze ans, lorsque Natasha envisagea de faire des études universitaires pour échapper à cette situation intenable, le prêtre était devenu beaucoup plus prudent dans ses allées et venues. Il venait prendre le thé l'après-midi, ou restait à dîner. Parfaite image d'une enfant douce et pieuse, si docile par comparaison avec sa sœur aînée, Helen minaudait et buvait ses paroles. Natasha supportait très mal la présence du prêtre dans la maison et à leur table — le rôle de *père* qu'il s'arrogeait et que son titre mettait constamment en relief.

Elle ne s'était jamais autorisée à se demander s'il avait remplacé son père sur d'autres plans ; mais à présent, à cause de la voix raisonnable et mesurée de Haydn Parker, qui résonnait encore à ses oreilles, des souvenirs lui revenaient, qu'elle considérait avec le regard d'une adulte. Les disputes ; la jalousie et le désespoir de son père ; les insultes qu'il proférait tout bas, les larmes et les récriminations de sa mère ; puis le silence recouvrant tout. Le silence de la mort, lorsqu'il ne pouvait plus implorer.

Natasha se mit à sangloter, car elle avait maintenant la certitude que sa mère avait trompé son père. L'infidélité de Celia Crayke ne s'était pas limitée à embrasser une croyance que son mari ne partageait pas. Natasha revit la haute silhouette émaciée du père O'Gorman et, avec un tremblement irrépressible, se rappela sa forte personnalité ; elle se rendit compte pour la première fois que ce qui l'avait effrayée et rebutée chez lui pouvait avoir un caractère sexuel auquel une femme impressionnable et plus âgée avait pu être sensible, surtout si ce pouvoir avait été utilisé en connaissance de cause.

Le prêtre était toujours apparu à Natasha comme un être maléfique, mais la pensée qu'il avait cherché sciemment à séduire sa mère la fit frémir et s'exclamer de dégoût. Désespérée, elle se tourna vers Nick et sanglota dans ses bras en s'agrippant à lui. Jamais sa présence près d'elle ne lui avait paru plus rassurante, ni si indispensable.

Nick, qui ressentait dans son corps et dans son âme l'affliction de Natasha, la serra encore plus fort, et la consola comme une enfant au cœur brisé par un immense chagrin. Le flot de paroles et de larmes qui coulait de sa bouche et de ses yeux semblait jaillir de la rupture d'un barrage derrière lequel s'étaient pressés pendant de trop nombreuses années l'angoisse de savoir, le ressentiment et la souffrance. Nick la tint contre lui, la caressa et l'apaisa sans essayer d'endiguer le flux ; il la garda simplement contre lui en écoutant la longue suite de souvenirs décousus, et en compatissant à sa souffrance tandis qu'il commençait à comprendre ce qu'elle avait contenu si longtemps.

Il ne lui était jamais venu à l'esprit que Celia Crayke et le père O'Gorman avaient pu avoir une liaison ; mais, après que Natasha eut brossé son portrait du prêtre et répété les propos de Haydn, Nick se dit que ce n'était pas impossible. Et, au récit que lui fit sa femme de divers incidents survenus après la mort de son père, il jugea que c'était plus que probable.

Le prêtre venait souvent et repartait très tard. Un soir, le cœur gros, incapable de trouver le sommeil, Natasha l'avait entendu parler. Sa mère, qu'elle avait interrogée, lui avait assuré qu'elle s'était trompée. C'était seulement la télévision. Un jour, Natasha était descendue à pas de loup et les avait surpris dans les bras l'un de l'autre. En la voyant, ils s'étaient brusquement écartés ; mais la flamme haineuse du prêtre, vite voilée, s'était gravée dans la mémoire de Natàsha.

— Il n'avait pas pu tromper mon père et il ne pouvait pas me tromper non plus. Nous connaissions tous les deux son vrai visage, c'est pourquoi il nous détestait tant. Après ça, il a essayé d'être gentil avec moi, ajouta-t-elle avec amertume, mais je n'ai jamais oublié ce regard...

— Mais qu'ont-ils dit ? demanda Nick. Comment se sont-ils justifiés ?

— Oh, ma mère m'a tenu un discours pathétique sur le fait qu'elle était bouleversée et qu'il cherchait à la réconforter, répondit Natasha avec une grimace de dégoût en essuyant ses larmes du revers de la main. J'étais forcée de la croire, ç'aurait été trop horrible, sinon.

Frappé par la logique de ce raisonnement, Nick hocha la tête. Il alluma deux cigarettes, en donna une à Natasha, et ils fumèrent un moment en silence.

— Une autre fois, reprit Natasha, je me suis réveillée — je ne sais pas quelle heure il était, mais certainement plus de minuit. J'ai entendu un bruit de pas sur le palier, puis dans l'escalier. Quelqu'un descendait en tentant d'être le plus silencieux possible. J'ai ouvert la porte de ma chambre, mais il faisait trop sombre pour que je puisse voir quoi que ce soit. Un instant plus tard, on a ouvert et refermé très doucement la porte d'entrée. Comme ma chambre donnait sur l'arrière, je n'ai pas vu qui c'était. J'étais sûre pourtant, tout au fond de moi, que ce n'était ni un fantôme ni un cambrioleur. C'était lui.

Elle tremblait. Nick la serra dans ses bras, en partageant sa tristesse et sa colère. Il n'y avait pas de preuve formelle, mais il savait que les enfants perçoivent souvent intuitivement ce qui se passe entre leurs parents. Et Natasha n'était déjà plus une enfant, c'était une adolescente au seuil de la puberté, qui commençait à avoir conscience des relations charnelles existant entre hommes et femmes, et assez sensible pour trouver répugnantes les unions illicites.

Nick s'étonnait que cette liaison, qui avait manifestement duré plusieurs années, fût passée inaperçue. Si Natasha avait empêché ce savoir de venir à sa conscience, d'autres avaient dû choisir d'être aveugles pour éviter le scandale.

Cet aspect de l'affaire restait mystérieux, mais l'existence d'une relation coupable permettait à Nick de mieux comprendre Natasha. Beaucoup de questions qu'il s'était posées trouvaient une réponse au fur et à mesure que les morceaux du puzzle se mettaient en place, et il avait du mal à ne pas hocher la tête ou à retenir une exclamation. Il s'expliquait à présent la haine profonde de Natasha pour le père O'Gorman, haine qui s'était reportée sur tous les hommes portant l'habit clérical. Et au souvenir de la jeune fille gauche, ombrageuse et vulnérable qu'il avait connue presque dix ans plus tôt, il comprenait pourquoi elle était ainsi, et pourquoi, à l'âge de vingt ans, elle n'avait encore jamais eu de petit ami. En regardant en arrière, il réalisait à quel point l'amour qu'elle avait eu pour lui était idéalisé, et tellement privé des composants sexuels habituels que la faculté de Nick à juger de ce qui était raisonnable ou pas, et virtuellement désastreux, n'était entrée en jeu que trop tard.

Le souvenir de la soirée qui avait fait basculer leur relation lui revint brusquement en mémoire : leur premier baiser, le désir de Natasha, encore maladroit, avaient éveillé en lui un mélange de tendresse et de passion. Oui, il l'avait aimée ; mais il pensait maintenant qu'il aurait dû la laisser. Il aurait mieux valu pour elle un éveil graduel de sa sensualité plutôt que ce passage brutal de l'innocence à la passion sexuelle du monde adulte. Il n'était plus un jeune homme qui tentait sa chance, mais un homme, et il savait très bien ce qu'il faisait.

Il prit conscience qu'il s'était mal comporté avec Natasha. Honteux, le cœur plein de regrets, il poussa un profond soupir, caressa les cheveux de sa femme, embrassa son front et essaya en vain de chasser les réminiscences douloureuses de son attitude irresponsable. Sans le vouloir, il avait dû lui faire du mal, parce qu'il l'aimait, la désirait et cherchait à assouvir ses désirs.

Les conséquences avaient été catastrophiques — et pas seulement dans ses rapports avec Natasha... Mais, tout ça, il le savait et n'avait pas besoin d'y revenir. Il se dit pourtant qu'il avait déçu Bernice — et ses fils — de la même façon que Celia Crayke avait déçu les siens. Et Natasha s'était accusée de blesser la femme et les enfants de Nick avec la même sévérité qu'elle avait jugé le prêtre coupable d'avoir fait du mal aux siens. Elle n'avait pu se pardonner d'être la maîtresse de Nick. Dans ce contexte, rien d'étonnant qu'elle se soit déclarée un jour « entachée » par leur liaison.

A la réflexion, Nick ne s'étonnait plus qu'elle eût toujours esquivé ce sujet ; le miracle était qu'elle ait pu l'aimer de nouveau. Il comprit dans quel terrible dilemme elle se débattait lorsqu'elle lui avait confié un jour en pleurant qu'elle ne supportait pas de mentir, de décevoir ou de blesser quelqu'un. Et, en se rappelant sa dernière conversation avec Haydn Parker, Nick avait l'impression que leur souffrance et leur sentiment de culpabilité mutuels avaient dressé entre eux d'énormes barrières ; des barrières formées de malentendus contre lesquels l'amour était souvent impuissant, surtout en période de crise.

Il se rendit compte qu'il avait contribué à cette incompréhension, et que certains fardeaux qu'il avait portés seul auraient pu être moins lourds s'il les avait partagés avec Natasha.

Que nous avons été bêtes ! pensa Nick en caressant doucement sa femme, d'entretenir nos douleurs secrètes comme des blessures honteuses. Il vaut peut-être mieux parfois que le monde ignore certaines choses, mais les gens qui s'aiment doivent montrer entre eux plus de courage et d'indulgence. Ce devrait être possible, réfléchit-il, de mettre son cœur à nu aussi facilement qu'on se défait d'un vêtement ; il était pourtant bien placé pour savoir à quel point c'était difficile.

Le courage de Natasha l'émouvait ; et, comme la jeune femme sortait peu à peu de sa détresse, il se sentit grandi par la confiance qu'elle lui avait témoignée. Elle s'était tournée vers lui pour chercher un réconfort et il avait pu le lui donner ; cela suffisait à alléger sa mauvaise conscience. Et savoir qu'elle avait besoin de lui le rassurait à un point dont elle n'avait pas idée. Elle poussa un petit soupir et s'accrocha à lui. Dans un élan de tendresse, Nick enfouit son visage dans la chevelure soyeuse de sa femme. Elle avait ce calme qui suit la tempête, et il comprit que le plus fort de la crise était passé. Elle pleurerait et souffrirait peut-être encore, mais la violence était partie.

Étendus en silence sur le vieux canapé, ils contemplaient le feu. Malgré leur tristesse, ils étaient unis et en paix. Nick pensa à Bernice, cherchant à se rappeler un moment aussi serein avec elle. Il y en avait eu, forcément, mais il n'arrivait pas à se souvenir d'un seul. A cette époque, lorsqu'il avait besoin d'amour et de réconfort, il ne les trouvait jamais.

Un peu plus tard, Natasha rompit le silence en racontant un autre souvenir, moins traumatique que les précédents, mais tout aussi douloureux. Il s'agissait d'une conversation avec sa mère qui avait eu lieu peu de temps avant la mort de celle-ci, quand personne ne soupçonnait qu'elle était malade.

— C'était deux ans après notre rupture, dit Natasha lentement. Je suis certaine de ne lui avoir jamais parlé de... de notre liaison. Mais, au début, j'ai dû parler souvent de toi. En tout cas, cela m'a paru étrange qu'elle demande de tes nouvelles après autant de temps.

— Elle a demandé de mes nouvelles ? Pour quelle raison ? s'enquit Nick, intrigué.

— C'est la première chose à laquelle j'ai songé. Je ne voyais pas ce qui lui prenait ; ou plutôt, je ne voulais pas savoir — mais tout devient clair, maintenant.

Elle s'arrêta un moment, puis reprit :

— Ma mère a dû deviner, pour nous deux. Je n'ai jamais évoqué devant elle notre séparation mais, deux ans plus tard, elle a voulu savoir si je me remettais de mon amour pour toi.

« J'ai répondu que oui. Ce n'était pas tout à fait vrai, mais cela me paraissait si incroyable qu'elle me pose une telle question que je ne savais pas quoi dire. Elle a ajouté quelque chose sur la difficulté de vivre et d'aimer, et elle a dit qu'elle espérait que je commençais à comprendre...

— Mais tu ne voulais pas comprendre...

— Non. Je suis restée plantée là, sans rien dire, raconta Natasha avec un tremblement dans la voix, et je l'ai regardée. Et, tout à coup, elle m'a demandé de lui pardonner...

Frappé par cette coïncidence étrange, Nick ne fit pas attention à ce que Natasha dit ensuite. Il lui semblait entendre les paroles prononcées par sa propre mère sur son lit de mort. Pendant un moment, il ne put ni bouger ni parler ; alarmée par cette brusque tension, Natasha leva les yeux.

— Qu'y a-t-il ? murmura-t-elle en voyant l'expression de Nick. Qu'est-ce que j'ai dit ?

Il secoua la tête et la serra contre lui pour chercher sa chaleur et chasser ce souvenir.

— Plus tard, murmura-t-il, nous en parlerons plus tard...

Mais Natasha se tourna pour le regarder et vit un chagrin immense au fond des yeux de Nick.

— Non, répliqua-t-il doucement en prenant son visage dans ses mains, j'ai entendu ça trop souvent. Dis-le-moi maintenant, Nick, c'est important.

C'est ainsi qu'il en vint à lui parler enfin de sa mère. Après les événements traumatisants que venait de revivre Natasha, les faits lui parurent étonnamment faciles à raconter, bien qu'il souffrît intérieurement. Mais elle comprit son tourment et le tint serré contre elle, en lui exprimant son regret qu'il n'ait pu le lui dire plus tôt.

39

Malgré la longue journée qui les attendait, ils bavardèrent jusqu'au petit matin, et découvrirent qu'ils avaient vécu, chacun de leur côté, des expériences similaires. Ils furent enfin capables de discuter de leurs divergences ; de ce qui les avait séparés ; et de l'amour et du désir qui les avaient toujours poussés à se rejoindre, en dépit du gouffre béant qui s'ouvrait entre eux. Jouer la carte de la sincérité fut parfois douloureux, mais, une fois abordés les sujets délicats, la démarche parut moins pénible à Nick. Fortifié par ce que Natasha lui avait dit et par sa nouvelle vision des choses, il trouva le courage d'exposer certains des aspects les moins glorieux de sa vie et de faire part à sa femme des questions et des remords qui le tenaillaient depuis la mort de sa mère. Il espérait que Natasha, non seulement le comprendrait, mais que sa confidence l'éclairerait à son tour, ce dont il ne pouvait douter en la voyant. Il fut enfin capable de parler du choc qu'il avait éprouvé en apprenant la vérité sur sa naissance, et du désarroi qui en avait découlé chez lui pendant des mois.

— Cela s'est passé juste avant qu'on se connaisse ?

— Oui. Au début du premier trimestre. Ma mère avait été malade tout l'été. Elle avait été hospitalisée, puis elle était rentrée chez elle. Tu sais comment c'est, avec les cancers. Elle semblait aller beaucoup mieux, ajouta-t-il vivement. Nous parlions de Noël et de réunir la famille... Mais, en octobre, elle a eu une rechute, et elle est morte peu de temps après...

Il secoua la tête, remué par les images de ces derniers jours, les allers et retours désespérés à Leeds, les coups de téléphone en Australie ; et la confession de sa mère, qui lui avait rendu sa mort beaucoup plus difficile à accepter.

— Je ne savais plus où j'en étais. Je ne savais plus non plus qui j'étais, ce qui était évidemment la grande question. En revanche, je voyais très bien ce que j'étais devenu et ça ne me plaisait pas. Tout ce sur quoi j'avais bâti ma vie, toutes ces luttes pour réussir, semblait n'avoir plus de raison d'être. En regardant en arrière, je me sentais horriblement coupable de m'être conduit comme je l'avais fait, je me reprochais toutes les choses stupides que j'avais pensées et dites, et auxquelles j'avais cru. Je me traitais de salaud, Natasha ! Et en plus, je ne pouvais en parler à personne. J'aurais bien voulu, mais je n'y arrivais pas.

— Pas même à Giles ? Ou à Bernice ?

Nick haussa les épaules.

— Avec Giles, je crois que je n'ai même pas essayé. Quant à Bernice, j'ai fait plusieurs tentatives ; mais elle ne comprenait pas ma tristesse — cela l'agaçait. D'ailleurs, ce n'est pas entièrement sa faute. Comme ma mère et ma femme ne s'entendaient pas, pour avoir la paix j'ai coupé ma vie en deux. C'est devenu une habitude, qui s'est retournée contre moi à la mort de ma mère. Parler d'elle à Bernice avait toujours été difficile ; lui raconter ce que ma mère avait gardé secret pendant tant d'années, et ce que j'avais éprouvé à cette annonce, s'est révélé carrément impossible.

Nick se tourna vers Natasha et la regarda intensément.

— J'ai toujours affirmé que mon mariage s'en allait à vau-l'eau avant même que je te rencontre. Maintenant, je peux voir les raisons de cet échec. Si je m'étais confié à Bernice, je ne sais pas si elle aurait compris ; mais, le hic, c'est que j'ai gardé mes problèmes pour moi. Et j'ai recommencé avec toi : j'ai failli laisser le même phénomène se reproduire.

Elle le serra très fort dans ses bras.

— Oh, mon chéri, je suis désolée, désolée que tu aies vécu ça, désolée pour nous deux...

— Il ne faut pas, dit-il, nous avons déjà assez souffert comme ça.

Il la pressa un moment contre lui, puis s'écarta pour la regarder.

— Tu es entrée dans ma vie quand j'avais besoin de toi, ne l'oublie jamais. Tu m'as fait sortir de mon existence misérable et, grâce à toi, j'ai retrouvé goût en la vie. C'est vrai que j'étais dans un état lamentable lorsque tu m'as quitté, mais d'une certaine façon j'ai senti que je le méritais. J'avais été trop loin avec une de mes étudiantes, et j'en payais le prix. Cette douleur, contrairement à l'autre, avait une certaine logique. C'est l'une des raisons pour lesquelles je suis resté avec Bernice : pour essayer de sauver notre mariage.

Il soupira et secoua la tête.

— Au bout d'un certain temps, j'ai appris à ne plus penser à toi. Comme toujours, le travail m'a beaucoup aidé. Mais tu n'étais jamais très loin. Je revoyais tes yeux, la forme de ton visage ; je me rappelais ta façon de rire, les choses que tu disais — les moments que nous avions passés ensemble...

Il mit ses bras autour d'elle et l'attira contre sa poitrine.

— Tu ne peux pas savoir comme tu m'as manqué !

— Est-ce que tu m'as détestée ? murmura-t-elle.

— Non, jamais.

Elle soupira.

— Moi, je t'ai détesté parfois.

— Oui ; je crois que je l'avais deviné...

Il sourit et posa ses lèvres sur le front de Natasha.

— Mais tu sais bien que je n'ai jamais été ce personnage cynique et sans cœur que tu décris dans *La Leçon d'anglais*...

L'air penaud, elle leva les yeux vers lui.

— Oui. Le plus bête, c'est que je n'en ai jamais douté, au fond.

Il réfléchit en fronçant les sourcils.

— C'est toi qui as rompu, ce n'est pas moi. Pourquoi avoir raconté le contraire dans ton livre ?

Elle mit quelque temps avant de lui répondre. Puis elle dit d'un ton grave :

— C'est un reflet de mes expériences, Nick. Je ne faisais pas confiance aux hommes, tu sais pourquoi maintenant. D'un autre côté, je n'étais pas vraiment subjuguée par les femmes que je connaissais — même par celles qui étaient censées être intelligentes. Je les considérais comme des victimes — et je craignais par-dessus tout d'être de nouveau une victime moi aussi. Mais cela ne m'a pas empêchée de tomber amoureuse de toi et d'être exploitée comme les autres car, en fin de compte, j'étais tout aussi naïve...

« Enfin, c'est comme ça que je ressentais les choses, ajouta-t-elle doucement. Vois-tu, je ne savais rien de l'amour, sauf que cela pouvait faire très mal...

Elle secoua la tête comme pour rejeter ce souvenir pénible puis, avec difficulté, ajouta :

— Je m'attendais que tu me quittes. J'étais sûre qu'à la fin du trimestre tu m'expliquerais que nous ne pouvions plus nous voir. Et à mes yeux c'était juste : c'était une façon de payer tout le mal que j'avais fait à ta femme et à tes enfants. Alors, j'ai préféré rompre la première.

— Mais, dans ton livre, ça se passe autrement...

— Oui. Mais c'est parce que j'ai interverti le sexe des personnages. Le jeune homme est la victime d'une femme plus âgée — c'est elle qui le manipule. J'ai voulu la décrire comme quelqu'un de très égoïste, plutôt que cynique. Une façon pour moi de protester contre le rôle traditionnel des femmes, mais ma démonstration impliquait que la victime ne retourne pas les rôles.

« Tu vois, ce livre ne raconte pas seulement notre histoire. C'était mon idée de départ, parce que j'avais besoin d'un exutoire ; mais mon projet s'est transformé : j'ai voulu traiter d'une situation éternelle sous un angle nouveau. Et, à la fin, j'ai cherché à le faire publier pour inciter les gens à réfléchir.

— Tu y as réussi, dit-il en se rappelant le succès du livre et la façon dont lui-même avait réagi.

Un instant plus tard, il fronça les sourcils.

— Alors, la fin ne nous concerne pas vraiment ?

Elle hésita.

— D'une certaine façon, non. Je te l'ai dit, le livre est un reflet de ce qui s'est passé entre nous, neuf ans plus tôt ; mais je lui ai donné le dénouement qu'à l'époque je croyais inévitable.

Peiné par cette remarque, Nick la serra très fort.

— Je n'aurais jamais pu te faire ça.

— Qu'aurais-tu fait ?

Il secoua la tête.

— Je ne sais pas, dit-il honnêtement. Et je ne le saurai jamais. Mais, quelle que soit la décision que j'aurais prise, les choses auraient été difficiles ; et plus cela aurait duré, plus cela aurait été pénible.

Réfléchissant un moment, il ajouta gentiment :

— Ta décision était peut-être la plus sage de toutes...

Le lendemain matin, ils étaient l'un et l'autre très fatigués et n'avaient aucune envie de quitter leur lit confortable. Nick proposa à Natasha de rester couchée, mais elle refusa. Elle voulait être avec lui, participer à ses activités.

Les étudiants en archéologie arrivèrent juste avant dix heures. Lesley était une jeune femme de petite taille, robuste, à la mine joviale. Natasha l'aima tout de suite. Son compagnon était un grand jeune homme, un peu dégingandé, avec un large front et l'air sérieux, qui s'appelait Dave. En entendant Lesley ironiser sur le vieux tacot de Dave et leur terrible équipée depuis Lincoln, tandis que Dave protestait avec force que son véhicule les avait néanmoins menés sains et saufs jusqu'à York, Natasha trouva que les deux jeunes gens auraient pu faire un bon duo comique, Dave servant de faire-valoir à la nature expansive de Lesley.

Elle se déclara désolée d'interrompre leurs vacances. Lesley eut un haussement d'épaules.

— Ça ne nous ennuie pas, Mrs. Rhodes. On n'aurait manqué ça pour rien au monde, n'est-ce pas, Dave ? C'est super que le grand Rathmell nous ait proposé ce boulot. Ça va nous changer, de ne pas l'entendre crier contre nous !

Dave jeta un coup d'œil inquiet sur leurs hôtes. Mais Nick éclata de rire.

— Il crie aussi contre moi, vous savez ! Bon, assez de formalités. Je vous présente Natasha. Moi, je suis Nick. C'est vous qui allez diriger les fouilles. Natasha et moi, ainsi que Haydn Parker et Giles Crowther, qui ne sont pas encore arrivés, nous serons vos assistants. Si l'un de nous s'y prend mal, je compte sur vous pour nous le dire, d'accord ?

— Très bien, déclara Lesley, légèrement surprise. J'ignorais que le révérend allait venir.

— Notre projet l'intéresse, expliqua Nick avant d'ajouter : A propos, vous savez ce que nous cherchons ? Et pourquoi ?

Pour la première fois, Dave prit la parole :

449

— D'après ce que nous a dit le Pr Rathmell, vous pensez que quelqu'un a peut-être été enterré dans votre grange, il y a deux siècles...

Tandis que Nick résumait la situation aux étudiants, Haydn Parker arriva, suivi quelques minutes plus tard de Giles. Haydn portait pour la circonstance ce qui semblait être sa plus vieille tenue de jardinier. Giles, dont les connaissances en jardinage se limitaient aux quelques plantes en pot qui décoraient son patio en ciment, avait sur lui l'imperméable Burberry qu'il mettait pour aller au collège et une paire de bottes en caoutchouc neuves.

— Mais Giles, s'exclama Nick, on ne va pas à un steeplechase, on va défoncer le sol de la grange !

— Tu m'as dit qu'il fallait des bottes, alors j'en ai acheté. Ne me casse pas les pieds avec ça !

— Ne l'écoute pas, Giles, dit Natasha en riant. Il est jaloux de toi, c'est tout ! Mais je pense que tu devrais mettre une des vieilles vestes de Nick pour ne pas abîmer ton Burberry...

Lorsqu'il fut convenablement équipé, Giles tapota avec gratitude le bras de Natasha. Leurs regards se croisèrent, et il lui sourit avant de rejoindre les autres. Le cœur débordant d'affection, elle comprit avec soulagement que leur relation était enfin redevenue normale.

Les rires et la bonne humeur donnaient un goût d'aventure à la tâche qui les attendait ; mais, dès qu'ils eurent pénétré dans la grange, leur joyeuse insouciance diminua d'un cran. Nick avait retiré la vieille charrue et la herse, ainsi que les outils de jardinage et son matériel de peinture — l'ensemble se trouvait maintenant dehors, recouvert d'une vieille bâche. Vide, la grange paraissait étonnamment grande. Au-dessus de leurs têtes, il y avait un demi-grenier à foin, et d'un côté de la porte était empilée la paille. Natasha se rappela que, lorsqu'ils étaient entrés là pour la première fois, il y en avait des quantités phénoménales et que c'était au-dessous, enfouie sous plusieurs couches de terre battue, que Nick avait déniché la plaque de cheminée. Un frisson glacé lui courut entre les épaules tandis qu'elle se demandait ce qu'ils allaient découvrir.

Nick devina l'appréhension de sa femme et lui pressa légèrement le bras.

— Tu es sûre de vouloir rester avec nous ? murmura-t-il. Personne ne t'en voudrait si tu...

— Oui, oui, je veux rester.

Elle se força à sourire et regarda Haydn, qui lui avait déjà proposé de discuter avec lui un peu plus tard ; pour le moment, elle ne voulait pas réfléchir. Elle aimait être près de Nick, se rappeler leur intimité de la veille et savoir que l'avenir était plein d'espoir.

— Eh bien, par où on commence ?

La question de Giles la fit sursauter. Nick, qui avait examiné le mur contre lequel étaient autrefois installées les stalles, se retourna brusquement ; mais Dave répondit avant lui :

— Eh bien, même si cette grange n'est pas le bâtiment d'origine, je crois que la disposition devait être à peu près la même. Par conséquent, il est inutile de creuser à l'endroit où l'on mettait les bêtes. Si des gens ont dû enterrer un corps le plus rapidement possible, ils n'auront pas pris la peine de faire sortir les vaches.

— Oui, évidemment, dit Nick en se demandant comment régler ce petit détail. Mais réfléchissons un moment. Si vous aviez commis un meurtre avec l'aide de quelques complices, et que vous vouliez cacher le corps quelque part où personne ne pensera à le chercher, est-ce que vous ne prendriez pas la peine de déplacer quelques vaches ?

Le jeune homme rougit, mais ne céda pas tout de suite.

— Et le bruit ? demanda-t-il.

— Je ne crois pas que quelques meuglements aient été de nature à inquiéter ces gens, répondit Nick. Cette maison est assez éloignée du village, vous savez.

— Peut-être leur avait-il donné du foin pour qu'elles restent silencieuses ? suggéra Lesley.

Sa remarque lui attira un regard courroucé de la part de Dave, dont la thèse se trouvait réfutée. Le jeune homme se retourna avec une certaine réticence pour observer le mur contre lequel avaient été fixées les cloisons des stalles. En dépit des fentes qui laissaient filtrer le jour au-dessus d'eux, et de la lumière des ampoules électriques, le coin le plus éloigné restait sombre.

— Quel que soit l'endroit par où l'on commence, il faudrait un meilleur éclairage.

— Ce n'est pas un problème : j'ai acheté deux lampes d'architecte, l'autre jour.

Nick alla les chercher, tandis que Dave et Lesley sortaient leur matériel du vieux break Volvo. La cour prenait l'allure d'un devant de garage, songea Nick en se faufilant entre les voitures. Heureusement, après deux semaines de température au-dessous de zéro, le soleil brillait et il ne faisait pas très froid. Le beau temps le rendit heureux ; cela atténuait le caractère macabre de leur projet. Se lancer dans une telle entreprise sous un ciel bas et gris aurait ressemblé au tournage d'un film d'horreur.

Ils décidèrent de commencer au milieu de la grange en progressant vers les extrémités. Dave et Lesley délimitèrent une première tranchée, d'un mètre quatre-vingts de large sur trois mètres soixante-dix de long, parallèle au long mur qui faisait face à la porte. Tandis que Lesley et Natasha alignaient une collection hétéroclite de seaux et de brouettes, Dave donnait un coup de pioche dans l'agglomérat formé par les débris des trois derniers siècles. Au fil des ans, le mélange de paille et de fumier était devenu aussi dur que du ciment ; le percer n'était pas une mince affaire. Pour la première fois de sa vie, Natasha assistait aux étapes préliminaires d'une fouille archéologique. Elle avait vu plusieurs chantiers à York, et, sans plus réfléchir, s'était imaginé que le travail des archéologues consistait simplement à utiliser de minuscules truelles et à tamiser une terre fine. Elle trouvait presque choquante cette démonstration de force ; mais elle reconnut que c'était également excitant. Elle ne fut pas étonnée lorsque, Dave commençant à faiblir, Lesley le supplia de la laisser le remplacer. Elle aussi, elle aurait aimé le faire.

Mais les hommes ne voulaient pas céder leur tour. Comme Dave, en sueur, tendait la pioche à Nick, les deux femmes lancèrent quelques piques sur l'inégalité entre les sexes. Les yeux pétillants de malice, Nick donna alors l'outil à Natasha. La pioche ne lui parut pas très lourde, mais elle arrivait tout juste à la soulever ; après quelques coups qui laissèrent intact le sol très dur, elle reconnut en riant sa défaite et remit l'outil à Lesley.

— Mon père est fermier, dit celle-ci entre deux coups de pioche. Nous avons toujours dû l'aider pendant les vacances.

La fenaison, le ramassage des pommes de terre... nettoyer les étables en hiver.

Elle fit une pause pour reprendre son souffle.

— Rien de tel que de lancer les balles de paille pour se faire des muscles — pas besoin d'haltères...

Être assise à un bureau et taper à la machine toute la journée n'était pas le meilleur moyen de garder la forme, admit Natasha en son for intérieur, mais elle pouvait se rendre utile autrement qu'en maniant une pioche. Sans s'occuper des autres qui la taquinaient gentiment, elle s'empara d'une pelle et pelleta la terre pour la mettre dans l'une des brouettes. Dave eut alors l'idée d'attribuer une tâche à chacun, avec un système de rotation rapide afin que personne ne se fatigue trop vite ni ne s'ennuie.

Puisque ce n'était pas un site archéologique, ils pouvaient avancer relativement vite. Ils déblayèrent une quarantaine de centimètres de débris compacts et atteignirent la terre sombre des champs qui s'étendaient là avant la construction de la grange. Ils s'accordaient à penser que les meurtriers n'avaient pas dû faire un trou très profond. Ils creusèrent donc de trente centimètres chaque fois, quatre d'entre eux soulevant la terre pendant que les deux autres la passaient au tamis puis, à l'aide d'une brouette, l'entassaient dehors, le long du mur de la grange.

La terre, fragmentée et tamisée, semblait doubler de volume et Giles, qui revenait avec la brouette, le fit remarquer d'un air las.

— Te rends-tu compte, Nick, qu'il faudra tout remettre dans ce trou, qu'on ait trouvé ou non ce que nous cherchons ?

— Oui, je ne sais pas comment on fera.

— Ça m'ennuie de te dire ça, mon vieux, mais le sol de ta grange ne sera jamais plus pareil...

Ils firent à tour de rôle du café et du thé, sans interrompre le travail. A midi, Natasha dit qu'elle allait préparer de la soupe et des sandwichs. Haydn offrit de l'aider. Nick savait qu'il désirait parler à Natasha parce qu'il s'inquiétait pour elle mais, en les regardant partir, il craignit que Haydn ne presse la jeune femme de questions alors qu'elle devait ressentir le besoin de souffler un peu.

Pendant le déjeuner, elle était d'un calme presque léthargique. Nick se demanda ce qu'ils s'étaient dit. L'occasion d'interroger Natasha ne se présenta pas et il décida d'attendre. Tout en travaillant, il l'examinait du coin de l'œil, notant sa pâleur et les cernes sous ses yeux.

A quatre heures, tous étaient fourbus. Dehors, la lumière baissait. Après six heures d'un travail physique intense, la tranchée mesurait un mètre vingt de profondeur. Malgré l'absence de résultats concrets, Dave et Lesley étaient heureux des progrès accomplis qui, selon eux, auguraient bien de la suite. Giles était moins enthousiaste. Se tenant le dos à deux mains, il paria qu'ils seraient tous trop ankylosés le lendemain pour piocher.

— Vous devriez prendre un bain chaud, suggéra Lesley, c'est un remède miraculeux. Puis deux analgésiques avant d'aller au lit, et au réveil vous serez frais comme un gardon !

Giles grogna en montant dans sa voiture.

— Dieu vous entende, dit-il d'un ton pathétique.

— C'est vraiment un héros, déclara Nick avec un sourire comme son vieil ami démarrait. Vous aussi, vous êtes des héros. Rien ne vous obligeait à venir nous aider, mais je suis très content que vous vous soyez portés volontaires. Merci.

Il fit en souriant au revoir de la main aux deux jeunes gens. Lorsque les feux arrière de la Volvo disparurent dans le chemin, il sentit le froid le pénétrer. Au-dessus des champs, le ciel était noir, le vent soufflait de plus en plus fort et la grange prit soudain un aspect sinistre. Nick revint sur ses pas pour éteindre les lumières et fermer la porte. Ensuite, il se dirigea en trébuchant vers la maison.

Il ne restait que Haydn, et comme Natasha annonçait qu'elle allait monter prendre un bain, Nick proposa à boire à l'aumônier. Il prépara du café, versa un fond de whisky dans deux verres, et but le sien presque aussitôt. Il se resservit et se sentit bientôt ragaillardi.

Haydn désirait savoir ce qui s'était passé la veille, après son départ. Nick éprouva un soulagement extraordinaire à évoquer toutes les questions brûlantes qui avaient été reléguées au second plan par l'activité éreintante de la journée, à exprimer les sentiments qu'avait suscités en lui Natasha lorsqu'elle lui avait raconté l'histoire de sa mère et de sa relation coupable avec le père O'Gorman.

— Est-ce que j'ai été choqué ? Oui, avoua-t-il tout bas. Mais c'est surtout parce que cela ne m'avait jamais traversé l'esprit. Pour moi, la mère de Natasha souffrait d'une forme de bigotisme qui l'aveuglait au point de ne pas voir le mal qu'elle faisait autour d'elle. Mais je la jugeais d'après la description que m'en avait donnée Natasha. Si je l'avais rencontrée, j'aurais peut-être eu une autre opinion...

— Comment Natasha prend-elle ça ? Je suppose qu'elle a accepté l'idée d'une liaison entre sa mère et le prêtre ?

— Oui. En fait, elle est convaincue qu'il y avait quelque chose entre eux. Et, d'après ce qu'elle m'a raconté, c'est en effet plus que probable. Le choc a été terrible pour elle, tu dois t'en douter — mais je pense que cela lui a enfin permis d'éclaircir beaucoup de points obscurs... Moi aussi, ça m'a aidé à comprendre des choses.

Il sourit soudain, puis ajouta :

— En fait, c'est un peu comme si j'avais réussi à déchiffrer des hiéroglyphes sur lesquels je me cassais la tête depuis des années ; c'est pourquoi je me sens plus joyeux que triste, en fin de compte.

Haydn leva son verre.

— Oui, je comprends. Et je suis heureux que tu aies trouvé la bonne voie aussi vite — le mal brouille souvent les cartes pendant très longtemps. D'ailleurs, c'est bien ce qui s'est passé...

Le mal, songea Natasha en regardant ses mains gercées et couvertes d'ampoules ; il est partout dans le monde, pas seulement dans la guerre, le terrorisme et les tortures des dissidents politiques. Le mal existe dans les petits riens, dans les villages, dans les communautés isolées des Fenland et les hameaux du nord du Yorkshire. Dans la mesquinerie, la cruauté, la tromperie, le mensonge. Et à travers les siècles, on a entendu sa voix dans les tribunaux, du haut des chaires des églises, et autour des tables de cuisine des maisons les plus modestes. Le mal a manipulé les innocents, tenté et piégé les plus aguerris. Personne n'est à l'abri.

Elle songea à son père, un homme bon, si bouleversé par les preuves du mal en ce monde, auquel il avait contribué par ses terribles raids aériens au-dessus de l'Allemagne, qu'il ne pouvait plus croire en Dieu ; et elle repensa à sa mère, si avide de prouver sa foi en Dieu qu'elle était prête à sacrifier son mariage et ses enfants à un prêtre orgueilleux et sans scrupules. Le mal qui habitait le père O'Gorman s'était amplifié à travers ses actes, tuant Alex Crayke, éloignant Natasha de sa mère et de sa sœur Helen. Le mal, conclut-elle, avait même failli tuer l'amour qu'elle avait pour Nick.

S'il n'avait pas été là, la veille, pour la soutenir, elle n'aurait pas supporté de regarder la vérité en face. Épuisée au sortir de crises de larmes et de rage, pendant lesquelles elle avait maudit le monde entier, elle avait fini par trouver l'apaisement, Nick avait absorbé sa fureur et, à force de patience et de douceur, il avait réussi à lui arracher toute l'histoire par petits bouts, jusqu'à ce qu'il ne reste plus de colère en elle, juste une profonde tristesse.

Contrairement à la colère, la tristesse était accessible aux paroles de réconfort. Elle le savait à présent. Cela lui faisait chaud au cœur et lui permettait d'accorder à sa mère le pardon que celle-ci lui avait demandé, des années plus tôt. A cette époque, comme elle l'avait expliqué à Nick la veille, elle n'avait pas voulu comprendre ce que sa mère désirait et avait rejeté, à la légère, une demande pressante ; elle comprenait maintenant que sa mère devait être bourrelée de remords, et pressentir sa mort prochaine.

La mère de Nick aussi, avant de mourir, avait eu besoin de se soulager d'un fardeau. Mais bien qu'il eût réussi à dire les mots que celle-ci attendait, de longues années s'étaient écoulées, comme pour Natasha, avant qu'il puisse lui pardonner du fond du cœur.

Il n'y avait pas si longtemps, Natasha se serait désolée en pensant qu'il était trop tard. Mais l'expérience de Sarah Stalwell l'avait forcée à réfléchir, et lui avait fait prendre conscience de l'existence d'une vie spirituelle au-delà du monde matériel. Les mots qu'elle prononçait étaient peut-être vides et adressés au vide, mais, comme disait Haydn, c'était le pardon du cœur qui comptait.

40

Rentrés de leur vadrouille de la veille, les chats de la grange protestaient bruyamment contre l'occupation de leur confortable logis, avec des airs de réfugiés dépossédés de leurs biens. Depuis la porte du jardin, Colette regardait d'un air suffisant ses parents pauvres pousser des miaulements à fendre l'âme à l'attention des humains réunis dans la cour. L'un d'eux se frotta contre les bottes boueuses de Giles, tandis que l'autre se roulait sur le dos pour essayer de se faire remarquer. Haydn voulut le caresser et reçut, pour sa peine, un coup de griffes et de dents.

Incapable de se concentrer sur la discussion, Natasha rentra dans la maison et ouvrit une boîte de nourriture pour chats. Une fois le ventre plein, se dit-elle, ils trouveront un endroit pour faire leur toilette et dormir. Elle mit leur pâtée dans deux bols en plastique et les porta dehors, où, avec un grognement d'extase et la queue frémissante, les deux chats se régalèrent de leur copieux petit déjeuner. Colette tourna le dos et pénétra d'un air digne dans la véranda.

Les terrassiers étaient entrés dans la grange où Dave et Nick, déjà à l'intérieur de la tranchée, s'apprêtaient à creuser plus profond. Giles et Lesley délimitaient la seconde tranchée, de mêmes dimensions que la première : quatre-vingts centimètres de large sur trois mètres soixante-dix de long. Une fois creusée, elle couvrirait la longueur des anciennes stalles.

Comme la veille, Natasha se mit immédiatement à hisser des seaux remplis de terre qu'elle tamisa à la recherche de petits os — phalanges ou métatarses — qui auraient pu passer inaperçus des hommes dans la tranchée.

A neuf heures et demie, ils avaient fait un trou d'un mètre cinquante, à un mètre vingt du niveau du sol. Dans leur hâte d'enterrer leur victime, les assassins n'avaient pas dû creuser plus profond, estimèrent-ils tous ; aussi sans plus attendre, ils attaquèrent la seconde tranchée. Une fois la croûte brisée, ils avancèrent si vite que Natasha fut plus frustrée que soulagée lorsque Nick lui rappela l'heure.

Elle avait presque oublié que Toby était enterré ce jour-là. Elle s'était même demandé pourquoi Haydn n'était pas là. Il leur avait dit qu'il les retrouverait à l'église.

Elle se lava et se changea rapidement et, en gardant un œil sur la pendule, se maquilla juste assez pour dissimuler sa pâleur. Nick l'attendait, avec son manteau dans les mains, et il l'aida à l'enfiler ; puis il la prit par le coude et la fit presque avancer au pas de course. La cloche sonnait déjà lorsqu'ils traversèrent la pelouse communale, et ils entrèrent dans l'église au moment où le fourgon mortuaire s'ébranlait.

Natasha fut surprise de voir autant de monde à l'intérieur de la petite église. Elle eut un moment d'hésitation ; mais Nick avait aperçu Haydn au milieu de l'allée, sur la gauche. Le jeune pasteur se poussa pour leur faire de la place. Tout en reprenant sa respiration, Natasha regarda autour d'elle ; elle repéra le propriétaire du *Half Moon*, quelques rangs devant eux, et, assise sur le banc devant lui, Mrs. McCoy — elle ignorait toujours son vrai nom. Parmi les autres visages, elle reconnut avec étonnement celui de Craig Morrison. Il portait un costume ; elle en fut si surprise que c'est à peine si elle remarqua l'entrée du cercueil.

Le premier hymne donna à Natasha l'occasion d'observer la famille du défunt, qui occupait un banc sur le devant de la nef. A côté de Vera Bickerstaff et de Ted, son mari, se tenaient un couple âgé et une jeune femme qui pouvait être la fille de Vera. Si d'autres Bickerstaff vivaient dans la région, ils ne s'étaient pas déplacés. A vrai dire, cela n'avait pas beaucoup d'importance ; il était plus logique que les personnes rassemblées en ce lieu soient les villageois en compagnie de qui Toby

458

avait bu quelques bières, ou chez qui il avait travaillé comme jardinier. Quelles que soient leurs réserves à l'égard du vieil homme, ils avaient parlé avec lui régulièrement, et avaient semble-t-il souhaité lui rendre un dernier hommage. Riche de son expérience récente, Natasha espéra qu'il ne s'agissait pas simplement pour eux d'un adieu sentimental au plus ancien de Denton.

Comme les personnes présentes s'agenouillaient pour prier, Natasha se demanda combien d'entre elles savaient que Toby était un assassin et dans quelles circonstances il l'était devenu. Le pasteur pensait manifestement que Toby avait payé sa dette envers la société et qu'il comparaissait devant Dieu. Natasha ne connaissait pas le sentiment de Haydn ; mais, pour elle, l'idée que Toby était une nouvelle victime de Reynald de Briec rendait l'église encore plus froide, et lui inspirait le désir ardent que l'âme du vieil homme trouve enfin le repos.

Ce désir lui parut être déjà une prière, et elle en fut la première étonnée. Elle leva les yeux vers Nick en s'attendant presque à le voir sourire. Il lui prit la main et la pressa. Troublée par la montée de ce sentiment religieux, Natasha s'accrocha un moment à la chaleur et à la force qui émanaient de son mari.

Puis, comme le pasteur entamait son prêche au milieu de la congrégation silencieuse, elle s'absorba dans ses pensées. Le cercueil de Toby lui remit en mémoire l'enterrement de sa mère. Le rite catholique était différent, mais elle était incapable de se rappeler un seul mot. La messe avait été dite par un jeune prêtre au visage sérieux qui, percevant l'hostilité de Natasha, avait réservé ses marques de sympathie à Helen, laquelle pleurait toutes les larmes de son corps, en fille éplorée qu'elle se devait d'être. Natasha avait été incapable de verser une seule larme, et son expression sévère avait fait se soulever bien des sourcils parmi les parents et les amis de la défunte. Et, par la suite, cela lui avait valu les récriminations d'Helen.

Trois mois plus tard, Natasha avait enfin pu pleurer, et ses larmes avaient coulé pendant une semaine.

Elle avait de nouveau envie de pleurer — pas sur Toby, bien que sa vie eût été assez tragique pour justifier qu'on pleure sur son sort, mais sur sa mère, qui avait commis tant d'erreurs et les avait sans doute payées très cher, après la mort du père O'Gorman.

En voilà un, songea Natasha, dont l'agonie aurait dû durer de longs mois dans d'atroces souffrances ; mais il était mort sans même s'en apercevoir, sur une route de campagne verglacée, tué sur le coup par une voiture.

En repensant à cette forme d'injustice, elle fut surprise de constater que cela lui était devenu indifférent. Elle s'était vengée de la meilleure façon qui soit, en s'échappant ; et si le chemin, jusqu'ici, avait été long et tortueux, au moins était-elle avec l'homme qu'elle aimait.

Ses yeux s'attachèrent à ceux de Nick et lui adressèrent une supplique muette. Elle puisa dans son regard l'assurance qu'elle cherchait et fut rassurée. Que nous avons été bêtes ! pensa-t-elle à l'évocation de tous leurs problèmes, ces derniers mois. Elle espérait qu'ils n'auraient plus jamais à revivre ça. Mais les raclements de gorge et le bruit des pieds, au moment où l'assistance se levait pour chanter le dernier hymne, rappelèrent à Natasha la raison de leur présence en ce lieu. Le vieux Toby était mort, et parmi les personnes présentes Natasha, Nick et Haydn étaient probablement les seules à savoir comment et pourquoi il était mort. Quelque chose de noir, d'informe et de diabolique l'avait fait mourir de peur. Cette chose rôdait toujours. C'est pourquoi Haydn était là. Il priait pour le repos de l'âme de Toby, et les prenait sous sa protection pendant qu'ils cherchaient les restes de Sarah Stalwell.

Nick estimait que le pasteur de St. Oswald était un ecclésiastique de la vieille école, un anglican modéré de la moyenne bourgeoisie, tout à fait intégré dans cette communauté de fermiers. En tant que berger spirituel de trois paroisses rurales, il était probablement surchargé de travail, sous-payé, et ne devait pas avoir beaucoup de temps à consacrer aux mythes, aux légendes et aux superstitions locales pour lesquels s'étaient passionnés nombre de ses prédécesseurs. Le pasteur de l'époque victorienne, qui disposait de revenus personnels et de temps libre, pouvait se permettre, l'après-midi, de rendre visite à ses paroissiens et de poursuivre des activités intellectuelles ;

ses homologues, de nos jours, n'avaient pas autant de chance. L'oraison funèbre fut néanmoins un exemple de diplomatie et, comme l'assemblée quittait l'église en rangs serrés derrière le cercueil, Nick lui attribua mentalement un vingt sur vingt pour avoir réussi à n'offenser personne, surtout pas les défunts.

Quelle serait sa réaction en apprenant ce qui se passait dans Dagger Lane ? Nick n'en avait aucune idée, mais il avait l'intuition que Haydn aurait du mal à lui expliquer les choses. Comme son prédécesseur, le révérend Clive, le pasteur actuel penserait peut-être qu'on ne pouvait prendre au sérieux des histoires aussi fantastiques.

Dans le cimetière, les gens étaient réunis par petits groupes. S'ils ne voulaient pas paraître trop pressés de partir, ils ne tenaient pas non plus à accompagner le cortège jusqu'au crématorium. Le ciel était couvert, le temps menaçant ; dès que quelqu'un s'en irait, songea Nick, les parents et les amis du défunt se disperseraient rapidement, soit pour rentrer chez eux, soit pour aller se réchauffer au *Half Moon*. Tony, le propriétaire, avait autour de lui un petit groupe de vieux fermiers apparemment impatients d'ingurgiter un verre de whisky après avoir passé une demi-heure dans l'église glacée. Du coin de l'œil, Nick aperçut Craig Morrison qui venait dans leur direction ; n'ayant aucune envie de lui parler, il s'excusa et se dirigea vers Mrs. McCoy, qui était seule et avait l'air perdu.

— Comment allez-vous ? demanda-t-il d'un ton chaleureux. Cela fait longtemps que je ne vous ai vue.

— Oh, oui, en effet... (Elle rougit et bredouilla.) Je n'ai plus de raison d'aller me promener par là, sans McCoy...

— Oui, bien sûr. Je suis désolé. Vous avez dû avoir beaucoup de peine.

— Oh oui.

Elle détourna les yeux et porta son regard sur Craig Morrison. Appuyé avec nonchalance contre un grand monument commémoratif, il parlait à Natasha.

— Je ne peux m'empêcher d'en vouloir à ce jeune homme pour ce qu'il a fait, reprit-elle. C'est vrai que McCoy s'est sauvé à deux ou trois reprises, mais je n'arrive pas à croire...

Les mots lui restèrent dans la gorge et ses yeux se remplirent de larmes. Cherchant un mouchoir, elle ajouta :

461

— Pourquoi aurait-il fait une chose pareille ? Il était bien nourri, même trop, le vétérinaire me l'avait dit... Pourquoi serait-il allé tuer les moutons ?

— Je ne sais pas, murmura Nick qui, malgré son embarras, s'apitoyait sur elle.

Pour la première fois, il se demanda si McCoy n'avait pas été victime d'une forme quelconque de possession.

— Il arrive que des chiens s'en prennent au bétail, ajouta-t-il, et les fermiers ont le droit...

— Mais est-ce qu'il avait besoin de m'amener le corps de mon chien affreusement mutilé ? demanda-t-elle d'un air farouche. C'était horrible ! Sa belle tête emportée par les balles...

Elle pleurait maintenant, et Nick regretta d'être allé la saluer. Il trouva un mouchoir propre dans la poche de son pardessus et le lui tendit, réprimant le réflexe de la prendre par le bras et de lui tapoter l'épaule. L'expérience lui avait appris que trop de sympathie pouvait aggraver les choses. Sur un ton aussi ferme que possible, il dit :

— Je suis étonné qu'il y ait autant de monde. Je ne pensais pas que les gens aimaient tant le vieux Toby.

— Moi, je ne peux pas dire que je l'aimais beaucoup, répondit la femme, qui renifla en ravalant ses larmes. Mais il a été très gentil avec moi le jour où j'ai vu ce... cette chose, dans Dagger Lane. Il s'est assuré qu'il n'y avait plus rien avant de me raccompagner. Il n'a pas...

Elle s'interrompit pour chercher ses mots.

— Il ne m'a pas traitée de folle. Il a eu l'air de comprendre.

Au ton de sa voix, Nick devina que d'autres personnes — son mari, peut-être ? — s'étaient moquées d'elle lorsqu'elle leur avait raconté ce qu'elle avait vu sur la petite route. Désireux de la rassurer sur ce point, il déclara :

— Non, le vieux Toby ne pouvait pas penser une chose pareille, car lui aussi l'avait vue quelques jours plus tôt.

— Vraiment ?

Elle le regarda avec un espoir qui tarit ses larmes.

— Il l'a vue ?

— Oui. Il me l'a dit.

— Qu'est-ce que c'était ?

Nick haussa les épaules en se demandant s'il pouvait lui avouer qu'il l'avait vue également.

— Je ne sais pas. Une sorte de fantôme, je pense.

Elle frissonna dans le vent froid.

— Hein ? Le fantôme d'un chien ?

Il se força à sourire.

— Quelque chose comme ça. Moi aussi, je l'ai vu ; alors je suis sûr que vous n'êtes pas folle. Pas plus que moi, en tout cas !

Il se mit à rire et, tournant la tête, se réjouit de constater que Craig Morrison était parti.

— Merci, dit-elle d'une voix plus assurée. Je savais bien que je n'avais pas eu la berlue. C'était forcément quelque chose de très bizarre, pour effrayer à ce point McCoy. Je suis contente que vous m'ayez dit ça. Je me sens beaucoup mieux.

Elle s'essuya le nez, puis fourra le mouchoir de Nick dans la poche de son manteau ; Nick vit dans ce geste quelque chose de symbolique, comme si elle en avait fini, une bonne fois, avec les larmes et les questions. Elle semblait avoir repris du poil de la bête ; elle avait l'air plus sûre d'elle et se tenait le dos plus droit qu'une minute auparavant.

Son regard croisa celui de Nick et elle sourit.

— Vous voulez que je vous dise quelque chose, docteur Rhodes ?

Ainsi, elle connaissait son nom. Il lui rendit son sourire et, curieux d'apprendre son nom à elle, Nick demanda :

— Je vous écoute.

— Maintenant que je n'ai plus à m'occuper du chien, je vais chercher du travail en ville. Je pense qu'il est grand temps que je sorte un peu de chez moi. Après tout, ajouta-t-elle avec un sourire d'excuse, il vaut mieux faire quelque chose tant qu'on est vivant, n'est-ce pas ?

— C'est juste, répondit-il en serrant la main qu'elle lui tendait. Vous savez, je dois avouer que vous avez un avantage sur moi, je ne sais même pas votre nom...

— Whitehead, dit-elle d'un ton joyeux. Jennifer Whitehead.

Comment ne pas penser aussitôt à Sarah, à Agnès et à Tom Whitehead ! Frappé par la coïncidence, Nick dut faire un effort pour lui souhaiter une bonne année d'une voix normale ; puis pour ne pas courir derrière elle en lui demandant ce qu'elle savait sur les aïeux de son mari.

— Bien sûr, c'est une pure coïncidence, expliqua-t-il à Natasha et à Haydn comme ils remontaient tous trois la petite route. Whitehead est un nom assez répandu. Le mari de cette femme n'est pas forcément apparenté à la famille qui nous concerne, sinon ils auraient hérité de cette maison.

— Mais cela t'a causé un choc ? demanda Haydn.

— Oui. J'ai eu l'impression de voir tous ces gens se matérialiser devant moi. Cela m'a rappelé ce que nous sommes en train de faire et pourquoi...

Il trembla et remonta le col de son manteau lorsque les premières grosses gouttes de pluie glacée tombèrent et qu'un vent d'ouest leur cingla le visage. Ils se mirent à courir.

— A propos, dit Nick à Natasha quelques minutes plus tard, alors qu'ils remettaient leur jean et leur pull-over usagés, que te voulait le jeune Morrison ?

— J'ai remarqué que tu t'es éclipsé dès qu'il est venu vers nous, répondit-elle avec un sourire taquin. Tu ne l'aimes pas beaucoup, n'est-ce pas ?

— Non. Que voulait-il ?

— Rien. Il est curieux, c'est tout. Il voulait savoir pourquoi nous creusions dans la grange.

Surpris, Nick demanda :

— Tu le lui as dit ?

— Je lui ai dit que nous faisions un sol en ciment, répondit-elle. Mais je ne suis pas sûre qu'il m'ait crue.

Comme elle se tenait debout devant lui, dans le demi-jour de la chambre, il fut frappé par sa beauté. Ses cheveux étaient mouillés par la pluie, un peu trop longs pour le style de coiffure qu'elle aimait, mais elle avait des pommettes saillantes, et sa bouche était si...

Il en arrêta de rentrer sa chemise dans son pantalon ; en remarquant son regard, Natasha rit doucement et alla vers lui.

— Je sais. Moi aussi, je t'aime, murmura-t-elle, mais des gens nous attendent, dehors...

Il ferma à contrecœur la fermeture Éclair de son jean en

s'efforçant de se contenter d'un baiser, et avant de la laisser partir il chuchota :

— J'ai tellement besoin de toi ! Ne t'éloigne plus de moi.

Elle lui assura qu'il ne craignait rien, mais il avait l'impression que l'enterrement, les fouilles, et même cette conversation dans le cimetière le rendaient plus vulnérable. De la fenêtre de la chambre, il voyait la pluie fouetter le village au fond de sa cuvette arborée, et de la fenêtre du palier un autre rideau de pluie dissimulait la vallée. Comme Natasha se retournait pour descendre, il eut froid, tout à coup, et se sentit étrangement seul. Pour la première fois, il se demanda s'ils avaient eu raison de s'embarquer dans cette affaire.

Après le déjeuner, ils se remirent au travail. A une des extrémités, la tranchée faisait déjà quatre-vingt-dix centimètres de profondeur, et ils n'avaient encore trouvé aucun indice signalant la présence de malles ou d'un squelette, ni permettant même de penser que la terre avait été remuée. Le sol était riche et épais, et, en dehors de quelques pierres, la terre était bien tassée jusqu'au niveau de l'argile. Reprenant la méthode de la veille, ils creusèrent, tamisèrent la terre, puis la brouettèrent dehors. Giles avait couvert le premier tas d'une feuille de plastique maintenue avec des pierres, et il en avait commencé un autre ; mais, sous la pluie torrentielle, la terre se transformait en boue. Nick suggéra qu'ils rebouchent à l'extrémité la plus éloignée de la tranchée précédente, mais les deux étudiants en archéologie expliquèrent que cela ne se faisait pas. Seulement, Nick avait beau réfléchir, il ne voyait pas d'autre façon de résoudre le problème du surplus de terre. L'éparpiller sur le sol de la grange était hors de question, car ils pouvaient avoir besoin de creuser dessous ; et Nick ne voulait pas que sa cour ressemble à un décor de film sur la bataille de la Somme.

Avec beaucoup de réticence, Dave et Lesley finirent par accepter. Ce n'était peut-être pas un procédé archéologique très orthodoxe, mais cela leur permettrait d'avancer plus vite et plus facilement. A deux heures et demie, ils avaient ôté l'équivalent d'un fer de bêche en hauteur. Avant de creuser plus profond, ils firent une pause. Heureux de souffler, Nick planta le premier sa bêche au pied de la tranchée. La lame heurta quelque chose de dur et ébranla légèrement son poignet. Le son métallique les fit tous sursauter. Avant qu'il ait eu le temps de soulever la bêche pour frapper une seconde fois, Dave sauta dans la tranchée et lui prit l'outil des mains.

— Attendez, Nick. On ne sait pas ce que c'est.

Il tendit le bras vers Lesley qui, telle une infirmière durant une opération délicate, lui fourra une truelle dans la main. Penchés au-dessus du trou en retenant leur respiration, ils regardèrent Dave enlever avec douceur la terre.

— Pour l'amour de Dieu, dit-il entre ses dents d'une voix exaspérée, reculez vous un peu, je ne vois rien !

Un instant plus tard, il s'asseyait par terre en soupirant.

— Pas la peine de vous exciter, c'est juste une pierre. Une grosse pierre.

Il leur fallut un certain temps pour dégager le gros morceau de calcaire, et deux d'entre eux le sortirent de son fourreau de terre. Quand ils l'eurent extirpé de la tranchée, ils haletaient et transpiraient. Haydn s'assit dessus pour reprendre sa respiration. Dans la tranchée, Dave marmonna qu'ils perdaient leur temps, car il venait juste de repérer une autre pierre qui dépassait, près de l'endroit où ils avaient trouvé la première.

— Je ne vois pas comment on aurait pu enterrer quelque chose au milieu de toutes ces grosses pierres.

Nick, abattu par la déception qu'il venait d'éprouver, était tenter d'abonder dans son sens. Mais comme il jetait un coup d'œil à Haydn, de l'autre côté du trou, il remarqua quelque chose.

— Attendez une minute, dit-il à voix basse. Haydn, lève-toi un instant, tu veux bien ?

Dave tourna la tête. Ses yeux étaient au même niveau que la pierre.

— Mais, bon sang ! s'exclama-t-il. Est-ce que vous voyez ce que je vois ? On est tous idiots ou quoi ?

— Non, nous ne sommes pas idiots, murmura Nick en se penchant sur la pierre.

Elle était vieille et percée de petits trous, mais sans erreur possible, c'était plus qu'une vieille pierre : elle avait été taillée et polie.

— Que diable fait une pierre polie... non, deux... enterrées sous presque quatre-vingt-dix centimètres de terre ? réfléchit Dave tout haut. Il n'y a pas d'édifices en pierre par ici.

— Le château de Sheriff Whenby. Cette pierre est assez grande pour venir de là. De même que l'autre, j'en mettrais ma main au feu.

Comme Nick sautait dans la tranchée afin de les examiner, Haydn, qui les regardait avec stupéfaction, s'exclama :

— Est-ce que quelqu'un veut bien m'éclairer ?

— Oui, dit Giles, qu'est-ce que deux pierres polies font sous toute cette terre ?

Lesley serra Natasha dans ses bras et donna la réponse en jubilant.

— Un trésor enfoui ! Vous ne comprenez donc pas ? Selon l'histoire de Natasha, ils ont enterré deux malles avec le corps de Sarah Stalwell — des malles contenant ses biens les plus précieux...

— Mais ce sont des pierres, insista Giles.

— Bien sûr ! s'exclama Natasha en riant. Les Whitehead sont venus chercher les malles plus tard...

— Et ils ont rempli le trou avec des pierres ! C'était plus facile et plus discret que de charrier de la terre, déclara Lesley.

— Est-ce que ça signifie que mes souffrances n'ont pas été inutiles, demanda Giles en retirant ses gants et en regardant ses paumes couvertes d'ampoules. Vous pensez qu'on peut encore espérer trouver la dame ?

— Tous les espoirs sont permis, murmura Nick en sortant du trou. La question est de savoir ce qu'on fait, maintenant.

Ils réfléchirent un moment. Dehors, la lumière lugubre de l'après-midi baissait de plus en plus, le vent mêlé de pluie soufflait en bourrasque sous l'avant-toit et faisait s'entrechoquer les tuiles. A l'intérieur de la grange, les lampes électriques illuminaient les trous béants et les monceaux de terre, les yeux perçants au milieu des visages las, l'armée de bêches et d'outils. Parmi les ombres qui s'épaississaient, ils ressemblaient à des conspirateurs. Se rappelant les assassins qui les avaient précédés quelques centaines d'années plus tôt, Nick eut un tremblement avant d'allumer une cigarette. Face à la preuve matérielle que ses déductions étaient justes, il doutait de la sagesse de leur entreprise. Toutes les histoires sinistres qu'il

467

avait lues dans sa vie lui revinrent en mémoire, en même temps qu'une vision très nette de la bête.

Avec un mouvement convulsif, il chassa cette image. Il alla à la porte et resta là, pour chercher un réconfort dans le spectacle du vent et de la pluie. Mais le passé semblait être tout autour de lui, comme l'une des forces naturelles qui agitent la terre. De l'autre côté de la cour, la maison longue et basse profilait sa masse sombre, parallèlement à la petite route qui datait des temps anciens, tandis que les derniers chênes de la forêt de Galtres inclinaient leurs branches en gémissant. Même les champs, de chaque côté, prenaient un aspect insolite dans le jour qui tombait. Se sentant trahi et isolé, Nick fouilla les haies du regard, à la recherche d'une ombre plus noire que le reste. Il ne vit rien, mais qu'est-ce que cela prouvait ? Il pouvait être n'importe où, à l'affût. Que lui voulait-il ?

La pensée qu'il n'existait aucun moyen de se sauver lui fit froid dans le dos. Nick écrasa sa cigarette sous son pied et retourna dans la grange. Là au moins, aussi macabre que soit leur tâche, il y avait la chaleur de présences humaines.

Dave et Lesley discutaient ferme en évaluant les distances. Les pierres n'étaient qu'à quarante-cinq centimètres de l'endroit où les tranchées voisinaient, alors que la seconde pierre dépassait du bord le plus proche du mur extérieur. Entre ce point et l'actuel mur de brique de la grange, il y avait presque deux mètres, mais Nick reconnut que le mur originel avait dû se trouver à une cinquantaine de centimètres en deçà. Ils décidèrent par conséquent de continuer à creuser dans la longueur de la tranchée. Avec un peu de chance, le squelette serait vers le centre, à environ un mètre de là.

Ils étaient impatients de commencer, mais également très fatigués ; alors Dave leur recommanda de faire particulièrement attention. Le tamisage effectué par Natasha et Haydn devint soudain essentiel.

Une heure plus tard, ayant divisé la tranchée dans sa longueur et retiré la terre jusqu'à une profondeur d'un mètre vingt, ils n'avaient toujours rien découvert. Épuisés et découragés, ils marquèrent une pause pour discuter.

— Tu penses sérieusement qu'on a enterré une femme ici ? demanda Giles en se frottant le dos. Si tu veux mon avis, elle est cachée quelque part et se tord de rire !

Natasha tressaillit. Nick secoua la tête. Il avait mal dans des parties de son corps qu'il avait oubliées depuis le dernier match de rugby ; et ses mains, peu habituées aux travaux manuels, étaient endolories et saignaient. Haydn, qui avait toujours été le dernier à se plaindre, ôta lui aussi ses gants et dit qu'ils devaient peut-être se résoudre à abandonner leurs recherches.

Un de ses gants tomba dans la tranchée. Le corps raide, il descendit dans le trou avec un grognement pour le ramasser.

Quelqu'un parla de prendre un bain, et ils se mirent à évoquer les bienfaits d'un bain chaud avant de dîner et d'aller au lit. La voix de Haydn les surprit :

— Dave, passe-moi cette lampe, tu veux ?

— Qu'y a-t-il ?

— Je ne sais pas ; peut-être des cailloux, tu ferais mieux de regarder...

Dave descendit avec la lampe et examina l'endroit que lui indiquait Haydn.

— Lesley, donne-moi la brosse...

De nouveau, ils se penchèrent au-dessus du trou comme des Esquimaux cherchant à repérer un poisson. Dave avait tout d'un archéologue, à présent. A l'aide de la brosse, il gratta minutieusement l'endroit indiqué par Haydn avec une truelle, puis brossa encore. Ils virent rouler de petits grains de terre ; et, sous la lumière crue, quelque chose qui ressemblait à deux brindilles brisées, incrustées dans la terre.

Le silence, pendant un moment, fut profond.

— Des phalanges, murmura Dave avec respect en levant les yeux vers Nick. Les os des doigts. Nous l'avons trouvée.

41

L'ivresse de la victoire dissipa d'un coup leur fatigue. Ils tombèrent dans les bras l'un de l'autre, et félicitèrent Haydn d'avoir laissé tomber son gant juste à cet endroit. Lesley, prise d'une exubérante gaieté, ébaucha même une danse guerrière en frappant l'air de ses poings.

— Vous voyez, c'est ça, l'archéologie, dit-elle avec passion.

Même Dave riait ; il avoua à Nick qu'il n'avait pas cru à la réussite de leur entreprise.

Oubliant leurs courbatures, ils étaient impatients de se remettre au travail. Même Lesley y était favorable ; mais Dave secoua fermement la tête.

— Non, dit-il. Il y a quelques minutes, nous étions tous à bout de forces, et le Pr Rathmell répète à longueur de temps que l'euphorie fait faire des bêtises. Alors, je pense que, dans l'état de fatigue et d'excitation où nous sommes, nous ne serons pas en mesure d'effectuer un bon travail. Nous devrions ranger les affaires, et mettre le squelette au jour de bonne heure demain matin.

Nick reconnut la sagesse de cette proposition. Mais, avant qu'ils ne commencent à ranger, Haydn leur demanda un moment d'attention.

— Ces os, déclara-t-il, ont appartenu à un être humain, probablement à une jeune femme qui répondait au nom de

Sarah Stalwell, et qui, selon toute vraisemblance, a été assassinée...

Il s'arrêta pour les regarder l'un après l'autre.

— ... Elle a été enterrée ici, reprit-il, dans une terre non consacrée, là où l'on mettait les bêtes, sans une prière pour le salut de son âme. Pour cette raison, j'aimerais que vous disiez le *Notre Père*. Si vous ne pouvez pas le dire pour vous-mêmes... dites-le pour la personne qui gît ici, ajouta-t-il avec force.

Comme ils inclinaient la tête, Nick admira la capacité de Haydn d'éveiller ce qu'il y avait de meilleur chez les autres ; mais la prière qu'il récita avec les autres changea le cours de ses pensées. Pour lui, la phrase *Délivrez-nous du mal* n'avait jamais eu autant de force.

Le vent fit rage cette nuit-là et, malgré leur épuisement, ni Natasha ni Nick ne dormirent bien. Ils s'éveillèrent tous les deux vers six heures, et se tournèrent l'un vers l'autre plus par besoin d'apaiser une tension nerveuse que par désir. Ensuite, Nick se rendormit. Il se réveilla en sursaut à huit heures comme la radio faisait état du premier assassinat loyaliste de la nouvelle année, en Irlande du Nord, et de l'explosion d'une bombe posée par l'IRA à Londres dans Oxford Street. La livre avait baissé par rapport au mark, et les tempêtes qui ravageaient la côte est des États-Unis atteindraient l'Écosse et le nord de l'Angleterre dans les prochains jours...

— Je croyais qu'elles étaient déjà là, marmonna-t-il avant d'éteindre la radio.

Laissant Natasha au lit, il descendit faire du thé.

Quelques minutes plus tard, il écouta les nouvelles télévisées, plus détaillées. C'était déprimant, mais l'horreur et le désastre sur une si grande échelle rendaient anodine l'exhuma d'un squelette de deux cent soixante-dix ans.

Les autres arrivèrent au moment où ils finissaient de prendre leur petit déjeuner. Après avoir bu une tasse de café dans la cuisine, Haydn voulut parler à Nick du pasteur local, et de ce qu'ils allaient répondre aux questions qu'il leur poserait. Comme Nick voulait passer sous silence l'histoire écrite par

Natasha, ils résolurent de s'en tenir à la version déjà donnée par Nick : des soupçons lui étaient venus à partir des recherches qu'il avait menées sur les anciens propriétaires de Holly Tree Farm.

Ayant appris leur leçon, ils enfilèrent leurs gants afin de protéger leurs mains couvertes de pansements et de se préparer pour la dernière phase des fouilles.

Après une nouvelle étude du site, Dave et Lesley conclurent que le corps de Sarah Stalwell avait dû être enterré parallèlement au mur et non perpendiculairement. Comme ils commençaient à dégager la terre au-dessus des phalanges trouvées la veille, il devint rapidement manifeste que le reste du squelette était très proche du mur du bâtiment originel. Lorsqu'ils déplacèrent de gros morceaux de bouses de vaches solidifiées, ils mirent au jour des fragments de montants et de piliers, des débris de clayonnage enduit de torchis, et une traverse pourrie qui reposait sur une assise de briques. D'après la différence de niveaux, les archéologues estimèrent que la grange d'origine devait avoir entre trois cents et quatre cents ans, ce qui corroborait l'hypothèse émise par Nick — à savoir qu'elle datait de l'agrandissement et de la reconstruction de la maison en briques. Il se pouvait aussi, songea-t-il en examinant la vieille traverse, qu'une partie du bois d'œuvre de l'ancienne maison ait servi à construire la grange.

Le temps était un peu moins mauvais ce jour-là. Des averses intermittentes remplaçaient la pluie torrentielle de la veille, et il faisait moins sombre. Mais le vent s'était levé et sifflait en s'infiltrant dans les fentes au-dessus de leur tête. Il souffla de plus en plus fort, et au moment où ils découvrirent les restes de Sarah Stalwell ses hurlements avaient quelque chose d'effrayant.

Leur nervosité augmenta au fur et à mesure qu'apparaissaient le crâne, les omoplates et les os du bassin. Natasha sentait chez les autres une impatience fébrile d'en terminer alors que, pour elle, tout allait beaucoup trop vite. Elle avait l'impression d'arriver au bout d'un long et difficile chapitre : elle voulait en finir mais appréhendait le vide qui suivrait. Elle avait peur de ce qui arriverait ensuite...

Il fallut deux heures pour dégager l'ensemble du squelette. Dave et Lesley travaillèrent avec une grande concentration, tandis que les autres, assis ou debout, les observaient en fumant. La lente exhumation des os révéla que Sarah Stalwell avait été enterrée sur le côté gauche, en position fœtale. Du linceul de fortune qui l'avait recouverte, aucune trace ne subsistait.

Dave, de l'air détaché d'un homme de sciences, fit remarquer à mi-voix que le fumier acide pourrissait les fibres naturelles plus rapidement, et qu'il n'était pas surprenant que seuls les os demeurent.

Une main était placée sous le corps de Sarah. Comme Lesley brossait avec délicatesse la terre sur un fémur en partie découvert, la lumière de la lampe mit en évidence la forme d'une bague, et dessous la longue lame d'un couteau à moitié couverte de terre.

A la vue de l'arme, Natasha fut prise d'un tremblement irrépressible. Elle revécut toutes les émotions violentes par lesquelles elle était passée en écrivant la scène du meurtre. Elle avait l'impression qu'on lui tirait méchamment les cheveux, et elle sentit le froid la pénétrer comme si on lui avait arraché ses vêtements ; puis la lame brûlante du couteau s'enfonça dans sa chair vulnérable et toucha l'os. Elle cria...

... elle se mit à flotter, à la fois indifférente et curieuse, tandis que ses meurtrières paniquaient...

Elle avait froid et ses joues étaient mouillées. Des voix masculines, étouffées... une voix féminine, affolée... quelque chose à propos d'un docteur.

Un docteur ? Trop tard... elle est morte...

Des mains rugueuses lui frottaient les bras, les jambes... *Ça faisait mal...*

Seul un gémissement sortit de sa gorge lorsqu'elle voulut protester, mais elle parvint à retirer sa main de la griffe de celui ou de celle qui s'apprêtait à la frictionner.

Rauque d'émotion, la voix de Nick parvint jusqu'à elle :

— Oh, merci, mon Dieu... Enfin... !

Elle reconnut l'étreinte familière de Nick, ses bras, l'odeur de son pull-over, et sa joue qui piquait.

— Ça va aller, maintenant, ma chérie, ne t'inquiète pas...

Il la serra contre lui en la berçant comme une enfant, et la chaleur de son corps redonna à Natasha assez d'énergie pour soulever enfin les paupières et regarder autour d'elle.

Elle se demanda ce qu'elle faisait allongée sur le canapé du salon, à moitié recouverte d'une couette, avec cinq paires d'yeux anxieux fixés sur elle. Lesley, qui semblait aussi nerveuse qu'une petite fille tenant un bouquet de fleurs à la main, lui sourit et posa une bouteille d'eau chaude sur son ventre en disant qu'elle n'avait jamais vu pareil évanouissement.

— Ah, c'est donc ça... ? Je suis désolée, je ne...

— Non, n'essaie pas de te lever, repose-toi, dit Nick, il vaut mieux attendre que la circulation sanguine redevienne normale...

Un peu plus tard, lorsqu'ils furent seuls, Nick lui raconta que, lorsqu'elle s'était trouvée mal, il l'avait empêchée de justesse de tomber dans le trou.

— J'ai remarqué que tu tremblais — puis tu es devenue livide.

Avec un sourire piteux, il lui caressa la joue.

— Je n'ai jamais vu ça de ma vie. J'étais aux cents coups.

— Oh, Nick, excuse-moi...

— Ne t'excuse pas, tu n'y es pour rien. J'ai eu très peur, c'est tout. Le plus effrayant était de ne pas pouvoir te ranimer. Et tu étais si froide...

— Ça va bien, maintenant, dit-elle en serrant la bouteille d'eau chaude.

Mais elle se sentait fortement commotionnée. Elle but à petites gorgées le thé que Giles avait apporté et, quelques instants plus tard, demanda combien de temps elle était restée sans connaissance.

Nick haussa les épaules.

— Je ne sais pas exactement, peut-être quatre ou cinq minutes. Cela m'a paru une éternité, répondit-il d'un air désinvolte, mais elle vit bien qu'il était inquiet.

Cela lui avait semblé long, à elle aussi. Au souvenir de ce qui avait provoqué sa syncope, elle se remit à trembler.

— C'est le couteau ? demanda-t-il.

Elle hocha la tête.

— Je ne sais pas à quoi je m'attendais, reconnut-elle peu après ; mais pas à ça, en tout cas. A vrai dire, je ne crois pas que je m'attendais à quelque chose de précis. Même hier soir, lorsque nous avons trouvé les phalanges, je ne cessais de me répéter que ce pouvait être le squelette de n'importe qui, mais pas celui de Sarah Stalwell, pour la simple raison... qu'elle était née de mon imagination...

« C'est fou, reprit-elle soudain, en passant distraitement la main dans ses cheveux. Au fond, je suis sûre que je n'ai pas pu écrire seule l'histoire de Sarah Stalwell. J'ai toujours pensé à elle comme à une femme ayant une personnalité propre. Cela m'a aidée à supporter ce que ma mère a fait. Mais, précisa-t-elle avec fougue, il me restait un doute, un fond de scepticisme et une voix me disait : *Ne sois pas ridicule, tu te racontes des histoires, ces choses-là n'arrivent pas.*

« Mais j'ai découvert que cela arrive. J'ai vu le couteau, Nick, et j'ai senti la lame s'enfoncer dans mon corps. C'était exactement comme si on me poignardait. Ne me demande pas comment c'est possible, je n'en sais rien.

Elle vit qu'il fronçait les sourcils et avait l'expression légèrement distante qui lui était coutumière lorsqu'il mettait en balance les faits et les sentiments, les théories et les vérités établies.

— Est-ce que tu veux parler de réincarnation ? demanda-t-il enfin.

La question la prit de court.

— Non, je ne pense pas.

Frustrée qu'il ne comprenne pas ce qu'elle voulait dire, elle chercha d'autres mots ; mais aucun n'était approprié et, plus grave, ils risquaient de la faire passer pour folle.

A la fin, elle prit une grande inspiration et déclara :

— Sarah Stalwell est une personne distincte de moi. La première fois que je l'ai vue, elle me regardait depuis l'entrée de la grange. Et j'ai écrit son histoire comme sous la dictée de quelqu'un. Une fois, en allant au village, ajouta-t-elle lentement, il s'est passé quelque chose d'un peu différent. L'espace d'un instant, au bout de Dagger Lane, juste avant de traverser, j'ai vu le village comme il devait être du temps de Sarah : les maisons avec leur toit de chaume, la boue et le ruisseau coulant au milieu de la rue. Il y avait un gué et des marches en pierre à l'endroit où Dagger Lane croise la pelouse communale...

— Mon Dieu, murmura-t-il, riant à moitié d'étonnement. C'est incroyable !

— Oui, je sais. Sur le moment, cela ne m'a pas paru très important, mais cette impression de voir à travers les yeux de quelqu'un d'autre m'a quand même fait un choc. J'ai été perturbée tout l'après-midi. Je suis même allée au pub pour boire un cognac, tu vois à quel point je me sentais mal.

« Jusqu'à tout à l'heure cela ne s'était pas reproduit. Le plus horrible, précisa-t-elle d'une voix douce, ce n'était pas la vue de ce couteau, mais de vivre dans ma chair l'expérience d'une autre.

Nick ne doutait pas de la sincérité de Natasha, mais ce qu'elle lui avait dit l'inquiétait beaucoup, de même que la durée anormalement longue de son évanouissement. Il pressentait que la succession trop rapide des événements sapait les forces physiques et mentales de la jeune femme.

Prévoyant d'avance ses objections, il n'osait la presser de faire un check-up ; pendant que les autres étaient occupés dehors, il lui conseilla de parler avec Haydn. Ce qui venait de lui arriver n'avait peut-être rien à voir, mais Natasha restait apparemment au centre de tout ce qui se passait et, au lieu de diminuer, l'angoisse de Nick s'amplifiait.

De retour dans la grange, il regarda un moment les deux étudiants terminer leur travail au fond de la tranchée. Puis Lesley se déplaça, et le squelette lui apparut dans sa totalité, avec le couteau au-dessous. Cette preuve tangible d'un crime commis dans le passé l'avait secoué lui aussi ; mais, à présent, il pensait surtout au temps qui s'était écoulé entre cet événement et ce qu'ils vivaient aujourd'hui.

Pourtant, si étrange que cela paraisse, il existait bien un lien entre le passé et le présent. Mais Nick aurait beau étudier à fond les théories du hasard et de la prédestination, même les distorsions du temps, il n'en aurait jamais la preuve formelle. Malgré ses convictions et celles de Natasha, il ne pourrait jamais en faire un compte rendu en vue d'une publication. Cela resterait toujours une simple coïncidence, une de ces histoires fascinantes que l'on se raconte après le dîner et qui ne résisteraient pas à l'examen scrupuleux d'un spécialiste.

Par association d'idées, il pensa à la police. Il faudrait la prévenir, tôt ou tard. Pour ménager sa femme, il fut tenté d'attendre le lendemain, mais cela obligerait tout le monde à revenir, et il lui parut préférable d'en finir immédiatement.

Nick avait déjà constaté à la mort de Toby, que dans ce genre de circonstances la police n'était jamais longue à venir. Il fut néanmoins surpris de la rapidité avec laquelle tout se passa. Après trois journées d'un travail lent et pénible, pendant lesquelles ils avaient formé une équipe soudée au service d'une cause commune, leur sentiment de triomphe légitime fut de courte durée.

Nick eut de nouveau affaire à la police locale de Strensall. Il débita un discours préparé à l'avance. En creusant le sol de la grange, ils avaient découvert un squelette humain. Très, très vieux — se hâta-t-il d'ajouter. Il avait pensé qu'il devait avertir la police. Après une pause, on lui demanda son nom et son adresse. Le silence fut plus long encore. Comme Nick donnait les indications pour arriver jusque chez lui, l'agent de police, à l'autre bout du fil, l'interrompit.

— Je sais où c'est, déclara-t-il, j'y suis allé il n'y a pas long-temps.

— Ah oui, bien sûr, dit Nick, gêné. C'était il y a dix jours, quand le vieux Toby Bickerstaff est mort. Nous avons assisté à son enterrement hier.

Le policier ne fit pas de commentaire, mais il mit un terme à la conversation en assurant que quelqu'un serait rapidement sur place. Lorsqu'il raccrocha, Nick se sentit une âme de criminel. Et, en jetant un coup d'œil sur les visages levés vers lui, en cercle autour de la table, Nick trouva qu'ils avaient des airs de conspirateurs et commença à redouter les questions qu'on allait lui poser.

La voiture arriva moins de dix minutes plus tard en décrivant avec ses phares un arc de lumière dans la cour. Nick alla à la porte, suivi de Haydn Parker. Il s'étonna que le policier qui descendait de voiture ne soit pas l'un des deux hommes qui avaient été chargés de la mort de Toby. Nick se présenta et, avec un geste vers Haydn, déclara :

— Je vous présente le révérend Parker, aumônier à l'université de York.

Le policier, un jeune homme, ne parvint pas à demeurer tout à fait impassible ; l'étonnement écarquilla ses yeux, sembla-t-il à Nick.

— Bien. Est-ce que je pourrais jeter un coup d'œil sur, euh, sur le squelette... ?

Nick ouvrit les portes de la grange et alluma les lumières. Cette fois, le fonctionnaire de police eut l'air déconcerté. Au milieu des ombres épaisses, les tranchées paraissaient encore plus profondes qu'en réalité.

Nick commenta d'une voix aussi ferme que possible :

— Comme vous pouvez le constater, nous faisions des fouilles archéologiques. Et puis, ainsi que je l'ai expliqué tout à l'heure au téléphone, nous avons trouvé des restes humains...

— Où ça ?

Haydn ramassa une des lampes et dirigea le faisceau lumineux dans le trou. Le squelette couché en rond, tel le corps d'un enfant endormi, paraissait très petit. Le bois d'œuvre pourri de l'ancien mur formait une sorte de tête de lit et rendait crédibles les fouilles archéologiques, songea Nick.

Après un long examen, le jeune policier se permit un sourire triste.

— Comme vous dites, monsieur, c'est un squelette qui est très, très vieux ; mais, du fait de sa présence ici, les circonstances de la mort paraissent plus que suspectes !

— Oui, certainement. Vous ne pouvez pas le voir de l'endroit où vous êtes, mais, sous le squelette, il y a un couteau.

— Vraiment ?

Il se pencha en avant et regarda de plus près.

— Eh bien, il vaut mieux ne toucher à rien. Je suis désolé, mais je vais devoir interdire l'accès de la grange tant que la police n'est pas passée.

Il retourna à la voiture et sortit du coffre plusieurs piquets en métal et un rouleau de bandelette rouge fluorescente. En d'autres circonstances, le soin avec lequel la bureaucratie attachait tout aurait amusé Nick. En l'occurrence, il avait seulement hâte d'en finir au plus vite.

Quelques minutes plus tard, une autre voiture arriva. Deux policiers en civil en descendirent. Sans plus de cérémonie, ils se rendirent dans la grange avec l'homme en uniforme et en ressortirent quelques minutes après. L'un d'eux fit son rapport au commissariat et, depuis la porte de la véranda, Nick entendit le grésillement de leur radio. Le plus âgé traversa la cour et retrouva Nick à la grille.

— Docteur Rhodes ? Bonsoir, je suis le commissaire Bartlett de la police judiciaire. Je présume que la propriété vous appartient — la maison et... euh... la grange ?

— Oui.

— Bien. Dans ce cas, pouvons-nous entrer un moment ? J'aimerais entendre votre version des faits.

Il suivit Nick dans le vestibule, et le second policier en civil leur emboîta le pas, laissant dehors l'homme en uniforme. Ils jetèrent un coup d'œil dans la cuisine, où les autres étaient assis autour de la table. Sur la requête du commissaire qui préférait un endroit tranquille, Nick les conduisit au salon. Comme ils s'asseyaient, face à la pile de bûches dans l'âtre prêtes à être allumées, Nick se demanda quelle serait la réaction des deux hommes s'il leur disait qu'à son avis le squelette dans la grange appartenait à une femme qui avait été assassinée dans cette même pièce. Ils ne le croiraient pas, c'était évident ; mais le côté absurde de la situation lui donna une brusque envie de rire qu'il réprima en fronçant les sourcils.

— Dites-moi, docteur Rhodes, est-ce que toutes les personnes présentes dans la cuisine sont mêlées à cette affaire ?

— Oui.

— Toutes ?

— Oui.

— Pouvez-vous me donner leur nom et me dire pourquoi elles sont là ?

Nick déclina leur identité et expliqua au commissaire — tandis que son subordonné prenait des notes — que ces personnes lui avaient offert de l'aider à creuser.

— Mais pourquoi avez-vous creusé justement à cet endroit ? Pourquoi pas dans le jardin, par exemple ?

Après une seconde d'hésitation, Nick répondit :

— Parce que j'avais des raisons de croire qu'une femme ayant vécu ici autrefois avait été assassinée et enterrée là.

Le visage tourné vers Nick avait un air las qui contrastait avec des yeux extrêmement vifs.

— Vous voulez dire que vous cherchiez bien un squelette ?

— Oui.

Il y eut un petit silence éloquent.

— Et qu'est-ce qui vous incitait à croire qu'il pouvait y en avoir un ?

— L'instinct, répliqua Nick, sans hésiter cette fois, persuadé que son boulot et celui du commissaire n'étaient pas intrinsèquement différents.

Il expliqua ensuite qu'il avait effectué deux recherches parallèles qui s'étaient recoupées, de façon inattendue, au début du XVIIIe siècle ; après avoir mentionné le journal du révérend Clive dans lequel étaient évoqués les anciens propriétaires de Holly Tree Farm, Nick parla de la mort de Richard Stalwell et des dissensions familiales qui s'étaient ensuivies.

— D'après les notes du révérend Clive, Sarah Stalwell aurait adopté, à partir de là, une conduite scandaleuse. Elle se prostituait, pour dire carrément les choses, ce qui lui attira l'hostilité des villageois. Puis, un beau jour, elle disparut. Le révérend Clive soupçonnait quelque chose, mais il ne put rien prouver. C'était un homme déjà vieux, très diminué, qui est mort peu de temps après. Il n'est donc pas surprenant que le crime n'ait jamais été découvert.

Avec un soupir, le commissaire leva la main.

— Oui, je vois. Mais pourquoi avez-vous pensé que le corps pouvait être enterré dans la grange ? Pourquoi pas dans le cellier, par exemple, ou sous les planches du parquet ?

Nick expliqua que la maison n'avait pas de cellier et que les criminels voulaient hériter de la maison.

— Je les imaginais mal dormant sur leurs deux oreilles avec le corps de Sarah en dessous d'eux. En l'enterrant dans la grange, ils étaient à l'abri des regards indiscrets, et pouvaient cacher sous la paille et les bouses de vache la terre remuée.

— Hm, oui, je vois.

Il réfléchit un moment, l'air imperturbable.

— Pourquoi pas dans les bois ? Je suppose qu'à cette époque la région était boisée ?

— Oui. Mais la forêt était une source de combustible et de matière première pour la fabrication des outils et des ustensiles de la maison. A cette époque, il était plus facile que maintenant de découvrir une tombe dans la forêt.

Les yeux aux paupières légèrement tombantes du commissaire restaient fixés sur Nick, et rien ne leur échappait. Bien que Nick eût la logique de son côté, il sentait que le commissaire était convaincu de ne pas obtenir toute la vérité. Il n'avait plus envie de rire. Il ne faisait pas particulièrement chaud, mais il transpirait et attendait avec impatience la fin de l'entretien.

— C'est une théorie intéressante, dit l'autre homme. Je n'y aurais pas pensé, je l'avoue. Et vos amis étaient au courant de tout ça ?

Nick pinça les lèvres.

— Oui, plus ou moins.

— Qu'est-ce qui les a incités à vous aider ? Creuser des tranchées est un travail pénible, docteur Rhodes — vous deviez être très résolus pour vous lancer dans une pareille aventure...

Les sourcils relevés semblaient supplier Nick de continuer.

— Vous avez raison, c'est un travail très pénible, approuva Nick en essayant de dissimuler les pansements sur ses mains. Mais, comme moi, mes amis ont trouvé injuste qu'un corps soit enterré dans une terre non consacrée, sans le bénéfice d'un enterrement chrétien.

Les yeux le fixaient sans ciller.

— Même s'il s'agit d'une putain ayant vécu au XVIIIᵉ siècle ?

— Oui, commissaire, même s'il s'agit d'une putain morte depuis plusieurs siècles.

Comme Nick se demandait quelle serait la question suivante, ils entendirent une voiture dans Dagger Lane. Lorsqu'elle s'arrêta dans la cour, le policier qui avait pris des notes regarda par la fenêtre.

— Les pièces à conviction, je pense, commissaire.

— Eh bien, le pathologiste sera bientôt ici, docteur Rhodes. Nous saurons ainsi si votre intuition est juste ou pas. En attendant, j'aimerais avoir un entretien avec votre femme.

Quoique soulagé d'en avoir fini, Nick se fit du souci pour Natasha. Comment supporterait-elle l'interrogatoire ? Il n'avait aucun moyen de la préparer ni de la rassurer ; dès qu'il se leva, l'adjoint du commissaire l'imita et, l'instant d'après, comme Natasha arrivait dans le salon, le jeune policier qui était resté dehors entra dans la cuisine et s'assit parmi eux.

Nick aurait préféré avaler un whisky, mais il fit du café ; le policier secoua la tête, et les autres, qui en avaient déjà bu beaucoup, déclinèrent l'offre. Gênés, ils ressemblaient à des patients dans la salle d'attente d'un dentiste, regardant leurs mains et leurs tasses vides, n'importe quoi, plutôt que de rencontrer le regard des autres. Nick alluma le téléviseur pour voir les informations, mais il fut incapable de regarder ni même d'écouter ; il alla à la fenêtre et observa dans la cour la porte ouverte de la grange. Sous des lumières plus vives que celles qui les avaient éclairés durant trois jours, un des deux hommes à l'intérieur utilisait ce qui ressemblait à une caméra vidéo.

Légèrement surpris, Nick se tourna vers leur chaperon en uniforme et demanda :

— Ils filment le site ?

— Je suppose, monsieur. C'est la procédure habituelle.

— Lorsque quelqu'un a été assassiné ?

Le jeune policier s'éclaircit la gorge.

— Lorsque les circonstances de la mort sont suspectes, monsieur.

— Je vois.

Comme les temps changent, pensa-t-il en échangeant un regard avec Giles, qui le rejoignit à la fenêtre.

— Je me demande ce que notre Sarah aurait pensé de tout ça, dit-il à voix basse.

Les yeux bleus de Giles se plissèrent d'amusement.

— Moi, je me demande ce que les experts médico-légaux vont faire de notre trouvaille. Ça promet d'être intéressant, tu ne crois pas ?

— Pour l'instant, je voudrais surtout savoir comment ça se passe pour Natasha et combien de temps tout ça va durer.

— Nous ne vous garderons pas plus longtemps que nécessaire, monsieur, affirma le policier.

Pour Nick, ce fut un siècle. Pendant les trois quarts d'heure qui suivirent, ils eurent chacun leur tour un entretien avec le commissaire. Quand ce fut à Haydn de se trouver dans le salon, Nick aperçut un autre véhicule devant la grille. Ses phares en illuminèrent les montants mais il stationna devant.

Les sept voitures garées dans la cour ne laissaient en effet que la place pour manœuvrer une bicyclette, c'était une grande camionnette, avec POLICE écrit derrière, qui se présentait.

Une silhouette en descendit ; après quelques délibérations, la Rover, deux voitures de police et la vieille Volvo de Dave furent déplacées et garées dans Dagger Lane. La camionnette entra alors en marche arrière et s'arrêta devant l'étable. Deux des hommes qui en descendirent avaient l'air parcimonieux des scientifiques, se dit Nick. Avec une blouse blanche par-dessus leurs vêtements usagés, ils n'auraient pas détonné dans un laboratoire de recherche. Le troisième était différent. Vêtu d'une vieille veste en tweed et d'un pantalon en velours côtelé et la tête entourée d'un halo de longs cheveux blancs, il était plus petit, plus gros et plus vieux.

— Qui est-ce ? demanda Nick au commissaire comme ils revenaient vers la maison. Pas des policiers, je suppose.

— Ce sont des experts médico-légaux. Il y a un pathologiste, un médecin légiste et un archéologue.

— Vraiment ?

Nick était impressionné. Il les regarda pénétrer dans la grange avec un petit sourire.

— Laissez-moi deviner ; l'homme aux cheveux blancs est l'archéologue.

Le policier s'autorisa un rire léger.

— Bien vu. C'est le Pr Ord-Bray. Vous avez dû entendre parler de lui...

— Non, je ne crois pas ; mais Dave, sans doute...

Il se retourna vers le jeune homme, qui regardait par-dessus l'épaule de Nick avec une admiration mêlée d'effroi.

— Ord-Bray ? répéta Dave. Oh, mon Dieu, si le Dr Rathmell apprend ça, il ne se pardonnera jamais de m'avoir envoyé à sa place.

— Vous pensez qu'il regrettera de ne pas avoir fait le travail lui-même ?

— C'est sûr, murmura Dave. Je ne voulais pas vous le dire, Nick, mais il nous a choisis, Lesley et moi, parce que nous sommes amis et que nous ne vivons pas loin l'un de l'autre. Je suis de Boston, et elle habite juste à côté de Lincoln ; alors nous voyageons souvent ensemble, vous comprenez ?

— Non, répondit Nick. Que voulez-vous dire ?

483

Se sentant pris au piège, Dave secoua la tête.

— Eh bien, voyez-vous, déclara-t-il, nous ne sommes pas d'aussi bons étudiants que vous l'imaginez. Le Dr Rathmell nous trouve même plutôt mauvais. Je suis sûr qu'il a pensé à nous parce qu'il était convaincu que nous ne trouverions rien.

Pendant un moment, Nick ne sut quoi répondre. C'était si typique de la rivalité impitoyable qui régnait dans le monde universitaire qu'il aurait dû être furieux. Mais, face au tour que le destin jouait à son collègue, il éclata de rire.

— Eh bien, ce sacré Rathmell a eu tout faux, n'est-ce pas ? s'exclama-t-il en donnant une tape joyeuse sur l'épaule de Dave. Va donc chercher Lesley. Nous allons savoir ce que vous avez découvert.

Le policier tenta en vain de les dissuader d'entrer dans la grange. Nick ne voulut rien entendre.

— Écouter, c'est ma grange et c'est grâce à ces deux jeunes que le squelette a été découvert. Si les experts ne veulent pas de nous, ils sont assez grands pour nous le dire eux-mêmes. Tout ce que je veux, c'est que ces étudiants puissent voir leur héros. D'accord ?

Le policier abandonna le ton de la politesse glacée et se fit menaçant.

— Si vous insistez, je vais être obligé de vous inculper...

— Ce ne sera pas nécessaire, l'interrompit la voix douce du commissaire, qui ajouta à l'adresse de Nick : Si vous voulez bien attendre ici, docteur Rhodes, je vais dire un mot au professeur. De toute façon, il se peut qu'il veuille parler à vos jeunes protégés.

Quelques instants plus tard, il les conduisit dans la grange, derrière la bandelette rouge. Nick, Lesley et Dave regardèrent la tranchée, éclairée à présent de tous côtés : à l'intérieur, le professeur et un des médecins légistes examinaient les os et la profondeur du sol. Le troisième expert, accroupi sur le mur d'origine, prenait des notes.

Des bribes de conversation leur parvinrent. « ... Pas de doute... des dépôts ammoniaqués... au moins trois siècles, ce n'est pas votre avis ? »

Réprimant son envie de leur préciser l'année du meurtre, Nick se contenta d'observer et d'écouter. Le professeur semblait examiner le couteau.

— Est-ce que tout a été photographié ? demanda-t-il aux deux policiers, à l'autre extrémité de la grange.

Rassuré sur ce point, il préleva soigneusement avec un outil de Dave un peu de terre sous le squelette. Quelques minutes plus tard, il dégageait le couteau.

— Si ce n'est pas l'arme du crime, je veux bien être pendu !

Riant de cette plaisanterie, il tint le couteau levé pour que tout le monde puisse le voir.

— Un peu rouillé, j'en ai peur, et le manche ne tient presque plus ; mais il pourrait encore faire des dégâts... Il ajusta ses lunettes et le regarda de nouveau.

— Je doute qu'on trouve des empreintes, hélas !

Il y eut quelques rires respectueux. Puis, levant les yeux, le professeur sembla remarquer pour la première fois la présence de Nick et des étudiants.

— C'est vous qui avez dirigé les fouilles, si j'ai bien compris.

Nick s'éclaircit la gorge.

— Non, pas moi, professeur, je suis historien. Ce sont mes amis, ici présents, qui sont archéologues.

Lorsqu'il dévisagea Dave et Lesley, les épais sourcils blancs du professeur se relevèrent. Le regard ardent de Lesley le charma manifestement. Il ôta même ses lunettes pour mieux la voir.

— Eh bien, je vous félicite. Vous avez fait du bon travail, très soigné. Cela nous rend la tâche plus facile, je suis ravi de vous le dire. L'autre tranchée est un peu moins orthodoxe, mais je comprends les problèmes que vous avez rencontrés.

Il sourit avec bienveillance.

— Vous saviez ce que vous cherchiez, je présume...

Se sentant tout bêtes, Dave et Lesley tournèrent la tête vers Nick.

— Oui, répondit-il à leur place, sûr de ne compromettre personne.

— Hum, intéressant. Je lirai le rapport avec intérêt.

Comme il se retournait pour observer de nouveau le squelette, le commissaire poussa Nick et les deux étudiants dehors.

Dave et Lesley flottaient dans l'euphorie en retournant vers la maison.

— Vous rapporterez certainement avec beaucoup de plaisir

485

au Dr Rathmell les compliments que vous a adressés le professeur, hein ? leur demanda Nick. Comptez sur moi pour en rajouter !

— J'espère bien que ce salaud de Joe Rathmell en fera une jaunisse, déclara-t-il à Natasha quand tout le monde fut parti. S'il me demande un service, je lui dirai d'aller se faire voir !

— Quoi qu'il pense de Dave et de Lesley, répondit Natasha, ils ont fait un excellent travail et ils ont été formidables.

— Oui, approuva Nick. Mais la police, oh là là ! Je pensais qu'ils ne s'en iraient jamais...

— C'est fini, maintenant ?

— Non, il y a les dépositions à signer lundi, puis il faudra attendre.

Les reliefs de leur dîner mis de côté, ils restaient assis à table, songeurs.

— Tu sais ce qui va se passer ? demanda Natasha.

— Oui, ils ont dit que les os seraient datés par les experts des sciences judiciaires, et s'ils sont aussi vieux qu'ils le paraissent aucune action en justice ne sera intentée.

— Ah oui ? s'exclama Natasha en riant de soulagement. C'est plutôt une bonne nouvelle, mais d'un autre côté on peut se demander pourquoi.

— Après toutes ces années, qui pourrait encore être inquiété ?

— Tu as raison, bien sûr, répondit-elle lentement. Ils sont tous morts. Pourquoi n'y ai-je pas pensé ? Avec l'arrivée de la police, j'ai eu l'impression d'être une criminelle moi aussi, et je m'attendais à tout moment à recevoir au moins un coup de règle sur les doigts !

— J'ai éprouvé la même chose, avoua Nick en riant. D'ailleurs, si ce policier avait suivi son idée, on serait probablement dans une cellule, maintenant !

Nick attira Natasha à lui, l'étreignit et lui donna un baiser ; un instant plus tard, en regardant l'horloge, il déclara qu'il était temps pour eux d'aller se coucher.

Avant de monter, il traversa la véranda, ouvrit la porte et

regarda la grange plongée dans l'obscurité. Le toit et la façade se découpaient sur le ciel clair et étoilé. Le vent était tombé, mais le givre scintillait dans la cour.

— Bien, murmura-t-il, ils l'ont emmenée. Elle a enfin quitté cet endroit...

Quelques instants plus tard, Natasha dit doucement :

— J'espère que tu as raison.

42

Bartlett les avait prévenus : après l'annonce habituelle à la presse, il se pouvait que les médias se manifestent. Nick et Natasha ne s'attendaient tout de même pas à être réveillés à neuf heures du matin par un coup de sonnette.

C'était dimanche, et après trois jours de travail éreintant ils auraient aimé faire la grasse matinée, déjeuner au pub, puis peut-être, un peu plus tard, aller à York et passer voir Giles et Fay. Une sonnerie insistante s'insinua dans le rêve de Nick et finit par le sortir du sommeil. Il pensa d'abord que c'était le livreur de journaux ; mais il était bien trop tôt pour cela, et le jeune garçon n'aurait pas gardé le doigt appuyé sur la sonnette comme s'il y avait le feu au village.

Le regard embrumé, Nick descendit ouvrir en robe de chambre, et découvrit sur le seuil un reporter du journal local et un photographe près du portail.

Ils étaient polis, mais pressants. Nick finit par leur accorder une interview ; mais une demi-heure plus tard, quand il se serait lavé, habillé et qu'il aurait pris une tasse de café. Natasha, qui avait écouté du haut des marches, était scandalisée.

— A neuf heures du matin, un dimanche ! On peut dire qu'ils ont du culot !

— Encore une chance que ce ne soient pas les journaux nationaux. Il y en aurait au moins sept !

Ils s'habillèrent en hâte ; mais Natasha exigea d'avoir le temps de se maquiller, ce qu'elle fit en buvant son café. Cette invasion matinale aurait au moins un avantage : son éditeur serait aux anges. La sortie de son livre étant prévue à quelques mois de là, toute publicité était une aubaine.

Debout devant le miroir, elle vérifia son apparence et s'efforça d'oublier sa fatigue pour se couler dans la peau d'un écrivain confirmé.

— Cela fait partie du métier, dit-elle à son reflet dans la glace. Tu l'as déjà fait, tu peux le refaire.

La pensée qu'après l'entretien avec la police leur version des faits était bien rodée l'aida à se sentir plus assurée.

Pendant que Nick faisait repartir le fourneau, Natasha rangea la cuisine. Elle était sur le point d'inviter à entrer les reporters qui attendaient dans leur voiture quand le téléphone sonna. C'était quelqu'un du *Yorkshire Post* : il avait cru comprendre qu'on avait trouvé un squelette dans la propriété du Dr Rhodes, et voulait savoir si le docteur et sa femme accepteraient une interview.

— Écoutez, je ne peux pas vous parler maintenant, j'ai de la visite. Pouvez-vous rappeler dans une demi-heure ?

— Ne pourrions-nous pas passer plutôt chez vous ?

— Vers quelle heure ?

— Ce matin ?

Natasha soupira.

— Bon, eh bien, entendu.

Elle raccrocha et regarda Nick avec stupeur.

— « Il se peut que les médias se manifestent », dit-elle en citant le commissaire.

Nick se mit à rire.

— Il ne nous reste plus qu'à en dire le moins possible.

Avec les deux journalistes, ils se limitèrent par conséquent à l'essentiel. Nick parla des recherches qu'il avait réalisées sur l'histoire de leur maison sans citer le nom du révérend Clive ; Natasha ne mentionna pas l'apparition de Sarah Stalwell sur le seuil de la grange ; et ni l'un ni l'autre ne fit allusion au récit historique qu'elle avait écrit. Les deux journalistes, qui connaissaient déjà Natasha en tant qu'écrivain, n'insistèrent pas trop. S'ils n'avaient pas grand-chose à raconter sur le squelette de la grange, du moins pourraient-ils écrire sur les gens qui l'avaient trouvé.

Nick, qui pensait à Joe Rathmell, se fit un plaisir de donner les noms des deux étudiants en archéologie, en insistant sur le fait que le célèbre Pr Ord-Bray, archéologue de la police judiciaire, les avait complimentés pour leur travail. Le squelette, ajouta-t-il, avait été transporté au laboratoire médico-légal de Sheffield, où les pathologistes du ministère de l'Intérieur devaient l'examiner. Après quoi, l'enterrement pourrait avoir lieu.

Les journalistes prirent des photos de la maison et de ses occupants, de la grange et des tranchées, et après que le Dr Rhodes et son épouse eurent posé gauchement à côté de l'endroit où le squelette avait été exhumé, ils s'estimèrent satisfaits. A midi, Nick et Natasha étaient impatients de s'échapper au *Half Moon*.

Mais, même au pub, ils ne trouvèrent pas le calme auquel ils aspiraient. Tony, le propriétaire, savait que la police était venue la veille au soir, et il voulait connaître les moindres détails ; et, à peine l'avaient-ils mis au courant de l'histoire et s'étaient-ils installés à une table pour déjeuner que Craig Morrison les accostait.

— Alors, c'est ici que vous vous cachiez ! Je suis passé chez vous pour apprendre ce qui se passait. Vous avez encore déniché un cadavre ?

La curiosité que Craig ne cherchait pas à dissimuler amusa Natasha.

— Comment le savez-vous ? demanda-t-elle en riant de l'étonnement du jeune homme.

Nick se força à sourire pour dissimuler du mieux possible son agacement devant l'intérêt constant du jeune fermier pour sa femme et alla chercher un autre verre au bar tandis que Natasha résumait une fois de plus les récents événements.

Lorsqu'il revint à leur table, Craig était en train de dire :

— Vous êtes de drôles de petits cachottiers, tous les deux. Mais je me doutais bien que vous ne creusiez pas pour faire un sol en béton !

— Vous pensiez que nous faisions quoi, alors ? demanda Nick.

— Je n'en avais pas la moindre idée. Vous pouviez chercher un trésor, par exemple !

Désarçonné par leurs rires, il prit un ton défensif :

— En tout cas, j'ai compris qu'il se passait quelque chose quand j'ai appris que la police était revenue chez vous.

Avec un sourire malicieux, il ajouta :

— Je parie que le sol de votre grange est dans un sale état, maintenant. Qu'est-ce que vous allez faire ?

Nick sourit.

— Un sol en ciment.

De retour à la maison, Nick téléphona à Lesley pour lui parler des interviews des journalistes ; peu après Haydn l'appela pour le prévenir que leurs projets concernant le lundi matin devaient être reportés. Il voulait parler au pasteur de Denton et à « quelqu'un d'autre », mais ni l'un ni l'autre ne serait visible avant mardi.

— Bon, alors, voyons-nous mardi soir, si tu veux, dit Nick. Ce n'est pas dramatique.

Mais Haydn ne se faisait pas de souci pour Nick. C'était Natasha et Sarah Stalwell qui l'inquiétaient.

Le lundi matin, Mrs. Bickerstaff se présenta alors que le facteur tendait à Natasha un paquet de lettres, et tous trois lièrent conversation. Présageant que le passage du préposé serait plus long que les autres jours, Nick retira discrètement le courrier des mains de Natasha et l'emporta dans son bureau.

Il y avait deux factures, quelques cartes postales, un relevé bancaire, et — à la surprise de Nick — une épaisse enveloppe timbrée de Bristol et envoyée par son ami David, le médiéviste.

Il la décacheta avec une impatience mêlée d'appréhension, et ce sentiment ne fit que croître tandis qu'il parcourait la lettre et les documents l'accompagnant. Il marqua une pause pour se ressaisir, conscient de ne jamais avoir été aussi partagé entre sa vie privée et sa vie professionnelle.

Lorsqu'il eut acquis un détachement suffisant pour accorder au courrier de son ami l'attention qu'il méritait, Nick le relut lentement.

Cher Nick,

Merci pour ta lettre datée du 3 décembre. Je suis heureux que mes informations t'aient été utiles. N'ayant reçu aucune nouvelle de toi depuis, je suppose que tu continues d'avancer dans tes recherches. Je t'envoie les documents ci-joints, car je pense qu'ils peuvent présenter quelque intérêt pour toi. Je suis tombé dessus par hasard, en cherchant autre chose ; mais dès que j'ai lu Reynald, vassal de Paynel, *ma curiosité a été éveillée !*

Ce qui suit est une traduction (pas la mienne) de fragments des chroniques attribuées à Guillaume de Pontefract, obédiencier au monastère de Jumièges, au nord-ouest de Paris, vers 1150.

Ce religieux était connu pour ses chroniques à la fin du Moyen Age. Ses œuvres complètes ont malheureusement disparu. Les extraits que voici, et quelques autres, ont été découverts au début des années 20, lors de la restauration de quelques antiphonaires du XVIe siècle. A l'origine, c'était une reliure de vélin, et les feuillets provenaient des chroniques de Guillaume de Pontefract.

Je me suis demandé quel lien il pouvait y avoir entre ce moine et ton Reynald, mais Jumièges était un cloître bénédictin, comme l'abbaye St. Mary à York. En tant qu'originaire du comté de York, Guillaume de Pontefract a pu servir d'abord à St. Mary's avant de se rendre en France. Il fait allusion à un certain « Ralph... qui était reçu à notre table... ». D'après le contexte, cette table devait être très proche du lieu (et de l'époque) des incidents rapportés.

Ces incidents corroborent les notes du moine de Nostell que je t'ai adressées précédemment. A mon avis, ils expliquent le sobriquet de ton homme : Canis venaticus...

— *Ton homme,* murmura Nick avec colère. Ce n'est pas mon homme !

Il tourna rapidement la page, se forçant à garder son calme pour aborder la suite.

Nick savait que les moines considéraient l'oisiveté comme un poison de l'âme et que, pour les bénédictins en particulier, écrire équivalait à travailler. Mais il se rappela que leurs annales étaient très sélectives. Elles ne rapportaient que les

492

événements semblant avoir un rapport avec l'ordre religieux établi, soit parce qu'ils garantissaient la survivance des valeurs chrétiennes, soit parce qu'ils annonçaient le second avènement imminent du Messie. Puisque les prophéties bibliques indiquaient l'arrivée de l'Antéchrist à la fin du premier millénaire, ils cherchaient les signes, les présages et la présence du Malin dans les guerres, la famine et les vilenies. En 1150, après presque quatorze années d'anarchie et de guerres civiles en Angleterre, il n'était pas surprenant, se dit Nick, que les moines anglais aient cru les prophéties bibliques en passe de se réaliser.

« *Vers cette époque (d'autres témoignages suggèrent que c'était du vivant du cistercien Henry Murdac, devenu archevêque d'York, 1147-1153), les méfaits de lord Reynald vinrent aux oreilles du roi (Étienne de Blois). Celui-ci envoya chercher quelques personnes qui le connaissaient et leur demanda quel genre d'homme c'était. Ils dirent au roi que ce n'était pas un homme, mais plutôt un loup, un chien enragé qui, quoi qu'il arrive, ne lâchait jamais ses proies. Or, les deux filles du seigneur de... (Indéchiffrable.), voyageant avec leur nourrice et des hommes d'armes, furent capturées par lord Reynald à l'endroit où, après Bulemar, la route en direction d'Hotune traverse l'eau. (Je crois que ces villages ne sont pas très loin de Brickhill !!!) Il les conduisit dans son château, et fit tuer les hommes d'armes, à l'exception d'un seul, qu'il renvoya après lui avoir coupé les mains, pour dire à son seigneur que, s'il voulait revoir ses filles, lord Reynald devait obtenir satisfaction... (Suit un long passage totalement illisible.)*

« *... et quelle tristesse de savoir que, cette nuit-là, alors que lord Reynald, considérant ce qu'il avait fait, était décidé à se repentir et s'entretenait avec un saint homme, le diable s'empara de son âme comme il l'avait fait si souvent, en le poussant à des actions encore plus démoniaques, au point que lord Reynald envoya chercher les filles de son ennemi et leur nourrice... (Autre partie illisible.)*

« *... donna la nourrice à ses soldats et fit enchaîner les deux fillettes dans la grande salle du château pendant une nuit et une journée, dans un tel état de folie furieuse que* personne ne pouvait l'approcher sans subir ses malédictions. Ces deux innocentes furent livrées à son bon plaisir et, lorsque l'une d'elles mourut, il égorgea l'autre et, dans sa démence, les envoya dans une charrette à leur père pour le narguer...

« A cette époque, la propre fille de lord Reynald, âgée d'une douzaine d'années, reprochait à son père sa cruauté et ses mœurs dépravées. Il l'avait enfermée dans une haute tour où personne n'avait le droit d'entrer. Lorsque lord Reynald en eut terminé avec ses innocentes victimes, il alla voir sa fille, la viola, lui coupa la langue et lui arracha les yeux pour qu'elle ne puisse jamais rien raconter à personne. Mais certains ayant eu vent de tant de cruauté allèrent voir l'évêque — qui, aussitôt, envoya au roi... (Il manque un long passage à cet endroit.)

« Vers la fête de la Saint-Martin, l'évêque, le comte... (Il s'agit peut-être d'Albermale — cité par le moine de Nostell.)... fit demander à cet homme s'il voulait bien se rendre au roi, mais lord Reynald fit empaler le messager du comte sur un tourne-broche qu'il installa au-dessus de la porte du château, de sorte que le comte, pris de pitié, commanda à un des hommes qui se trouvaient près de lui de le tuer pour mettre un terme à ses souffrances...

(De nouveau, il manque un long morceau, mais on suppose que des combats, suite à une mutinerie, ont eu lieu dans l'enceinte et aux alentours du château.)

« ... les soldats (Les soldats de Reynald ?) s'emparèrent de lui (Reynald ?) et le conduisirent jusqu'au bûcher qu'ils avaient allumé dans la partie la plus basse de la tour. Ils lui coupèrent les pieds et les mains, et le jetèrent dans les flammes en le retenant avec la pointe de leur épée jusqu'à ce qu'il cessât de se tortiller et de crier. Puis ils se rendirent au comte, qui les fit ramener enchaînés à York...

« Le roi ne consentit pas à ce que le corps de lord Reynald fût enterré. Il ordonna que ses restes carbonisés fussent pendus à un gibet le long de la route afin que tous puissent être témoins de la colère du roi...

« ... A l'Épiphanie, un certain Ralph, intendant du comte, fut reçu à notre table et parla du sort réservé à lord Reynald, que j'ai déjà eu l'occasion d'évoquer. Lorsque le châ-

teau brûla, un chien noir (que certains prenaient pour le dia-
ble et d'autres pour l'esprit de lord Reynald que le diable
avait envoyé chercher) sortit par la porte renversée du châ-
teau et s'enfuit sur la route en direction du nord, comme
s'il était lui aussi consumé par les flammes...

« *... Une créature aussi ignoble est une vision épouvan-*
table... »

— C'est bien vrai, murmura Nick en sentant se dresser les
poils de sa nuque et de ses bras. A cette époque, la route
partant de Brickhill en direction du nord ne pouvait être que
Dagger Lane...

Il trembla et tourna la page pour lire ces quelques lignes :

« *... ses propres soldats, depuis longtemps à son service,*
doivent être les instruments de Dieu. »

Assommé, Nick s'enfonça dans son fauteuil et alluma une
cigarette, mais il avait un mal fou à se concentrer. De temps
en temps, il regardait la lettre devant lui, relisait quelques
lignes comme pour s'assurer d'avoir bien compris. Il ne possédait qu'une traduction, ponctuée pour faciliter la compréhension du texte et imprimée sur un papier à bon marché.
Mais il imaginait sans peine le manuscrit original en peau de
veau, plus fin que le parchemin, et de grande valeur : devenu
friable avec les siècles, il était recouvert de phrases latines
laborieusement rédigées — peut-être à York — d'une petite
écriture serrée par quelqu'un qui vivait au moment où ces événements s'étaient produits. Un contemporain de Reynald de
Briec !

Ces chroniques étaient plus anciennes que la cathédrale et
les remparts d'York ; elles avaient été écrites alors que, sur ces
tertres herbeux, derrière l'église de Brickhill, se dressaient les
ruines carbonisées d'un château, que les oiseaux picoraient
encore les os de Briec et que la campagne retrouvait une paix
cher payée.

Nick était sidéré de penser que ces fragments provenaient
d'une chronique datant de huit cents ans avant sa naissance.
Ils formaient comme un pont à travers les siècles, et lui paraissaient n'avoir été écrits que pour être mis sous ses yeux et

l'éclairer. Ils ne contenaient pas seulement la clef du mystère : ils apportaient la preuve — si besoin était — que Nick ne s'était pas trompé en associant Briec et le chien fantôme.

Cet après-midi-là, en se rendant au commissariat de Strensall, Nick insista pour faire le léger détour par Brickhill afin de jeter un coup d'œil sur l'église et l'emplacement de l'ancien château de Reynald de Briec.

Ils se garèrent devant la grille du cimetière, comme la première fois ; mais, au lieu d'emprunter l'allée bordée d'ifs, ils bifurquèrent pour suivre la ligne discontinue mais encore visible du rempart du château, à l'intérieur du cimetière. Les monticules herbeux de faible hauteur ressemblaient parfois à une suite de tombes irrégulières, sans inscriptions, au-dessus d'un fossé peu profond ; et par endroits ne subsistait que le fossé. Le temps avait fait son œuvre de nivellement et, aux endroits les plus escarpés, seul le mur du XIXᵉ siècle évoquait des fortifications beaucoup plus anciennes.

Une sorte de chemin montait entre les arbres. Nick prit la main de Natasha et l'aida à grimper dans la boue jusqu'à la crête, entourée d'autres monticules qui marquaient l'emplacement du donjon. Un coup de vent agita les branches des sycomores au-dessus de leur tête ; Natasha frissonna, tant de nervosité que de froid. Vivement impressionné par la lecture des chroniques, Nick voulait tout voir, s'imprégner de chaque détail afin de se représenter la colline et le château à l'époque de Briec.

Mais Natasha, elle, avait hâte de quitter cet endroit lugubre et de rejoindre la voiture. Elle avait du mal à chasser de son esprit les crimes, les viols, les mutilations, la barbarie des soldats, les souffrances des enfants violés et la folie meurtrière d'un homme possédé.

Elle regarda du côté du cimetière et songea qu'elle n'aimerait pas être enterrée là. Ensuite, elle regarda le jardin de Craig Morrison, un peu plus bas, avec ses buissons, le jasmin et son ancien if, et se dit qu'elle n'aimerait pas davantage habiter là. En contrebas, Dagger Lane disparaissait dans un champ labouré ; mais, autrefois, la petite route se prolongeait vers le sud, à travers les terrains communaux de Strensall, jusqu'à

York. De son poste, Natasha voyait les tours pâles de la cathédrale, qui se détachaient sur un ciel gris parcouru de nuages filant à vive allure. Elle éprouva un immense désir d'être en ville, loin de ce lieu à l'atmosphère pesante et au passé tragique.

Pressée de s'en aller, elle se tourna vers Nick avec un soupir d'impatience. Il se décida enfin, et tandis qu'il lui prenait le bras son froncement de sourcils fit place à un sourire satisfait.

Au milieu de l'avenue bordée d'ifs, il s'arrêta brusquement et désigna la rue dans laquelle débouchait Dagger Lane.

— Tu vois, la route qui va vers le nord fait face aux portes.

— Tu veux dire que les portes de l'église ont la même orientation... ?

— ... que les portes de l'ancien château ? Oui, j'en suis à peu près certain. Ces monticules, de chaque côté du chemin, sont probablement les anciennes fondations.

— Oh, mon Dieu, comment est-ce possible ?

L'horreur écarquilla ses yeux au souvenir du messager empalé ; du bûcher ; de Reynald de Briec, pieds et mains coupés, brûlé vif...

Elle sentit son estomac se retourner et cacha son visage contre l'épaule de Nick.

— Oh, c'est trop horrible ! J'aurais préféré que David n'envoie jamais cette lettre. Emmène-moi loin d'ici, j'en ai assez !

Un peu plus bas sur la route, il stoppa la voiture et prit Natasha dans ses bras.

— Écoute, tout cela est arrivé voici très très longtemps. Il n'y a plus de raison d'avoir peur.

— Je sais. Mais cet endroit et, surtout, le fait de savoir... c'est comme si cela venait de se passer...

— Je suis désolé, murmura-t-il contre la joue de Natasha. Je n'aurais jamais dû t'amener ici, mais c'était sur le chemin et j'ai pensé...

Elle renifla, se redressa et s'écarta.

— J'aimerais qu'on s'en aille maintenant et que tu oublies tout ça. J'ai peur. Peur de l'effet que ça produit sur nous et de ce que cela pourrait encore nous faire.

Il soupira et démarra.

— Je veux comprendre, c'est tout.

Lorsqu'ils arrivèrent au commissariat, Giles était déjà là avec Dave et Lesley. Haydn les rejoignit quelques minutes plus tard.

Prévenu par un coup de fil de Nick le matin même, il lut, pendant qu'ils attendaient, la lettre de David et le document qui l'accompagnait. Son visage s'assombrit mais, en présence des autres, il s'abstint de tout commentaire.

— Il faut que nous en parlions, déclara-t-il d'une voix douce. Malheureusement, j'ai un autre rendez-vous à York cet après-midi. Je ne pourrai pas revenir chez vous.

Il jeta un coup d'œil à sa montre.

— On pourrait peut-être aller au pub en face quand nous aurons fini ?

Natasha hocha la tête tandis que Nick jetait un coup d'œil vers Giles, à l'autre bout de la pièce. Surprenant son regard, Haydn dit :

— Je suis sûr que les autres comprendront. Nous avons juste besoin de bavarder quelques minutes dans un endroit tranquille.

Ils crurent qu'ils n'en auraient jamais fini ; mais, leurs dépositions enfin signées, ils se retrouvèrent enfin au pub. Natasha semblait épuisée, et Nick avait fortement besoin d'un remontant. Haydn commanda un jus d'orange.

Il parcourut de nouveau la traduction avant de s'adresser à Nick :

— Si j'ai un conseil à te donner, c'est de garder le sens de la mesure. D'un point de vue d'historien, c'est un document passionnant ; mais l'auteur n'est pas un témoin direct, tu le sais aussi bien que moi. Aucun des faits cités ne serait recevable par un tribunal. Il ne s'agit que de on-dit. Et (il leva la main pour empêcher Nick de l'interrompre) même si c'était un récit véridique, tu devrais te garder d'en tirer des conclusions hâtives.

— Par exemple ? demanda Nick, irrité par cet appel à la raison.

Haydn secoua la tête.

— Ce que tu m'as dit au téléphone, répondit Haydn avec calme. Selon toi, Briec et le chien fantôme sont liés. Tu l'as toujours pensé et ce document t'en a apporté la confirmation.

498

— Mais c'est vrai, ce document montre le lien..., intervint Natasha.

— Un lien, oui ; mais aucune certitude. C'est l'histoire d'un homme mauvais — un homme peut-être possédé du démon, mais qui restait cependant un être humain... (Il s'interrompit pour reporter son regard sur la traduction et en lut un extrait :) « *Lord Reynald, cette nuit-là, considérant ce qu'il avait fait, était décidé à se repentir...* » Eh bien, même si ce repentir n'était pas absolument sincère, tout n'était pas complètement mauvais chez lui. Du moins avait-il conscience d'avoir mal agi. Il était humain. Le diable, lui, ne l'est pas. Prenez garde de ne pas assimiler ce que vous avez vu récemment à un esprit humain.

Après avoir jeté un coup d'œil à Natasha, il ajouta :

— Nous avons déjà parlé de ce problème en ce qui concerne Sarah Stalwell. Rappelez-vous qu'elle n'était pas forcément celle pour laquelle elle tentait de se faire passer.

« Votre sollicitude et votre esprit de justice vous font honneur, mais ils sont déplacés. Méfiez-vous, il n'y a rien d'évident. C'est ce qui me rend si prudent. Le diable aime ruser et jeter la confusion dans les esprits. Il aime aussi se déguiser. Cela pourrait être un des travestissements dont il a le secret.

Tandis que Natasha et Nick réfléchissaient à ses paroles, Haydn revint aux feuillets qu'il tenait à la main.

— J'aimerais t'emprunter ces documents, Nick, si tu veux bien, pour les montrer à un de mes amis que ça intéressera sûrement. Je ne les garderai pas longtemps. En attendant, je te demande de ne plus y penser. Je sais que c'est difficile, mais, crois-moi : penser au mal ne contribue qu'à le rendre plus puissant.

Nick ne tenait pas à discuter avec Haydn, surtout en présence de Natasha, mais il était mécontent. Il avait l'impression d'être traité comme un écolier. Et l'emprunt de la lettre de David par Haydn lui faisait le même effet que si un professeur lui avait confisqué un paquet de bonbons. Les excuses que lui présenta rapidement son ami avant de les quitter ne parvinrent pas à dissiper sa mauvaise humeur.

— Il était pressé, dit Natasha doucement. Il n'avait pas le temps d'être diplomate.

— Quand même...

Nick et Natasha furent soulagés de retrouver les autres. Après un autre verre au pub de Strensall, Giles leur proposa d'aller à York. Ils pourraient y boire à volonté...

— Et faire vingt kilomètres pour rentrer ! s'écria Natasha d'un air faussement outré.

— Mais toi, tu ne bois pas, répliqua Giles. En tout cas, ça ne se voit pas !

— Bon, O.K., dit-elle en riant. Je pense que ça ne fera pas de mal à Nick de se détendre un peu...

L'atmosphère chaleureuse réussit, en effet, à dérider Nick ; bientôt, il riait et plaisantait avec les deux étudiants, qui connaissaient leur jour de gloire. Leurs noms étaient cités dans deux quotidiens, et Joe Rathmell avait manqué s'étrangler en leur adressant ses félicitations lorsqu'ils l'avaient appelé pour le mettre au courant.

Après avoir passé environ une heure à déguster les excellentes bières du *Spread Eagle*, Nick se sentait en verve et n'avait pas envie que la fête se termine aussi vite. Il invita Lesley et Dave à dîner avec eux et, en gagnant à pied le restaurant, il leur raconta l'histoire des anciennes hôtelleries de Walmgate.

Bien qu'elle n'ait pas bu, Natasha s'amusait autant que les autres ; pourtant, elle n'arrivait pas à chasser de son esprit la conversation avec Haydn Parker. Malgré l'air ferme et assuré du prêtre, elle avait conscience qu'il s'inquiétait pour eux. Le fait qu'il ne vît pas, comme elle, en Sarah Stalwell une force du bien la perturbait profondément. Par deux fois, il l'avait exhortée à ne plus se fier à Sarah et à placer sa foi en Dieu ; il lui avait même demandé, après leur dernière discussion sur la nature destructrice de la culpabilité, de se confesser...

Elle ne s'y sentait pas encore prête. Haydn l'avait parfaitement compris. Il regrettait simplement la vitesse à laquelle les choses se précipitaient, les entraînant, semblait-il, sur des voies dangereuses. Natasha repensa aux périls qu'ils avaient déjà évités de justesse, et regarda Nick avec un cœur débordant d'amour et un immense désir de le protéger. Il en aurait ri sans doute comme il riait à présent. Elle s'approcha néanmoins de lui et passa son bras sous le sien. Il baissa la tête pour l'embrasser légèrement, et fut surpris par la réaction ardente de sa femme.

— Ça va ? demanda-t-il doucement en la serrant contre lui.

Elle hocha la tête en souriant, et il fut rassuré. Quelques instants plus tard, ils traversèrent la rue à All Saint's Pavement pour s'engager dans la ruelle conduisant au restaurant que Giles avait déniché, au fond d'une petite cour. Ils y avaient souvent dîné et furent accueillis comme de vieux amis, ce qui ajouta à l'exubérance de Nick.

Natasha savait qu'il n'était pas ivre. Il cherchait juste un exutoire aux émotions des derniers jours. Tandis qu'il riait et bavardait, elle observait sa bouche et la façon dont ses yeux se plissaient. Avec une acuité presque douloureuse, elle le trouva très beau et terriblement séduisant. Nous étions heureux ensemble, pensa-t-elle. Il était souvent comme ça avant, pas seulement en société.

En observant la manière dont Lesley réagissait face à Nick et à Giles, elle repensa à la fille en vert à la fête de Halloween, et à cette Sally ; mais elle n'était plus jalouse. Elle était simplement triste que de telles choses aient pu se produire.

Remarquant l'air songeur de sa femme, Nick l'attira de nouveau vers lui et elle oublia le reste. A la fin de la soirée, elle était aussi enjouée que les autres. En quittant le restaurant à dix heures, ils riaient et plaisantaient encore ; mais la bise aigre qui venait de la rivière toute proche précipita leurs adieux.

Nick et Natasha montèrent dans la voiture avec plaisir. Natasha prit les clefs de Nick, attacha sa ceinture et mit le contact. Elle sentait Nick détendu et heureux. Il était content que Natasha se soit amusée, et le caractère spontané de leur soirée l'enchantait ; mais, lorsqu'ils quittèrent York, le silence, amplifié par les bourrasques de vent, s'installa entre eux. Comme Natasha commençait à négocier une série de virages difficiles, elle se rappela soudain la nuit où ils étaient rentrés chez eux, dans cette même voiture, après cette horrible soirée au collège.

Une appréhension la saisit. Elle aurait donné n'importe quoi pour avoir la force de faire demi-tour, de retourner à York, de dire : *Au diable cette maison, nous sommes plus importants qu'elle*, et de ne jamais y remettre les pieds.

Comme s'il devinait ses pensées et voulait l'en arracher, Nick se mit à parler du travail qu'il avait encore à faire. Il n'avait plus qu'une semaine de vacances : il devait se dépêcher.

Le temps joue contre nous, tu ne le sens donc pas ? avait-elle envie de dire. Au lieu de quoi, elle se mordit les lèvres et essaya de refouler ses craintes en se concentrant sur la route. Lorsqu'ils arrivèrent à Denton, elle transpirait et se sentait mal à l'aise. Dans Dagger Lane, la maison dressait devant eux sa masse noire inquiétante. Jamais elle ne l'avait autant détestée.

Nick remarqua immédiatement que la porte de la grange était entrouverte et battait.

— Qui est entré là-dedans ? bougonna-t-il en descendant de voiture. Je suis sûr de l'avoir fermée...

— Nick, laisse...

— Ne t'inquiète pas. C'est sans doute un des ouvriers que j'ai appelé ce matin. Il a dû passer pendant notre absence.

Mais il n'y croyait pas vraiment et il s'approcha de la porte avec précaution. C'était peut-être le vent, mais plus probablement quelqu'un qui l'avait ouverte. Se rappelant l'odeur ammoniaquée qu'il avait sentie à plusieurs reprises, Nick pensa qu'un vagabond avait pu trouver là un abri, et il se prépara mentalement à une confrontation.

Les phares de la Rover, venant en oblique, illuminaient la nuit, mais l'intérieur de la grange était noir. Crispé, le souffle suspendu, Nick chercha le commutateur et alluma. Les ampoules éclairaient mal, mais il vit tout de suite qu'il n'y avait personne. Même les tranchées, indistinctes dans l'ombre, ne cachaient que de la terre.

Il poussa un soupir de soulagement et entra pour en avoir le cœur net après avoir pris une profonde inspiration. La puanteur était si forte qu'il dut se couvrir la bouche et manqua s'étouffer : on aurait dit la tanière abandonnée par un fauve très peu de temps auparavant. Il recula vers la porte en embrassant du regard ce vaste espace ; mais il n'y avait rien à voir, et pour rien au monde il n'aurait avancé au milieu de ces trous d'ombre.

Il se heurta à Natasha qui, les yeux écarquillés, grimaçait de dégoût.

— Qu'est-ce que c'est ?

L'heure n'était pas aux supputations. Nick saisit Natasha par le bras, la traîna dehors et fit rouler la porte sur ses grandes roues métalliques.

— Je n'en sais fichtre rien, marmonna-t-il entre ses dents,

mais je ne tiens pas à m'attarder ici pour le découvrir. Dépêchons-nous de rentrer à la maison.

— Et la voiture ?

— Laisse-la où elle est. Donne-moi les clefs.

Dans sa hâte, il dut s'y reprendre à plusieurs reprises ; lorsqu'il réussit enfin à ouvrir, il tira Natasha à l'intérieur en appuyant sur l'interrupteur. La véranda resta plongée dans le noir ! L'électricité était coupée.

— Mon Dieu...

Natasha se tut. La peur l'étranglait. Nick la serra contre lui en se dirigeant à tâtons vers la cuisine.

— Des bougies... le briquet... ta lampe...

Une éternité leur parut s'écouler avant qu'ils n'obtiennent une petite lumière. Nick plaça Natasha près de la fenêtre afin d'observer la cour, puis il prit le téléphone et composa le numéro de Haydn. Il fit une prière pour ne pas se tromper et ne pas tomber sur le répondeur.

Au bout de six coups, une voix féminine agréable — merci, mon Dieu ! — répondit :

— Isabel ? C'est Nick Rhodes. Désolé d'appeler si tard, mais il faut que je parle à Haydn. Il est là ?

Il prenait sa douche.

— Est-ce que vous pourriez lui demander de venir au téléphone ? C'est urgent.

Durant les minutes qui suivirent, Nick eut l'impression qu'un siècle s'écoulait encore. Il s'approcha aussi près de Natasha que le fil du téléphone le lui permettait et s'aperçut qu'elle tremblait. Enfin, dans le silence tendu, la voix de Haydn se fit entendre. Prenant une profonde inspiration, Nick décrivit l'insupportable relent de la grange.

— Cette saleté de bête est entrée à l'intérieur, j'en suis sûr. Et je pense qu'elle est encore dans les parages. Nous n'avons pas d'électricité dans la maison — et je viens de constater qu'il n'y a plus de lumière non plus dans la grange.

La voix douce contre son oreille l'exhorta à rester calme.

— Mon cher Haydn, si tu avais vu cette bête comme je l'ai vue la veille de Noël, tu paniquerais aussi !

Sans cesser de fouiller du regard l'obscurité, au-dehors, Nick tenta néanmoins de garder son sang-froid pour écouter les instructions de Haydn.

— Oui, oui, d'accord, nous allons le faire... A tout de suite.

Il replaça le téléphone, alla vers Natasha, la serra contre lui en gardant les yeux fixés sur la zone éclairée par les phares. Mais même cette lumière paraissait décliner.

— Qu'est-ce qu'il a dit ?

— Il arrive. En attendant, il nous conseille de prier.

Devant l'air narquois de sa femme, il sourit et ajouta :

— Ne t'inquiète pas, tu n'auras pas besoin de lutter contre ta conscience. C'est moi qui dirai les prières, tu n'auras qu'à écouter.

Suivant à la lettre les instructions de Haydn, il tira les rideaux et aida Natasha à allumer toutes les bougies qu'ils trouvèrent. Puis il monta chercher un exemplaire du rituel de l'Église anglicane de Cranmer.

43

Nick tint le livre de sorte que Natasha, assise près de lui
à la table de la cuisine, puisse suivre des yeux le texte des
prières qu'il récitait à voix haute. Il lisait distinctement et avec
respect, en faisant appel à un restant de foi qu'il avait, lui sembla-t-il, laissé sommeiller au fond de lui depuis de trop nombreuses années. Ces psaumes du XVIe siècle avaient de la force
et une grande beauté. Et prier était un réconfort ; l'émotion
de Nick redoubla lorsqu'il entendit la voix de Natasha,
d'abord hésitante, se joindre à la sienne.

— *La nuit, tu ne connaîtras point la peur ; tu ne redouteras
pas non plus le sifflement des flèches en plein jour ; ni la pes-
tilence qui s'insinue dans le noir, ni la maladie qui frappe à
midi...*

Il serra la main de Natasha, lui communiquant la force qu'il
puisait à son contact, et dans le renouveau de sa foi qui semblait s'affermir de minute en minute. Des psaumes dont
Haydn leur avait recommandé la lecture, ils passèrent aux lita-
nies. Ils avaient presque terminé lorsque Natasha entendit la
voiture.

C'était Haydn, en effet, le visage grave.

— Vous allez bien ?

Nick se surprit à sourire.

— Oui.

— Bien. En tout cas, ta voix est plus assurée.

Haydn franchit le seuil et déposa une petite boîte dans le vestibule.

— C'est la force de la prière, reprit-il, ça marche vraiment, tu sais.

Avec sa soutane, son col et sa longue cape noire, le jeune pasteur était impressionnant ; mais Nick se demanda comment réagirait Natasha en le voyant habillé ainsi. A son grand soulagement, elle l'accueillit avec chaleur et, en retour, il la gratifia d'un grand sourire.

— J'ai jugé préférable de venir équipé, dit-il en matière d'explication, même si j'aurais préféré faire ça demain, comme c'était prévu, avec l'assistance d'un collègue. On ne peut plus attendre. J'aurais peut-être besoin de ton aide, Nick. Si ta foi est assez forte.

— Pour quoi faire ? demanda Nick, conscient que la peur le tenait de nouveau.

— Pour m'aider à renvoyer cette créature d'où elle vient.

Nick eut un moment d'hésitation pendant lequel il mit en balance sa croyance en l'existence de cette créature et sa foi en Dieu. Cette foi n'avait encore jamais été mise à l'épreuve, et il la négligeait depuis des années ; mais il avait la conviction profonde que, s'il refusait d'aider Haydn, cette chose au-dehors, quelle qu'elle soit, aurait gagné la partie.

— Oui, dit-il enfin. Ma foi est assez forte.

— Bien. Alors, allons-y...

Haydn recommanda à Natasha de ne pas bouger et d'essayer de prier ; puis il sortit de la maison, suivi de Nick. Comme les deux hommes traversaient la cour, il déclara :

— Tu ne dois pas me toucher. En aucun cas. Si tu sens le besoin de tenir quelque chose, agrippe le mur ou la porte ; mais, surtout, ne te tiens pas à moi. C'est entendu ?

Nick hocha la tête, bien qu'il se sentît moins sûr de lui. Haydn, qui s'en rendit compte, sourit.

— Aie la foi, rappelle-toi que le Christ est avec nous.

Le vent murmurait à travers les arbres. Les chênes, dans la nuit noire, avaient des craquements sinistres. Devant la porte de la grange, Haydn s'arrêta pour faire le signe de la croix.

— *Au nom du Père et du Fils et du Saint-Esprit. Amen.*

En disant *Amen* après lui, Nick se rapprocha instinctivement de son ami. Mais il se rappela ses instructions et fit un pas de côté. Avec un regard interrogateur, il posa la main sur la porte et, sur un hochement de tête de Haydn, fit rouler la porte sur ses roues. Il y eut un courant d'air, puis Nick sentit quelque chose filer comme une flèche, lui coupant la respiration. Un vent chaud fétide s'engouffra dans la cape de l'aumônier, qui se souleva comme les ailes d'une grande chauve-souris. Haydn se pencha en avant, les mains jointes, tandis que Nick, choqué, s'accrochait à la froide poignée métallique de la porte.

Cela n'avait duré que quelques secondes, constata-t-il ensuite ; pourtant, l'extrême lenteur avec laquelle se déroulèrent les événements, comme si le temps était suspendu, fut presque aussi effrayante que ces événements eux-mêmes.

Nick s'affaissa contre la porte en fermant les yeux et respira l'air froid et limpide de l'hiver qui annonçait la neige. Il tremblait de tous ses membres, sous le relâchement de la tension. Haydn aussi était à genoux. Nick leva les yeux et lui dit d'une voix chevrotante :

— Il est parti. Je pense qu'il est parti. Ça va ?

— Oui, grâce à Dieu. Et toi ?

— J'ai les membres en compote.

Il rit faiblement ; puis, toujours à genoux, passa la tête par la porte ouverte. La grange était vide, vraiment vide cette fois, et l'air glacé. Il se releva et entra à l'intérieur. Il n'éprouvait plus d'angoisse, plus d'appréhension ; cette présence immonde aurait pu ne jamais être là.

Nick, soulagé, se sentit tout de suite plus léger. Il se tourna vers Haydn et demanda :

— Il est parti pour de bon, tu ne crois pas ?

— J'en doute.

Il avait un ton inhabituellement sec. Sa bouche était dure, il tenait la tête en avant d'un air agressif. Nick lui avait déjà vu cette expression, mais jamais en dehors d'un terrain de rugby, et jamais en soutane.

— C'est le diable qui est là-dessous, Nick. Et il n'abandonnera pas si facilement.

Il fit brusquement demi-tour.

— Viens, dit-il à Nick. Dépêchons-nous de rentrer pour ne pas laisser Natasha seule.

La jeune femme regardait depuis la véranda, le livre de

prières dans ses mains, mais incapable de suivre les instructions de Haydn. Bien qu'elle eût confiance en Nick, elle ne pouvait se défaire de ses craintes. Elle était sûre que chez Nick le sens du devoir et de la loyauté envers un ami était plus fort que la foi en Dieu. Que se passerait-il si cette foi venait à l'abandonner ? S'il prenait peur ? Et s'il était possédé, comme Sarah Stalwell l'avait été ? Est-ce que Haydn pourrait l'aider ?

Ils s'arrêtèrent, leurs silhouettes éclairées par la lumière des phares de plus en plus faible. Nick avança jusqu'à la porte de la grange en mordillant l'ongle de son pouce ; Natasha se mit à marmonner une prière, sorte de supplique adressée à toutes les forces du bien pour demander qu'elles le protègent. La porte s'ouvrit et, se détachant sur ce qui restait de lumière, la cape de Haydn tourbillonna autour de lui. Et Nick ? Où était-il ? Elle ne pouvait pas le voir ! Pétrifiée, Natasha vit Haydn tomber à genoux et, derrière lui, Nick s'affaisser contre la porte.

— Oh, mon Dieu ! Aidez-le !

Elle tremblait tellement qu'elle n'arrivait pas à ouvrir la porte. Lorsqu'elle réussit enfin à libérer le loquet, celui-ci fut propulsé en arrière et la frappa au front. Elle tituba, cria, mais son cri fut étouffé par un afflux d'air fétide. La tête entre les mains, Natasha se plia en deux pour se défendre contre la douleur, la nausée et la sensation qu'elle allait perdre connaissance. Elle essaya de respirer profondément ; mais cette odeur l'entourait, l'odeur infecte qu'ils avaient sentie dans la grange, et qui était là, chez elle...

Elle tenta de prier, mais aucun mot ne sortit de sa bouche. Dans son crâne, seule cette phrase : *Oh mon Dieu !* revenait comme un disque rayé. Craignant de lever les yeux, elle tomba à genoux et s'avança instinctivement vers la porte ; mais, de manière incompréhensible, cette porte qu'elle avait ouverte était de nouveau fermée.

Prise de panique, elle agrippa la poignée ronde et glissante. Ses mains étaient moites. Elle ne parvint pas à la faire tourner. Derrière elle résonnait un bruit étrange, comme une respiration oppressée d'asthmatique. Elle se tourna et colla son dos à la porte, mais ne vit que le long tunnel obscur du couloir et le filet de lumière provenant de la cuisine.

Puis quelque chose bougea. Un point plus sombre, comme une ombre noire, très dense, parut prendre forme au bout du couloir. Il y eut un scintillement et Natasha vit que cette chose avait d'immenses yeux implorants qui, chose étrange, en la fixant, dissipèrent son sentiment de panique. Elle plongea son regard au fond de ces yeux, et se sentit sans force, presque résignée, comme à l'approche de la mort. Alors que son corps tremblait d'épuisement, son cœur débordait de pitié pour cette créature, cet être condamné à jamais...

— Natasha !

De grands coups, qui semblaient venir de très loin, résonnèrent contre la porte derrière elle.

— *Natasha !*

La voix de Nick, faible mais insistante, et une autre l'exhortaient à se pousser...

Des éclats de verre ; un bruit sourd, comme si quelque chose tombait très près ; une pression dans son dos...

En poussant de toutes ses forces, Nick réussit à ouvrir suffisamment la porte pour permettre à Haydn de se glisser à l'intérieur. Il entra à son tour, en s'efforçant de ne pas toucher Natasha afin de respecter les consignes de son ami. Il enjamba le bas de son corps, une plante en pot brisé et les tiges d'un grand géranium, l'aperçut qui gisait derrière la porte, les yeux fixés droit devant elle.

— Ne regarde pas ! ordonna Haydn. Fais comme s'il n'était pas là !

Mais Nick ne put s'empêcher de jeter un coup d'œil. Dans le demi-jour qui arrivait de la cuisine, il aperçut une vague silhouette dressée dans l'obscurité, une forme squelettique de haute taille, les bras et les épaules anguleux, à peine discernables à travers des tourbillons de vapeur d'une autre substance. Apparut alors le sourire crispé d'un visage qui était presque un crâne et une paire d'yeux si humains, si tristes que la pitié tempéra immédiatement l'horreur que lui inspirait cette vision.

— Nick ! Le *Notre Père* ! Récite-le ! *Notre Père qui êtes aux cieux, Que votre nom soit sanctifié...*

Le cœur de Nick cognait à grands coups dans sa poitrine

et sa gorge se contractait pour ne pas respirer l'épouvantable odeur animale. Accroupi à côté de Natasha, il se mit à réciter machinalement le *Notre Père*, en se demandant ce que Haydn faisait.

— *Et pardonne-nous nos offenses...*, bredouilla-t-il.

Un vide se fit dans sa tête ; mais la voix de Haydn poursuivit, forte et sûre :

— *... comme nous pardonnons à ceux qui nous ont offensés. Ne nous laissez pas succomber à la tentation. Mais délivrez-nous du mal...*

Nick regarda Haydn. La cape noire avait disparu. Un surplis blanc et l'extrémité traînante d'une étole, brodée d'une croix dorée, à la même hauteur que les yeux de Nick, se détachaient dans la pénombre.

— Seigneur, délivrez-nous du mal, du péché, des ruses et des agressions du diable...

Le regard de Nick convergea de nouveau vers la silhouette informe et il ne put en détacher ses yeux. Elle paraissait prendre consistance. Fasciné, Nick vit avec horreur qu'excepté le nez d'aigle les traits du visage étaient différents des siens. Ce visage s'éclaircit, la silhouette se rapprocha, et dans le cerveau de Nick entrèrent des pensées qui n'étaient pas les siennes, un méli-mélo de paroles en latin et en anglo-normand, dans lequel il crut comprendre qu'on le suppliait de se montrer compréhensif.

— Absolution, essaya-t-il de dire à Haydn, mais de sa gorge ne sortit qu'un son rauque. Il a besoin de l'absolution...

— Nick, ne faiblis pas, rappelle-toi ta promesse ! Aie foi en Dieu et en Jésus-Christ, Notre Sauveur. Ce que tu vois est le mal !

Mais Nick vacilla. Tandis qu'une immense pitié continuait de le submerger, la forme devant lui devenait toujours plus distincte. Une chair ferme enveloppait à présent les épaules, la poitrine et les cuisses, et des vêtements flottaient autour. Seigneur, que se passait-il ?

Près de Nick, Natasha gémit et remua. Comme Nick reportait son attention sur elle, il s'aperçut qu'elle levait les bras en signe de bienvenue vers ce qu'il avait déjà identifié comme Reynald de Briec. Elle esquissait son sourire le plus séduisant, qu'il connaissait si bien, et ses yeux brûlaient de désir.

510

La voix de Haydn continuait, plus sévère et autoritaire que jamais...

— Et chasse l'esprit malin de cette maison et de Natasha Mary, délivre-les des esprits malfaisants et des ruses de Satan l'imposteur...

A entendre ces mots, et à voir comment Natasha réagissait à la vue de la silhouette qui se matérialisait devant elle, Nick comprit ce qui se passait. Mensonge, supercherie, ruse et possession. C'est ainsi que cela fonctionnait. Natasha se laissait séduire. Et Nick aussi, touché qu'on en appelle à sa compassion et à son orgueil intellectuel. Cette créature le tourmentait depuis des mois et s'ingéniait à présent à confirmer toutes ses théories. Elle se présentait comme partie de l'humanité souffrante, s'adressait à son sens de la justice, et l'incitait à penser qu'après huit cents ans elle méritait d'être libérée de la malédiction qui lui avait été jetée, avait droit au pardon et à l'absolution.

Et si Nick cédait, si sa pitié l'emportait, cette créature avancerait et lui prendrait sa femme.

L'instinct fut plus fort que toutes les recommandations. Nick saisit Natasha à bras-le-corps afin qu'elle le regarde, lui. Comme elle résistait, il la força à se mettre debout.

— Je t'aime, déclara-t-il d'un air féroce, en lui tenant le menton pour qu'elle ne puisse pas tourner la tête. Je t'aime et je ne te laisserai pas partir. Ni maintenant ni jamais. Tu es ma femme et je suis à toi — nous sommes unis, tu m'entends ? Regarde-moi, Natasha... Oui, c'est mieux, murmura-t-il en constatant qu'elle le reconnaissait vaguement, regarde-moi, pas lui. Ce n'est pas un homme, ça n'a jamais été un homme, ne t'y laisse pas prendre...

— Nick...

Il vit qu'elle nageait en pleine confusion ; mais c'était sa femme, la femme qu'il aimait et qui l'aimait. Il la serra contre lui, lui caressa la tête dans un geste protecteur et ferma les yeux en remerciant Dieu de l'avoir délivrée. Cette créature avait un pouvoir immense. Elle se nourrissait de la crédulité, de la fierté, de la luxure et de tous les péchés capitaux qui assaillent les êtres humains. Pour défendre Natasha, Nick n'avait que l'amour. Si l'amour ne suffisait pas, lui aussi serait damné...

— ... Au nom de Jésus-Christ, fils de Dieu, je t'ordonne de quitter ce lieu, de ne faire de mal à personne, de rentrer chez toi et de ne jamais revenir...

Nick perçut un mouvement, une résistance angoissée ; puis la forme disparut dans un éclair, et l'odeur nauséabonde avec elle. L'air était aussi propre et frais qu'après un orage d'été. Les flammes des bougies vacillèrent juste quelques secondes. Le couloir dallé, avec la lampe à abat-jour sur la table, un paysage de l'époque victorienne au mur et deux kilims sur le sol, avait retrouvé son aspect habituel.

Rien n'était dérangé, rien n'avait changé de place. La présence malfaisante était partie.

44

Haydn resta deux heures encore avec eux. Il termina l'exorcisme de la maison et de la grange, et leur assura que l'esprit malin ne reviendrait plus. Puis il entendit séparément leur confession, leur donna l'absolution et leur administra la sainte communion à la table de la cuisine.

Si cette scène avait quelque chose d'extraordinaire, comme un écho des persécutions religieuses, elle n'était rien comparée à ce qui s'était produit auparavant. Mais pour Natasha, cela n'avait rien d'absurde — non qu'elle voulût dorénavant embrasser la religion sous ses différentes formes, mais elle pouvait enfin en accepter le principe. Le concept de Dieu lui était toujours apparu comme une invention fallacieuse de l'homme pour essayer de donner un sens à son passage sur Terre ; pour une raison indéfinie, elle avait néanmoins adhéré aux valeurs morales et humanitaires de la religion qu'elle considérait comme justes. Elle comprenait à présent que cela ne suffisait pas. Regardant en arrière, il lui sembla qu'elle avait été possédée par deux formes du mal, toutes deux inaccessibles à la raison et à la moralité ; pour se libérer, il y avait un pas à franchir ; avoir la foi, reconnaître non seulement l'existence de l'âme individuelle mais son immortalité.

Par amour pour son père, elle avait adopté les principes qu'il défendait et repoussé les efforts des uns et des autres visant à l'enfermer dans la camisole de force d'une croyance conformiste. Mais l'athéisme aussi était une prison. Elle s'en était échappée. Comme Nick disait souvent, garder un esprit ouvert était le meilleur des exercices.

Natasha éprouvait une gratitude infinie envers Haydn. Elle lui était reconnaissante d'être sage, patient et d'avoir une foi aussi solide. Il semblait épuisé et elle aurait aimé pouvoir le réconforter ; mais lorsqu'elle essaya d'exprimer ses sentiments, il se contenta de dire :

— Prie pour moi.

Peu après son départ, la neige recouvrit à gros flocons la cour, le chemin et les champs environnants d'un manteau blanc. Natasha y vit un symbole. C'était comme si elle s'était retenue de tomber tant que cette chose effroyable n'avait pas été bannie pour de bon.

La jeune femme communiqua son impression à Nick, qui tomba d'accord avec elle et lui demanda sa main. Il ne lui rappela pas qu'il avait beaucoup neigé en novembre, et ne chercha pas à lui faire préciser sa pensée. De telles impressions lui semblaient nécessaires à lui aussi ; elles permettaient de diminuer l'intensité des événements qui s'étaient déroulés chez eux. Ce conflit ouvert entre le bien et le mal était trop perturbant pour y penser avec détachement, et Haydn leur avait vivement conseillé de ne pas s'appesantir dessus. Il les avait invités à réfléchir plutôt à la délivrance, et à remercier Dieu d'avoir renvoyé l'esprit démoniaque dans les ténèbres.

Mais huit cents ans, c'était long, très long, même si Haydn avait fait remarquer que ce n'était rien face à l'éternité. Huit cents ans d'apparitions occasionnelles d'un animal fantôme dont l'existence se nourrissait de la peur et de la faiblesse des hommes, et des aspects les plus noirs du péché. Cet esprit était doué de sensations, avait dit Haydn, mais pas à la façon d'un être humain, malgré le simulacre de cette nuit. Et il avait probablement été créé par Reynald de Briec, avec ses pratiques occultes et sa recherche effrénée de plaisirs pervers.

Ce point avait jusque-là échappé à Nick. Dans sa première lettre, David avait laissé entendre assez clairement que Briec était, selon la légende, ligué avec le diable ; mais Nick n'avait pas compris ce que cela pouvait signifier. Grâce à Haydn, il en avait une petite idée, à présent, et il frémit à la pensée des innocents qui jouaient avec les forces occultes, en utilisant des

514

Oui-ja au cours de séances de spiritisme, afin d'entrer en communication avec les esprits. Quant à ceux qui s'y adonnaient sérieusement, ceux qui cherchaient le pouvoir, en imaginant utiliser le mal pour arriver à leurs fins...

« Personne ne peut y arriver, avait affirmé Haydn. Mais le mal présente toujours un visage séduisant, au début. Comme la drogue : la première fois, l'expérience peut être agréable ; mais à la longue elle te détruit et ceux qui t'entourent par la même occasion. »

Le mal avait sans doute détruit Briec. Combien de victimes innocentes avaient subi sa folie meurtrière ? La phrase citée par David, dans sa première lettre — « ... un prêtre au cœur pur réussit, grâce à la prière, à lui faire entendre raison » — était évidemment fausse, et sa mort violente avait, semble-t-il, libéré aux abords de Dagger Lane le démon qui l'habitait. Nick tremblait rien que d'y penser.

Forcé de reconnaître l'étendue de son ignorance sur ce chapitre, il éprouvait un sentiment d'humilité qui ne lui était pas familier. Si l'envie, la luxure et l'avarice avaient tenu une grande place dans la vie de Sarah Stalwell, Nick sentit que lui-même avait péché par orgueil, tout le temps qu'il avait cru savoir à quoi il avait affaire. Il avait abordé la question du chien fantôme et de Reynald de Briec comme une curiosité historique et, pendant ce temps, ce dernier avait joué avec lui comme le chat avec la souris, le bernant jusqu'à ce qu'il se retrouve dans la position idéale pour la mise à mort. Peut-être ne se serait-il pas agi d'un meurtre véritable, ainsi que pour Sarah Stalwell et le vieux Toby ; mais c'en aurait été fini de l'amour, de la bonté et de tout ce à quoi il tenait. Qu'il y ait contribué sans le vouloir en couchant avec une autre femme pour apaiser son amour-propre avait été un autre facteur décisif. Cependant, ce qui lui donnait froid dans le dos, c'était qu'il avait bien failli perdre Natasha. Et penser qu'elle avait couru le danger d'être possédée par une puissance démoniaque le glaça jusqu'à l'âme.

Pour apprécier la valeur d'une chose, il faut d'abord la perdre : Nick sentait qu'il avait failli en faire la douloureuse expérience, et il n'était pas près d'oublier la leçon. Il glissa son bras autour des épaules de Natasha et l'attira contre lui. La chaleur de ses cheveux et de sa peau lui procura un plaisir encore accru par le froid et doux baiser de la neige.

Il était très tard, et les émotions violentes des dernières heures les avaient épuisés. Ils avaient bavardé un moment après le départ de Haydn ; à présent, ils étaient heureux de monter se coucher.

La tête de Natasha au creux de son épaule et son corps blotti contre lui, Nick était sûr que rien désormais ne pourrait les séparer. Pour la première fois depuis des mois, il n'avait plus de sujet d'inquiétude. Il s'était attendu que Natasha s'endorme tout de suite ; il se réjouit de constater qu'elle restait éveillée. Elle était aussi détendue et heureuse que lui. La chaleur et l'odeur mêlées de leurs corps dans le noir leur donnaient un sentiment de sécurité. Nick désirait prolonger cette intimité si précieuse, ne pas en être privé en glissant dans l'oubli du sommeil. Comme il la caressait doucement, elle murmura tout bas sa satisfaction, et bientôt les lèvres de la jeune femme cherchèrent sa bouche.

Excité par cette langoureuse invite, Nick y répondit avec une infinie tendresse qui confinait à la vénération. Il lui fit l'amour lentement, avec une intensité émotionnelle qui avait peu de chose à voir avec la passion sexuelle. Il eut comme jamais une perception très claire de la vie, de l'amour, de Natasha, de lui-même, de l'harmonie qui régnait entre eux — dont il avait eu conscience des années auparavant, mais sans savoir comment la préserver. Désormais, le passé était effacé, l'avenir leur appartenait ; rien d'autre ne comptait. C'était une émotion libératrice qui atteignit son paroxysme en même temps que le point culminant de son plaisir sexuel ; et après l'amour, pour la première fois de sa vie, la séparation ne fut pas un moment désagréable.

Durant les jours qui suivirent, la force de leur amour, le soulagement et la gratitude les soutinrent. Cela les aida à supporter la succession des coups de téléphone de leurs amis et de leurs relations qui, à la lecture des articles dans la presse, étaient curieux d'avoir de plus amples détails.

Parler de l'exorcisme était impossible. Hormis avec le Dr Wills, Nick limita ses révélations à la découverte du squelette. A la fin de la semaine, Natasha et lui étaient à bout. Ils avaient l'impression de ne plus maîtriser leur destinée, alors que Nick désirait par-dessus tout être seul avec Natasha, retrouver ce sentiment d'un bonheur partagé. Il proposa à sa femme de passer quelques jours à Londres ou à Paris, ou même dans une auberge de campagne, quelque part au fin fond du Devonshire ou du Cornwall. Il fut surpris et légèrement amusé lorsqu'elle lui répondit qu'elle ne voulait pas aller plus loin que York. Elle avait très envie de flâner dans la vieille ville et de s'imprégner de son atmosphère comme une simple touriste.

Touché par la simplicité de ce souhait, Nick prit aussitôt les dispositions nécessaires et, dès qu'ils eurent bouclé leurs bagages et réglé le problème des chats, ils partirent pour York. Nick avait voulu garder secret le nom de leur hôtel ; en arrivant devant, ce fut au tour de Natasha d'être surprise.

Elle était descendue dans ce petit hôtel deux ans plus tôt. Il avait été réaménagé, mais l'intérieur était toujours aussi chaleureux. La réceptionniste eut un petit sourire en lisant l'adresse de Nick, mais elle ne fit pas de commentaire. Pendant qu'elle leur montrait leur chambre à l'étage au-dessus — une pièce agréable —, Natasha eut du mal à retenir un fou rire.

Une fois la jeune fille partie, elle éclata de rire.

— Elle pense certainement que nous avons une liaison !

— C'était ton idée de venir à York, alors il ne faut pas te plaindre, déclara-t-il gentiment avant de l'embrasser.

— Je ne me plains pas, murmura-t-elle en pensant à la dernière fois qu'elle était descendue là — lorsque Giles l'avait invitée à faire une conférence devant ses étudiants, juste après la publication de *La Leçon d'anglais*. Je pense seulement que tu es un incorrigible sentimental...

— Dieu seul sait pourquoi, dit-il l'air mi-figue, mi-raisin, tu m'as très mal traité le soir où je t'ai ramenée jusqu'ici en quittant le pub. Si je me souviens bien, tu m'as dit de partir et de ne jamais chercher à te revoir. Dans des termes beaucoup plus crus !

Elle rit.

— Mais tu n'en as fait qu'à ta tête !

— J'étais encore sous le choc. Te revoir après tant d'années était si inattendu ! En entrant dans le pub, je t'ai vue dans le coin où nous avions l'habitude de nous asseoir...

— ... et c'était comme si rien n'avait changé, l'interrompit-elle pour terminer sa phrase.

Elle aussi se rappelait ce moment comme si c'était hier. Giles l'avait conduite dans le pub qui leur était si familier, et tandis qu'il la guidait vers la table d'angle où, dans le passé, elle s'asseyait entre Giles et Nick, elle avait eu le sentiment de revenir des années en arrière.

— Je pense que je t'attendais, avoua-t-elle. Le simple fait de me trouver là faisait que, chaque fois que quelqu'un entrait, je m'attendais à ce que ce soit toi, et tout à coup...

Nick se rappela ce moment où le temps avait paru s'arrêter, l'instant où il l'avait reconnue, la soudaine faiblesse qui l'avait saisi comme si ses os n'avaient plus la force de le porter. Il s'était approché du bar, bondé à cette heure d'hommes d'affaires marquant une pause entre le bureau et les tâches qui les attendaient chez eux. Il avait commandé une pinte de bière et un double whisky, avalé le whisky d'une traite ; et, lorsqu'il avait repris un peu de sa maîtrise, il s'était dirigé vers l'endroit où Giles et Natasha étaient assis...

— J'étais terriblement en colère, déclara-t-elle. Je croyais que Giles avait tout manigancé avec toi. Mais tu étais si pâle, si silencieux, ajouta-t-elle doucement en le regardant, que j'ai vite compris que tu n'étais pas au courant.

— Bien sûr que non, dit-il. J'étais tellement abasourdi que je pouvais à peine parler.

Riant à moitié, elle secoua la tête.

— Tu t'es rattrapé plus tard !

— Il le fallait. Je n'aurais pas supporté que tu m'échappes une nouvelle fois.

Natasha sourit en repensant à l'éloquence persuasive de Nick ; mais comme il cherchait à la prendre dans ses bras elle se dégagea et se retourna pour étudier leur chambre.

C'était une pièce confortable et joliment meublée, avec une petite fenêtre en saillie qui donnait sur l'ancien mur de clôture de St. Mary's Abbey. De la neige, plus blanche que la chaux, était encore amoncelée dans les créneaux ; et non loin, les tours jumelles de la cathédrale illuminées par les derniers rayons du soleil se découpaient sur une grosse masse sombre de nuages violets. Il neigerait probablement dans la nuit, mais quelle importance ! Ce spectacle avait quelque chose de rassurant. Natasha avait l'impression de rentrer chez elle après un long et épuisant voyage. Elle poussa un soupir de satisfaction.

Ils déambulèrent pendant près de deux heures dans les vieilles rues familières, regardant les vitrines, flânant sur le marché. Les marchands remballaient leurs marchandises. Natasha acheta un sac de minuscules oranges et, comme il passait devant le kiosque d'un fleuriste, Nick s'arrêta pour choisir un bouquet de chrysanthèmes bronze et or. Il l'offrit à sa femme avec un air solennel, et fut récompensé par le sourire qui l'illumina lorsqu'elle éleva les fleurs jusqu'à son visage.

Ravie, elle respira leur parfum.

— J'adore ces fleurs ! Elles sont si riches, si vigoureuses, si flamboyantes, et inspirantes quand il fait gris...

Ils entrèrent dans un bar où ni l'un ni l'autre n'était allé depuis des années et reprirent le chemin de leur hôtel — peu après six heures et demie. La neige commençait à tomber lorsqu'ils tournèrent dans Bootham ; mais, malgré le froid, Natasha était heureuse, et ne se lassait pas de la beauté de la ville la nuit. Près de la tour ronde au coin de Marygate, elle s'arrêta pour admirer la splendide porte médiévale tout illuminée, avec la cathédrale derrière, les élégants édifices du XVIIIe siècle qui se dressaient dans le noir, et les flocons qui tombaient autour en tourbillonnant.

— C'est magnifique, tu ne trouves pas ? demanda-t-elle à Nick qui hocha la tête.

Mais lui s'émerveillait surtout du sourire de Natasha, aussi rayonnant que celui d'un enfant à Noël.

La beauté de sa femme, encore si pâle, lui serra le cœur ; le passé récent lui revint brusquement en mémoire et la conscience qu'ils avaient évité de justesse la catastrophe. Mais, en passant un bras protecteur autour des épaules de Natasha, Nick se dit que le danger était écarté. Durant ces quelques jours, ils pouvaient se détendre totalement et prendre plaisir à être ensemble.

Le lendemain matin, York était recouvert d'un tapis blanc immaculé qui les enchanta. Ce fond éblouissant transformait la ville : il mettait en valeur les murs et les fenêtres, la ligne des toits et les remparts, et donnait une dimension nouvelle à la plus humble des perspectives. Ils explorèrent les rues avec un regain d'enthousiasme qui rappela à Nick les premiers temps de leur relation, quand il prenait tant de plaisir à faire visiter la ville à une jeune et prometteuse étudiante.

Elle avait largement tenu ses promesses, pensa-t-il en souriant intérieurement. Peut-être pas de la manière dont il l'avait envisagé à l'époque ; mais c'était l'un des charmes de sa femme, d'être imprévisible.

Tandis qu'ils flânaient dans les librairies, puis discutaient en déjeunant à une heure tardive, Natasha avait elle aussi l'impression d'être projetée dans le passé. Mais en l'espace de quelques années la ville, tout comme eux, avait quelque peu changé ; les boutiques étaient différentes, de nouvelles cours s'étaient ouvertes, certains bâtiments avaient été restaurés. S'ils avaient appris à se connaître au cours de leurs premières explorations dans York, Natasha devina qu'ils en apprenaient beaucoup plus sur eux, à présent. Et ce processus n'aurait pas de fin ; rien n'était immuable. Il fallait regarder en arrière et tirer les leçons du passé, ne pas le laisser paralyser le présent ni présager de l'avenir.

Cependant, en pensant aux épreuves que lui avait envoyées l'imprimeur, elle éprouva de vifs regrets, non tant d'avoir écrit *Terre noire* que du fossé creusé entre sa sœur Helen et elle par cet ouvrage. Les écrivains de fiction, songea-t-elle, étaient souvent incompris. Leur vie, leurs pensées et leurs ambitions différaient fort de celles des personnages qu'ils dépeignaient dans leurs livres. Ils couraient toujours le risque d'être accusés, comme Helen n'avait pas hésité à le faire avec Natasha, d'avoir pensé, ressenti et vécu tout ce qui se trouvait dans leurs livres ; ou inversement d'avoir raconté un tas de mensonges. La réalité et l'imagination étaient deux mondes différents. Un écrivain pouvait espérer tout au plus être un interprète, songea Natasha, quelqu'un qui donnait un sens aux petits riens et aux tragédies de la vie.

En réfléchissant à sa récente expérience, la jeune femme se prit à espérer qu'au fur et à mesure que sa compréhension de la vie s'approfondirait elle deviendrait un véritable écrivain. Elle repensa à *Terre noire*, et ressentit de nouveau l'insatisfaction qu'elle avait éprouvée en terminant le livre. C'était un bon roman, elle en était sûre, mais la fin était pessimiste, presque aussi désespérée que celle de *La Leçon d'anglais*. Pour la première fois, elle se dit qu'elle avait eu tort, qu'une autre conclusion était possible...

— Je peux reprendre la fin, dit-elle soudain à Nick en le tirant de ses propres réflexions. Ça coûtera un peu d'argent, je sais, à ce stade de la publication... Ça vaut quand même la peine d'essayer.

— Mais de quoi parles-tu ? demanda-t-il en riant.

Gagné par l'enthousiasme de Natasha, il recommanda du café tandis qu'elle lui exposait comment elle envisageait de remanier la fin de son livre.

— ... Et en plus, je pense que, cette fois, même Helen ne trouvera rien à y redire !

L'après-midi était déjà bien avancé quand ils reprirent leur promenade. Au-dessus des toits, le ciel clair se rapprochait peu à peu du bleu de cobalt. Le long de Petergate, les lumières des vitrines illuminaient la neige qui commençait à perdre son moelleux et craquait comme du sucre cristallisé sous leurs pas.

Dans l'air sec et raréfié, la cloche de la cathédrale, toute proche, résonna soudain avec une puissance irrésistible qui les fit s'arrêter en haut de Stonegate pour écouter, les yeux fixés sur le haut et majestueux vaisseau de pierre. Des lumières scintillaient derrière la grande rosace et la porte ouverte au-dessous. Quelques minutes plus tard, en montant les marches, ils comprirent que l'office du soir avait déjà commencé.

Nick aurait continué à avancer dans la nef si Natasha ne l'avait retenu en lui effleurant le bras ; charmée par la musique qui emplissait ses oreilles, elle préférait s'arrêter et écouter dans l'ombre. Les notes sonores de l'orgue accompagnant les voix pures des petits chanteurs la remplirent d'une nostalgie nouvelle qui la poussa à écouter les prières. Les réponses étaient étouffées, mais l'acoustique était si bonne que les paroles du prêtre paraissaient venir de très près.

L'orgue se tut pour le motet, chanté par des voix mascu-

521

lines dont la richesse était mise en valeur par la simplicité du plain-chant médiéval, dans un latin si bien articulé que Natasha retint sa respiration, et se demanda un instant si le temps ne s'était pas soudain inversé pour les déposer quelques siècles plus tôt, dans une Angleterre catholique antérieure à la Réforme.

La voix du prêtre, en anglais, rompit le charme.

Éclaire nos ténèbres, nous t'en implorons, ô Seigneur ; et défends-nous contre les périls et les dangers de cette nuit...

Cette prière toucha le cœur de Natasha et lui fit regretter de ne pas l'avoir connue plus tôt ; mais, grâce à Dieu, le plus grand danger était passé...

— *Par la grâce de Dieu*, dit-elle étonnée.

Alors, les différentes pièces du puzzle s'imbriquèrent les unes dans les autres. Elle prit conscience que c'était la bonté intrinsèque de Sarah qui avait permis de tout éclaircir. Sur ce point, Haydn s'était trompé...

— Tu comprends, elle était bonne, au fond, expliqua Natasha lorsqu'ils furent de retour à l'hôtel. Je sais qu'elle m'a fait peur quelquefois, mais c'est parce que je croyais devenir folle. Si j'avais su alors ce que je sais maintenant, je n'aurais pas été effrayée.

Nick se versa un verre et rejoignit sa femme à la petite table devant la fenêtre en saillie. Elle leva les yeux et sourit, puis tourna la tête pour regarder la cathédrale illuminée, derrière les dentelles des arbres dénudés.

— Je sais, Haydn avait des doutes, poursuivit-elle, mais il n'a pas approché Sarah d'aussi près que moi — et je suppose qu'il ne pouvait se permettre de faire d'erreur avec cet exorcisme.

— Il ne pouvait se permettre de répéter nos erreurs, précisa Nick. Se contenter de demi-mesures. La porte devait être fermée.

— Je sais, il me l'a expliqué. Mais à présent Sarah est libre, Nick, elle n'a plus besoin de revenir. *Et c'est nous qui avons rendu possible cette liberté...*

Natasha en était certaine, et cette conviction avait quelque chose d'enivrant : elle expliquait tout ce qui leur était arrivé et éclairait même l'avenir. Nick employait d'autres mots pour décrire les étranges événements auxquels ils avaient pris part, mais il arrivait aux mêmes conclusions.

Natasha s'était déjà fait la réflexion, peu après avoir terminé d'écrire l'histoire de Sarah, que les apparitions avaient peut-être quelque chose à voir avec eux-mêmes, avec leur personnalité et leur métier. A présent, elle en était persuadée. Le début de toute cette histoire devait remonter à environ deux ans plus tôt, et la mort du dernier descendant de la famille Whitehead avait constitué son point de départ. L'irrésistible envie d'acheter la maison qu'avait éprouvée Nick représentait un maillon essentiel de ce qui s'était produit par la suite. Pour elle, c'était une sorte de prédestination, même si Nick préfé-rait parler de synchronisme.

— Quel que soit le terme choisi, dit-elle, destin, sort ou pure coïncidence, il n'en demeure pas moins que Sarah Stalwell avait besoin de tes talents d'historien pour que soit apportée la preuve de son existence. Elle avait besoin que tu aies accès aux documents comme elle avait besoin de mes capacités d'écrivain. Il fallait que nous soyons là, sur place. Il fallait que nous achetions cette maison...

— Et qu'on la restaure ? demanda-t-il d'un ton sec. Avec nous, on peut dire qu'elle en a eu pour son argent !

— C'est vrai qu'il ne s'est rien passé tant que nous nous sommes occupés de la maison, admit Natasha, amusée par le côté réaliste de Nick, propre aux gens du Nord.

— Ni pendant que tu travaillais à ton roman...

— Oui, c'est vrai... Parce que je ne voulais penser à rien d'autre, sans doute.

Mais une fois mon livre terminé, songea-t-elle avec un fris-son, lorsque j'étais vulnérable sur le plan psychologique, nous sommes allés à la fête de Halloween, et, comme l'a dit Haydn, nous avons ouvert la porte au diable.

Cette nuit-là, le diable avait fait son entrée et écarté Sarah Stalwell.

Natasha hésitait à exprimer ses sentiments à propos de cette fameuse nuit. Nick fut plus courageux. Il prit la main de sa femme et lui raconta ce qui s'était réellement passé entre Jane Bardy et lui. Il avait honte de sa conduite, mais il pouvait avouer ses intentions, parce qu'il savait que ça ne lui ressem-blait pas. Et Natasha le savait aussi. Le comportement de Nick cette nuit-là, la jalousie de Natasha et son sentiment d'insécurité les avaient éloignés l'un de l'autre ; puis, leurs liens se distendant, le diable avait eu la voie libre.

Au souvenir de cette influence néfaste, Nick évoqua brièvement les changements qu'il avait observés chez Natasha, ce qui pour elle restait plus terrifiant que tout. Elle avait du mal à se reconnaître dans la femme qu'il décrivait, et avait froid dans le dos en réalisant qu'elle avait failli perdre sa personnalité. Ses craintes de devenir schizophrène n'avaient pas été infondées ; mais n'avoir été qu'un pion dans un jeu d'échecs implacable, où les protagonistes avaient joué non pour le plaisir de jouer mais pour tuer, était encore plus effrayant.

Sarah Stalwell avait été le personnage le plus inoffensif. Elle s'était servie de Natasha pour transmettre la tragédie de son passage sur Terre. Dans le passionnant récit de sa vie, elle avait réussi à défendre sa cause et à lancer des avertissements ; comme Natasha le disait, c'est grâce à Sarah qu'ils avaient recouru à Haydn Parker, pas à cause de la bête.

— Elle repose en paix, maintenant, dit Nick en posant sa main sur l'épaule de Natasha. Elle n'a plus besoin de nous, n'est-ce pas ? Alors, nous sommes enfin libres de faire ce que nous voulons...

Natasha se retourna et accueillit son sourire avec un air soucieux. Ils avaient longuement discuté de cette question au cours des derniers jours, mais elle éprouvait encore le besoin d'être rassurée.

— Tu es sûr que cela ne t'ennuie pas, pour la maison ?

Il secoua la tête.

— Non. Elle a été témoin de trop de choses à mon goût. Je ne serai pas mécontent de prendre un nouveau départ, crois-moi.

Le soulagement de Natasha était immense. Son désir très vif d'habiter ailleurs, tout en sachant combien Nick était attaché à Holly Tree House, lui avait posé un grave problème. Et, d'une certaine façon, l'exorcisme avait encore compliqué les choses, car elle pensait qu'on pouvait interpréter sa volonté de partir comme un manque de confiance en son efficacité. Si ses doutes concernant Sarah Stalwell avaient disparu, il lui restait une appréhension chaque fois qu'elle repensait au chien fantôme. Elle avait l'impression qu'ils avaient côtoyé de trop près des forces malignes, que Nick s'était intéressé plus que de raison au mystère de Reynald de Briec. Mieux valait pour lui être loin de Brickhill et de Dagger Lane.

De plus, Natasha en avait assez de l'isolement. Le calme lui était nécessaire pour travailler, c'est vrai, mais il y avait de ravissantes petites maisons à York, avec des jardins clos, à l'abri des regards, qui leur conviendraient parfaitement. Nick avait fini par se ranger à son avis. Une maison moins grande et un jardinet demanderaient moins d'entretien et lui laisseraient davantage de temps libre pour développer une vie sociale sans avoir à se soucier du taux d'alcoolémie. Il avait même décidé de cesser une nouvelle fois de fumer et voulait chercher une maison à proximité de la rivière pour reprendre ses séances matinales de jogging.

Il suffisait de trouver la maison de leurs rêves au bon endroit, et de prier afin qu'un acheteur se présente pour Holly Tree Cottage. Quelqu'un qui ne serait pas refroidi par la récente publicité sur le squelette découvert dans la grange.

— Pour certains, fit remarquer Nick comme ils descendaient dîner, cette histoire peut représenter un plus, au contraire...

45

C'était une matinée superbe, claire et ensoleillée, presque printanière. Pleine de gratitude que le soleil soit au rendez-vous, Natasha, le cœur vibrant, s'arrêta sur le palier pour contempler les champs. On ne voyait pas de vert dans les haies, il était encore trop tôt ; mais le blé d'hiver était robuste et, quelque part, une grive musicienne appelait sa compagne. Il y avait quelque chose de doux et de lancinant dans ces quelques notes sans cesse répétées. Natasha songea à Sarah et à Richard ; elle eut un pincement au cœur en se rappelant tout ce que le couple avait aimé et perdu.

— J'espère qu'ils se sont retrouvés, murmura-t-elle dans la maison silencieuse ; puis, avec un sourire à Colette qui se chauffait au soleil sur le rebord de la fenêtre, elle alla finir de s'habiller.

Dans la penderie, elle écarta tout ce qui était sombre et sortit une épaisse veste tricotée dans des tons verts et bleus. Cela aurait été hardi, peut-être même provocant pour un enterrement normal ; mais Natasha sentait que, dans ce cas précis, les vêtements sombres et les mines éplorées n'étaient pas de mise. C'était un jour de fête. Si personne n'avait pleuré la mort de Sarah, si la jeune femme n'avait manqué qu'au frêle révérend Clive, elle avait à présent des amis qui formaient des vœux pour elle et qui seraient réunis pour l'accompagner jusqu'à sa dernière demeure.

Un peu plus tard, comme une voiture entrait dans la cour, Natasha se félicita de voir que Fay arborait un beau châle rouge et bleu sur son manteau bleu marine. Lesley qui arriva ensuite portait sous sa veste un jean couleur moutarde et un gilet brodé. Natasha se réjouit qu'ils soient tombés d'accord sur la façon de s'habiller, et de voir que même les hommes avaient suivi la consigne. Dave avait mis une écharpe rouge sur son anorak et Giles, dont les cheveux brillaient au soleil, avait comme d'habitude grande allure.

Nick arriva le dernier. Il était allé chercher les jumeaux, furieux d'avoir raté l'aventure des fouilles. Ils se trouvaient chez leurs grands-parents maternels à ce moment-là, ce dont leur père se félicitait ; il n'aurait pas aimé, avoua-t-il à Natasha, les avoir avec eux durant ces quelques journées pleines d'incertitude et de tensions. Mais il leur avait promis qu'ils assisteraient au service religieux. Leur mère avait voulu qu'ils soient habillés comme il faut pour l'occasion et ils avaient leur plus bel uniforme ; mais rien que leurs cheveux, pensa Natasha avec un sourire satisfait, étaient une fête pour l'œil.

Comme Nick regardait l'heure et disait à tous qu'il était préférable de se rendre à l'église à pied, Giles qui était en train d'étudier l'état de la petite route, demanda :

— A propos, est-ce que tu l'as revu, ce mystérieux animal ?

Nick marqua un temps d'arrêt pendant lequel il songea que son expression devait le trahir. Il la dissimula sous un air soucieux à cause de l'heure, en déclarant d'un air absent :

— Hein ? Euh... non, non, pas du tout.

Giles l'étudia avec attention, puis haussa les épaules.

— Je me demandais si cela n'avait pas un rapport avec ta décision de vendre la maison, dit-il.

— Non, pas vraiment. Après toute cette..., répondit Nick avec un geste de la main en direction de la grange tandis qu'ils se mettaient en route. On en a assez.

Nick ne fut pas mécontent que les garçons interviennent en demandant qui allait acheter la maison et où ils allaient habiter ; et il se réjouit lorsque Lesley détourna l'attention de Giles en le complimentant sur sa cravate en soie flamboyante. Elle avait une voix charmeuse, et Nick se demanda aussitôt si Giles n'avait pas repris ses vieilles habitudes ; au même moment, les garçons l'abandonnèrent pour rejoindre Natasha ; Fay qui, avec ses chaussures à talons, avait du mal à marcher sur la chaussée inégale, le prit par le bras.

Après avoir désapprouvé l'idée de Nick de faire des fouilles et avoir refusé d'y participer, Fay s'était mise à défendre avec ardeur la cause de Sarah Stalwell. Elle avait insisté pour que Haydn dirige le service. Nick lui expliqua que leur pasteur avait tenu à s'en charger.

— C'est normal, commenta-t-il, c'est sa paroisse.

— Oui, je sais, répliqua-t-elle, mais je persiste à penser qu'il aurait mieux valu que ce soit Haydn. Il l'a aidée à sortir de son trou...

Nick tressaillit. Il aurait préféré que Fay fût un peu moins directe. Il se félicita de n'avoir pas raconté à Giles l'exorcisme et d'avoir convaincu Natasha de ne rien dire à Fay. Haydn leur avait conseillé de n'en parler à personne ; les gens ne comprendraient pas, avait-il déclaré. On avait une fâcheuse tendance à dramatiser ce genre de choses. Mieux valait se taire et laisser le souvenir de Reynard s'éteindre de lui-même.

— Il y a beaucoup de voitures devant l'église, dit Giles comme ils traversaient la route.

Nick répondit par un grognement. Il avait déjà repéré, parmi les pierres tombales, un essaim de photographes, qui essayaient de ne pas se faire remarquer.

Ils traversèrent le cimetière en s'efforçant de prendre un air détaché et en ignorant les déclics des appareils photo ; mais trois journalistes réussirent à les coincer, chacun jouant des coudes pour poser ses question en premier.

— Plus tard, dit Nick, comme s'ils s'adressaient à des étudiants importuns, et Natasha les vit avec étonnement reculer sans broncher.

La scène n'avait pas échappé aux jumeaux, qui avaient du mal à réprimer un sourire. Haydn et le pasteur les rejoignirent à la grille, et quelques minutes plus tard une grande camionnette blanche s'arrêta — un véhicule de police banalisé conduit par un policier. Un cercueil en bois blanc, étonnamment petit et léger, fut extrait avec soin de son coffre et remis aux deux bedeaux qui le portèrent, tandis que le groupe de Holly Tree

Cottage, désigné comme les amis de la défunte, suivait. La procession remonta ainsi l'allée et entra dans l'église.

— *Je suis la résurrection et la vie, dit le Seigneur. Celui qui croit en moi, même mort, vivra. Et celui qui vit et croit en moi ne mourra pas...*

L'église était pleine. Tous les villageois avaient voulu, semble-t-il, assister à cet événement extraordinaire ; il y avait même des gens debout dans le fond. Nick se demanda si les deux membres du clergé trouvaient cela inconvenant ; mais, lorsqu'ils se retournèrent pour faire face à l'assemblée des fidèles, Haydn était aussi imperturbable que jamais, et le pasteur de la paroisse attendit simplement que le calme revienne pour continuer le service.

C'était justice, pourtant, que les habitants de Denton se fussent déplacés en si grand nombre afin de prier pour l'âme d'une femme tuée avec une froide détermination, même s'ils ignoraient son identité et les circonstances de sa mort. Un entrefilet paru dans la presse quelques jours plus tôt avait juste révélé que le squelette trouvé dans une grange à Denton-on-the-Forest était celui d'une femme morte deux cent cinquante à trois cents ans plus tôt alors qu'elle était en âge d'avoir des enfants ; la présence d'un couteau dans la tombe laissait supposer qu'elle avait été assassinée.

Nick pouvait ajouter à ces informations les hypothèses auxquelles l'avaient mené ses propres recherches : cette femme était peut-être une certaine Sarah Stalwell, veuve, mystérieusement disparue à l'automne de l'année 1723 après avoir été propriétaire de Holly Tree Cottage.

Mais il n'apportait aucune preuve à ses dires. Le contenu de ce petit cercueil devait rester officiellement anonyme. L'histoire de cette femme ne serait jamais qu'une fiction, constatat-il avec une ironie désabusée.

Étant donné l'âge du squelette, il avait été décidé de célébrer l'ancien service religieux, en lui incluant un psaume plutôt que des hymnes. Ce choix plaisait à Nick. Les phrases sonores rehaussaient la beauté sobre de l'église, ses murs en pierre et ses fenêtres en ogive, les croisillons d'une rosace orientée à l'est du Ier gothique anglais, que ne déparaient pas les couleurs criardes des vitraux du XIXe siècle. Excepté quelques bancs relativement neufs, l'église n'avait pas dû changer beaucoup depuis l'époque de Sarah Stalwell, et Nick songea que la jeune femme ne s'y serait pas sentie dépaysée.

Haydn lut la leçon, ce long extrait de la première épître de saint Paul aux Corinthiens, proclamation par l'apôtre de la résurrection. Natasha n'aimait pas beaucoup saint Paul, qu'elle traitait de vieux misogyne, mais elle admirait la façon dont Haydn lisait la phraséologie du XVIIᵉ siècle. Il arrivait à en faire comprendre le sens exact, de sorte que personne ne pouvait douter de l'importance de cet enterrement, et quelques-uns devaient regretter qu'on ait inventé la crémation.

Une fois sa lecture terminée, Haydn ferma le livre d'un geste auquel il parut donner une dimension symbolique ; un instant plus tard, ils marchaient en procession derrière le cercueil et les membres du clergé, quittant l'église sombre pour retrouver la vive lumière de cette fin de matinée secouée de bourrasques.

Lorsque tout le monde fut rassemblé, le pasteur éleva la voix pour réciter les paroles familières :

Puisqu'il a plu à Notre Seigneur tout-puissant et miséricordieux de rappeler à lui notre chère sœur, nous livrons son corps à la terre. Tu es poussière et tu retourneras en poussière. Nous croyons à la résurrection et à la vie éternelle en Notre Seigneur Jésus-Christ...

Nick se pencha pour jeter sur le cercueil qu'on faisait descendre une poignée de terre. Lorsqu'elle s'écrasa sur le couvercle, il eut l'impression d'être déchargé d'une responsabilité. Il se sentit soudain léger. Il regarda Natasha, et les visages de leurs amis regroupés autour de la tombe. Chacun d'eux avait joué un rôle important. Il ne voulait pas imaginer ce qui aurait pu se passer sans leur aide. Il rencontra le regard de Haydn et lui rendit son léger sourire ; et, en entourant d'un geste protecteur les épaules de ses fils, il remercia Dieu pour eux aussi, et pour l'avenir qu'ils incarnaient.

Mais, avec la fin du service et le départ des ecclésiastiques, ce sentiment de paix et de gratitude fut mis à rude épreuve. Les personnes à qui il désirait parler étaient cernées par la foule de leurs connaissances et des journalistes avides. Cependant, à sa grande surprise, émergea de tout ce monde l'imposante silhouette du Dr Wills, emmitouflée comme à son habitude dans une série de châles et de cardigans. Sous son chapeau mauve à larges bords, elle ressemblait à une vieille douairière excentrique. Comme elle s'avançait à grands pas entre les tombes, les jumeaux, atterrés, demandèrent à l'unisson à leur père qui c'était.

— Une vieille connaissance, répondit-il à voix basse avant de les lui présenter.

Mais elle semblait beaucoup plus intéressée par Natasha, et impatiente de lui parler des « expériences psychiques ».

Nick aurait aimé créer une diversion, mais au même instant deux journalistes l'abordèrent. Il cherchait des yeux un moyen de s'échapper lorsqu'il aperçut dans la foule une autre silhouette familière qui se faufilait vers la sortie du cimetière : Sally Armitage. A cet instant, elle se retourna et le regarda ; puis, après lui avoir adressé un sourire et un petit geste de la main, elle se dirigea vers la 2 CV cabossée, garée de l'autre côté de la pelouse communale.

Nick la suivit du regard avec une joie teintée de regret, en répondant distraitement aux questions qu'on lui posait.

A son grand soulagement, quelques minutes plus tard, Natasha l'appela, et ils finirent l'interview ensemble. Les journalistes semblaient infatigables, et ils se relayèrent jusqu'à ce que Nick levât la main et dît : *Ça suffit, maintenant.* Il prit le bras de Natasha, et ils s'éloignèrent pour parler aux villageois qu'ils connaissaient, en essayant de se fondre dans la foule jusqu'à ce que les calepins, les magnétophones et les appareils photo eussent disparu.

Au milieu des pierres tombales et des monuments funéraires, Natasha se demanda où reposait Richard Stalwell. Un des vieux registres paroissiaux mentionnait son enterrement, mais ils avaient cherché en vain sa tombe. Le monument le plus ancien du cimetière datait de 1790 et appartenait à une autre famille. Mais même si certaines tombes avaient disparu, plusieurs générations d'habitants de Denton, amis et ennemis, reposaient sous ces monticules, côte à côte dans cette terre féconde. Et parmi eux se trouvaient Richard, ses sœurs Agnès et Hester, les enfants d'Hester et ceux de son brutal mari, Tom Whitehead. Et ici avaient également été inhumées les femmes que la rage avait poussées au meurtre.

Elles n'avaient plus de raison de craindre Sarah Stalwell, à présent, songea Natasha. Elle espérait que la réconciliation aurait eu lieu ici, où trouver un endroit libre pour enterrer les restes de Sarah avait soulevé quelque problème. Faute de place dans le cimetière, on ne procédait plus à aucun enterrement depuis de nombreuses années ; mais, étant donné les circonstances exceptionnelles et la petitesse du cercueil, un espace libre du côté sud avait été dégagé, entre l'épais coussin de perce-neige et les pierres tombales bien droites du siècle précédent.

La tombe était à l'abri du vent et, par beau temps, elle recevrait le soleil. C'était un endroit agréable, face aux chaumières couvertes de lierre qui s'alignaient au pied de Dagger Lane. Au-dessus des cheminées et entre les arbres, Sarah pourrait apercevoir le haut du toit de Holly Tree Cottage et une partie du pignon, qui recevaient les rayons du soleil à midi.

C'était une belle maison, et Natasha aurait aimé la quitter à regret. Mais, comme Nick disait, elle avait été témoin de trop de choses. En repensant à la mort prématurée de Sarah et de Richard, Natasha eut un moment de tristesse. Leur amour semblait n'avoir jamais cessé de croître, après leur nuit de noces. Leur passion puisait en grande partie ses racines dans la terre qui les nourrissait, et le désir puissant d'avoir des héritiers et des successeurs. Ce désir était si fondamental, leur amour si exclusif que Sarah avait tout perdu à la mort de Richard. La douleur l'avait rendue vulnérable, et ses malédictions avaient fait surgir le mal, toujours à l'affût ; la bête noire avait attendu son heure, transformant en luxure le désespoir de la jeune femme et attisant la convoitise des autres. L'association fatale de la peur et de la haine avait provoqué un meurtre qui avait satisfait la bête... jusqu'au meurtre suivant.

Combien de fois était-ce arrivé parmi ces générations disparues ? se demanda Natasha en regardant autour d'elle. Si Reynald de Briec était mort depuis huit cents ans, l'ombre de sa mémoire, Reynard, avait continué d'assouvir sa vengeance le long de Dagger Lane.

A présent, c'était fini. L'ombre s'était évanouie. Semblable à n'importe quel autre chemin de campagne, l'ancienne route menait de Denton à Brickhill, comme elle le faisait déjà avant l'arrivée des Romains. De l'ancienne forêt, il ne restait que les chênes et le bois du Bout du Monde ; mais les haies fleuriraient au printemps, les plantes pousseraient dans les champs, et avec l'automne viendrait la récolte des fruits, des baies et des céréales. Si l'hiver était une saison morte, il touchait à sa fin. Un jour, peut-être, Natasha se promènerait le long de ce chemin au bras de Nick. Ils regarderaient la maison et se souviendraient...

Achevé d'imprimer en février 1996
sur presse CAMERON
dans les ateliers de Bussière Camedan Imprimeries
à Saint-Amand (Cher)

Nº d'Édit. : 3353. — Nº d'Imp. : 1/399.
Dépôt légal : février 1996.

Imprimé en France